KB084976

정근 전집

2권

정근 전집 간행위원

현기영(소설가)

양정자(시인)

이상국(시인)

신이영(유라시아문화연대 이사장)

장철문(시인 · 아동문학가)

유족대표 정철훈(시인 · 편지문학관 관장)

회고록

나의 형제

일기(1990~2011)

회고록

1. 책상을 닦으며

나는 지금 내가 쓰는 책상 위에 때 묻은 것들을 깨끗이 닦고 있다. 고향에 살았다면 당골을 불러 이승과 저승 간에 튼튼한 다리를 놓고 가슴에 맺힌 이야기들을 무당의 노래로 승화시켜보고 싶다. 지금 나는 나를 공간에 띄워놓고 생각해본다. 사통팔달이 툭 트인 오직 나만이 있는 곳. 오직 오감에 의한 감성일 뿐 대상이 없다. 대상이 없으니 주제도 없다. 오직 내재된 자아. 그것만이 사념의 세계에 존재할 뿐이다. 세상은 넓고 존재는 무려(無慮)할 뿐이니 나를 태어나게 해 주신 삼신(三辰), 해와 달과 별과 이야기를 나눌 수밖에 없다.

나는 지금 강한 정념의 세계에 있다. 생과 사의 갈림길에서 자아를 햇볕에 꺼내놓고 객관화시킬 수밖에 없다. 누가 나의 삶에 대해 인간이 평가하기보다 범신(凡神)에게 묻고 싶다. 왜, 왜, 왜. 서러워서가 아니라 혼자 남은 나를 데려가 어려운 삶을 마감해 주실 일이지 이제 겨우 정화된 노년에 혹독한 벌을 주시나이까.

1952년 부모님이 살아계실 때 당신 곁으로 가려고 했을 때, 정신이 몽롱하여 대문을 쓰다듬으며 무릎을 꿇고 견딜 수 없는 몸부림을 치고 있을 때, 당신은 나에게 분명히 "네 어머니와 아버지는 어떻게 하려느냐."라고 계시를 주었지요. 그때 회오리바람이 일어 먼지에 뒤덮이며 영상처럼 보여주신 어머님의 모습이 지금도 눈앞에 선하게 보입니다. 그때 나는 이미 앞이 안 보이기 시작했다. 그래서 행여 내 모습을 어머니께 보일까봐 무서운 공포에 떨며 아스라이 보이는 길을 더듬어 현덕신 의원을 찾아갔다. 현덕신 여의사는 나를 7시간이나 지켜보며 다시 이 세상으로 데려왔다. 그때 나는 효를 망각한 불효자식이 되어버렸다. 지금 생각하면 당신이 그때 그런 뉘우침을 주지 않았다면 지금 나는 당신 옆에 아니, 지옥의 불가마 속에서 헤어나지 못하고 있을지도 모른다. 그러나 깨어나 보니 세상은 아비귀환으로 모든 사람이 이성을 잃고 원수 아닌 원수를 갚고 난중(亂中)에 난중지란(難中之難)을 거듭하고 있었다. 전쟁의 아픔은 더해갔다. 전시(戰時)에 실종된 상태의 형들을 "찾아내라" "왔다갔냐" "언제 오느냐" "날마다 아는 대로 신고하라." 등 갖은 수단으로 어머니와 아버지를 괴롭혔다. 아마 이때부터 유행한 것이 '봉투거래' '쇼부' 등 그야말로 돈으로 사람을 거래하는 것이었다.

돈이 없는 사람은 무가치했다. 전쟁보다도 더 무서운 정신착란자가 정상이고 정상인이 환자였다. 이러한 전쟁 범죄가 또 일어나지 않게 각별한 주의를 해야 될 것이다. 당시는 인권이란 생각할 수 없는 약소 국민이었고 피동적으로 전쟁이란 참혹 속에 참으로 비참하였다. 정전이 되고 인민군이 후퇴를 하자 시내에는 젊은이가 하나도 없었다. 모두가 당시 피난을 떠났다. 이 무렵 산중에서 시국토론이 벌어졌다. 바로 전쟁 승리를 위한 투쟁을 하느냐 마느냐. 당연 퇴각하면서도 투쟁은 쟁취를 위한 길잡이다, 가자 빨치산으로. 이렇게 돌아갔다. 나는 아무런 조직도 없이 친구와 함께 단신 피난온 터인데 분위기가 이렇게 되자 산으로 들어가는 사람이 많아졌다. 이때 눈앞에 어머니 아버지의 像이 주마등처럼 지나갔다. 그래서 친구를 설득하였다.

"우리, 고향으로 가자." 내 고향이 그곳에서 가까운 부들이어서 우선 부들로 향했다. 벌써 그렇게 심중을 굳혔으나 혹시 인민군을 만나게 되면 어쩌지, 혹은 비무장 피난민을 만날 때조차 소속감이 없어 불안하기 짝이 없었다. 친구와 부들에서 갈렸다. 이때의 심정은 천하를 잃은 것 같았다. 마침 광주로 가는 사람이 있어 집에 소식을 알리고 고향에 머물기로 하였다.

하루 이틀 지나는 사이에 자치대가 생기고, 낮에는 은거, 밤이면 사랑에 모여 시국을 걱정하고 살길을 이야기하였다. 어느 날 빨치산이 밤중에 창문을 차고 들어와 총부리를 대고 말했다. “살고 싶으면 내 말을 들어라. 군량을 가져가려는데 누가 돕겠나?” 그리고 너, 너, 너하고 지목하는데 나를 묻기 전에 벌써 강제 모집이 끝났다. 나는 다행이었지만 끌려간 사람이 몹시 걱정되었다. 잠도 못 이루고 앉아 있는데 벌써 5시간쯤 되었을 때 개 짖는 소리가 들렸다. 모두 신경을 곤두세우고 말 한마디 들리지 않았다. 개 짖는 소리는 점점 더해갔다. 분명히 누군가 마을 안으로 들어서는 느낌이었다. 누군가 문 앞에서 서성거리더니 “나야” 하면서 두 사람이 들어왔다. “어떻게 된 거야.” 약속이나 한 듯이 묻고는 그들에게 시선이 모였다. “백아산 고개까지 곡식을 지게에 메고 갔는데 기다리고 있는 사람들이 ‘보내버려’ 하자 짐만 내려놓고 내려왔다”고 했다. 빨치산들은 자기들 있는 곳이 탄로날까봐 고개에서 돌려보내줬다는 것이다.

“감사합니다.” 나는 기도하듯 그들의 무사함에 감사드렸다. 이날 이후 동란이 끝날 때까지 부들에 이런 사람들은 들어오지 않았다. 이웃동네에서는 작산 묘 바람이 났다고 하였다. 전기도 없는 곳이라 라디오도 들을 수 없고 누가 찾아와야 겨우 바깥소식을 듣는데 며칠 동안 새 소식은 전무했다.

2. 아버지께서 백리 길을 걸어오시다

해질 무렵이었다. 마을로 들어오는 둑에 빠른 걸음으로 한복차림이 마을로 찾아드는 그림자가 보였다. 그렇게 사람을 반기는 마을이 이날따라 조용했다. 마을에서 내려다보이는 집에서는 문구멍으로 내다보고 있었다. 그러자 누가 "광주 어른 오신다."고 소리쳤다. 반가운 마음이 눈물로 쏟아졌다. 이미 젊은 애들은 "밖으로 나오지 말라"는 집안 어른들의 명령이 있었기에 문구멍으로 내다보고만 있었다. 어른 한 분이 마중을 나갔다. 반가워 손을 잡으며 나란히 사랑으로 들어오셨다. 나는 반가워 마당에서 아버지를 맞이했다.

"어서 들어가자."

세상이 이만큼 험했다. 아버지는 "도시는 일체 단속이 시작되어 집집이 도민증을 갱신하고 젊은이의 유무를 살피고 있으니 너는 학생이니 나와 함께 집으로 가자"고 하셨다. 어머니, 아버지가 그리워 고향으로 발길을 돌린 내가 반갑지 않았으랴. 그러나 광주는 젊은이에 대한 검색이 심해 잘못하면 끌려가 소식이 없는 사람이 많다는 새 소식이었다. 당시는 수복이 된 시점에서 좌우로 갈려있었고 동족상잔의 전쟁이 되었으니 그럴 수밖에, 말 한 마디가 생사를 갈랐다. 아버지께서 오실 때 감시의 눈을 피해 산길로 오시는데 하루가 걸렸다고 하셨다. 죄는 없어도 몹시 당황했다.

그때 나는 형들이 눈앞에 떠올랐다. 이렇게 함께 계셨으면 아버님을 이렇게 고생시키지 않아도 될 것을, 하는 생각에서였다. 잠자리에 아버님을 모시고 눕자 형들 이야기를 처음 꺼내셨다. "네 형들은 어떠한지 궁금하구나." 수천 리 떨어진 북녘 땅의 자식들을 염려하셨다.

"네가 고향에 있다는 말을 전했을 때 어머니는 부처님께 감사를 드리셨다. 너마저 집을 떠나고 없으니 오죽 답답했겠니?"

나는 어머니 사랑에 뜨거운 가슴을 느꼈다. 아마 아버님 생각도 그러하셨기에 이 험한 길을 찾아오셨겠지. 설움이 북받쳤다. 내가 만약 산중으로 피난길을 택했다면 빨치산이 되고 말았을 것이다. 하늘이 도우시고 어머니 아버지의 깊은 정감이 강하게 끌어주셨기에 발길을 돌린 것이다.

"아버지, 혹 형들 소식은 못 들으셨나요?"

"그러게 말이다. 몹쓸 놈들, 이런 기회에 내려올 일이지" 하신다. 피가 머리끝까지 퍼지는 감성이 작용하였다. 그러고는 피가 땀이 되어 온몸에 흘러내렸다.

"준채는 영화감독으로 평양국립영화촬영소에, 추는 아마 큰 형을 돕고 있을 것이다. 그런데 권이가 문제야."

"권이 형은 외국어를 잘하니까 잘하고 있겠지요."

내 나름대로 위로의 말씀을 드렸다. 형들은 이런 부모님의 마음은 아랑곳 없이 왜 말이 없을까. 우리보다 더한 전란이었기에 소식 전할 여유가 없었겠지. 아니면 잊어버렸겠지. 별의별 생각이 다 들었지만 분명 그 효자들의 사정이 별 도리 없었겠지.

이튿날 아버님을 따라서 광주에 왔다. 곳곳에서 신분조사를 했다. 산길로 뒷길로 집으로 왔다. 어머님의 반가운 표정은 타에 비길 바 없었다.

"잘 왔다. 형들도 없는데 너 마저 집을 나가서 어떻게 하려고, 별일이 있어도 너는 나와 함께 있자."

나는 이런 말씀에 눈물이 앞을 가렸다.

"어머니 죄송해요. 어머니 말씀대로 집을 지킬게요."

그리고 형들의 책이 있는 방에 왔다. 혼자서 실컷 울고 나니 신에게 용서받은 것처럼 싱그러웠다. 그때 방안에 있던 책이 비어있음을 발견했다. 전집이 군데군데 비어 있었다. 어머니께 여쭤보았다니 집을 비우고 피난 간 사이에 도둑이 들어 훔쳐갔다고 하셨다. 가보와 같은 책들인데 기가 막혔다. 형들이 돌아오면 어찌하랴. 불과 며칠이지만 집을 비운 내 자신이 원망스러웠다. 그래서 다시 봤더니 어머니 화초장도 괘종시계도 보이지 않았다.

"농사도 안 짓는 우리가 이 난중에 어떻게 살았겠니. 없어진 것은 다시 살 수 있지만 우리가 굶고 살 수는 없지 않겠니!" 하는 말씀에는 도리어 고마운 생각뿐이었다.

3. 연좌제의 희생양이 되어

어머님은 문간에 있는 화장실에 등잔불을 켜두셨다. 전에는 없는 일이다. 자꾸 꺼져 귀찮다고 하시어 바람가리개를 만들어 불빛이 밖으로 나가게 하였다. 나중에 안 사실인데 이것은 월북가족이란 표적이었다는데 어머니는 열심히 등을 달아두었다.

그날 밤 어머니께서 잠자리를 걱정하셨다.

“지금 수복이 되어 피난을 못간 사람들에 대한 조사가 심하여 너를 지옥으로 끌고 온 느낌이다. 그러니 외숙 댁에 가 있어라.”

외숙은 인공 당시 부자라는 이유 때문에 형무소에 갇혀 있다가 형무소 폭격 때 풀려나온 분이셨다. 밤이 어두워지자 아버님을 따라 외숙에게 인사를 갔다. 그리고 이야기하다 하나밖에 없는 자식인데 외숙에게 세상이 수습될 때까지 맡아달라고 했다. 딱한 사정에 대답을 했다. 피는 물보다 진하다더니 이런 난국에 나를 맡아 주다니, 고마운 생각이 들었다. 그러다 어느 날 밤늦게 경찰이 찾아왔다.

“죄송합니다. 근이 댁에 있습니까. 만나보고 싶은데요.”

그러자 외숙이 “누가 너를 보잔다.”라며 골방에 누워 있는 나를 불러 나가보라고 하였다. 나가자 바로 도경 수사과로 직행하였다. 이름, 생년월일을 묻더니 “너 소총 가지고 다녔지? 그 총 어디다 뒀어?” 나는 금시초문이었다.

사실대로 “총을 본 적도 없다”고 했다. 그러자 눈을 힐끗하자 옆방으로 데려갔다. 문을 열자 비명소리가 들렸다. “말해, 사실대로 말해봐” 하더니 발로 차고 주먹으로 치고 마치 샌드백 치듯 쳤다. 나는 정신을 놔 버렸다. 아픔조차 의식을 못했다. 내 일생동안 이렇게 혹독하게 매맞아본 적이 없었다. 눈을 떠보니 어느 새 유치장 오줌통 옆에 누워 있었다. 맞고 들어온 사람을 치유하는 방법이라고 했다. 나 하나 누워있고 모두 앉아 있었다. 인권! 그런 것은 아예 없었다. 모든 것이 OX, 전시법에 준해 있었다.

이튿날 또 불려나갔다. "비행기 좀 타볼래." 알 수 없는 말이다. 그러자 한 사람이 손을 뒤로 묶었다. 높은 천정에서 내려온 밧줄이었다. 그리고 밧줄을 잡아당겨 허공에 띄웠다. 무조건 "왔어? 안 왔어?"라면서 점점 줄을 당겼다. 팔은 밧줄과 직선이 되어버렸다.

달아맨 상태에서 야전용 침대 봉으로 온몸을 마구 때렸다. 소리를 지르면 지른다고 치고, 말을 안 하면 안한다고 치고, 거짓말이라도 꾸며대라고 치고, 나는 완전히 파죽이 되었다. 자기를 문 개도 이렇게까지 때리진 않을 것이다. 죽도록 맞은 뒤 다시 유치장에 던져졌다. 정신을 차리자 유치장 속의 우두머리가 물었다.

"학생 왜 들어왔어?"

"몰라요, 나도 왜 들어왔는지."

"어째 묻는 말에 대답을 안했나? 감춘 것이 있어?"

"아니요, 나는 모르는 사실들이오."

"그럼 됐어. 넌 곧 넘어간다. 그곳에서 판결이 난다."

"어디로 가지요?"

"걱정 마 안 죽어. 형무소 가면 안 죽어."

"뭐, 형무소요?" 온 세상이 시꺼멓게 된 것 같았다.

그날 밤이었다. 나는 뭉게구름 속에 있었다. 백발의 할아버지가 나타나 손을 젓자 구름이 사라지고 검은 바위가 나타났다. 그리고 붓으로 위에서 아래로 내려쓰더니 지리를 비켜섰다. '영생성취(永生成就)'라고 새겨져 있었다. 그리고 어디론가 할아버지는 사라졌다. 할아버지, 하고 부르면서 눈을 떴다. 내 몸을 만져보았다. 시퍼렇게 멍든 자국이 보일 뿐, 나임에 틀림없었다. 꿈이었다. 전란 후 처음으로 미소를 지었다. 나는 속으로 생각했다. 살려고 없던 일을 있다고 말하지 말고 인간은 정의로워야 한다, 는 생각이 들었다.

아침부터 호명이 시작되었다. 누군가, 우두머리에게 물었다. "이 사람도 가는 건가요?" "그 사람은 밤에 부를 거야. 지금 부르는 사람은 형무소에 가서 재판을 받는 거야." 가슴이 철렁 내려앉았다. 아무리 그렇더라도 연좌제로 삼족(三族)을 멸했다는 조선시대 법을 따르지는 않겠지. 나는 힘이 생겼다. 그러자 "정근"하고 호명했다. 큰 소리로 대답했다. 그리고 밖으로 나가려 하다 돌아서 "감사합니다" 한 마디 하였다. 아무도 쳐다보는 사람이 없었다. 시멘트로 지은 창살 안에는 아직도 "합니다" 하는 여운이 남아 있었다. 신을 신을 사이도 없어 들고 나와 창살 밖에서 신었다.

또 하나의 창살을 열고 사무실로 나오자 아침 햇살이 눈부시게 시선을 긋고 사무실 안에 떨어졌다. 나는 삼신(三辰)의 으뜸이 되는 해를 만난 것이다. 생명의 연장을 보장받은 것처럼 감동을 받았다. 그리고 그때 감방의 그 우두머리 생각이 났다. 왜 그가 나를 돌보았는지, 변변히 얼굴도 자세히 쳐다보지 못했지만 어딘가 정감이 흘렀다. 어디선가 많이 본 듯한 생각이 들었다. 자세히 기억을 되짚어봤다. 분명 내가 아는 사람이다. 어디서 누구인데? 조바심쳤다. 아! 최종구 형의 아버지! 양림동 토박이 아저씨였다. 매 맞고 멍들고 그 고통을 이기지 못해 기억을 못했을 뿐, 너무나 고마웠다.

그때였다. 누가 앞으로 다가오면서 "너, 근이 아니야." "네 형님." "내가 누님에게 이야기 듣고 찾아보러 온거야." 그는 누나와 의형제를 맺은 누나의 남동생이었다. 경위 복장을 하고 있었다. "너 죄 지은 적 있어?" "없어요." "응, 그럼 형님들 때문에 이렇게 된 거구나. 알았어. 자, 이것 먹어라." 떡 뭉치 하나를 줬다. "이것 먹고 기다려. 들어가 조금 있으면 형무소로 넘어갈 거야. 너는 죄 없으면 그냥 나올 테니 걱정 마라."고 했다. 그리고 호주머니에서 담배 두 갑을 꺼내 주었다. 그는 "난 지금 지리산 전투부대에 있으니까 나와서 보자"라며 떠났다. 반가운 마음도 잠시, 나는 다시 감방으로 들어갔다. 손에 든 것은 묻지 않았다. 나는 들어가자마자 우두머리에게 "면회했어요." 했다.

"다른 소식 없고?"

"오늘 형무소로 간대요."

"응, 그러면 그렇지."

손에 들고 온 봉지를 그대로 드렸다.

"아니, 너 먹지 않고."

"괜찮아요. 종구 형 아버님이시죠?"

"응, 그래. 종구가 행방불명이 됐다고 나를 구속했는데 이래서 되겠어? 정 군도 아마 그렇겠지. 걱정 마, 법이 있으니까." 하다가 봉지 속을 들여다보고 깜짝 놀란 표정이다.

"고마워, 정 군은 안 피우는가?"

"아직 어려서요."

"이거면 됐어"

그는 몹시 고마워했다. 이젠 갈 길을 알았으니 두려움이 없었다.

"꼭 집으로 돌아가세요."

"응, 그래 정 군은 걱정 마." 그야말로 그날이 마지막 인사였다.

30명 정도의 같은 처지의 사람들이 차에 타고 광주형무소로 갔다. 분위기가 달랐다. 네 사람, 네 사람씩 손을 잡고서 "앉아"를 몇 번 거듭하더니 둘, 둘 사이를 달리며 "비켜, 비켜" 했다. 그러자 열이 두 줄로 갈라졌다. 그리고 또 '앉아, 일어서'를 거듭했다.

그 중에 겁 많은 사람이 네 번째 사람이 되려고 하자 "너 뭐야?"하더니 곤봉으로 내리쳤다. 피가 흘렀다. "봤지? 동작 늦은 놈은 이렇게 된다는 것을 알아야지. '서, 앉아, 앉아, 서'" 정신이 나갈 것 같았다.

앞으로 갓! 드디어 앞에서 두 줄씩 한 숙사 옆으로 정렬했다. 간수들은 기를 꺾으려고 갖은 수단을 쓰면서 호명과 방 호수를 불러줬다. 호명이 되면 방을 찾아가 줄줄이 앉아 있다. 호명이 끝난 뒤 간수들이 쫓아와 방문을 열고 훈시를 하며 방안에 한 사람을 불러 출입하는 방법을 시범시켰다. 그리고 감방 생활규칙 같은 것을 일러주고 방에 들어가게 했다. 내 차례가 되어 들어서려고 하는데 갑자기 한 간수가 "다시" 하면서 뛰어와 나를 확인하는 것 같았다.

교도소는 위계질서가 달랐다. 아침이면 체조도 시키고 풀도 뽑고 청소도 시켰다. 나처럼 젊은이는 몇 안 되었다. 한 젊은이는 벌써 심부름꾼이 되어 잠잘 때만 들어왔다. 그리고 내 옆에 와 말했다. 밖에 나오고 싶으면 말해줄까. 답답할 때도 말하면 작업반에 넣어준다고 했다. 이튿날 아침을 마치고 들어오려는데 근아! 하고 부르는 소리가 들렸다. 임춘수, 반가웠다. 초등학교 때부터 친구였다.

"너, 작업반에 지원해. 나는 날마다 나와 있다"고 눈치껏 말했다. 그날 방 앞에 서서 점호하는 데 말했다. "작업반에 나와 일할 사람은 남아라." 손을 들었다. "손 든 사람, 이리와"하고 소리쳤다. 달려가 보았더니 형무관이 서 있었다. 낯익은 사람이었다 양지쪽으로 데려갔다. "왜 들어왔어?"하고 물으면서 "나 모르겠어?" 했다.

가슴이 덜컥했다. 전에 입소할 때 곤봉으로 마구 치던 간수였다. 다가서 자세히 보니까 이웃집 사람이었다. 나는 험한 세상이라 어떤 감정으로 대하는 것인지, 깊은 뜻을 몰라 당황했다. 그러나 그 혼란기에 만난 적이 있었다. 전쟁이 끝날 무렵, 의용군을 심하게 길가에서 모집했었다. 나도 밖에 나왔다가 붙들려 사범학교까지 끌려갔다가 슬쩍 빠져나왔다. 그들은 사범학교를 집결지로 삼아 여기저기 끌려온 사람들을 20명이 되면 한 소대를 만들어 어디론가 데려 가는 것 같았다. 끌어올 때까지는 감시가 심했으나 일단 학교에 들어서면 자유롭게 화장실도 보냈다. 나도 이런 틈을 타고 빠져나왔다. 바로 그날 이 간수가 집에서 끌려나온 것을 목격했다. 그래서 멈칫거리며 누군가를 기다리며 서 있는 것을 보고 슬쩍 말해주었다.

"사범학교로 가는데 그곳에 가면 감시가 소홀하니까 도망칠 수 있어요. 나도 지금 도망쳐 나오는 길이에요" 하고 말해주었다. 그러나 인솔자를 따라 가고 말았다. 그 후 어떻게 되었는지 궁금했었다.

그 사람은 말했다. "그때 학생이 말해줘서 사범학교에서 도망쳐 살았다"면서 "양심적이던데 왜 들어왔어?" 하고 또 질문을 했다. 나는 만져보지도 못한 총을 내놓으라면서 끌려왔다고 했다. "그 정도면 나갈 수 있어" 한 마디를 하고는 내 친구가 돌덤이가 있는 쪽으로 갔다 오는 것이 보였는데 나더러 "그쪽으로 가서 돌덤이 뒤에 가서 먹고 와." 밑도 끝도 없는 말이어서 다녀와야 했다.

나는 명에 따라 돌덤이 쪽으로 갔다. 돌덤이 뒤에는 친구 누나가 앉아 있었다. 그리고 불고기를 주면서 먹으라 했다. "잘 왔어. 빨리 먹고 입 닦고 가봐, 그리고 춘수가 다녀가면 돌 조각 하나 들고 바로 와" 했다.

나는 또 한 번 돌아갔을 때 "우리 집에 제가 여기서 잘 지내고 있다"고 알려달라고 부탁하였다. 어머니께서는 아들이 죄 없이 갇혀 있으니 얼마나 놀랬을까. 당시는 힘 있는 자가 쓰는 것이 법이라고 할 만큼 혼란 전시였다. 아직 지방 반군을 소탕중이며 전선은 백두산까지 밀고 올라가는 기세이고 사사로운 일이나 원한관계로 무질서하고 보복하고 거래하는 혼란 중에 혼란은 계속되어 누가 어디서 왜 죽었는지도 몰랐다.

이러한 혼란기에 믿었던 외숙 댁에서 끌려갔으니 어찌할 도리를 찾지 못하고 먹고 사는 생계도 변변치 못하여 날마다 끼니 걱정에 아버님은 수소문하랴, 책임 없는 유언비어는 나돌지, 심장이 멎을 지경이었다. 그 애타고 답답한 심경은 보통사람은 견디기 어려웠다.

나는 그곳에서 잘 사는 친구를 만나고 인연이 있는 형무관을 만나 경찰에게 매 맞고 고문 받던 때와 비교하면 천국에 살고 있었다. 이것은 어머님의 기도를 들어주신 은혜였다. 나는 비록 높은 담에 싸인 교도소 생활이지만 다른 사람에 비해 활발하게 지냈다.

어느 날 교도관이 "시내 구경 한 번 해 볼 거야"하고 말했다. 그 말에 선뜻 "세상구경이라니" 해방된 기분이 들었다. 반신반의하며 "네?!" 대답하였다.

정오 무렵 친구와 함께 큰 상자를 긴 나무막대 중간에 걸어 양쪽을 둘러맸다. 마치 목도꾼이 돌덩이를 매듯 가뿐했다. 그러나 두 사람 발이 맞지 않으면 짐이 좌우로 흔들려 불편했다. 교도관 한 사람과 발을 맞춰 법원으로 향했다. 우리는 무엇이 들어있는지조차 몰랐다. 법원 뒷문을 통하여 법원 유치장에 도착하였다. 정오 사이렌 소리가 울려 퍼졌다. "창살 아래 문 열고 한 사람에 한 개씩 넣어줘." 명이 떨어졌다. 내가 문을 열면 친구가 보리밥 한 뭉치를 하나씩 넣어주었다.

밥은 부슬부슬 떨어지고 작은 주먹밥은 바닥에 흩어져 있는 보리밥을 한 주먹 더 주었다. 반찬은 소금이라, 집에 있으면 굶을지도 모르는 식량난에 점심에 주먹밥 한 개라니, 감사하게 받아먹었다. 작업이 끝나자 잠시 여유도 없이 바로 교도소로 출발하였다. 이틀째 되는 날이었다. 밥통을 매고 시내를 가는 사이에 친구를 만났다.

우리 집 내 방 옆 작은 마루에 앉아 기타를 연주하며 가벼운 중창에 화음을 넣으며 낭만적인 중학시절을 함께 보냈던 친구들이었다. 그들은 눈물을 머금고 "근아, 네가 이게 무슨 일이야?"하며 마음의 동정을 표했다. 그러나 규칙 때문에 그 반가운 친구들을 보면서 한 마디도 할 수 없었다. 안타까웠다. 나는 피멍이 드는 가슴앓이를 했다. 자존심보다도 그 순수하고 티끌 없는 친구들. "근아, 네가…." 그 한 마디에 내가 백지장같이 사면되는 느낌을 받았다.

내가 스스로 지은 죄는 없었다. 나야말로 혹 말썽이 생길까봐, 싸움 한 번 못해봤다. 그런 내가 교도소 생활이라니. 친구도 나도 믿어지지 않았다. 톨스토이 같으면 이럴 때 뭐라고 썼을까. 순수한 사람에게는 항상 인적 재난이 기다리고 있고 운명이란 변수가 있겠지. 나는 느긋한 사색에 잠기며 우리를 기다리는 사람들을 위하여 발을 재촉하였다. 이날 법원은 많은 사람이 모여 매우 복잡하였다.

철창 안에는 한 주먹도 안 되는 보리 주먹밥을 얻어먹으려고 교도관이 시키는 대로 따라야 한다. "밥 구경 처음 하나? 왜 이렇게 시키는 대로 하지 않아. 한 발 물러서. 한 줄로 서." 어린아이들 같았다. 한 덩이의 주먹밥을 얻어먹으려고 밀고 당기도 했고 이것이 현실이었다. 크게는 생존을 위한 투쟁이겠지. 밥을 서둘러 나눠주고 짐을 챙겨 밖으로 나오자 어머니가 어떻게 아셨는지 나를 기다리고 계셨다.

숨이 막히는 순간이었다. 눈물을 보여서는 안 되겠다고 생각하고 "어머니, 어떻게 이런 곳까지! 걱정 마세요, 곧 나갈 거에요!" 어머니께서는 눈물 한 방울 흘리지 않으셨다. "참고 이겨라." 그리고 돌아서셨다. 정신이 몽롱하였다. 어머니의 외사촌조카 조길룡 아저씨의 말을 들으면 우리 어머니는 1930년 집에 재봉틀이 있었다. 광주에서 일제에 항거하는 학생이 벌어졌을 때 어머니께서는 조길룡 아저씨의 요청으로 플래카드를 만들어 주었다. 대담한 어머니의 모습이 앞을 가렸다. 그리고 다른 어머니와는 달리 자리를 떠나시는 뒷모습을 보고 마음속에 용솟음쳤다. 하루라도 빨리 이 굴레를 벗어버리고 어머니, 아버지를 내가 모셔야겠다고.

"근아, 뭣해. 빨리 매고 나가."

임춘수는 언제나 활발하고 용기가 있었다.

"빨리, 뒷문 쪽에서 만나기로 했으니 서둘러."

춘수네 집에서는 빨리 빨리 시대에 대처하고 있었다. 뒷문 가까이 구석진 곳에 춘수 누나가 어머니를 모시고 서 있었다. 그때서야 "어머니"하고 두 손을 잡았다.

"이것 먹어라. 네 친구 누나가 준비해왔단다." 하시며 찬합에 담은 불고기와 떡, 찰밥을 입에 가득 넣고도 손에는 차례를 기다리는 고기를 들고 있었다.

"어머니, 죄송해요. 집을 팔아서라도 이곳만 나가면 제가 일을 해서 모실게요."

급하게 지껄여댔다. 어머니께서는 "아버지께서 친구 송화식 변호사에게 부탁드렸으니 조금만 기다려라"고 말씀하셨다. 그때 교도관이 왔다. "여기서 뭘 해, 빨리 돌아가야지" 하면서 교도소 버스에 타라고 했다. 버스는 지금 막 오후 출정할 사람들을 실어다 놓고 지금 막 돌아가는 때였다. 춘수 누나가 교도관에게 몇 차례나 인사를 했다. 버스는 시내를 빠져나와 광주교도소로 달려갔다.

차에서 내리자 교도관이 입을 열었다. "너희는 오늘까지다. 내일부터는 다른 사람이 나갈 것이니까." 작업반으로 가라했다. 혹 잘못이 있었나, 걱정스러웠다. "어때, 시내 구경 잘하고 왔어?" 하면서 옆집 교도관이 다가왔다. "어머니도 만나봤지? 말하면 안 돼." 이렇게 전하고 "너희들은 모레 재판하면 집에 돌아갈 거야." 이 말을 살짝 전해주었다.

"신령님, 감사합니다." 동란 때 자기를 도와준 감사의 뜻으로 이 어려움 일을 연출한 것이다. 겉으로는 점심을 나르는 전령이지만 애타는 어머님의 마음을 헤아려줌으로써 보답한 듯하였다. 밤새도록 잠이 오지 않았다. 어떻게 잠을 잤는지 기억도 없는데 "어서 나와" 호령이 떨어졌다. 아침체조시간이다. 신 한 짝을 미처 신지 못하여 손에 들고 뛰어나갔다. "근이 아니야?" 외가의 사촌형님이었다. 큰 형님과 농업학교 동창이고 외사촌인데도 정이 들지 않은 형이다. 내가 어렸을 때 미군 권투클럽이 있었는데 혼자 연습하고 있으면 "형하고 한번 해볼까" 한다. 헤비급 선수라는 생각으로 권투를 했지만 사정없이 친다. 약이 오른 내가 팔짝 뛰면서 안면이라도 한 번 치면 그날은 죽게 맞는 날이다. 권투장갑을 끼고 도망가야할 형편에 이른다. 남을 관용할 줄 모르는 지주(地主) 성품의 벽(癖)이 있었다. 그래서 친척 모두가 그 형님을 싫어했다. 이런 성격 때문에 인민군이 들어오자 그는 마을 치안대장을 했다. 자기 집 재산을 지키기 위해서였다. 하지만 그때 인심을 잃어서 잡혀 들어온 것이다. 아무리 그렇다 해도 그 자리에서는 몹시 반가웠다. 그는 아무렇지도 않은 양 "나쁜 짓 했나" "아니요." "여기까지 왔으면 괜찮을 거야." 섬뜩했지만 위로가 되었다.

당시는 교도소로 오기 전에 처형된 사람이 부지기수였다. 같은 민족인데 정말 상상을 깨뜨린 보복이 줄을 이었다. 모처럼 좋았던 기분에 구름이 끼었다. 감방에 돌아와 쓸쓸한 느낌으로 앉아있는데 함께 교도소에 들어왔던 소년이 내 뒤를 따라 들어왔다.

"내일 재판 나가지?" 보자마자 대뜸 이렇게 말했다. "어떻게 알았니?" "응, 나는 교도사무실에서 일하는데 거기서 들었어." 그러면서 가까이 다가와 말했다. "너는 내일 모레 집으로 나가게 되지만 나는 최소한 3개월은 여기서 있게 되는데…. 왜 그렇게 오래 있니? 큰 죄를 저질렀니?" "절도범…." "뭐라고?" "야, 재수 없으니까 들어왔지, 안 그래?" 그때가 되어 내가 옷을 무엇을 입고 있는지 생각이 들었다. 그렇지, 어머님께서 손수 만들어주신 와이셔츠! 망설여졌다. 그때는 돈 주고도 살 수가 없었고 이 와이셔츠를 집에서 만든다는 것은 생각도 못했다.

어머니는 신식 와이셔츠를 잘 만드셨다. 그래, 나는 또 하나 만들어주시라고 하지, 이런 생각으로 "그래 벗어줄 게"하며 옷을 건넸다. 그러자 그는 "너, 담배 피우니? "뭐든지 말해. 내가 다 해줄께."라며 자신만만해 했다.

알고 보니 그는 밥 먹듯이 들락거리는 소매치기였고 교도소에 들어와서는 제가 알아서 교도관의 손발이 되어주었다. 벌써 몇 차례 들어와 교도관들이 모르는 사람이 없었다. "휴!" 다행이었다. 만약 안 준다고 했으면 어떤 보복을 받을지 모르는 일이었다.

며칠 후 법정으로 가는 차에 올랐다. 모두가 무거운 입을 다물고 있었다. 교도관이 입을 열었다. "법정에 들어가면 정숙하게 하고 인사를 잘하고, 묻는 말에 고분고분, 똑똑하게 말을 해야 해." 이렇게 말하고 그가 차에서 내리자 차는 벌써 출발을 했다. 줄줄이 엮은 죄수들이 고개를 푹 숙이고 법원 유치장으로 갔다. 어떻게 소식을 들었는지 사람들이 많이 나와 있었다. 그 중에 아버님, 어머님 얼굴도 보였다. 부모님을 뵌 나는 감격스러웠다. "어머니, 아버지!" 내 소리가 안타까웠는지 저지선을 나오지 못하신 어머니도 길게 손을 내밀었다. 아버지께서 "걱정 말고 조금만 참아라"하고 위로해 주셨다. 유치장 문은 닫히고 판사가 부르면 한 사람씩 약식재판을 받았다. "이름은?" "나이는?" 판사의 시선은 예리했다. 그러고는 "나가봐" 했다. 세상에 물어볼 것이 그렇게 없었다. "텅 텅 텅" 봉을 치자 되돌아 나왔다. 유치장에는 벌써 소년이 보였다. 반가웠다. "야, 넌 나간다. 내일 아침이면 집으로 간다" 하면서 주먹밥을 나누어 주었다. 나간단 말이 믿어졌다. 나는 그때부터 모든 것이 새로워졌다. 이러한 경험을 삶에 거울로 삼고 싶었다.

벌써 집을 나온 지 20여일. 남들은 구경하고 싶어도, 볼 수 없는 참으로 인생의 이면을 겪어본 셈이다. 주먹밥을 들고 멍하니 앉아 있었다.

"야, 뭐하고 있어. 빨리 먹어." 소년이 소리쳤다.

"춘수는 어제 나갔어. 무죄야. 기소도 되지 않았어. 너도 같아."

마냥 방글방글 웃으며 모르는 것도 없고 간섭하지 않은 것도 없었다. 나는 생각했다. 이런 일 알아서 뭐해. 불행한 일이지. 모르고 살아야지. 법은 법을 없애기 위하여 존재한다. 이렇게 배웠는데 이처럼 쓸쓸한 경험도 없다. 꼭 나가게 될 거라고 기대했던 사람이 형(形)을 받게 되자 통곡을 하며 울고, 어금니를 갈면서 뭔가를 원망했다. "교도소란 도둑양성소다." "법의 이면을 가르치는 곳이다" 하고 말하더니 한 사람이 다가와 물었다. "학생 나가면 이디로 가?" "집으로 가요." "어딘데?" "광주요." "응." 무엇인가를 생각하더니 혼자서 고개를 끄덕였다. 그리고 뭔가를 부탁하려고 가까이 오는데 "일어서" 하는 구령이 다시 돌아간다. "빨리 한 줄로 나가" 하는 바람에 갈리고 말았다. 차에 오르자 차는 밖을 내다볼 사이도 없이 교도소로 향했다.

감방에 들어서자 "나가게 됐지?" 한다. "축하해." 어떻게 그렇게 잘 아는 것일까. 세상에서 듣기에 교도소에는 죄질만 알면 점쟁이처럼 형기를 안다고 하더니 그 판박이였다. 나는 뭐가 죄가 되고 무엇이 죄가 안 되는 것이지 머리가 혼돈스러웠다. 하기야 나는 잘못한 일이 없지. 형들이 이북에 있다는 것밖에. 그것도 내가 보낸 것도 아니고. 다만 전시라 이런 것을 구실로 "앎세" 하는 무리들의 장난이겠지. 벽에 기대어 눈을 감고 저녁밥이 들어올 때까지 생각에 잠겼다.

어릴 때 고양이 꼬리를 짧게 실로 묶어놓으면 꼬리가 떨어진다는 말을 듣고 꼬리를 묶자마자 놓쳐버렸는데 집안 곳곳을 돌아다니며 "야옹" "야옹" 울던 고양이가 마루 밑에 들어가 개에게 물려 죽은 일. 일제 말, 개 기르기가 힘들게 되어 시골 사촌형 댁에 보냈더니 사흘 만에 50㎞나 되는 먼 곳에서 찾아온 나의 애견. 나 살던 사랑방에서 형들의 친구들이 모여서 노래하고 악기를 연주하며 크리스마스를 즐겁게 보내던 일들. 나와 가장 가까이 했던 일들이 필름처럼 지나갔다. 그리고 법원 마당에 서 계신 어머님의 초라한 모습에 눈물이 나왔다. 이 자리를 나가면 효도를 해야지. 어떻게든 살아남아서 통일이 될 때까지 살아남아야지. 꿈과 같은 생각을 하며 하루 밤을 보냈다. 아침 운동을 나갔다.

외가 사촌 형을 만났다. "아직 있나?" 하였다. 상당히 의기소침해진 것 같았다. "오늘쯤 나갈 것 같아요." "그래? 그럼 집에다 내가 잘 있다고 전하고 법원에 교섭 좀 잘 하라고 해." 그리고 헤어졌다. 10시쯤 호명을 했다. 기다리던 석방이다. 기쁜 마음으로 방을 튀어나갔다. 여러 사람이 기다리고 있었다. 교도관들이 갑자기 친절해졌다. "다 나왔으면 점호하고 모시고 나가." 겸손한 존댓말도 잊지 않았다. 드디어 작은 문이 열리고 문 앞에 나오자 가족들이 기다리고 있었다. 어머니를 크게 부를 염치가 없었다. 그냥 뛰어가 손을 잡았다. 아버지가 등을 쓰다듬으면서 "어서 가자." 말했다. 나는 무엇에 쫓기는 사람처럼 발을 서둘러 골목길로 빠져나왔다.

집은 여전히 썰렁하였다. 어머니께서 아버님 친구 변호사에게 찾아가 인사드리라고 하셨다. 휴전은 했지만 지리산에 빨치산이 남아 있어 전시 체제를 그대로 유지하고 있기에 인권 문제 등은 생각할 수도 없었다. 그 속에서 들은 이야기지만 저녁에 불려나가 안 들어온 사람은 처형됐다고 말했다. 뿐만 아니라 법은 용서했지만 사람은 보복을 하거나 권력기관에 있는 사람은 권력의 칼을 마음껏 휘둘렀다. 근신해야지. 병이 났어도 그 뒷관리를 잘해야 하듯 이제부터 조심을 해, 알겠어? 아버님은 다짐까지 하셨다.

4. 대구사범대학 시절

학교(대구사범대)에 갔다. 부산 피난에서 돌아온 학생은 경찰관이 되어 있었다. 그리고 군에 사람, 광주에 남아 있었던 사람의 세 가지 유형이 다 달랐다. 부산 피난에서 돌아온 학생은 소위 사법권을 쥐고 순경으로부터 경위까지 가지각색으로 권력을 휘둘러 선생들도 꼼짝 못하는 형편이었다. 그리고 군에서 돌아온 학생이 두서넛. 그들은 부산 학생과 섞여 놀았다.

그리고 피난을 못간 학생은 화젯거리가 없고 피난도 못 간 죄로 기가 죽을 수밖에 없었다. 가까운 친구들은 괜찮으니 학교에 잘 다니자고 전했다. 부산에서 돌아온 학생들은 수군댔다. 눈치에 틀림없이 이들 중에 나에 대해 조작한 학생이 있는 것 같은 인상을 받았다. 그렇다고 적대시하는 것은 아니지만 비하하는 애도 있었다. 학교가 아니라 바늘방석 같았다. 그러자 2학년 말이 다 되어 가는 형편에 형식상 졸업시험을 본다고 했다. 졸업이라도 해야지, 하고 시험 첫날, 졸업시험을 치렀으나 공갈협박을 했다. 도적놈 제발 저리기였다.

나는 포기할 수밖에 없었다. 직원회의 때 부산학생들의 고발로 경찰에 연행된 사람은 무조건 졸업을 할 수 없다는 것이었다. "못된 놈들!" 이 학교 아니면 학교를 못 다니겠나. 악에 바친 생각으로 이튿날부터 등교를 하지 않았다.

이로써 나는 2학년 수료증도, 졸업장도 못 받고 말았다. 나는 친한 친구의 매형이 교직에 있었기 때문에 호소를 했다. 그러나 해결책이 보이지 않았다. 최상옥. 그는 연희전문을 다니다가 교직원이 부족해 동창회에서 추천한 대학생 신분의 선생이었으나 그 역시 조금도 내 사정을 고려해주지 않았다.

그러자 대구 27육군병원장으로 있던 그 매형이 왔다. 나는 애걸하며 따라다녔다. 나는 해방된 기분이었다. 광주에서 남원, 운봉을 거쳐 대구에 도착하였다. 가톨릭수녀원과 주교가 있는 성당을 징발한 육군병원이 있었다. 나는 매형 댁에서 바로 병원으로 가서 정훈실에 있기로 했다. 아침저녁으로 조용한 음악을 돌리고 시를 낭송하고 정훈국에서 나온 여러 가지 뉴스와 문화 소식 등을 구내방송으로 알렸다. 다행이 이런 일이라면 적성에 맞았다.

형님이 유학할 때 일 년에 한 번씩 수십 장씩 사들고 나온 클래식음악은 거의 외우다시피한 LP판들이다. 거기다 함께 있는 여군속이 시를 써서 시를 고르는 것은 여군속에게 맡겼다. 그리고 음악은 내가 맡았다. 어느 날 정훈과장 정 대위가 와서 반공교육을 위한 연극을 하자고 했다. 그리고 극작가와 무대 미술가를 데려왔다. 외부에서 쓸 수는 없고 정훈과 군인과 환자들을 동원하여 배역이 정해졌다. 나는 마을 반장을 맡았다. 생전 처음 대본을 읽고 연출을 받아가며 본격적인 연극을 해본 것이다.

내용은 전란 중 한 마을에 간첩이 들어 동네 처녀와 정이 드는 바람에 노처녀의 설득으로 자수하여 광명을 찾는다는 반신파조의 트릭이 있는 계몽용 연극이었다. 당시 유 대위는 학생회장 출신으로 대구 주변의 군청 소재지를 찾아다니며 공연을 하였다. 그 사이에 유 대위와 친해졌다. 유 대위는 나에게 연극을 많이 해본 경험자 같다고 말했다. 연출자도 좋은 배우를 얻었다고 칭찬이 잦았다. 마침내 각 병원 분동에서 수녀원 강당에 환자들을 모아놓고 마지막 공연을 했다.

이때 친구 매형인 양원철 원장이 보고서 깜짝 놀란 모양이었다. 원장실에서 불러서 갔더니 "너의 집은 예술가 집안이라 너는 연극배우처럼 잘 하더라" 하면서 정훈과 연극부 전원을 초대하여 축하해 주었다.

그 덕분에 유 대위와 가까워졌고 유 대위는 대학 진학을 권했다. 졸업장이 없다고 하자 아무 것이라도 하나 근거만 만들어오라고 했다. 그래서 아버님께서 외숙과 함께 설립하신 대성대학 재학증서를 떼어다가 제출하고 입학시험을 치르고 대구사범대학에 진학하게 됐다. 학교는 그동안 국립대학설립 안이 통과되어 국립 경북대학 사범대학이 되었다.

나에게는 천운의 좋은 기회였다. 그때 매형이 또 광주에 간다고 하여서 따라갔다. 집에 가 봤더니 전란 중 생활이 형편없었다. 어머니 아버지가 보이지 않았다. 이웃집에 물어 보니 무등산에 나무하러 가셨다고 한다. 눈물이 솟아올랐다. 이 어려운 형편에 등록금을 마련하시느라고 화초장도 팔고 송자대전도 팔았다니 참으로 내가 학교를 다닌다는 것이 죄인 것만 같았다.

무등산으로 쫓아갔다. 약 1㎞ 정도 갔을 때 아버님은 나뭇짐을 등에 매고 어머니는 머리에 이고 오시는 것을 보고 눈물이 앞을 가렸다. 어머니의 땔나무를 받아들었다. 한 끼 할 정도였다. 모든 사람이 나무를 하러 다니기에 산에 나무가 없다고 하셨다. 아버지께서는 왜 공부 안하고 왔느냐고 야단을 치셨다. 이 어려운 전시에도 가르쳐 보려고 고생하시는 모습을 보고 도저히 대구로 돌아갈 수가 없었다.

그래서 친구를 찾아 사정을 말했더니 자기도 방법이 없어서 자기 매형이 하는 고등학교에 보육교사로 있다면서 교사로 와서 일하라고 했다. 더구나 사범대학생이니까 잘 됐다고 말했다.

5. 신생보육학교 시절

나는 일단 신생보육학교에 취직을 했다. 그러자 숙식도 함께 하면서 학교에서 함께 있자고 했다. 무척 고마웠다. 나 한 사람의 끼니만 해결해도 어디냐는 생각이 들어 결정을 했다. 신생보육학교 교사가 되었다. 비로소 사회적 입장도 생겼고 나도 정열을 쏟아 열심히 일을 했다. 솔직히 모든 것은 연구해가면서 헌 책방을 뒤져 책을 구하고 집에 있는 교육총서와 사대 입학 때 샀던 교육학이며 심리학, 밤이면 늦게까지 연구하여 착실한 교직을 이수해나갔다. 그런데 월급은 주지 않았다. 집안이 그렇게 어려운데 화가 났다. 하지만 겨우 전교생이 백여 명인데 학교도 경영난이라고 했다. 별 수 없었다. 마침 부모님이 생계는 각자 해결하자고 하시며 새 학기까지만 참아보라고 하셨다. 나는 즐거웠다.

보육학교는 예능교육을 위주로 1년에 한 번씩 연극제를 하였다. 마침 서울대 음대에 다니는 친구도 함께 있었는데, 김용호 작, 송해섭 작곡, 위창혁 지도, 정근 연출로 성대한 연극제를 하였다. 이것은 유명한 행사가 되었다. 이때 사범대 부속 초등학교 교감인 장병창 선생이 교육 세미나마다 열심히 다니니까 광주사범대학 후원회와 교육대학 추진위원회와 유치원을 설립하는 데 교사로 추천하겠다고 말했다. 무용가 정병호 씨가 자기와 함께 무용을 하자고 권했다.

평소에 나는 큰 형님은 영화감독, 둘째 형은 음악가, 셋째 형은 문학가가 되었으니 나는 무용가가 되고 싶었다. 마침 보육학교를 연습장소로 빌렸다며 오후 시간에 같이 뛰자고 권하여 용기를 내어 시작하였다. 아버님께서는 한의사 면허를 받아 약방을 하고 되었다. 광주는 아는 사람은 많지만 약방은 잘 되지 않아서 목포로 옮겨보시겠다고 하시어 이사를 하셨다. 아버지께서는 사람은 주거가 확실해야 한다고 하시며 외가에 가 있으라고 하셨다.

나는 외가에 잠자리를 옮겼다. 이층 방에서 아침 해를 맞이하였다. 무용연구소는 날로 발전하였다. 제 1회 창작무용발표회를 광주극장에서 가졌다. 여름방학 무용 강습회를 하는데 중앙초등학교 교사인 이은렬을 만났다. 피아노는 자기가 맡아 칠테니까 연습하는데 음악 걱정은 하지 말라고 했다.

동생의 무용을 가르치기 위해 함께 왔던 이은렬이 즉각 무용단에 들어와 이때부터 연주자가 되었다. 너무나 리드미컬한 즉흥곡을 연주하여 무용단은 새로운 계기를 마련하였다. 발표회 준비로 착착 준비되었다. 광주여고 무용반과 기성인 8인, 남자 3사람, 이렇게 20여 명이 모였다. 아직 무용기초도 다 못 배웠지만 안무에 의견이 많아졌다.

나는 안무가의 꿈을 꾸면서 발표회를 마쳤다. 신문에 소개되고 남자무용수란 처음 보는 무용수라 인기도 있었으며 '야정(夜情)'이라는 작품에서 내 창작성을 높이 평가하였다. 또 '청룡황룡'은 즉흥무였는데 남자의 힘찬 모습을 용으로 상징하였고 '세 인디언'이라는 이색적인 무용은 박수를 많이 받았다. 무사히 발표회를 마치고 초가을, 서울에서 어린이합창단이 지방공연차 내려와 화려한 개막을 하였다.

그 후 이은렬과 함께 생각했다. 우리도 광주방송국에 어린이합창단을 만들자고. 그래야 서로 보람을 가질 것 같았다. 그러자 즉각 방송과장을 만나 교섭하였더니 생각하기보다 쉽게 방송국에 연습장소와 일주일에 한 번씩 생방송시간을 얻었다. 이름은 광주방송 어린이노래회 겸 극회. 이렇게 출발한 우리들은 아이들의 손을 잡고 방송국에 올라와 맹훈련을 했다. 이때 이은렬은 나의 지도력을 보고 중앙초등학교 교사로 와달라고 제안해 왔다. 그러나 대학 졸업장이 문제가 되었다. 이럴 때마다 졸업장은 나를 몹시 괴롭혔다.

마침 목포상업학교를 나온 권이 형이 경성제대 사범학교에 진학해 강습과를 마치고 받은 교사 자격증이 있었다. 학교 교사가 부족한 때라 나는 그 자격증을 제출하고 특수교사로 채용이 되었다. 그때부터 나는 정근이 아니라 정권이 되었다. 자격 갱신은 차후로 미루고 음악과 무용을 가르쳤다. 성과는 대단하였다. 음악무용경연대회에 나가면 모두 최우수상을 차지하였다. 이로써 학교장은 학부형들의 인사를 받고 자랑을 하고 인기가 대단하였다. 나는 교육학을 몰랐기 때문에 각종 강습회를 열심히 쫓아다녔다. 이렇게 해서 열정이 좋은 선생이라는 평가를 받았다. 나는 유치원 교육에 대해 질문을 많이 했다. 그 당시만 해도 유치원 교육을 아는 강사가 없었다. 도리어 나에게 아는 대로 설명하라고 해서 유치원의 전체 복합 교육의 성과에 대해서 설명하기도 했다.

이때 사범대 부속 초등학교 교감이 유치원 경영을 해보겠냐고 제안이 들어왔다. 이듬해 3월 발령을 받아 2개월 동안 모집을 하고 개원 준비를 서둘러 5월에 영생유치원을 개원하였다. 그때부터 무용연구소, 광주방송어린이합창단, 유치원 등 활동 범위를 넓히고 무척 바쁜 생활이 시작되었다. 나는 유치원을 위한 노력을 무척이나 많이 쏟아 부었다. 당시는 일제 때 하던 유치원 교육 그대로 하였기 때문에 초등학교에 준한 교과 형 교육과정으로 집단으로 앉혀놓고 선생님이 설명하는 형식으로 운영하고 있었다. 나는 몹시 못마땅하였다. 유아는 자유분방하고 생활리듬이 강하여 어떤 일이든 적극적이며 호기심이 왕성하여 제 멋대로 행동하고 개성이 강한 시기의 어린이들이었다.

나는 한 불란서 신부의 도움으로 유아심리학, 유아교육총서 등 일본 책을 구입할 수 있었다. 머리를 싸매고 공부를 하였다. 유치원 교육은 놀이를 통한 흥미 중심교육이라는 생각을 하게 되었다. 독일의 실용주의 교육을 바탕으로 놀이화하였다. 이런 교육방법을 개척하여 일일 운영안, 유치원 교육 과정 등 일 년에 한두 번씩 계획적으로 발표하였다. 더구나 광주사범학교 내에서의 열정으로 크게 인정받았다. 마침 이때 미국의 교육원조의 일환으로 피바디 대학 유아교육 지도자 과정이 이화여대에서 주관하에 열린다는 것을 알게 되어 광주교육대학에 피바디 교육사절단을 요청하였다. 일주일에 금요일 하루, 미스 S. 부르스라는 유아교육전문교수가 나를 위하여 서울에서 광주까지 와서 지도해주었다. 내가 찾아가야 하는데 교수가 나를 찾아왔다. 나는 부르스 교수가 내려올 때마다 내 나름대로의 생각을 교육 일선에 펼쳤다.

부르스 여사는 놀랐다. 그는 나를 만날 때마다 "오늘은 무엇을 보여주겠냐?"고 질문하였다. 나는 스스로 '폐품 유치원'이라 이름 짓고 지물포에서 종이를 재단하고 버린 파지를 주워 제공하고 양복점에서 제단하고 버린 천 조각을 주워 제공하고 옥수수 뻥튀기와 철사토막을 제공하거나, 물에 불린 통과 학교 뒷산에 열린 각종 야생열매, 나뭇잎 등 자료 상자를 만들어 수없이 제공했다. 그때 유아들은 창의력이 뛰어났다. 나도 생각지 못한 여러 가지 상상의 물건을 만들어냈다. 부르스 여사는 친척처럼 가까워졌다. 자기도 스타킹을 수집하여 빨아서 가져오고 사무용품인 클립, 바늘 등도 상자에 채워 가져다주었다. 광주 교사가 서울에 가서 강습 받는 경비를 줄이기 위하여 유명 강사들을 초청하여 강습회를 열었다. 나는 부르스 교수의 요청으로 함께 서울 종로초등학교에서 강습회를 열기도 하고 이화여대 취학 교육과에 가서 강의도 하게 도와줬다.

나는 모든 것을 잊어버리고 열심히 하는데 한 형사가 연좌제 운운하면서 봉급날이면 꼭 찾아왔다. 쉽게 말해서 돈을 뜯어갔다. 나는 의욕을 상실한 정도로 괴로웠다. 하루는 같이 술 한 잔 하면서 왜 이러는가, 꼼꼼히 따지면서 괴로워 죽어버리겠다고 했다. 공무원보다 작은 봉급을 빼앗기고 보면 기가 막혔다.

집에는 라디오가 없었는데 이북방송을 들었다는 신고가 들어왔다, 좌익 사람을 만났다는 등 이유를 붙이면서 도장이 5, 6개 찍힌 서류를 보여주며 괴롭혔다. 그래서 나는 오후엔 광주방송 어린이합창단 지도에 골몰하였다. 이렇게 나의 행동을 사회봉사하는 것으로 인식시켰다. 그리고 음악회, 아동극 등 각종 어린이행사를 벌여 나는 어린아이에 미친 사람이라고 인식을 시켰다. 한편으로는 무용을 하면서 당시는 보기 드문 남자 무용수로 사회의 주목을 끌었다. 어린이합창단 졸업생을 모아 '새로나소녀합창단'을 만들어 전후 광주사회의 어두운 분위기를 밝게 펼쳐 가는데 일익을 담당하기도 했다. 이러한 활동 때문에 날로 유명세가 붙어 예총 광주음악협회 상무이사도 하게 되었고 문화계에서는 문화기획을 담당하게 되어 문화발전에 공헌한 공로로 1960년 4·19가 나던 해, '전남도문화상'을 받기도 하였다.

이렇게 되자 그 귀찮은 형사 녀석도 소리 없이 떨어져 나갔다. 나는 약자를 좀 먹는 악질 형사들 때문에 나뿐 아니라 많은 사람들이 괴로움을 당했다는 것을 잘 알고 있다. 전쟁은 없어야 한다. 전쟁은 전쟁을 불러일으킬 뿐이다. 그 후유증은 전쟁보다 더 무서운 것이다. 전쟁은 어떤 경우라도 피해야 한다. 총칼 대신 사랑으로 다스리면 평화가 온다는 것을 명심해야 한다. 그 한 사람의 악의 세(勢) 때문에 광주가 싫어졌다. 그래서 나는 서울로 진출하게 되었다.

6. 상경

당시 평당 3000만원의 황금 땅에 2류 학교라니. 명동성당 주변의 계성초등학교를 방문한 다음 이렇게 느꼈다. 이은렬과 같은 생각을 하고 수녀원장을 만났다. 수녀님은 불란서에 오래 있다 오셔서 정말 성스럽게 보였다.

"수녀님, 당돌합니다만 가톨릭 의대 계성여중고, 계성초등학교, 그리고 유치원을 우선 설립하여 일단 계성학원을 만들어 일련의 학교로 발전시키면 뜻이 있겠습니다."

"내 마음대로 되는 것이 아니니 주교님과 의논하여 보기로 하고 우선 유치원을 하나 만들까 하는데 설계도부터 협조해주시면 감사하겠습니다."

이렇게 결론이 내려졌다. 이것이 상경하는 계기가 되었다.

광주에 내려가서 설계조감도를 그리고 책상은 네 개가 모이면 원형공작대로, 의자는 빨갛고 노랗고 초록색, 파란색으로 고급스럽게 만들고 공동으로 놀이할 수 있는 대형 블록과 로킹 보드(Locking Board), 흔들리는 배 등 과거엔 생각지도 못한 교구와 손의 악력을 조장하는 나무(적목) 등을, 겨울에 따뜻한 음식을 먹을 수 있게 온장고 등을 만들어 놓았다. 그보다 중요한 것은 내가 개발한 유치원 커리큘럼을 실행에 옮기기로 하여 적극적인 활동을 시작하였다.

그동안 혜화유치원을 경영하던 원장 수녀님이 명예로운 총무수녀가 되어 유치원으로 내려왔다. 그러나 유치원 교육을 모르기에 몹시 섭섭했을 것이다. 그래서 직원들이 모이면 여러 가지 유아교육을 강의하는데 자기 자신은 소외감을 느꼈던 모양이다. 다시 말해 유치원은 새로운 교육을 향하여 가는데 그 자신은 상세한 것은 알 수가 없었고 명색이 가톨릭수녀원에서 파견을 나와 혜화유치원을 10여 학급으로 늘리는 데 큰 역할을 했지만 그 자부심이 용서를 못한 모양이었다. 하루는 교육문제에 언급을 했다. 그림전시를 하면 누구의 것인지 모르니까 화면에 유아 자신의 이름을 써 놓고 네모를 치라고 말했다. 그렇지 않다고, 도화지가 작아서 자기 생각을 자유자재로 표현을 못하는데 그림을 파고 이름을 쓰라니 미술교육 상 터무니없는 발상이라고 맞섰다.

애초에 교사 채용은 수녀가 했기 때문에 종속적으로 수녀 얘기만 들었다. 나는 "전체 교과 과정은 내가 짤 테니 각 반은 그 테두리 안에서 교육의지를 실현시켜 달라"고 말했다. 그러나 그는 그 말을 못 알아들었다. 수업이 끝나면 자기들끼리 모여 속닥거리고 안방을 만들어놓고 주로 그쪽에 머물렀고 직원실은 비워두었다. 남자는 나하나 뿐인데 직원실을 혼자 지켰다. 생각다 못해 그만두기로 작정하고 말없이 광주로 내려갔다. 그리고 20여 일 후에 다시 이삿짐을 싣고 상경하였다.

우연히 수녀원장을 만났다. 그러자 만날 시간을 알려주셨다. 계성초등학교 교장인 그는 "마음에 드는 유치원을 만들어주길 기대하였는데 어찌 자리를 비웠느냐"고 물었다. 나는 서슴없이 대답했다.

"날로 세상이 발전하고 모든 문화가 선진국을 따라가는데 지금 유치원은 일제 때와 같은 후진적인 교육으로 희망이 없어서 자리를 비웠다. 나는 하느님께서 착은 일에는 문을 활짝 열어주신 것으로 알고 열심히 하였는데 한 수녀가 그 길을 막고서 아무도 이해가 가지 않는 구식교육을 하기에 나마저 그런 오류를 범할까봐, 가톨릭교육이 이렇게 후진적인가 해서 그만 두었습니다."

그러자 "미안합니다. 시작을 보면 끝을 안다고 크게 생각하였는데 그만 내 탓입니다" 하면서 "수고하신 대가는 받아야죠." 하면서 3개월분의 봉급을 주었다. 나는 극구 반대를 했지만 받아달라고 간곡히 말하고는 일어섰다. 이로써 계성유치원 창설의 꿈은 끝을 맺었다. 나는 이미 실업자가 되어 시멘트 블록을 찍는 벽돌공장의 일일 노동자를 하면서 날마다 어떤 직장을 알아보러 다니는 일과가 전부였다.

7. KBS 어린이합창단 지도자 시절

이 무렵, KBS TV가 발전하면서 어린이 프로가 생기면서 어린이합창단의 안무 지도자를 찾았다. 그때 내가 지목되어 어린이합창단 지도자로 일주에 3번 나가기로 되었다. 일단 KBS 내로 들어왔으니 내가 할 수 있는 일을 찾기 시작했다.

먼저 교육방송 1, 2학년 사회과 원고를 쓰기 시작했다. 극작을 써본 일도 없었기에 급히 헌 라디오를 구해서 교육방송을 열심히 들었다. 어려운 일이 아니었다. 다행히 이성이란 친구가 맡아하는 프로였기에 원고 수정과 요령 등을 배우고 열심히 한 탓으로 세 번째 원고부터 수정 없이, 지금까지의 주입식 교육의 틀에서 경험주의 사고로 흥미와 호기심을 살리는 목표를 세우고 추진한 것이 잘 이어지게 되어 성공적이었다. 이윽고 과학 프로까지 맡았다.

그러자 서울 시내 사립학교 합창발표회가 열려 한 학교가 20분씩 배정을 받아 시민회관에서 대규모 행사가 있었는데 신광초등학교에서 구성의뢰를 받았다. 주어진 시간은 20분. 학교 욕심은 음악, 무용, 연극 등을 모두 무대에 올리고 싶어 했다. 오후엔 신광학교에 나갔다. 입장과 퇴장의 시간을 줄이고 장치하는 시간을 줄이면 개별적인 입장과 퇴장까지 합쳐 무려 6, 7분까지 시간을 줄일 수 있었다. 그래서 일단 책상과 의자를 각자 합창단이 들고 무대에 올라가 4단의 계단을 쌓고 신속하게 서는 무대구성을 연습시켰다. 물론 교사들이 총동원되어 4단의 합창대열이 불과 3분만에 세워졌다. 이것은 정말 놀랄만한 일이었다. 그리고 옆구리에는 카드섹션을 위한 용궁그림과 숲속 그림을 조각조각 나누어 손에 들었다.

그날 이야기의 내용은 '영이의 꿈'이었다. 합창의 메아리가 울려 퍼지며 착한 영이는 부르는 노래로 막이 열린다. 영이가 침대에 누워 잠들어 있다가 부르는 소리를 듣고 일어나 기지개를 켠다. 참새들이 날아와 영이를 깨우고 숲으로 달려간다. 라이트가 들어오면 카드섹션, 숲속에 참새와 영이가 함께 뛰놀고 다람쥐들이 나와 즐거운 하루가 시작된다. 영이는 동물들을 부른다. 동물들의 머리를 바구니로 엮고 이것을 뒤집어써서 한국 초유의 탈 무용이 됐다.

영이는 다시 노래하는 용궁에 가고 싶다고 말한다. 영이는 동물들과 함께 용궁을 찾아간다. 그러면서 카드 섹션은 어느새 용궁으로 변한다. 용궁에는 물고기가 노닐고 영이는 합창 속에 행복한 용궁을 구경한다. 그리고 5시의 시계의 소리가 나자 물고기와 동물들이 서둘러 퇴장을 한다. 영이도 뛰어가 침대에 눕는다. 라이트는 영이로 조여들고 즐거운 학교 길을 서두른다. 합창단이 즐거운 노래를 부르면 즐거운 학교생활이 시작됨을 알린다.

사립학교 제도는 너무나 우열을 나타낸다는 이유로 말썽이 나돌았다. 신광은 단숨에 일류 초등학교 대열에 섰다. 나는 잠시 매형을 따라 중앙열차방송주식회사 방송부장으로 취업하게 되었다. 그동안 방송을 모르는 사람들이 소위 CF를 뒷거래해서 마음대로 제작하고 시간도 안 지키고 열차를 이용하여 장사를 하는 등 회사는 망해 가는데 직원들은 배가 불렀다. 회사는 봉급도 못 주니 할 말도 못했다. 매형의 노력으로 봉급을 해결하고 부정을 척결하자 주주 파괴를 하여 사장직을 빼앗기고 말았다. 그중에 국진영이란 배신자가 있었다. 나는 방송국이나 학교 관계는 유지하고 있었으나 극도로 위협을 느끼고 있었다. 다시 KBS에 적극적으로 나갔다. TV에 '어린이동산' '애기들 차지' 등의 구성을 맡았고 '부리부리박사'의 안무와 진행 등 인기프로그램을 맡게 되었다.

이은렬과는 음악학원을 하기로 하고 집에 가게 전세를 받아 이것을 토대로 주평과 함께 문을 열었으나 운영이 되지 않았다. 길형원(실로폰 마린바 연주자─순천사람)과 이은렬이 결합하여 학원을 돈암동으로 옮기고 다시 시작하였으므로 은렬의 식구가 이사해 들어오는 바람에 운영은 어려웠다.

이때 MBC가 개국을 앞두고 어린이합창단 지도자로 지목되어 비밀리에 모집하고 훈련을 시작하게 되었다. 나는 이렇게 생활이 되었기 때문에 음악학원을 이은렬에게 맡겼다. KBS에 나가지 않는 날을 택하며 MBC에 나가서 개국을 기다리는데 어린이들 훈련이 잘되어 오디션에 리듬 반응, 즉 어떤 리듬에 따라 그 반응을 몸으로 표현하는 활동으로 어린이 무용의 새로운 장르를 보여주었다. 그러나 MBC는 상업방송이기 때문에 어린이프로도 CF와 대결할 수 없다는 결론을 이사회에서 얻어 결국 어린이합창단은 무산되고 말았다. 갑자기 이렇게 되자 생활이 힘들게 되어 TBC 게임프로 '게임 게임쇼'를 뚫어 구성을 담당하게 되었다.

연예인 중심으로 이들이 두 편으로 나뉘어 각종 게임을 연출한다. 이때 팔씨름을 창안하여 전통적인 방법으로 매 프로마다 승자를 내어 월말 장원을 내는 형식으로 되었는데 이 경쟁이 너무나 심하여 담당 PD와 김동권 사회자에게 협박을 해와서 할 수 없이 내가 심판원으로 출연하게 되었다. 결국 힘 자랑이 되어 서울 주변의 힘 센 사람들의 출연, 그 이기고 진 것에 대한 후유증들을 방송이 이겨내지 못해 없애버리고 순수게임 프로로 전환하였다.

그러자 KBS에 '노래의 메아리' 프로가 생겨 노래하면서 손뼉치고 박자에 맞춰 손놀이를 하는 안무를 맡게 되었다. 전국 유명프로이기에 전석화와 한두 해 즐겁게 진행하였다. 그러다가 프로그램이 없어지고 '모이자 노래하자'라는 어린이 노래프로가 창설되어 그 구성을 맡게 되었다. 은렬이 리라학교에 들어가게 되었다. 새롭게 출발하자고 제의해왔다. 일이라면 정열대로 즐겁게 해보자고 다시 합류하기로 했다. '춤추는 피리' 작품은 내가 썼다. 연출은 서빈이 맡았다. 한국 초유의 동화극으로 최고상에 빛났다. 권응팔 교장이 감동을 했다. 그리고 고적대를 만들자고 했다.

남궁요열 선생을 찾아가 과거 해군 악대장 시절의 퍼레이드 자료를 얻어왔다. 우선 복장과 모자, 부츠 그리고 고적을 일본에서 구입하자고 제의했다. 권 교장은 일본 중의원 친구를 통해 5일 만에 악기가 도착했다. 그동안 나는 치어리더 대형의 미적 구성과 행진 간 열의 교차, 홀수 앉아대기하고 짝수 진행, 리라 글씨 만들기 등을 초등학교 수준 이상으로 한국 최초의 퍼레이드 고적대를 한 달 만에 만들어냈다. 그리고 충무로를 행진하면서 무려 120명의 어린이가 육사생도처럼 너무나 멋지고 남들은 생각도 못하는 한국 최초의 어린이 퍼레이드 문화를 창조하였다. 그 후로 상업계 여학교에서 악대를 조직하게 되어 염광여상 악대 창설을 도와주었다. 어린이날, 서울운동장을 꽉 메운 관중 앞에서 식전 행사로 갈채를 받으면서 한 발 한 발 옮기면서 다다닥 다다닥 멋진 야마하 고적이 울리며 대형을 바꿀 때마다 환호성이 터졌다.

이로써 다른 사립학교의 자존심을 꺾어버렸다. 나는 권 교장이 일본과 교역이 된다는 사실을 알고 마린바 2개, 비브라폰 2대, 실로폰 1대, 철금 1대, 팀파니 1대 이렇게 주문을 의뢰하였다. 권 교장은 무조건 들어주었다. 이은렬과 나는 합창단을 만들었다. 시민회관에서 막이 열리면서 '바닷가에서'를 마린바 악단이 연주하자 박수에 묻혔다. 다른 학교들은 상상도 못했다. 관중들은 일본 야마하 밴드가 초청되어 온 줄 알았다. 너무나 놀랐다. 그리고 이윽고 노래하며 등장하는 합창단, 멋진 연주에 가벼운 합창, 차례를 기다리던 사립학교 교장, 예능 선생들이 목을 놓고 앉아서 구경만 하고 있었다.

나는 TV 방송 일이 바빠졌다. 유아 프로 '애기들 차지'도 맡게 되었다. 어린이 프로 '어린이 동산'도 맡아 생방송시대에 어려운 고비를 많이 넘겼다. 적십자사 청소년부 지도위원이 되었다. 여성봉사단 음악지도도 맡았다. 이렇게 진행되는 과정에 이은렬이 갑자기 사표를 냈다. 지금도 이유를 잘 알 수가 없다. 콤비인 하나가 그만두자 함께 그만둘 수밖에 없었다. 그러자 숭의여전에서 유치원을 맡아달라는 요청이 들어왔다. 시설부터 맡아달라고 했다. 협의가 되어 현금을 들고 동분서주하면서 피바디 대학의 모범 케이스 유치원 모델을 그래도 만들어냈다. 실내 거미줄 망, 목재 사다리 록킹 보트, 아기들의 악력에 알맞고 표준 신체 길이에 맞는 적목 블록을 만들고 간식 준비 주방을 교실 안에 설치하고 등원 중에 달걀 지지는 소리가 나면 아이들이 모여든다. 간식으로 달걀 프라이 하나를 먹고 또 신나는 놀이가 계속된다.

계성유치원에 이어 숭의여자전문학교 부속 유치원의 면모를 개척해주었다. 그때 그 시대 남자가 유치원을 경영하고 지도하는 사람은 나 하나밖에 없었다. 지금도 잊혀지지 않는다. 김희경 학장, 멋쟁이 지식인이었다. 숭의여전이 경영난으로 팔렸다. 그래서 유초중고 대학 책임자들이 권고 사표를 냈다. 이걸로 끝이 나고 말았다.

막연해졌다. 물론 돈을 벌고 명성을 얻으려는 것은 아니었지만 창의적 개척, 이런 뜻에서 보람을 잃었다. 그대 염광여상에 광주의 김한배(피아니스트) 선생의 알선으로 이은렬이 합창교사로 취임을 하였다. 합창가 미적 움직임을 위하여 함께 일하게 되었다. 우선 노래에 지장이 없도록 음악에 따른 미적 확대를 꾀하고 달을 보고는 조용히 입체적 감각을 살리고 흥겨울 때는 중앙에 몇 사람이 손잡고 리듬에 따라 신나게 뛰놀고 감히 가극이나 뮤지컬에 버금가는 동작을 붙여 한국 일본 등의 선교활동에 대성과를 얻었다. 그래서 악기를 연주하는 12인의 선교단이 조직되고 그 움직임을 창작해주었다. 이 염광 선교단은 미국을 비롯한 캐나다 등을 순회하면서 때로는 무대에서 때로는 객석에서 청중과 함께 객석 뒤편에서 입장하여 무대로, 무대에서 객석으로 신나게 독주를 하는 사이에 무대를 돌아나오게 신출귀몰하게 꾸며 주었다.

이로 인하여 고등학교 합창단을 맡기로 하고 신입생 모집까지 하였으나 교통이 불편하고 하루종일 얽매여 자유가 없고 일종의 고용인이 되어 자유창작의 의미가 없게 될 것을 염려하고 있을 때 또 이은렬이 학교를 물러났다. 그로 인하여 나도 끝을 맺었다.

이러면서도 사단법인 한국여가레크레이션협회 전문위원으로, 이사로 노력하였으나 의식이 깨이지 않은 김오중 회장의 욕심으로 모든 공을 자기 것으로 삼는 인성 때문에 손을 놨다. 김경수(중앙대 사범대학장) 교수가 회장이 되면서 나는 고문으로 추대되었고 현재에 이른다.

이런 과정에서 MBC의 '해적선'을 맡았으나 프로그램 지원이 되지 않아 그만두고 중앙방송국이 한국방송공사로 개편되면서 1983년 여의도로 옮기게 되었다. 면모를 갖춘 한국방송의 어린이 프로도 구실을 하게 되었고 교양위주의 프로 편성으로 피아노 교실, 기타 교실, 노래 교실 등이 생겨 노래를 배우는 피아노 교실을 김성균과 같이 하였다. 그러자 '모이자 노래하자' 도 규모를 달리하고 게임과 촌극이 첨가되었다. 한편 '노래의 메아리'도 야외로 나가게 되었고 어린이 프로 '영이의 일기'가 시작되어 토요일 노래일기를 집필하게 되었다. 이 성과는 교육적이고 새 어린이상을 보여주는 양질의 프로로 평가받고 각 사립, 공립 초등학교에서는 감상문 '나 같으면' 등을 쓰게 하여 학부형에게서 대환영을 받았다. 그리고 어린이날에는 서울공설운동장을 가득 메운 어린이를 대상으로 중고등학생 군악대, 의장대, 인기 스포츠맨, 연예인 축구, 낙하산 착륙, 행글라이더, 마스게임 등 각종 이벤트를 모아 약 1시간 반 어린이를 즐겁게 해주는 프로 구성을 맡았다. 동아, 중앙 방송 등이 폐쇄되고 한국방송공사로 합병됐다. 이때부터 유아 중심 프로 '딩동댕 유치원', 초등학생 프로 '딩동댕 7시다' 등 네 가지 프로 구성을 맡았다. 괄목할만한 일은 유아들이 쉽게 리듬놀이를 따라 할 수 있도록 노래가사로 미리미리 동작을 설명해주는 '짤랑짤랑'을 창안하여 전국의 유아가 모르는 아이가 없이 쉽게 배웠다.

나는 이때부터 한국적 뮤지컬 '모이자 노래하자'에 촌극인 옛 이야기를 적용시키기 시작했다. 또 1994년 '사운드 오브 뮤직'(서빈 연출)을 무대에 올려 전국을 순회하였고 다음은 뮤지컬 '폭풍 속의 아이들'도 전국 순회공연을 하였다. 이것은 한국 어린이

뮤지컬 붐을 일으켰으며 '하면 된다'는 선례를 남겼다. 또 어린이를 위한 오락프로를 구성하여 어린이들에게 지적 발달의 자극을 주었으며 행사 위주의 각종 특집도 맡았다. 특히 하나의 동요로 40분 프로를 만들자는 실험적 프로를 성공시켰다. 이렇게 어린이 프로가 성공하게 되자 라디오에서도 '동요 부르기회'를 만들어 맡겨 주었다. 더불어서 어머니 동요합창단 등이 만들어져 3년 여 진행하는 사이에 정열을 다 쏟아 '톰 소야의 모험' '숲속의 공주' 등 뮤지컬을 무대에 올렸고 시들어가는 TV에 자극을 주기도 하였다. 하지만 이 프로를 맡은 라디오 PD의 부정으로 끝이 나고 말았다. 이윽고 기초과학을 위한 '과학세계'가 창설되어 3년여 계속하였으나 PD의 성의가 부족하여 소멸하고 말았다.

이같이 간추린 나의 TV경험은 어린이 작가들의 선망이 되었으나 나이는 어쩔 수 없었다. 잊을 수 없었던 일은 어린 시절, 동요를 듣고 자란 기성세대들이 하나같이 동요를 부르지 않는 일이었다. 그래서 나의 동요사랑의 하나로 기성 성악가(국내 교수)를 출연시켜 그리운 동요를 노래시키고 어린이들과 함께 동요의 꿈을 깨우치는데 주력을 하여 수많은 교수들이 동요를 불러주었다. 특기할만한 일을 지적하자면 교수들이 자기 현재의 성량으로 동요를 부르려 했다는 점이다. 그 때문에 동요의 이미지 손상이 될까봐 무척 노력하였다. 때로는 '허밍'으로 따라 부르듯이 자신을 유도하여 가성으로 어릴 때의 기억을 찾아주자 끝내는 벨칸토와 같이 부드럽고 유연한 소리로 노래하였다. 그들도 놀랐다. 이처럼 순수하고 맑고 깨끗한 노래가 바로 동요였다고. 그리고 '동요부르기회'의 어머니동요합창단은 두 해에 걸쳐 오페레타 '슬기로운 선조들' '노래동화 호랑이와 곶감'으로 대단한 성과를 거뒀다. 당시로는 초유의 것이고 노래하고자 하는 욕망과 그것을 나타내고자 하는 표현본능을 충족시켰다. 성취의 욕구, 인정의 욕구 등 여성들의 본능적인 활동은 훌륭한 예술을 창조하였다.

한편 유아교육에 대한 열망은 'TV유치원'을 맡으면서 전국의 모범이라는 유아교육의 진수를 보여주었으며 '이 주일의 동요'는 지금의 뮤직비디오와 같이 가사의 이미지를 화면에 부각시키며 동요의 리듬을 변형하고 보다 활발하게 때로는 서정적으로 한 동요를 여러 가지 표현으로 나타내 주었다. TV프로그램 개척기에 PD도 감당하지 못할 새로운 표현을 시도했으며 획기적인 어린이 프로를 개척하여 개편 때가 오면 으레 '정근' 하고 이미지화하여 편성제작부의 기린아가 되었다.

이렇게 해서 1951년부터 시작한 방송생활을 1995년에 마감하였다. 이 글을 쓰고 있는 2003년 4월, 사단법인 한국여가레크레이션협회 상임고문, 한국방송작가협회 원로회원, 한국음악저작권협회 이사, 한국적십자 청소년지도위원, 색동회 원로회원, 반달회 고문, 그리고 도봉성당 성가대 지휘자로서의 사회봉사를 마쳤다.

(2003년 3월)

Part 2
나의 형제
1. 어린 시절
2. 권이 형 생각
3. 나의 누님

1. 어린 시절

내게는 세 형들이 있었다. 큰 형님은 나와 13살 차이로 형이 중학교 다닐 무렵 난 유치원생이다. 큰 형은 축음기를 들고 숭일학교 운동장에 아침체조를 하러갈 때 우리 형제는 모두 따라갔다. 형 친구들도 자주 찾아왔고 정월 보름날 악기들을 들고 마을을 행진하며 가장행렬을 하던 인상이 지금도 생생하다.

해방을 맞아 모처럼 가족이 함께 모여 살 때 우리 형제들은 사랑방에서 큰 형수와 함께 윷놀이를 했다. 내가 편을 가르자고 했다.

"형수는 작은 형하고 붙고 큰 형은 막내 형하고 붙으면 좋겠네."

큰 형님은 불같이 화를 냈다.

"붙다니, 그 따위 말버릇을 어디서 해."

형은 야단을 치며 나를 밀쳤다. 나는 영문도 이유도 모르고 갑자기 당하니 화가 났다. 대항을 했다. 윷놀이는 막을 내리고 나를 놓고 좌중은 말이 많아지며 큰 형은 회초리를 찾아 때리려고 했다. 나는 돌아서서 도망을 쳤다. 대문을 뛰어나가 앞만 보고 내달렸다. 그 뒤를 큰 형과 형수가 줄줄이 따라왔다. 형은 혼내기는커녕 손을 내밀었고 나는 형과 형수의 손을 잡고 돌아왔다.

내가 어디서 고양이 새끼를 얻어와 듣건대 꼬리를 묶어주면 짧게 떨어진다는 말을 듣고 꼬리를 묶어줬는데 고양이가 마루 밑으로 들어갔다. 이것을 본 '와이스'란 개가 따라 들어가 고양이를 물어 죽이고 말았다. 나는 몹시 울며 긴 막대로 마루 밑에 있는 개를 찌르고 때리고 소동을 벌였다.

밖에서 돌아온 큰 형이 소란을 피운다고 매를 들었다. 어머니가 말리셨다. 나는 "내가 잘못했으니까 매를 맞겠다."며 어머니를 뿌리쳤다. 그날 밤, 아버지 옆에서 자면서 어머니가 하시는 아버지 말씀이 "고집이 대단한 놈이야, 고집대로 하면 크게 될 놈이야" 하시며 내 편을 들어주셨다. 큰 형은 큰 형답게 형제간에 질서를 잡아주었다. 부모님도 다 돌아가시고 큰 형님 자리도 60년 너머 텅 비어있으니 쓸쓸함이 더해온다.

큰 형님이나 둘째 형은 내가 어릴 때 서울에서, 일본에서 공부하였기에 같이 생활할 기회가 없었다. 방학 때가 되어야 집안이 북적거리며 친구들이 찾아오고 밤새 토론하고 어머니는 먹을 것을 만드시느라 분주하셨던 일이 기억날 뿐이다.

해방 직전, 고향에 내려가 살 때 한 번은 둘째 형이 광주에 다녀오더니 어머니에게 말했다.

"구두를 맞춰 신어야겠는데 밑창이 닳으니까 미리 창을 하나 더 달면 좋겠어요."

"구두도 비싼데 지금 당장 돈이 없으니 우선 밑창 하나짜리를 사고 다음에 창갈이를 하면서 새 밑창을 달아라."

어머니가 설득을 해도 형은 막무가내였다. 그때 구두 한 켤레가 쌀 한 가마니 값이었다. 쌀 한 가마니면 우리 식구가 한 달 먹을 쌀인데…. 집안 사정도 모르고 자기하고 싶은 대로 하던 형이 미웠다. 그때부터 둘째 형은 욕심 많고 고집 센 형으로 인식되었다. 셋째 형은 나하고 4살 차이라 더없이 다정했다. 목포상업학교를 다녀서 어릴 때부터 떨어져 생활했고 남악리 고모의 푸대접을 받아가면서 공부하였기에 형 생각만하면 애달프다. 성품이 온화하고 독서를 좋아해서 어디를 가나 책을 들고 다니며 영어, 중국어로 된 서적을 술술 읽었다. 내가 철이 들이 들 때까지 아버지는 형들의 행방을 가르쳐 주지 않았다. 훗날 어머니는 이렇게 말씀하셨다.

"너에게 사실대로 알려주었다가 너까지 가게 되면 어떻게 하냐."

어머니의 서글픈 마음을 기억한다. 참으로 이렇게 가족이 파괴되었다. 너무도 가슴이 아프다. 호적등본에 있는 형들의 생일을 써본다.

큰 형님 1917. 7. 21일생
큰 형수 1926. 11. 23일생
둘째 형 1924. 2. 3일생
셋째 형 1926. 8. 26일생

부쩍 아버지 생각이 난다. 어머니가 시집올 때 장만해온 하청단리의 100섬지기 논밭을 팔아 두 아들을 유학시키고 말년에는 끼니걱정으로 고생하시면서도 시음(詩吟)으로 마음을 달래시더니 갑자기 형들을 떠올리며 쓰셨던 시들을 모두 태워버리신 아버지. 자식들을 기다리는 약한 마음을 남기지 않겠다며 결의를 보여주신 아버지였다. 이제와 생각해보니 얼마나 아픔이 크셨는지 짐작하고도 남는다.

가슴에 한을 안고 사시다가 음력 8월 20일 주역을 풀어 손을 꼽으시더니 가실 날을 적어두시고 긴 한숨을 내쉬던 아버지. 그날 새벽, 임종을 지키는 내 앞에서 손가락으로 방바닥에 글을 쓰시며 무엇인가 말씀을 하시고자 입술을 들썩거렸지만 이내 숨을 거두시고 말았다. 그때 내 나이 28세. 아무것도 모르고 세상 풍파에 시달려 자립도 못하고 있는 그때, 이북으로 간 자식을 못 잊어 화병으로 운명하셨으니 참으로 막막하기 짝이 없다.

어머니, 모든 게 선명합니다. 제가 얼마나 개구쟁이였는지, 아니 청개구리였는지. 아이들이 밖에서 모이면 교실에서 혼자 놀고, 교실서 모이면 밖에서 혼자 놀곤 했지요. 시소 타는 아이들 가운데에 서서 좌우로 오르락 내리락하다가 그만 미끄러져 엄지손가락이 시소 중간에 끼여 깨지고 그때 얼마나 울었는지 지금도 그 흉터가 영원히 지워지지 않은 채 고스란히 남아 있답니다.

양림교회 아래 뽕밭 사잇길을 돌아 나올 때 오돌개를 따먹고 입이 시꺼멓게 물들었는데 끝내 안 따먹었다고 우겨대던 저를 어머니는 거울 앞에 앉혀놓고, 네 얼굴을 보라고 타이르시던 일도 생각납니다. 그리고 형네들이 여장을 하고 바이올린을 켜고 기타를 치며 크리스마스를 보낼 때 저는 잠자리에서 몰래 일어나 형들이 노는 모습을 지켜보았지요. 형 친구들이 나를 발견하고 무릎에 앉혀 놀아준 일들도 말입니다. 맏형님은 음악에 뛰어난 재능이 있었지요. 바이올린, 트럼펫, 못다루는 악기가 없었으니까요. 당시엔 그 악기를 보도 듣도 못한 사람들도 많았던 시절이죠. 형이 악기를 연주하면 온 동네사람들이 다 모였지요. 어린 나에게 형은 자랑스러웠어요. 어느 날이었어요. 복동이 할머니라고 기억나세요. 복동이 할머니를 따라 사동시장에 갔어요. 할머니가 흥정하고 있는 사이 저는 혼자서 장터구경을 하다가 길을 잃었어요. 암만 가도 집모양이 똑같아 어디가 어딘지 알 수가 없었지요. 시장기둥에 기대어 앉아 졸다 잠이 들고 말았지요.

누군가 깨워 눈을 뜨자 시장서 장사하던 이웃집 성수아저씨였어요. 아저씨의 자전거 뒤에 앉아 집으로 달려갔더니 집에서는 난리가 났지요. 온 집안 식구들이 모두 마을 앞에 나와 기다리고 있었어요. 이런 일이 동네에 알려져 저는 '장돌뱅이다, 역마살이 있다'는 등의 흉을 잡히기도 했지요. 저는 무척 호기심이 많은 아이였나 봅니다. 어느 날 동구 밖에서 놀고 있는데 시꺼먼 옷에, 빨간 띠를 두른 검은 모자를 쓰고 칼을 어깨에 메고 가는 일본수비대 뒤를 따라갔습니다. 얼마나 멀리 갔었는지 다리가 아파 주저앉고 말았지요. 수비대는 산으로 올라가고 해는 저물고 집에 돌아갈 것을 계산하지 못한 그날의 끝없는 진군을 생각하면 저는 지금도 얼굴이 빨갛게 달아오릅니다. 해가 기울어 오가는 사람은 없고 다리는 아프고 어떻게 할 바를 모르는데 멀리서 말 수레가 오는 것을 보고 얼마나 기뻤는지 모릅니다. 저는 달려갔지요. 마부가 깜짝 놀라 어두워지는데 어디 가냐고 물었지요.

"지금 가는 길로 똑바로 가면 남평이 나오는데 네 발걸음으로는 밤을 새워 가야 된다." 순간, 저는 겁을 먹었지요. 더듬거리는 목소리로, 양림으로 가야 하는데 아저씨를 보고 너무 반가워 뛰어왔다고 하자 그는 껄껄 웃으며 수레에 태워주었습니다. 마부는 저물어가는 가을 해를 바라보며 구슬피 육자백이를 불렀습니다. 어린 마음으로도 저는 얼마나 슬펐는지 모릅니다. 그때 어머니 얼굴이 달덩이처럼 떠올랐고 그 광경은 60년의 세월이 흐른 지금도 잊히지 않습니다.

기억 속에 남은 유치원 때의 어머님 생각을 해봤습니다. 옥색 두루마기를 입고 하얀 명주목도리를 두르고 앞만 보고 걸어가시는 어머니를 따라 학교에 갔습니다. 저는 똑바로 걷지 않았습니다. 길을 갈지자로 뛰어다니며 이곳저곳 다 살피고 다녔지요. 어머님께서는 발을 멈추고 한참동안 기다려 주시기도 하셨습니다. 그러나 한 번도 저를 향해 눈빛 한번 흘리지 않으셨지요.

쯧쯧쯧, 가볍게 혀를 차시며 학교 가는 길을 응시하고 계셨지요. 어머님의 보이지 않은 마음의 도량으로 우리가 이날까지 살아남아 이렇게나마 얼굴을 본 것이지요.

소학교 때 일이지요. 하루는 중국인 야채장수가, "니 왕바땅 쏘 하우마"라고 외치면 맛있는 오이를 준다고 해서 그 사람 뒤를 따르며 계속 외쳐대곤 했지요. 그건 욕이었는데 나는 무슨 뜻인지도 모르고 그저 오이 하나를 받아먹기 위해서 마구 따라 외쳤지요. 과연 효과가 있었던지 야채장사가 어깨에 멘 바구니를 내려놓고는 오라고 손짓을 했고, 기쁜 마음에 다가갔더니 나를 덥석 잡더군요. 키가 육척 장신에 머리는 삭발하고 카이젤 콧수염을 길렀는데, 이놈하고 소리칠 때 모든 신경이 멈춰 버리는 것 같았지요. 나는 겨우 중국인의 손아귀에서 빠져나올 수 있었지요. 나중에 안 일이지만 "니 왕바땅 쏘 하우마"라는 말은 입에 담지 못할 큰 욕이었지요.

사람의 기억이란 이렇듯 좋은 일보다는 못된 일을 더 오래 새기기 마련인 모양입니다. 한번은 뜨락에 아름드리 감나무가 있었는데 나무 위에 올라가 놀다 떨어졌지요.

그때 다리를 다쳐 영원히 지워지지 않는 또 하나의 훈장을 오른쪽 다리에 달아야 했지요. 가을부터 겨울까지 꼼짝 못하고 방구석에서 지내야 했으니 어머니에게 얼마나 괴로움을 주었을까요.

크리스마스 때마다 형들의 방에는 화려한 크리스마스트리가 꾸며졌지요. 창평 박서근 씨, 화순 김현채 씨, 공석휴 씨 뿐만 아니라 많은 형 친구들이 모여 노래하고 장기자랑을 하며 놀던 모습들도 생각납니다. 그것만 보아도 우리 집이 그때 얼마나 개화된 집안이었는지 짐작이 가고도 남습니다. 이것은 오직 너그러운 어머니의 마음 때문에 가능한 일었지요.

당시가 1930년대 말이었으니 누가 감히 가상이나 할 수 있었을까. 우리 형제는 개화된 가정문화 속에서 남부러워 할 만한 신선한 자극을 받고 꿈을 키워왔지요. 어머니는 독일로, 미국으로 유학을 가셨던 남동생들을 뒷바라지하고 자라셨고 학교에서 신학문 한 줄도 배운 적 없는 어머니였으나 과연 교육은 집안에서 이루어지는 건가 봅니다. 우리에게 자유로운 사상을 부어주셨지요. 아버지께서 광주 부(附) 의회 의원이 되셨을 때 이야기입니다. 아버지 손을 잡고 양림천 하교를 건너기 위해 꽃바심 모퉁이를 돌아가게 되었지요. 아버지는 그날 “이렇게 학교 가는 길을 멀리 돌아서 가야하다니 다리를 만들어야 하겠다”라고 하셨지요.

그 말을 듣고 학교까지 훨훨 날아가는 듯 했지요. 양림동 131번지 우리 집 앞에서 학교 교문 앞까지 다리가 놓이기를 얼마나 기다렸는지. 어느 날 아버지가 다리 기공식에 가신다고 하셔서 저는 대문에 매달려 생각했지요. 어디서 다리 하나를 뚝 떼어와 놓는 것인 줄 알았지요. 다리는 우리 발목을 적시던 개울에 걸쳐져 있었어요. 다리는 마을사람들에게 많은 편의를 주었고 사람들은 아버지에게 감사하다는 말을 수없이 했지요. 저도 이 다리를 지나 도립병원을 지나 당산나무 골목길을 따라 서석초등학교에 다녔습니다. 3학년 때까지 조선어를 배웠지요. 지금 이름은 생각나지 않지만 미남에 아주 건장하신 선생님의 인상이 지금도 살아있습니다. 조선 사람은 꼭 조선말을 알아야하며 글을 배워야 한다고 하셨지요.

선생님은 우리 반, 한 사람 한 사람에게 묻고 쓰게 하고 재미난 옛이야기를 많이 들려주셨어요. 제가 옛이야기를 얼마나 좋아했는지 모릅니다. 그때 동북쪽의 새 교사가 지어져 교실을 바꾸게 되었죠. 얼마나 기뻤는지 모릅니다. 집에 돌아와 언문공부를 하면 형들이 칭찬을 많이 해주어서 형들만 보면 칭찬을 받으려고 조선어 책을 펼쳐놓고 공부하는 척 했던 생각이 나는군요.

형님들은 주로 사랑방에 모여 조선독립이 어떻고 하는 얘기를 하다가 제가 나타나면, 이런 얘기는 어릴 때부터 들어야해, 하며 저를 끼워주었지요. 저는 무슨 말인지 구체적으로는 알 수 없었지만 분위기로 보아 무척 겁나는 이야기였어요.

일본군…, 독립군…. 간간이 기억나는 말들인데 쉬쉬 하면서 큰 눈동자를 돌리며 심각한 표정들이었지요. 하루는 큰 형님이 빅터(VICTOR) 대형 축음기를 사왔더군요. 아침마다 축음기를 순일학교 운동장으로 들고 나가 체조 곡을 틀어놓고 다함께 체조를 했지요. 양림에는 운동선수도 많았습니다. 그러고 보니 우리 집에는 형님들이 신던 못 박힌 스파이크 운동화가 한 켤레 있었습니다.

신이 작았는지 내 발이 컸는지 졸라매면 발이 아팠는데도 어릴 적 심정으로 조금 뻐기는 기분으로 그 신을 신고 순일학교에 가서 마구 뛰어다녔지요. 그런데 학교 갈 때는 길이 단단하여 걷기가 매우 불편해 길 가장자리 쪽으로만 걷는 데 마을앞 가게에서 방을 들이느라 진흙으로 방바닥을 깨끗이 발라 말리느라고 문을 활짝 열어놓은 것을 보고는 슬그머니 들여다보자 방바닥은 김이 무럭 무럭 나면서 말라가고 있었지요. 무심코 잘 마른곳을 발로 눌러보았더니 스파이크의 못이 쑥 들어가는 촉감이 너무 좋아 기어코는 두 발을 다 들여 놓고 말았지요. 한발, 두발, 육상선수가 된 기분으로 방안을 이리저리 달렸으니 곱게 손질 한 온돌방 바닥은 곰보가 되고 말았어요. 아차,

싫었지만 이미 때는 늦었고 저는 불안해 견딜 수가 없어서 우선 집으로 도망쳤습니다. 감쪽같이 신발은 벗어 마루 밑 어두운 구석을 찾아 깊숙이 감추고 시치미를 뚝 떼고 숨어있었지요. 그러나 세상에는 비밀이 없었지요. 가게집 주인이 이리저리 수소문하여 동네사람들이 제가 스파이크를 신고 다녔다는 얘기를 듣고 한 걸음에 조르르 찾아왔어요. 아무런 영문도 모르는 어머니께 닥달을 하는 것을 본 저는 얼마나 당황했는지 모릅니다. 그 후로 온 동네에 개구장이 막내라고 소문이 났지요.

소학교 5학년 때였지요. 양림동에 양과자 집이 있었는데 그 집 아들과 저는 항상 경쟁이 붙어 만나기만 하면 언제나 응얼대다가 어느 날 큰 싸움이 붙었지요. 큰길가 최 목사네 집 옆에 텃밭에서 싸움이 붙었는데 저는 과자 집 아이의 배를 깔고 앉아서 마구 두들겨 패서 혼을 내주었지요. 나중에 이 소식을 듣고 아이들이 저를 바라보는 눈이 달라졌어요. 저는 하룻밤 새에 유명해 진 것이죠. 제가 학교 갈 때 눈만 째려봐도 그 녀석은 호주머니에서 과자를 꺼내 아무도 모르게 내 호주머니에 넣어주었어요.

서석소학교 농기구 창고 뒤에서 일어난 얘기도 들어보세요. 그때 우리 반에는 아이들에게 두려운 존재가 있었지요. 그가 나타나기만 하면 애들은 한 귀퉁이에 모여 웅성웅성 눈치만 보던 아이였죠. 이성도라고 학년은 우리와 같았지만 나이는 두 살이나 위였습니다. 이제 보니 그는 나보다 더 빨리 철이 들었던 친구였나 봅니다. “너희들 이런 말 옮기면 일경이나 헌병이 끌어가니까 조심해야 돼”, 하면서 그는 우리에게 이야기를 들려주기 전에 다짐을 받곤 했지요.

그는 독립군 중에는 신출귀몰한 사람이 있는데 마치 홍길동처럼 같은 시간에 두 군데 세 군데에서 한꺼번에 나타난다고 했어요. 우리나라가 독립해야 하는데 이 사람이 만주 벌판에 나타나서 일본 놈들을 혼내주니 독립도 멀지 않았다며 또다시 다짐을 받곤 했지요. 나이가 너무 차이 나고 시원치 않은 아이에게는 아예 윽박질러 “저리

가라"고 쫓아버리고 무섭게 공갈을 쳤습니다. 그의 이야기를 들을 때면 우리는 기분이 으쓱으쓱해지고 용기가 나곤 했지요. 일본헌병이 총 열 발을 쏘면 이 사람은 혼자서 스무 발을 쏘고 동에 번쩍, 서에 번쩍 하고 마적처럼 말을 타면서 말 등에 탔다 말 배 밑에 탔다 하면서 혼자서 수십 명을 죽이고 도망간다고 했지요. 몇 날 며칠 이런 비밀이야기는 그 창고 뒤에서 계속되었지요. 그는 어찌나 실감나게 말을 잘하는지 마치 동화책을 보듯 생생하게 장면 장면을 묘사하기도 했는데 특히 그가 그 독립군의 이름을 공개하고부터는 그의 얘기를 전부 사실로 믿게 되었지요. "그는 바로 김일성이야. 우리 삼촌이 만주 가서 들었대."

일제가 마지막 기승을 부릴 때였지요. 일본인 이도라는 담임선생이 조용히 저를 불러서 이야기했지요. 너는 훌륭한 학생이다. 지금 많은 사람이 나라를 위하여 열심히 싸우고 있다. 조센징도 어른은 징병에 나가기도 하고 징용에 나가기도 한다. 너는 아직 어리니까 어른들 하는 일을 돕는 일이 바로 애국하는 것이다. 네가 저금통을 가지고 가서 병사부에 국방헌금으로 내고 거기서 묻는 말에 잘 대답하여라. 그는 저와 다른 친구 등 두 사람을 지명했습니다. 그가 시키는 대로 병사부에 갔더니 헌병들이 나와서 환영을 해주었으며 이도 선생이 준 저금통을 주자 모두 박수를 치고 사진도 찍었습니다. 뭔가 우쭐해지는 듯 했습니다. 이튿날이었습니다. 아버지께서 제가 신문에 났다고 했습니다. 그러시면서, "나쁜 놈들, 이거 정말 딱하게 만드는 군", 하셨습니다. 그때 어머님께서 왜 그러시냐고 물으셨지요. "글쎄 우리 막내가 형들은 학병에 나가야 하고 아버지는 비행기 헌납금을 많이 내야한다고 말했다는 거요." 일본인들은 어린 나를 이용했던 것이죠. 그들은 세상물정 몰랐던 제 얼을 뺀 뒤 그들의 목적에 이용했던 것이죠. 그 후로 아버지는 모든 것을 버리시고 고향으로 내려가셨으나 광주 부(附) 의원을 지내셨던 터라 면장 직을 거절할 수가 없었던 것이죠. 그때가 바로 일본이 일으킨 태평양 전쟁 말기로 접어들던 때였지요.

2. 권이 형 생각

권이 형과 결혼한 형수는 오 씨였다. 전북 임실군 삼계면에서 집성촌을 이루고 살던 양반 동리 출신이다. 이름은 오남수(吳南壽). 그 집안은 그 옛날에도 그 동리에서 반듯한 기와집을 짓고 사는 형편이 넉넉한 듯했다.

중매쟁이는 권이 형이 화면초등학교에서 선생으로 있을 때 묵고 있던 하청단리 하숙집 아저씨였다. 그는 유림에도 자주 참가하여 정씨 문중하고는 학풍이 같은 식자층이었고 정씨 집 아들들 내력을 누구보다 잘 알아 아무데나 혼삿말이 나가면 좋을 것이 없다며 혼처를 소개한 것이었다.

권이 형은 장가를 가서 전주적산관리처에서 근무했다. 토지와 건물에 대한 보상은 물론 국가로 편입될 토지 관리를 미 군정청 양키들과 함께 실사를 나가는 일이었다. 당시 전주적산관리처장은 훗날 우리나라 최초이자 마지막인 근로당으로 출마하여 국회의원이 된 박환생 씨였다. 그는 자유당 때 한강에서 물놀이하다 물에 빠져 죽은 기구한 운명의 소유자였으나 광주 정상호 외삼촌의 사위로 집안 친척이 되는 관계였다. 권이 형과 적산처장은 "토지는 인민의 것이 되어야 한다."는 같은 정치관을 가진 동지였던 셈이다. 과거 일본인이 소유하고 있던 토지를 조사하여 일단 토지 대장을 만들고 이를 근거로 국가의 재산을 어림할 수 있도록 실사를 나가는 것이 가장 큰 일중의 하나였다.

권이 형은 광주 서석초등학교를 나와 중학교는 목포 상업학교를 진학했다. 목포상업학교는 당시 일본인 학생이 절반이고 나머지 절반은 한국인이었으나 한국인들의 숨소리는 들리지 않았다. 목포에는 고모할머니가 살고 있었기에 하숙이 해결된 셈이었고 이것저것을 가릴 여유가 없었기에 목포행은 자연스럽게 결정되었다. 목포상고는 졸업반에 매형인 김동근 씨와 내 외가 친척인 고재선 씨도 다니고 있었다. 권이 형은 학교 다닐 때 영어 교목에 만점을 3년 내리 맞아 영어의 귀재라거나 외국어에 천부적인 재능을 타고난 학생이라며 선생님들로부터 사랑을 듬뿍 받았다.

졸업 후에는 광주사범대학교 강습과로 진학을 했는데 이는 장차 학생들을 가르치는 일을 업으로 한다는 생각뿐만 아니라 교사 자격을 따면 일본군으로 징집을 피할 수 있기 때문이었다. 강습과를 졸업하면 소학교 교사 자격증이 나오기 때문이었다. 형은 일 년 뒤, 졸업을 했지만 다시 징집법이 바뀌어 교사 자격증을 따도 징집을 면할 수 없다는 시행령이 공포되었다. 그 후 형은 고향인 부들로 내려와 화면 면사무소에서 서기로 일하게 되었다. 아버지가 면장이었으나 이러한 저간의 사정이 일인에게 알려지면 누구에게도 좋은 일이 아니었기에 아버지는 형을 부들에서 조금 떨어진 하청단리에 방을 정해 놓고 출퇴근을 시켰다.

그리고 1년 반쯤 화면소학교에서 교편을 잡은 것같다. 그러나 일인들은 면사무소를 통해 징집영장을 보내고 신체검사를 받도록 했다. 그런데 형은 꾀를 내서 조선간장을 한 사발 먹고 곡성 징집검사소에서 신체검사를 받았다. 그럼에도 불구, 형은 합격 판정을 받았다. 집안은 어두운 그림자가 깔리고 아버지는 아들을 앉혀놓고 피신할 것을 제의하였다. 어머니도 몰래 두 사람만이 알고 있는 비밀이었다. 권이 형은 도망을 쳤다. 곡성에 숨는 것이 가장 들킬 확률이 없었기에 곡성의 어느 저수지에서 닭을 키우고 있던 말수가 적은 박 씨 할아버지네로 결정하였다.

아슬아슬한 순간이었다. 전쟁이 좀 더 길어졌다면 집안은 풍비박산이 날 수밖에 없었다. 그때 준채 형님은 임면 면 서기로 근무하고 있었다. 아버지는 일본인의 눈을 피해 동네 총각들을 한 사람이라도 더 강제징용에 끌려가지 않도록 하기 위해 정원

5명인 면 서기를 농사일이다, 무슨 조사다, 해서 이런 핑계 저런 핑계로 10명까지 늘려 서기로 일하게 했다. 준채 형도, 주조장 집 아들도, 수채 형도, 매형도 화면이나 임면에서 서기 일을 보았다. 부들 정 면장하면 주변에서 신세를 지지 않은 집이 없었다. 누구보다도 아버지가 가장 위험을 느낄 수밖에 없었다. 권이 형은 숨어 지내다 못해 하는 수 없이 장가를 가기로 했다. 당시 장가간 기혼자는 징집을 면할 수 있었다. 그래서 권이 형도 징집을 면제 받으러 결혼을 서둘렀다. 마침 권이 형이 하숙을 하던 하청단리 주인어른이 중매를 했다. 신붓감은 전북 완주군 삼례면에 사는 처자였다. 그때는 교통편이 없어서 아버지와 권이 형, 그리고 중매쟁이가 삼례면까지 걸어가기로 했다. 어머니가 따라 가신다는 것을 아버지가 겨우 말리셨다.

하지만 권이 형은 신고 갈 구두가 없었다. 마침 집안에 처 박혀 있던 목포상고 란도셀 가방 뚜껑이 마침 가죽인 것이 생각났다. 권이 형은 란도셀 가방을 들고 옥과로 달려갔다. 구두장이는 구두 밑창에 가죽으로 대고 그 위에 일본군이 버리고 간 텐트 지를 재단해서 즉석에서 구두를 지어냈다. 그날 내가 따라 나서게 된 것은 막내인 나와 권이 형 사이에 터울이 작아 친하게 지냈기 때문이다. 큰형하고는 나이 차이가 많이 나서 집안에서 아버지 다음으로 근엄한 존재였고 둘째 형은 개인주의 성향이 짙어 쉽게 친해질 수 없었다. 그래서 나는 권이 형의 혼례를 쫓아가고 싶었다. 아버지도 동행을 허락하셨다.

삼례 가는 길은 옥과를 지나 곡성으로 해서 남원을 거쳐 오수까지 여러 개의 고개를 넘어야 했다. 명색이 지리산 자락인지라 꽤 고생하며 걷던 기억이 생생하다. 나로서는 태어나 가장 많이 걸어본 초행길이었으나 군소리 한마디하지 않고 언제나 앞장서서 키가 훤칠한 중매쟁이 아저씨를 뒤쫓고 그 뒤를 형이, 그리고 마지막엔 아버지가 따르고 계셨다. 아버지는 우리 둘의 뒷모습을 보시며 가슴 깊이 세월을 야속해 하셨을 것이다. 한 나절을 걸어서 삼례에 도착한 우리는 오 씨 집 앞에 당도해서야 겨우 안심이 되었다. 이름 석 자만 달랑 아는 오 씨 집안이었지만 대문 안에 들어서니 행랑채가 깨끗하게 정리되고 혼사가 있다고 해서 모여든 동네 이웃들의 얼굴에서도 누구하나 짓궂은 표정은 찾아볼 수 없었다. 그날 중매쟁이와 함께 아버지는 고향으로 가시고 나는 하룻밤을 묵게 되었다.

다음날 나는 동네 총각과 함께 부들로 걸어오고 신행 사흘 만에 권이 형이 농짝 세 개를 짊어진 오 씨네 하인을 앞세우고 형수와 함께 부들로 건너왔다. 잔치가 벌어지고 아버지는 그 사이에 면사무소에 혼인신고를 해놓으셨다. 형수는 새색시였지만 이 때문인지 몰라도 구혼 기분이 나는 게 영 새 각시가 아닌 것 같은 기분이 들었다.

신접살이는 하청단리에서 시작되었다. 그러다 곧 해방을 맞아 권이 형은 경성제대 사범대에 진학했다. 경성제대에 입학한 직후 국립대학설립안(국대안) 반대운동이 벌어졌다. 서울의 모든 학교에 휴교령이 내렸다. 권이 형은 그 바람에 광주에 내려와 있었다.

하루는 전주적산관리처에서 사람을 모집하는데 영어를 잘하는 사람이면 제격이라는 말이 있었다. 적산관리처장은 먼 친척 간이었다. 두 말할 것 없이 권이 형은 전주로 갔다. 이때 형수도 형을 따라갔다. 친정도 가깝고 해서 형수도 여간 기분이 들뜬 것이 아니었다. 그러나 형은 형수에게 한 가지 조건을 달았다. "나는 공부를 더 할 사람이고 하니 당신도 전주에 있는 간호학교에 다녀 졸업장을 받으라."라는 것이었다. 그러나 형수는 간호학교는커녕 친정으로 하루가 멀다않고 다리품을 파는 것이어서 형은 이것이 못내 아쉬웠다. 집안에 어른이 있는 것도 아니고 또 형의 고집도 여간 센 것이 아니어서 집안에는 두 부부가 말소리가 들리지 않았다. 여기에 더해 아이까지 생기지 않았다. 전해 듣기론 권이 형은 적산관리처 사무소에서 새우잠을 자는 밤이 많아졌다는 것이었다. 형수는 형수대로 친정에 가서 이틀이고 사흘이고 건너오지 않는 날이 늘어갔다.

형은 형대로 사무가 바쁘다는 이유로 집안에 발을 들여놓지 않았고 특히 미군과 행정 사무를 맞춰야 하는 날이 오면 아예 기대하지도 않았다. 이러던 차에 평양으로 갔던 큰 형에게서 편지를 받았다. 일거리가 있고 둘째인 추 형님도 왔으니 네 취직자리나 공부 길을 찾는 것이 그리 어려울 것 같지 않다는 내용이었다. 근로당 간부로 있던 처장 역시 권이 형이 평양으로 건너가는 게 미래를 위해서도 좋을 것이라며 승낙하였다. 그래서 형은 형수에게 이야기를 털어놓고 부들에 들려 어머님께 하직인사를 하고 그 길로 광주에서 경성을 거쳐 월북길에 올랐다. 그때가 1947년 봄이었다.

나중에 안 일이지만 북한으로 가서 두 형들과 만난 권이 형은 평양 외국어대학에서 영어과로 진학을 하려 했으나 큰 형님이 "앞으로 노어가 쓰일 일이 더 많을 터이니 평양노어대학으로 진학하라"고 해서 형 말대로 평양노어대학에서 러시아어를 공부했다. 당시 형수는 시부모님이 있는 광주 양림동에서 살고 있었다. 그러나 평양에서 새 삶을 찾은 형의 소식이 없자 온다 간다 말도 하지 않고 친정으로 갔다.

내가 형수를 마지막으로 본 것은 양림동 집이었다. 친정에서 왔다는 사람이 빈 수레를 끌고 양림동으로 찾아왔다. 형수의 많지 않은 살림이 수레에 실렸다. 형수는 수레를 따라갔다. 그게 내가 본 셋째 형수의 마지막이었다.

3. 나의 누님

아직 여물지 않은 비릿한 연초록 잎의 푸릇한 냄새가 코를 스쳐간다. 연하고 부드러운 바람. 비단실 같은 바람이 나뭇가지에 감긴다. 망울망울 새싹이 눈을 틔운다. 태양은 잔디밭에 따스한 입김을 불어넣는다. 땅을 뚫고 뾰족 머리를 내미는 초록의 순들. 바람은 아직 차가운데 하늘을 찌르듯이 힘차게 솟아난다. 봄을 부르는 까치소리가 짝짝짝 힘찬 봄을 부른다.

나는 누님을 모시고 서울을 출발하였다. 비가 내린 뒤끝이라 맑은 공기가 한층 싱그러웠다. 구리시를 통하는 고속화도로를 거침없이 달려 만남의 장소를 지나 판교를 지났다. 화물차의 질주 속에 흔들리는 핸들. 오랜만에 고속도로를 달려서 그런지 시종 불안한 기분이 그지없었다. 나보다도 남의 차가 더 무서워 되도록 양보에 양보를 거듭하여 경쟁을 하지 않았다. 우리 일행은 산천을 유람하는 기분으로 광주를 거쳐 담양으로 갔다.

누님과는 어릴 때부터 친구인 금옥 누나 댁에 들었다. 옛날 지주 댁이다. 권위와 재물을 자랑하는 한아름짜리 기둥에 넓은 장광 터에 아직도 90여 개의 항아리가 고향집의 운치를 돋는다. 애석하게도 지난해 남편인 강 대령은 작고하셨다고 한다. 몇 년 만에 만난 의형제 누님들의 해후는 진실로 남이 아닌 진정한 정이 얽혀 있었다. 차는 담양 무정면, 오산 삼거리를 지나 부들마을로 들어갔다.

이튿날 고향은 온 동네가 음식 장만을 위해 일찍부터 서둘렀다. 아랫집 형님과 질부를 데리고 아내와 함께 옥과 장으로 갔다. 아직도 후한 인심이 남아 있는 옛 장터.

작은 골목길 양옆에 바구니며 보자기에 푸성귀를 펴놓은 농민들은 한 푼이라도 돈을 만져보려고 흥정을 하지만 받고자 하는 액수보다 먼저 팔아버리려는 심정에 "임자 만났다" 하고 싸게 팔아버리는 모습은 지금도 다름없다. 아랫집 형님은 장날마다 술집에 들어가 한 잔하던 습성으로 소주 하나를 사서 농협 앞에 앉아 종이컵에 따라 마셨다. 아직도 시골인심은 순박하기만 하다.

이미 아랫집에서는 고기 삶는 냄새가 나고 나물을 데치고 전을 부치고 홍어를 썰고 흙냄새 풍기는 농촌 음식은 그런대로 맛깔스러웠다. 동네사람들이 모두가 친척이라 한 번씩 들리며 또 한 점 먹고 가고 다정한 인심과 소문이 난다. 정은 속일 수가 없다. 이 모든 가족사회가 우리 삶의 기반이었다.

다음날은 한식날이자 식목일이었다. 이슬비가 내리고 있었다. 예부터 내려온 전통대로 이날만은 묘소를 손질해도 좋다는 말에 따라 이장을 하기로 했다. 한식날은 새로 만든 묘소에 때를 입히기에 최적의 날씨다. 어머님 뫼를 아버님 옆으로 옮겨 드리는 일이 시작됐다. 마을 지관은 묘시인 오전 7시 이전에 파묘하라고 했다. 나는 아들과 손주들을 앞세워 산으로 갔다. 지관이 총지휘를 했다. 파묘에 앞서 조촐한 제상이 차려지고 나는 어머니께 파묘의 예를 고했고 절을 올렸다. 파묘를 고했으니 작업은 인부들에게 맡기고 아랫집에 내려가 아침을 먹은 뒤 다시 올라갔다.

부슬부슬 내리던 이슬비도 인부들의 삽질도 빨라졌다. 마침내 까맣게 변한 관 뚜껑이 두 자쯤 파려내간 땅 속에서 나타났다. 동네 친척과 마을 사람들이 인부들을 위해 명전을 꺼내놓자 개관을 했다. 어머니 모습이 나타났다. 깨끗이 육탈은 잘 되었으나 습기가 있는 땅속 조화로 인해 뼈는 검게 변색되어 있었다. 뼈를 깨끗한 한지 위에 올려놓고 나무뿌리가 파고들어 흩어진 뼈들을 정리해 그대로 칠성판에 옮겼다. 어머니의 뼈를 어떻게 볼까 하고 가슴 졸이며 다가갔으나 어머니는 모든 것은 용서해 주셨다. 그리고 속 시원하게 나의 기도를 다 받아주셨다. 큰 형, 형수, 권이 형을 구천에서나마 만나시어 그동안 인간으로 계실 때 한을 푸시라고 고했다. 걱정 말라고 하셨다. 추 형 소원을 들어주시고 누님의 아픈 다리며 신경통도 다 씻어주시고 내 자식들도 모두 잘 되게 해달라고 빌었다.

마지막으로 이북에 살고 있을 큰 형님의 자식들, 우리 장손 훈, 태양, 대하, 현순, 현, 철의 소식을 한시바삐 알려달라고 간절히 기원했다. 아니, 하루빨리 고향을 찾아 오라고 빌었다. 어머니는 그 뜻을 받아주셨다. 칠성판을 어깨에 짊어지고 아버지에게 갔다. 이장이라는 형식 속에 모든 내용이 있었다. 아버지 곁에 어머니를 모신 이승의 절차대로 저승에서도 염력을 발휘하여 이북에 있는 장조카 이하 모든 식솔들이 한 자리에 모일 수 있도록 간절히 염원했다. 모든 액운이 다 지나가고 새로운 세계가 펼쳐지는 느낌이었다. 봉안도 넓고 환하게 묘소도 상상 외로 아담하고 깨끗하고 마사가 깔려 개운한 느낌을 주는 유택이었다.

생각하면 이상한 일이었다. 어머니를 아버지 옆에 모시자 내리던 비가 그쳤다. 그리고 하관을 할 때는 비 한 방울 떨어지지 않다가 봉분을 만들 때 잠시 안개비가 내렸다. 20년 전 어머니가 돌아가셨을 때도 서울에서부터 비를 몰고 내려가 걱정을 했지만 정작 묘를 쓸 때 비가 그쳤다. 어머니가 이렇게 신연을 가지고 계신 것 같았다. 어머니는 나의 영혼이다.

이장을 마치고 먼 길에 달려 내려온 피곤한 몸을 쉬려고 화순 온천에 들렀다. 그리고 인근에 있는 관음사에 들렀다. 관음사는 고향 부근의 명소이다. 주지 스님은 개울가에 초가집을 짓고, 오가는 사람에게 생수를 나눠주며 살고 있었다.

삼오 성묘를 갔다. 아직은 흙은 마르지 않았지만 넓은 공간과 유택이 시원하게 보였다. 아버지, 어머니 안녕히 계십시오. 다시 들릴 때까지 우리를 잘 보살펴 주세요. 이렇게 묵념을 드렸다. 밝은 미소를 주시는 듯했다.

간밤에 아버지와 어머니가 나란히 앉아계시는 꿈을 꾸었다. 그날 아침, 아쉬운 정을 떨치고 고향을 나섰다. 입면 채옥이 누님 댁에 들려 물 한 모금 얻어 마시고 그 길로 누님을 모시고 마이산 앞에 섰다.

신생대에 자갈밭이 융기하여 만들어진 산이다. 마치 달걀을 세워 놓은 듯 지상에 불쑥 태어난 바위산. 수억 년 전에 만들어진 바위산을 내가 보고 있다는 게 믿기지 않았지만 믿고 있었다. 보이지 않던 게 눈에 보인다는 사실. 그걸 일러 현현(顯現)이라고 할진데 보이지 않던 조카들이 내 눈 앞에 나타나길 나는 믿어 의심치 않았다.

없던 것도 생겨나는데 있던 것이 왜 현현하지 않을소냐. 언젠가는 태양 아래 모습을 보일 것이다. 이 깊고 깊은 산중에 한 노인이 찾아와 80여 년간 돌을 쌓아 수천 개의 탑을 쌓아올렸다니, 참으로 신기했다.

불가능은 없다. 이북의 조카들에게도 불가능은 없을 것이다. 이북에 있는 장조카 훈에게 분명히 전한다. 인간이 태어남에 인간이 가장 중요함을 너도 느낄 것이다. 내가 죽은 다음에도 내 아들이 너를 기다리고 있을 것이다. 내 아들을 네가 보게 되면 나를 본 것이나 마찬가지다. 나도 내 아들에게 너를 보게 되면 큰 아버지를 보는 것이라고 말해두었다. 내 대(代)의 형제들은 너희 대(代)의 형제들에게로 고스란히 전이된다.

내 아들이 너를 만나면 아들의 눈동자를 통해 나는 너를 만나볼 것이다. 지금 당장은 너희들에게 뭐라 할 말이 없구나. 나는 현재 너무나도 너희들을 모른다.

Part 3
일기
(1990~2011)

1990년

1월

01일 인생 60을 기록하는 새해를 맞는다. 모든 것을 정리하고 인생의 최고를 다져갈 생각이다.

02일 천마스키장. 딸 경화와 유화, 손주 민기와 희기와 함께. 나는 어릴 때 이런 경험은 없었다. 훌륭하게 성장하기를 바란다.

03일 KBS 노래심사. 새해 새 어린이를 맞이한다. 무한히 자라나는 아이들을 볼 때 무엇을 했는지 세상 급한 마음이다.

04일 KBS '과학세계'를 계속한다. 방송에 반생을 바친 나로서는 뭔가 새로움을 기록으로 남겨야지,

06일 안데르센 인형극의 새로운 시도를 위해 적극 참여하게 된다. 이 새로운 장르나마 개척하고자 한다.

07일 형님들이 그립다. 지금쯤 뭘하고 계실까. 허나 나의 운명이란 이렇게 머물다 갈 모양이다. 자식들은 이런 생각을 이해할 것인지.

08일 1990년도 교육방송의 새로운 기획에 참석. 겉치레에 여념 없는 교육정책에 실속없는 피교육자들의 희생이 너무나 크다.

09일 갈수록 살기가 쉬운 게 아니라 어려워진다. 왜 그럴까. 할일을 적극적으로 찾아야겠다.

10일 동요. 가락보다는 가사에 문제성이 많다. 좀 더 현실적이며 건강하고 희망찬 꿈이 있어야 하겠다.

11일 할일은 많지만 전문성이 없어 고민이다.

12일 '잠자는 숲 속의 공주' 인형극 연출 계획을 세우다. 기초과학을 좀 더 쉽게 갈 수 없을까. 여기에 나의 인형극 작품을 정리해본다. 1. 도깨비방망이 2. 인어공주(안델센) 3. 브레멘의 악대(한스 그림) 4. 백설공주 5. 생쥐와 다람쥐 6. 청개구리의 슬픔 7. 백조의 호수 8. 세 마리의 꿀돼지 9. 미운 오리새끼 10. 베토벤 11. 가난의 신과 부자의 신 12. 여우와 곰돌이 13. 잠자는 숲 속의 공주 14. 나무꾼과 금도끼

13일 KBS 과학세계 팀과 용문사에 갔다. 서울에 와 어머님 모시고 처음으로 야외에 갔던 날 중공비행기의 불시착으로 놀란 생각이 떠오른다.

16일 컴퓨터 강습 받음. 꼭 컴퓨터를 사야겠다. 나의 모든 것을 수록해야지.

17일 출판사 푸른 동산에서 산수의 1차 원고 발주. 노력하면 안 될 게 없겠지.

19일 과학세계 녹화

21일 출판사 '푸른 동산' 원고 작성.

24일 전국어린이노래자랑 심사 차 KBS 가다.

23일 음악저작권협회 29차 총회 참석.

27일 만 60세를 맞는 새해 새 아침. 이제 인생을 다 산 것 같은 감회를 느낀다. 추 형에게 전화.

30일 첫눈이 내린다. 21년 만에 무려 30센티의 폭설이다. 백설의 암흑이라 할까. 지저분함.

2월

1990년

01일 안데르센 신년 기획에 참석. 일본 방문 결정.

02일 '과학세계' 녹화. 나이 탓인지 쓸모없는 사람으로 변신해가는 느낌. 새로운 길을 모색해야지.

06일 리라예술제 용 원고 전달. 벌써 3년이 지난 기획이라서 작품 표출의 방향이 많이 달라졌으리라.

07일 좋은 동요, 아름다운 동요를 만들어 보급하는데 힘써야겠다.

08일 안데르센 방배동으로 이사. 큰 꿈을 키워가는 젊음이 좋아 보인다.

09일 KBS '과학세계' 녹화. PD가 고집이 있어 대중적이지 못하지만 순수해서 좋다.

12일 전국어린이노래자랑 심사를 그만뒀다. 나이 먹은 것이 이처럼 서러우랴. 살아나갈 일이 막연하다.

13일 하루 종일 마음이 편치 않았다. 뭔가 새로운 세계를 개척해야겠지.

14일 정기적인 일이 끊겨 매사가 막연하다. 그러나 지성이면 감천이라고 솟아날 구멍이 있겠지.

16일 전북 이리 색동어머니회 구연동화 강의차 다녀왔다. 새로운 학문으로 개척의 요소가 크다.

18일 성당에 다녀왔다. 명복을 빌었다. 진실로 부모형제가 보고 싶다.

19일 눈 깜박하면 세월이 지나간다. 목적이 있는 생활체계가 서야겠다.

22일 일본 행. 둘째 딸 연화와 함께.

27일 일본에서 귀국. 오후 1시 김포 착.

28일 안데르센. '혹 뗀 이야기'를 기획해야겠다.

3월

1990년

01일 정치란 어이없는 것. 애국지사도 자기 정치 필요에 따라 생산되는가보다. 진짜 일제 저항기의 수많은 애국지사가 중국에는 수백 명이라고.

02일 KBS '과학세계' 녹화. 모두가 현대의 경제 혼란, 노동쟁의 등의 걱정들이다. 그럼 나는 뭣이야.

03일 타이프 라이터를 시작했다. 60년의 자서전을 꾸려가 볼 생각이다.

17일 '도깨비 방망이' 집필차 양평에 가다. 차영선, 임진번과 함께.

18일 양평 양수리, 춘천, 화천 사찰. 백운산, 운천, 포천. 새 봄의 향기를 만끽하고 돌아왔다.

19일 또 프로그램 개편이라니, 이럴 때마다 위협을 느낀다. 벌써 이렇다면 어떻게 할 것인가.

22일 종일 나의 그동안 작품을 정리하며 지금 세대와 10년, 20년 전 세대를 생각해 본다.

25일 한국미디어에서 인형극 '인어공주' '숲속의 공주' 녹음. 9시부터 밤 1시까지.

4월

1990년

27일 KBS 서기원 사장 취임반대로 방송 제작거부를 시작했다. 참으로 방송이 제 기능을 발휘하여야 할 텐데.

5월

1990년

05일 68회 어린이날. 20대부터 참여하여 처음으로 올해는 어린이를 위한 행사에서 불이 났다.

13일 '가난의 신과 부자의 신' 녹음을 마치고 산정캠프에 들어갔다.

17일 **어린이 나라**

우리는 어른보다
귀도 작고 몸도 작아요
하지만 어른처럼
작은 눈으로 어른처럼
다 볼 줄 알아요
저 푸른 하늘 저 푸른 바다
어른들은 하늘을 마음대로
날을 수 없지만
나는 새처럼 날을 수 있어요
날아가는 새를 보고
꿈속에 그리는 곳을
다 가볼 수 있어요
어른들은 남을 미워하지만
나는 누구나 반갑고
친하고 싶어요
어른들은 아이들을 못 듣게 하지만
나는 다 듣고 알아요

18일 5주 만에 KBS사태가 풀려 처음으로 녹화를 했다. 참으로 반갑기는 하지만 방송자유화 쟁취를 이룩되어야지.

11월

1990년

10일 1990년은 나의 만 60세가 되는 해다. 올해도 정치적으로 복잡다난한 3당 통합이니 지방자치제니 하여 정객들 스스로의 입지를 위해 국민 망각의 해였으며 경제적으로는 부동산 폭등으로 서민생활은 날로 어려워 가는 현실 속에 사회는 살인강도, 인신매매 등의 흉악범이 난무하고 소련과의 국교가 80년만에 이루어져 그동안 폐쇄되었던 동구 문화가 한꺼번에 쏟아져 들어와 새로운 문화 향상에 도움이 된 한 해였다.

나로서 특기할 만한 일은 만 46년간 생사를 몰랐던 추 형님이 소련에서 가족과 함께 찾아오셨다. 형수는 소련 백계 러시아인(1936년생).

몇 년 전에만 알았더라면 어머니를 뵈올 수 있었는데 분단의 한이 애석하기 짝이 없구나. 평생을 대학까지 가르치며 치마끈을 조여 매고 자식들의 대성을 기대하고 긴장 속에서 살아오신 어머니께서 손 한번 잡아보지 못하고 눈으로 살펴보시지도 못하고 한을 맺고 돌아가시었으니 참으로 애통하기 짝이 없다. 큰 형님 소식은 참으로 캄캄하다. 형수님은 어떻게 되었는지, 훈이와 태양, 대하 그리고 딸이 있다는 데 어디서 무얼 하고 어떻게 사는지, 죽기 전에 만나보고 죽을 수 있을지 답답하다. 무슨 운명인지 일제 말기의 그 복잡다난한 일제의 국난 속에 소년기를 맞이하고 해방과 더불어 이제는 온 가족이 함께 어울려 부모님의 은덕 아래 단란한 가족생활이 될 줄 알았더니 나라가 남북으로 갈리어 가족이 분산되고 급기야 6·25동란이란 민족의 비극을 그려내니 우리 가족뿐만 아니라 온 민족이 불우한 처지에 이르고 정보정치는 극한에 처해 죄 없이 숨도 못 사르는 액운에 처했으니 우리 60대는 참으로 어려운 난관을 살아 남은 셈이다.

덕분에 학교도 제대로 나오지 못하고 독학으로 지식인의 사이에서 삶을 영위하니 대화는 이어져도 뿌리 깊은 신분을 드러내놓을 수 없어 항상 뒤에 처지고 그 보람을 찾지 못함이 애석하기 짝이 없었더라. 내 자신이 처한 한을 깊이 생각해보니 사람마다 어릴 때의 환경과 배움이 나라를 그르치게 하고 죄없는 아이들은 수없이 희생을 당하여 그 안타까움에 스스로 어린이를 위한 일을 택하여 이해도 없는 사회에서 혼자 분발하였으나 남들은 이를 미끼로 부를 누리는데 고지식한 나만은 하염없이 이 일만 지켜와 이제와 보니 자손들에게 무엇 하나 남겨줄 유산이 없구나. 그러나 나는 결코 나는 나의 삶을 헛되게 보내지 않았음을 자부하고 싶다. 몇 편 되지 않은 글과 노래를 남겨 후손의 길잡이가 되는 진심을 그렸고 이제 또한 젊은이들 사이에 끼어 못 다한 일을 더 해보려한다.

10일~13일 아내와 함께 대만 관광여행.

12월

1990년

30일 '이런 말 하면 안 되는데- 민기의 비밀편지'를 저술하였다. 새해에는 '모래알 도시락'을 완성해 볼 생각이다. 먼저 공부를 해야겠다.

31일 자정미사를 도봉성당에서 드렸다. 지난해에는 형님을 만나고 회갑을 맞이하고 음악공로상을 받았다. 새해는 신앙생활을 열심히 해보겠다.

1991년

1월

01일 도봉산에서 해맞이를 하였다. 해는 비록 구름 속에 묻혀 있었어도 마음의 밝음을 말해주었다. 신념의 세계에서 신앙과 자아를 위한 삶을 개척해보겠다.

02일 유화와 상하가 세배를 와 누나에게 세배를 갔다. 집안엔 젊은이가 있어야겠다. 철훈이가 처가 세배를 가고 없으니 집이 빈 것 같구나.

03일 환근과 차영선과 새해를 맞아 떡국을 같이 했다. 오후에는 방한 형과 신년 정배를 나누웠다. 정초부터 금년 계획을 어떻게 해야 할 것인가 걱정이다.

04일 성가연습. 인간의 관계란 참 무모하다. 언니와 동생이 서로 이해의 부족으로 이 난국을 시기와 질투로 멈추고 있다. 주여, 어찌하여 이 일을 해결하여 주시렵니까. 간곡히 원하오니 저희에게 평화를 주시옵소서.

05일 레크리에이션 프로덕션에 나갔다. 내가 무엇을 하고 있는지 정말 부끄러웠다. 모든 것이 금력이다. 어떻게 하면 이겨 나갈 수 있을까. 성모님께 기도드린다.

06일 동화를 정리하여 작가로서 재출발을 기약해 본다. 항상 지금도 늦지 않았다는 나의 신념만은 변함이 없어야지. 재기해보자.

07일 길이 없으면 구하라. 참된 사랑의 말씀이다. 점심을 먹고 민기와 아내를 동반하여 눈 내린 산에 올라갔다. 수많은 길이 있었다. 누가 측량에 의하지 않은 길이나 가장 가까운 길이 열려 있었다. 없으면 찾아라.

08일 '동화의 나라' 집필을 시작하다. 동화의 의의와 구연의 실제를 깊숙이 저술할 생각이다. 인내를 갖고 출발하자.

09일 경화, 사성(四星)이 왔다. 축하할 일이로되 연화 일이 걱정이다. 금년은 어떤 일이 있더라도 두 딸 시집을 보내야 눈을 감겠다. 주여, 돌봐주소서.

10일 방소(訪蘇)할 계획이 섰다. 화영과 협의 중인데 1월 16일~2월 3일까지. 이다지 생활에 위협을 받는 이 때에 이 여행이 옳은 일인지 어떤 최선의 방법을 기대하여 보자. 생활이 심각한 사태이다.

11일 사람이란 약속을 지키기가 무척 어려운가 보다. 성가대의 출석도 그렇다. 신에 맹세하였건만 인간 자신의 할일이 이리 많은 듯.

12일 경화가 차 충돌이 있었다. 순간의 실수가 엄청난 사고로 일어난다. 주의에 주의를 요한다. 경화에게 차를 안 주겠다.

13일 소련 추 형과 통화. 몹시 식량난으로 고생하시는 모양이다. 이렇게 사시는 것도 감사드려야지.

14일 참으로 막연한 날이었다. 나이가 든 의식을 안 할 수도 없고 아무도 찾는 이 없으니 참으로 덕을 쌓지 못하 것같다. 차를 찾았다. 노후를 위한 설계를 잘해야지.

15일 계(係)를 지키지 못하였다. 신조란 참으로 어려운 일이다. 남의 지도자가 될 수 없을 것이다. 얇은 지혜보다 작아도 매운 인생이 되어야지.

16일 방소를 위한 준비를 했다. 왜 가야하는지 자신이 두렵기만 하다. 형님을 찾아간다는 의의는 있지만 자신의 삶에 대한 내일의 꿈은 무엇일까. 도무지 종잡을 수가 없다.

17일 라이온스 클럽 1월 월례회-신라호텔에서. 페르시아 만의 이라크와 다국적군을 이끄는 미국과 전쟁이 일어났다. 인류의 평화를 위한 전쟁이라는 아이러니컬한 전쟁이다. 신의 뜻이라면 악에서 구하소서. 참된 평화를 원합니다.

18일 연화에게. 아빠가 어찌 네 처지와 마음을 모르겠느냐. 자연은 순리를 기다리라고 했다. 인간의 조건은 스스로 환경을 만들어가는 것이란다. 억측하지 말고 우리 서로 만들어가자. 너와 나는 우리다. 우리는 이겨낼 수 있다.

19일 어린이들을 위한 수리(數理)생활. 이런 체제의 비디오 제작에 들어갔다. 과학자가 아닌 나 자신을 몹시 부끄럽게 생각하면서 40년의 어린이와의 체험을 살려 용기를 가져본다.

20일 거의 방소가 결정적인 것같다. 왜 가야하는지 46년만의 형제 재회의 뜻도 있지만 생활 문제가 난관에 처해 있음을 고려할 때 답답하기 짝이 없다. 그러나 성모님이 도와주실 것이다.

21일 절망적이라고밖에 말할 수 없다. 나이가 든 노병을 뒤로 물러서라는 것이다. 젊음이 무엇인지. 나는 그러지 않았다. 참으로 노련한 기능과 생각이 아깝지 짝이 없다. 이래서 스스로 일을 만들 수밖에 없는 것같다. 내 위치를 찾아야 할 텐데. 많은 문제가 발생하고 있다.

22일 페만(灣) 전쟁이 미국의 주도로 발발된 지 5일이 되어간다. 무조건 전쟁을 일으켜서는 안 된다. 이 어려운 시기를 어떻게 넘겨야 할지 노후가 걱정이다.

23일 차영선과 수학문제 비디오를 제작하다. 인간이란 자신이 직접 움직여서 주체가 되어야겠다. 아전인수 격으로 일이 되어간다. 거울삼아 연구노력을 해야지.

24일 김화영으로부터 소련 방문 비자와 여비를 받았다. 이정희 씨와 전화 문제 협의한 후 빅토르 조와 전화하여 방소 문제의 길잡이는 잘 된 셈이다.

25일 경화 시집 준비가 대략 마무리되어간다. 수입도 없는데 혼비는 다 써가고 나에게는 돈 들고 할일은 많아지고 참으로 답답하다. 날로 물가는 상승하여 살아갈 일이 걱정이다.

26일 드디어 12시 30분 KAL편으로 소련을 향한다. 주님께 성공을 빌어본다. 진정 남들처럼 잘되어 여생이나마 구설하지 않고 살게 하여주소서. 2월 15일 귀국 예정이다.

27일 피는 물보다 진하다고 하듯 40년이 경과한 형제의 해후를 서면으로 위하여 눈물이 날 장면이 연출되었다. 고재희. 그는 지옥에서 살아있는지 참으로 궁금하다. 추 형과의 서신을 전해 화제를 낳았다. 9시간 40분의 대륙 횡단. 참으로 넓고 먼 나라였다.

28일 모스크바에서 알마티로 갔다. 형님 댁에 강도가 들었다니 참으로 하느님도 무심하였다. 왜 이런 아픔을 당해야 하는지 인간의 잘못이다.

2월

1991년

08일 알마티에서 모스크바 주재 카자흐공화국 대사관 숙소에 오다.

14일 모스크바에서 레닌그라드 행 야간열차를 타다.

15일 하루 종일 300년의 고도(古都) 레닌그라드를 돌아보고 야간열차로 모스크바로 향하다.

16일 모스크바에서 형님과 허웅배, 김승화 씨 아들을 만나다. 한국인으로서 긍지와 조국애를 느꼈다.

17일 오후 2시. 모스크바에서 KAL기편으로 한국으로 향하다.

18일 눈물을 흘리며 작별인사를 나누던 형님 생각에 잠을 못 이룬다. 또 하루가 지나갔지만 지금은 어떻게 계실까. 10시 30분 도착.

19일 세월이란 이렇게나 빠른 건가. 시간보다 더 할 말은 많은데 시간이라는 흐름이 지나간다. 어쩔 수 없는 자연과 신의 변함없는 진리에 고개 숙인다.

20일 형님 전화를 받다. 음악회 권유를 하여 본다. 또 이겨내지 못하는 건 아닐까, 의심스럽다.

21일 몹시 피곤한 듯 종일 눈을 감고 지냈다. 선열들의 위고(偉稿)를 어떻게 빛나게 할까, 걱정이다. 방한 형과 얘기하다.

22일 한 달여 만에 성당에 나갔다. 성가대에선 꽃다발을 주어 반기며 남성 단원은 주연을 베풀어주었다. 참으로 고맙기 짝이 없다. 진실한 신앙의 길로 주의 강림을 바라며 성의껏 신앙에 임하리.

23일 계식이 어머니 고희에 참석하여 소련 방문 때 입은 코트를 잃어버렸다. 물질이란 없어지기 마련이다. 이 몸도 없어지면 그만이겠지. 뭣인가를 남겨야지.

24일 안 서방 댁에 갔다. 참으로 통달한 분으로 온화하고 생각이 깊은 분이다. 인척이라기보다 존중해야할 분이다.

25일 동서문학사를 찾았다. 평소 써온 유아극본을 저술하려는 노력에서다. 위하고 싶은 마음. 나누고 싶은 마음. 할일은 많고 시간은 없다. 어떻게 극복해 나갈까.

26일 재소 역사학자인 김병하 씨의 원고(해외독립운동사)를 갖고 방한 형과 서울대 사회과학대 신용하 교수를 찾았다. 뜻대로 되었으면 고인에게 힘이 되리라. 어찌 출판되지 못하였는지 아쉽기 짝이 없다.

27일 모처럼 가족이 모였다. 우연이지만 이구동성으로 한데 모여 살기를 원한다. 인간이란 혼자 살 수 없다는 것을 스스로 느낀 모양이다. 참으로 인간성 회복이 되었으면 좋겠다.

28일 어려운 시점에서 신성철의 집 문제가 해결되어 기쁘기 한이 없다. 잘해주자는 생각이 이처럼 어려운 처지에 놓여 딱했다. 신 서방의 너그러운 생각에 희망을 갖는다.

3월

1991년

01일 경화가 시집을 간다고 철산리에 새 집을 얻어 이사 나갔다. 혈육인지라 섭섭하기 짝이 없다. 김병하 씨의 원고가 국민일보에 발표되었다. 연해주 독립운동의 진귀본이라는 평가를 받았다. 뜻 깊은 삼일절을 맞이하여 원동 한국인의 독립회상기가 크게 보도되었다. 사학자들의 기쁨이어라.

02일 새로운 봄을 맞이하여 새로운 마음으로 새 출발하여야 하겠다. 내일의 꿈보다 현재의 시간이 아쉽다.

03일 봄의 나래를 타고 따뜻한 봄이 찾아왔다. 누나의 생일이라는데 못 가봤다.

04일 풀리지 않은 세월이다. 또 형님이 다리가 아파 보행이 힘드시다니 할 말이 없다. 구원의 손길이 어떻게! 오직 하느님의 은총을 바랄 뿐이다.

05일 허진 씨가 오셔서 우리가족과의 유대를 위하여 노력해본다. 도전. 이것은 항시 필요한 요소이다.

06일 연화가 괌에 갔다. 혼기를 맞아 마지막 여행으로 집안 사정을 생각지 않은 것은 아니지만 자신을 위하여 넓은 세상 구경을 시켜볼 것이다.

07일 허진 씨가 집에 다녀갔다. 이국만리에서 형과 함께 반체제운동을 하여 소련에 망명한 분이다. 두 분이 초지일관하여 제2의 형제가 되어 여생을 즐기기 바란다.

08일 성가연습에 열을 올렸다. 하느님과 인간과의 사이에 매개적 역할을 하는 성가의 깊은 뜻을 잘 실행할 생각이다.

09일 오늘 경화가 함을 받는 날이다.

10일 녹음을 했다. 안데르센 인형극회에 들고 거드름을 피우느라 운영에 힘이 든 듯하다.

11일 형님이 혈압으로 몸이 불편하시다니 정말 걱정이다. 이제 자서전을 쓰셔야 할 텐데.

12일 인생이 이렇게 답답할 수가. 노력을 하여도 안 될 때는 어떻게 하여야 할까.

13일 보림의 동화 강의를 맡았다. 할일은 많고 시간은 없다. 열심히 새로운 구연동화의 장르를 구성해야겠다.

14일 헨델도 영감을 받은 작곡가이다. 발레극의 흐름은 인간의 죄를 통감케 하며 하느님의 위대함을 느끼게 한다. 좋은 합창을 연주해야하겠다.

15일 연화가 괌에서 돌아왔다. 또 전쟁이 시작되는 것일까. 한쪽이 참으면 될 텐데 이 책임을 져 영원히 입을 다물겠다.

16일 경화가 가족 분위기에 반성의 뜻이 없다. 영원히 섭섭할 따름이다.

17일 경화 결혼식. 종로구 부암동 하림각. 또 새로운 세대가 새 출발을 하게 됐다. 행복을 빈다. 모든 것은 자신으로부터 출발한다. 스스로를 의식 있고 건강한 인생관에 의해서 삶을 가지길 바란다.

18일 경화를 보낸 쓸쓸함에 잠긴다. 참으로 행복하고 제 소원대로 이루기를 기원한다. 이제 또 연화 일을 시작해야지.

19일 대구 정서어머니회 동화교육 세미나에 참가. 구연동화 강의를 하였다. 이 세계는 무척 아름다웠다.

20일 알마티의 빅토르 조 사장과 석식을 했다. 크람스기술문화은행이 설립될 계기가 되었다. 시대의 역전이다. 한소간의 합작회사가 생기다니.

21일 정말 어찌할 수 없는 처지에 놓였다. 추 형님의 중풍 소식. 경화 신혼여행. 사순절 성가연습 등 경황이 없다. 주여, 어찌하여 이 죄인의 죄를 풀어주시지 않으신지요. 형님만은 살려 주십시오. 십자가의 고난을 주더라도 죄를 씻어주시옵소서, 아멘.

22일 빅토르 조가 떠났다. 그 편에 폐유기 혈압강하기를 사서 보냈다. 빨리 회복하시길 빈다. 진정 피는 눈물의 흐름이라고나 할까. 아멘.

23일 너무나 허무하다. 인생이 이렇게 안타까운 것인가. 어설피 몰랐으면 좋았으리라. 누나도 몹시 상심하실 텐데, 알려드릴 수밖에 없다.

24일 하느님께 빌어보았다. 왜 우리 가족에서 이렇게 큰 죄를 내리시는지, 용서하소서. 부활 축하합니다. 축성을 들어 만민에 복을 주시옵소서.

25일 안데르센 녹음을 했다. 이를 계기로 '극본집'을 내야 하겠다. 열심히 준비해야지. 사순절의 고난을 이겨 모든 죄를 씻어봐야지.

26일 추 형님이 걱정이다. 고향을 등지고 석학으로 몸과 마음을 닦아 참으로 우리나라에 힘과 생명을 불어넣어주실 형님께서 중풍이라니 나 자신은 헤아릴 수 없는 죄악감에 몸 둘 바를 모르겠다. 좀 더 사셨으면 감사드리겠다.

27일 구의원 선거 날이다. 방한 형님과 산정캠프에 다녀왔다. 추 형 일은 그대로 추진하여 가능한 한 한국으로 모셔서 치료해보기로 의견을 같이 했다. 주여, 굽어 살피소서.

28일 주님, 감사합니다. 철훈이가 차에 부딪쳐 부상을 당했다. 하지만 이건희 회장이 얼마나 가슴 아프겠습니까. 그를 용서하소서. 인류를 구원하시느라 십자가에 못 박혀 돌아가시던 사순절을 맞아 주의 고난처럼 이겨나가겠나이다. 형님에게도 은총을 내리리옵소서.

29일 허진 씨로부터 철훈 초청장을 보낸다는 소식. 그런데 교통사고로 어떤 운명의 장난이 있을 수 있는 일일까. 묵주의 향. 꼭 나을 것이다.

30일 철훈이가 입원했다. 한양대학병원. 결국 교통사고로 병원 신세를 질 수밖에 없다. 알마티에서 김정순 씨가 형님 소식을 전해왔다.

31일 예수님이 부활하신 날이다. 인류의 희망과 죄의식에 대한 경종으로 참으로 위대한 작품이다. 종교로 승화시킨 부활은 사실 여부보다 큰 순수 인간의 양심을 좌시할 수 없는 산증인이다. 우리에게는 아직도 살아있는 삶이 있을 뿐이다.

4월

1991년

01일 날로 타락하여만 가는 20세기의 도덕성이 자본주의와 상업주의의 등살에 더더욱 무너져 가고 있다. 돈만이 삶의 기준이라니, 참으로 애석한 일이다. 새 세계란 돈이 빛인가. 외롭기 짝이 없다. 우리는 이 속에서 헤어나가야 한다.

02일 종일 한양대 병원이 있었다. 몹시 외로운 날이다. 생활이 뭣인지. 사랑하는 아내의 생일인데도 선물 하나 못한다. 성가대의 성과가 커서 모든 사람들의 칭찬을 들어 주님께 감사드린다.

03일 철훈이가 퇴원했다. 이건희 회장이 자동차를 배상해주었고 6일 소련으로 출발을 서두르다. 형님 병환은 어떠신지 전화를 해본다.

04일 어떻게 하면 살 것인가. 참으로 외롭기 짝이 없다. 최선을 다해보지만 빛이 안 보인다. 누나가 오셔서 형님 일이 몹시 걱정인 듯. 하지만 자신의 건강도 중요하니 잘 지켜주기 바란다.

05일 철훈 방소 때문에 몹시 분주하였다. 이 일이 끝나면 나의 삶에 대해서 새로운 대책을 강구해봐야겠다. 이대로가면 늙어 죽을 뿐 아니라 굶어죽겠다.

06일 철훈이가 드디어 방소의 길에 올랐다. 형님의 병환이 이를 계기로 나아 다하지 못한 모든 일을 마무리해 줄 것을 빈다. 신의 가호를 빈다.

07일 도봉성당 건립기금을 위한 바자회가 있었다. 신의 은총으로 모든 일이 순조롭게 되기를 빈다.

08일 철훈이가 알마티에 도착, 소식을 전해왔다. 생각하기보다는 좋다고 아직 반신불수이다. 조금 의사 표시도 한다하니 이처럼 반가운 일이 없다. 더욱 건강하시기를 바랄 따름이다.

09일 환필이가 왔다. 도의원에 나가볼까, 하는 생각이란다. 나는 무엇을 했는가. 너무나 죽어 살았다. 어떻게 하면 될까. 앞날의 걱정이 태산같다.

10일 해가 넘어간다. 어떻게 해야 할까, 참으로 막연하다. 누가 이 심정을 알리오. 죽지 못해 사는 것같다. 꼭 결단을 내리고 싶지만 그것도 방법이 생기지 않는다.

11일 또 하루가 넘어간다. 아무도 찾아오는 이 없는 외로운 삶이다.

12일 철훈, 홍수 알마티에 잘 있는지. 젊음은 한없는 희망이 오는가보다. 새로운 정지를 찾아 그들의 앞날을 축복하며 기다려본다.

13일 형님의 병환이 조금 나아졌다는 소식을 들었다. 주님의 가호로 참된 사람에게 주는 사랑의 선물이다. 감사하고 감사할 따름이다. 더욱 신앙의 기쁨을 맞아 기도드린다.

14일 경화가 오랜만에 친정을 찾아왔다. 아무것도 대접할 것이 없다. 참으로 가슴 아프기 짝이 없다. 왜 이러고 앉아 있는지 답답한 사람이다.

15일 병이 날 정도로 괴로웠다. 이렇게 덕망이 없는지. 이대로 앉아서 굶어죽어야 하는지. 참으로 실망하지 않을 수 없다. 우리가 사는 것. 이렇게 어려운지 모르겠다. 내일은 나가봐야지.

16일 성당 합창을 잘 지도해 보고 싶다. 찬송은 성경을 읽는 것과 같다.

17일 어린이도서관 동화대회 심사. 예술의 전당에서 오후 8시에 형님 작품이 연주되었다. 현대음악만 아는 사람들이 뭣을 알랴. "그거 참 좋았습니다"라고 대답할 뿐.

18일 정서어머니회. 천주님의 지극한 사랑의 뜻으로 깨우침이 있어 도움을 보내왔다. 참으로 숨통이 트일 것같다. 깊은 기도를 드려야지.

19일 아무런 기대에도 미치지 못한다. 형님이 일어나셨다니. 모든 것을 하나로 감사드릴 뿐이다. 그 옛날 전라남도 문화상을 타던 해에 4·19였다.

20일 민기와 함께 산정 캠프를 찾았다. 친할아버지, 외할아버지 찾지만 불편함이 없는 할아버지가 좋은 모양이다. 아이들도 돈이 무엇인지 아는 모양이다.

21일 경화의 새 살림을 보러갔다. 아직 초년생이 되어 아직도 어색하다. 이렇게 해서 어른이 되어가는 것 아닌가.

22일 김홍수가 소련에서 돌아오다. 참으로 감사합니다. 소련 방문에 형님의 위로가 되었고 보고 들은 일들이 인생의 교훈이 되었다하니 감사할 따름이다. 오늘 철훈은 모스크바로 떠났다고 한다.

23일 최성수 씨가 레크리에이션 캠프장을 만들자고 제안해왔다. 동시에 박종채도 서울로 이사 오다. 외로운 처지에 든든한 벗이 생겼으니 마음의 기쁨이 한량없도다.

24일 종채가 서울로 전근되어 왔다. 새로운 활기를 찾아보자. 참으로 할 수 있는 일, 무엇인가 누가 말하지 않아도 스스로 개척해가는 학구적 태도를 연구해 나가야 하겠다. 유아극대본을 완성할 목표를 세워본다.

25일 철훈이가 어떤 자료를 가져올지 기대된다. 일이 잘 되어 앞날에 희망을 알 수 있으면 좋겠다.

26일 또 하루가 지나간다. 백방으로 노력해보지만 뚜렷한 생활 수단이 생기지 않아 갈수록 걱정이다.

27일 힘을 내야지. 용기를 가져야지. 새로운 경지를 찾아 동화학을 연구해야 한다.

28일 성당 체육대회가 있었다. 청년들에게 희망과 용기를 주어야지.

29일 철훈이가 도착. 형님이 귀국을 원하시는 것이 사실이지만 더더욱 걱정이 늘어간다. 그 가족들을 어떻게 한단 말인가.

6월

1991년

10일 형님을 생각한다. 이국만리 소련 땅에서 고국이 얼마나 그리울까. 하지만 모든 일이 재력이 앞서도 재력이 약해 보이는 현실 속에서 헤어날 갈이 없다. 상인이 되어 돈을 벌었다면 문제없겠는데. 하지만 그 소중하고 귀한 지혜와 지식을 어떻게 하오리까. 답답할 따름이다.

7월

1991년

14일 (음력 6월 3일) 어머니 제사.

19일 형님이 도착하였다. 건강한 모습에 하느님께 감사드린다. 민속학회가 잘 되기를 기대한다.

20일 서울시립대 한명희 교수의 초대로 저녁을 먹었다. 소련에 관심이 무척 큰 것같다. 알마티 최고회의 위원장이 함께 와 소수민족의 정치적 배경을 듣다.

25일 내일이 장인 제사라서 아내는 처가에 갔다. 참으로 내가 어려울 때 나를 진심으로 도와주신 고마운 어른이시다. 아버님 감사합니다. 어찌하여 그렇게 마음을 상하시고 가셨는지 헤아릴 수 없사옵니다. 진심으로 감사드리옵니다.

26일 형님이 집으로 오셨다. 아직도 실정을 이해 못하신 모양이다. 생각만 가지고 실천할 수 없는 허황한 사고방식에 틀림없다. 관용이란 없다. 말에 대한 책임이 없다. 나는 그런 세계에서는 안 살아왔다.

27일 오늘은 푹 쉬도록 하였다. 병고에 시달린 형님 일정이 너무 바쁘신 것같다.

이러다 병이라도 돋치면 큰일이다. 조심스럽다.

28일 여름이 지나가는 산야는 역시 아름답고 그 정숙함이 마음에 든다. 나는 죽서서 나 산으로 가겠지.

29일 작은 댁 제사에 형님을 모시고 갔다. 모두 반겨주었지만 더 큰 바램이 있다면 서로 인격적 대우를 바랄 뿐이다.

30일 형님을 모시고 고향을 찾았다. 아무 말도 하지 않고 기다리시는 부모님의 묘가 무심하기도 했다.

31일 형님을 모시고 곡성군 오산면 관음사에 갔다. 아버님 생각이 들었다. 경렬사를 거쳐 소련에 한글학교 설립추진 위원들을 만났다. 정말 생색분자들이다. 한국식 상업주의자들.

8월

1991년

01일 광주에서 돌아왔다.

02일 서울대 음대 이남수 학장 초청 만찬에 갔다. 소련의 유명한 바이올린 첼로 피아니스트가 초대됐다. 형님께 달동네를 구경시켜 드렸다.

03일 피아니스트 백남호 교수의 배려로 형은 새로운 음악인사와 교류되었다. 서울대 호암관에서.

08일 경희대 국제교류위원회 김한원 박사를 만났다. 경희대와의 결연이 잘 되겠다.

09일 학술원 김정욱 교수의 별장에 다녀왔다. 연극배우 김금지. 그 옛날 광주학생운동기념 학생 연극제에 참가한 학생이었다. (나는 광주사범 부속 유치원 연출) 향수에 젖었다.

10일 형님의 생각에 무리가 있다. 한꺼번에 열 가지 일을 하려고 한다. 박식은 좋지만 체계적인 정리가 안 되어 결국 대성할 수 없음을 알 수 있다. 너무 늙었다. 필요 이상 많은 관심 속에 묻혀 있다.

16일 형님 출국이 비행기 좌석을 못 얻어 연기되었다. 정말 피로한 시간이었다. 형님은 욕심만 차리고 남의 사정은 못 알아주신다. 생색은 누나가 낸다.

19일 나는 추 형의 소식을 1988년 가을, 알 수 없는 한 기자를 통하여 김방한 형에게 편지가 전해져 몹시 당황하였다. 이때만 해도 적대국가이며 우리나라 법령의 보안법 때문에 설령 제3국일지라도 만난다는 것은 위법이기 때문이다. 특히 그는 내가 어릴 때 행방불명이 되었고 그 후 월북했다는 말만 들었다. 고향도 부모 형제도 버리고 자신의 출세를 위하여 집을 떠나야 했던 형이지만 혈육의 정이 있어 몹시 더 알고 싶고 보고 싶었다. 그러나 도저히 만날 길이 없어 거의 포기 상태에 있었다. 당시 수인이가 싱가포르에 있어서 누나가 찾아갔다. 우연히 이 소식을 갖고 간 누나는 제3국이라는 환경에서 별로 어려운 일이 아니기에 전화를 한 것이 서로 상면의 문을 열었다. 참으로 극적인 소식이 왔기에 가슴이 뭉클하였다. 기쁘기보다는 걱정이 앞섰다. 1988년을 보내고 1989년 1월 누나가 추 형과 전화가 되었다는 소식이 왔다. 나는 방송프로를 맡아 일하는 입장이었으나 모든 것을 저버리고 1989년 2월 처음으로 싱가포르라는 이국땅으로 형을 만나러 갔다. 수인의 영접을 받고 이 서방에게 폐를 끼치면서 철훈을 동반하였다. 무척 아름다운 도시였으며 이 서방의 배려로 구경을 하였다. 드디어 소련에서 찾아온 형을 이틀 후에 만났다. 공항에는 누나와 수인 가족, 나와 철훈이가 출영하였다. 모든 여행객이 다 나왔어도 추 형은 보이지 않았다. 사진으로 본 그는 미남형이었고 의젓한 인상이 남아 어릴 때 보듯 키도 키고 뚜렷한 인품으로 기대하였으나 뜻밖에도 아주 작은 키에 두터운 안경을 쓴 보잘 것

없는 한 사람이 딸 릴리와 함께 내려왔다. 우선 누나와 한참동안 해후의 기쁨을 나누며 울먹였다. 그러나 나는 별로 큰 정이 가지 않았다. 그것은 기대에 어긋나서가 아니라 형은 내가 초등학교 3학년 무렵 서울로 유학을 갔고 동경 유학시 해방을 맞았고 해방 이듬해 집을 떠났으니 형제는 형제라도 그렇게 가까이 지내본 적이 없는 정 없는 형이었기 때문이다. 우리는 7년의 연령차이라 어른과 아이로 곧잘 야단이나 심부름이나 시키는 무서운 처지였기에 그럴지도 모른다.

나와 악수를 나누었다. "네가 이렇게 어른이 됐구나" 하면서 만 45년만에 만난 형은 정들었던 누나밖에는 몰랐다. 강대국으로만 알고 있던 소련의 고르바초프의 페레스트로이카 때문에 국내 사정이 어려워 형편없는 생활이며 정치난, 물자난으로 민생은 도탄에 있다는 소식이었다. 안 듣는 것보다 못했다. 두 사람이 3년간의 봉급을 안 쓰고 저금해야 비행기값이 된다나. 나도 못 살지만 무척 동정심이 앞섰다. 형은 싱가포르의 문화와 물질만능의 세계를 접하고 눈이 뒤집혀 정신이 없었다. 아침 일찍이 성당으로 모셨다. 마음을 가라앉히고 당신의 인생을 정리하라고 전했다. 차이코프스키 음악원을 나오고 작곡가라기 하기에 민족음악의 대봉을 이루어 주기를 기대하였다. 보는 대로 갖고 싶어하고 무엇이든지 먹고 싶어하고 또 체면없이 2인분씩 먹었다. 그러나 말이 많고 행동은 느리고 호기심은 많아서 행동 양식이 고집불통이다. 이것은 내가 어릴 때 겪었던 그와 하나도 다름없는 어리광쟁이 이기주의자였다. 어머니께서도 형보다 이런 나를 두고 항상 걱정하시던 생각이 든다. 불효막심한 생각이 들었다. 준채형에 대한 소식은 일체 모른다고 했다. 자신이 김일성의 반체제 운동을 하여 그 때문에 희생된 것을 감추려는 것이었다. 나는 여비만 들고 갔다. 부득이 집안에서 돈을 부쳐와 있는대로 물건을 사드리고 겨우 여비만 갖고 나왔다. 이런 사실을 모르고 모든 경비를 수인이가 다 쓴 것처럼 이야기해서 몹시 섭섭하였다.

다만 그리워하는 조국 땅을 못 밟았다고 해서 한국초청을 기필코 이루어 드리려고 생각하였다. 마침 한민족올림픽이라는 해외동포 초청 기회가 있어 팔방으로 뛰어 그가 소련에 있다는 것을 사실을 알리고 초청하게 되었다. 모처럼 한국에서 최상의 롯데호텔에 유숙하고 잘사는 나라 조국의 품이라는 인상을 주었다. 그는 모스크바 학생 때 반체제 운동을 하였다는 이유로 정치 운운하는 자신의 처지를 모르는 말을 하였다. 적극적으로 만류했다. 19세기적 정치관에 아무리 들어봐도 소련의 야당기질, 사고방식으로 형을 깊이 알지 못하는 나에게는 정말 무서웠다. VTR 두 대, 팩스 하나, 라디오 3개, TV 1대, 또 가정용품 등 또 싱가포르에서와 같이 엄청난 짐을 싣고 돌아갔다. 섭섭하기도 했지만 그 욕심 때문에 친척들의 비웃음도 샀다. 그러나 사회혼미를 겪고 있는 공산권 거주의 형의 입장을 생각하여 용서를 빌었다. 나는 형이 차후 금의귀환하기를 바라며 조국에 묻히기를 기원하며 싱가포르에서 알게 된 서울대 음대 이남수 학장을 통해 그의 창악회와 교환 음악회를 마련하여 다시 조국을 찾게 했다. 부인 나타샤와 딸 릴리와 함께 힐튼호텔에 묵었다. 그리고 2주간 우리 집에 와 있었다. 그러나 이 가족들은 매일같이 싸움이었다. 아마 새로운 사회의 갈등에서 일지도 모른다. 거의 자기 방식대로 살아온 강요에서 온 부작용인 듯 생각했다. 이 가족은 서울에 사는 모든 친척들, 누나뿐만 아니라 외손들까지 융숭한 대접을 한데 한국인의 다정다감한 가족제도에 새삼 감사를 느꼈을 것이다. 그러나 너무나 체면 없이 4~5명이 초대되어 그 빚을 내가 다 안게 되었다. 그리고 고향에 내려갔을 때는 참으로 부들 마을이 떠들썩하게 동네잔치를 벌였으나 말로는 그렇게 어머니를 그리워하던 형이 눈물 한 방울 흘리지 않았다. 이때부터 이상한 감정이었다. 혈육의 정이 참으로 있는지 그는 분명히 소련 사람이었다. 그러나 어찌하면 혹 귀환할지도 모르는 형을 위하여 자신의 투철한 삶의 기록을 냄으로써 과거를 청산하고 떳떳한 인생을 찾아드릴 생각을 했다. 그래서 자서전을 써보기로 약속을 하고 이때도 여기저기서 수많은 선물과 축의금을 받아갔다.

1991년 2월 나는 오촌 매제인 김화영의 사업을 돕고자 억지 춘향으로 알마티 형의 집을 찾아갔다. 형은 사실대로 카자흐공화국 공훈예술가며 음악동맹 중앙위원으로 위치해 있어 연금생활이 보장되어 있었다. 내가 도착하기 전, 한국을 자주 왕래하는 부자로 간주한 4인조 강도가 들어 많은 물건을 빼앗겼다며 온 가족이 울상이었다. 참으로 보기에 딱했다. 나는 〈레닌기치〉 사에 가서 형의 입장을 세워드리려고 '조국은 동포애를 가지고 있으나 그것은 개개인의 사생활까지 복락을 보장할 수 없고 자본주의 사회란 노력하는 자에게는 보장이지만 일을 기피하는 자는 보장하지 않는다. 어느 사회에 살든지 이것이 진리일이다. 서로 동포애를 발휘하여 한국인의 단결과 능력의 과시를 보여주어야 한다는 주장을 했다. 형은 이 사회에서 완전히 고립되어 있었으며 비판적이고 야당기질이어서 남과의 접촉을 꺼려했다. 근 36년을 알마티에서 함께 생사를 같이 해온 최국인 씨를 집으로 초대했을 때 처음으로 형의 집에 왔다고 했다. 형은 지극히 보수적이어서 자기의 비밀을 아는 사람은 모독적이고 접근을 꺼려하는 왕국주의자였다. 아무튼 피는 진하다는 의미밖에는 모두가 이질적이었고 좋게 말하여 망명객의 변태 생활이었다. 그들의 가족들도 그를 싫어하는 눈치이다. 말 두 마디를 건네면 바로 억양이 높아졌다. 그래서 형은 딴청을 부리며 무언으로 저항으로 위협하고 자신을 따르게 만들었다. 진실로 그는 말과 행동이 달랐다. 자기 고집을 위해선 모든 것이 불가능했다. 여기서 특기할 만한 일은 조국과 가족을 그렇게 생각하였다는 그가 40년 전에 쓴 교향곡 〈조국〉과 몇 개의 가곡 밖에 없다는 사실이다. 그리고 그 생활에서 무엇인가 의지적으로 해보겠다는 잔재가 남아 있지 않았다. 오직 치사하게 생을 유치하기 위해 살아온 것이 아닌가. 그러기에 어머니 아버지 묘소를 찾았을 때 분별없는 명당이나 찾고 감개한 모습은 하나도 안보였다. 모스크바에서 갈릴 때 형은 몹시 슬퍼했다. 그 가슴에 무엇을 그리고 있었을까. 나는 직감하였다. 동정 받는 고향이 그리워서 였던 것이다. 이해는 한다. 그러나 동정도 한두 차례이지 그 이상은 없다는 한국적 사실을 너무나 모르고 있는 것이다. 나는 한국에 귀환하여 살아갈 기초를 다짐하여 주기 위해서 자본주의와 상업주의의 기초를 누누이 설명해주었다. 그러나 오직 소련에서는 못살겠다, 정변이 오면 다 굶어 죽는다고 고집만 피웠다. 그러기에 꼭 오고 싶으면 자신의 능력을, 정체를 밝히라고 했다. 자서전 약속도 6개월이 지나도록 쓰지 않았고 곡도 쓰지 않고 아무런 노력을 하지 않았다. 다소 원조된 물건을 손에 쥐고만(아무 기획도 없이) 있다가 털려버린 것이다. 그 후 나와의 모스크바 공항에서의 작별에서 온 자극 때문에 뇌출혈이 와서 중풍이라는 소식이 전달됐다. 무척 놀랐다. 사방팔방으로 구전 진단을 하고 의료기를 구하고 사고해서 철훈을 알마티로 보내기로 결정하였다. 여권 수속을 앞두고 불행하게도 철훈이가 교통사고를 당하여 4일간의 입원을 하였다. 무척 막막하였으나 부득이 쾌유하지 못한 채 철훈 처남과 함께 출발하였다. 뒷이야기이다. 형은 완전히 3개월을 죽은 듯이 누워 있었으며 심지어 대소변을 다 받아내며 생을 포기한 상태였다고 한다. 그러나 이들이 도착하여 상식에 벗어난 일은 움직여 보라고 했을 때 형의 말로는 안마기를 손에 대자 바로 일어섰다고 한다. 병상에서 이틀만에 일어선 것이다. 망명생활이라고 할까. 의타심, 어리광 등 여러 가지 상황에서 볼 때 그는 꾀병에 가까운, 누가 나를 도와주지 않으면 안 된다는 막무가내는 비인간적인 행위에 불과한 것이라고 본다. 그는 처음 만났을 때도 자신의 방어를 위해 준채 형에 대한 이야기를 회피했고 지금도 그렇지만 언급을 피했다. 여러모로 관련된 일이 불거지자 자기 때문에 희생이란 말은 하지 않고 김일성의 주체사상 때문에 희생자라는 의미를 강조하며 회피하는 경향이었다. 참으로 자신을 죄악시하는 점을 찾아볼 수 없다. 작은 형에 대한 것도 함께 공부할 때에 대한 말이 없었다는 것뿐, 조금도 섬세한 이야기가 없었다. 왜 이렇게 되었을까. 분명히 소련사람이 되었고 이기주의 때문에 자기것을 하나로 희생하지 않고 말로 지시하고 가만히 앉아서 남이 스스로 해결해주도록 무언의 저항과 설득을 오묘하게 하는 이기주의가 철저하게 스며 있는 것이다. 내 입장에서는 참으로 비통한 일이다. 남들 앞에서 자기가 가장 애국하고 효자였다는 말을 거듭하면서 어머니 아버지가 자신의 희생이 됐다는 것을 저버리고 45년 만에 성묘하면서 하나도 표출되지 않았다. 인간이라면 보기가 무섭게, 하다 못해 살아온 자신의 설움이라도 터뜨렸을 것이다. 그리고 가장 효자인양 묘가 어떻고 이장을 해야 한다는 둥 나에게 불효스런 입김만 불어 넣어 나는 분명히 말했다. 내가 안한 것이 아니라 돈이 없어 못한다고 했다. 더욱이 1991년 7월 샤머니즘 국제대회를 빙자하여 귀국해서도 무슨 목적으로 왜 왔는지 식별할 수가 없다. 누가 대접한다고 하면 한시도 놓치지 않고 구걸하다시피 참석하여 향수를 달래고 온 가족을 데리고 뜻없이 귀환하고 싶다는 넋두리만 늘어놓았다. 누님과 그렇게 가까이 향수를 달래고 진실로 지난번에 왔을 때 성묘하지 못한 죄과를 생각했다면 말이라도 성묘해야겠다는 말이라도 했어야 할 것 아닌가. 내가 너무 비판적이고 비인간적일지 몰라도 내가 아는 인본주의의 바탕은 그렇게 정에 약한 나다. 나는 참으로 비련의 영화를 보지 못한다. 너무나 가슴이 미어터지며 울먹여 볼 수 없기 때문이다. 3년을 지켜본 형은 비정하였다. 자신은 그 엄청난 전쟁 때도 고생하지 않았고 망명생활도 남보다 순탄했고 낭만적이었다고 한다. 그러나 결국 외국여자와 살면서 그 변명을 아무도 모르는 자신의 청춘시대에 어머니께 만약 외국사람과 결혼하면 어떠냐고 물었을 때 어머니께서 선견지명이 있었는지 남자가 할 수 있다면 “좋다”고 하시더라는 변명만 늘어놓았다. 나는 이런 점이 자신을 합리화하려는 그의 이기주의적 태도가 못마땅하다. 누나는 연령으로 보아 한 세대에 살았기 때문에 정이 가고 할 말이 많고 그들만이 아는 사실들이 있어 더더욱 노년 향수의 젖어들지 모르나 나는 초등학교 3, 4학년 때부터 형이 아버지 어머니를 괴롭히며 외국으로 간다고 돈을 달라고 하면서 부모를 걱정시키던 인상이 있을 뿐, 거의 정겨운 일이란 없다. 그 후로는 서울에 가서 공부하였고 이어서 일본에 가 공부하였고 태평양 전쟁 때 잠시 집에 와 있었지만 나는 초등학교 6학년 때였으며 바로 일본군에 출정하여 해방을 맞으니 나는 목포에 가 공부하고 형은 광주에 있었다. 언제 정들고 같이 접촉할 사이도 없었으니 부모님께 고집쟁이 어리광쟁이라고 말 들은 것 외에는 아는 것이 없다. 그러니 나에게 혈육이라는 정, 그밖에 깊이 형을 알 수가 없다. 도리어 그리움이 있다면 권이 형이다. 그도 목상을 다녀 떨어져 살았으나 방학 때면 사람 되라고 자주 좋은 인간된 도리를 가르쳐 주어 권이 형의 인상은 크게 남아 있다. 내가 어떤 오해를 하고 있을지는 모르지만 추 형은 자기 자신의 삶에 대한 애착뿐이며 자기의 주변이 어떠한 희생을 당해도 좋다는 것뿐이다. 조금이라도 이 동생에게 미안하고 사죄하고 싶다면 하나부터 열까지 자신을 털어놓고 서로 살길을 의논해주면 얼마나 좋으랴. 그러나 이 동생을 이해하지 못한다. 나는 평생을 형들 때문에 희생되었다. 파란곡절이 많았던 자신을 생각다 못해 자포자기하고 지적 교양을 독학으로 스스로 갖추며 대학에 들어서니 이혁이라는 전남대 학장이 “내가 분명히 말하지만 형들 때문에” 하면서 학교에 들어올 수 없다고 입학을 거절당했다. 그로부터 인생관이 바뀌어 소외된 세계에서 자신을 개척할 수밖에 없어서 순진한 어린이 세계에서 제2, 제3의 세대를 살 수밖에 없었던 처절한 자신을 생각할 때 신이 전해준 운명의 장난이라고 믿어 가톨릭에 입교했다.

그러기에 형이 싫다던가. 미운 건 아니다. 같은 운명 속에서 형은 자신만을 위하고 나도 지금 손자들이 있는 고령에 서서 지금도 형을 위해 희생이 될 수는 없다. 심지어 승계할 아들이 없으니 철훈 아니면 민기를 양자 달라고 한다. 하나밖에 없는 내 아들을 나는 어떻게 한단 말인가. 그렇게 양보하여 형의 열사라도 하란 말인가. 1991년 7월에 조국을 찾아온 형은 무엇을 생각하고 왔는지 도무지 알 수가 없다. 소련의 정치정세가 불안하니까 무조건 귀국하고 싶은 망상에 젖어 있다. 혹 귀국한다 하더라도 순서가 있고 방법이 마련되어야 하지 않은가. 국적이 다르고 생활 양식이 다르고 사고방식이 달라진 형이 한국적 장점만을 취하고 자신의 정체를 밝히지 않고는 사실상 불가능하지 않는가.

작곡가라고 하는데 어떤 작곡가이고 어떤 작품이 있는지조차 모르고 있다. 그는 박식한 국외자 일뿐, 체계적으로 학문을 하기에는 이미 아는 것이 많아 산만하여 생각하다 밥도 못 먹을 입장이다. 수많은 사람에게 "한다", "할 수 있다", "꼭 와야 한다", "같이 일하자"고 프로포즈를 많이 하였지만 너무나 여러 갈래의 일을 약속해 인격적 표준을 넘어선 듯싶다. 결국 할 수 없으면서 약속한다는 것은 무책임한 일이다. 나는 그 사후를 책임질 수 없다. 아무래도 간접적 책임이 있기 때문이다. 나도 나의 보존의 본능이 있기 때문에 그동안 눈에 보이게 안보이게 쌓아놓은 가느다란 탑을 일조일석에 무너뜨릴 수는 없는 것이다. 참으로 어머니 아버지께 죄송하고 죄지은 것같다. 부모는 열 손가락이 다 아프시겠지만 이렇게 예상하지는 않으셨다. 준채 형과 그 가족들의 희생, 그리고 국내에 남아 있던 사람들의 희생을 조금이라도 생각하고 미안하게 느꼈다면 결국 내 책임이기에 금의귀환하실 수 있도록 과제를 준 동생은 밉고 향수에 젖어 보고만 싶어 무조건 오라는 누님이 더 좋을 것이다. 그러나 누나는 형을 절대로 책임질 수 없는 출가외인이란 것을 알 날이 있을 것이다. 우리는 형제다. 그렇기에 부모가 주신 평온을 되찾아야 하며 사회규범과 인륜의 정을 자연스럽게 서서히 풀어가야 할 것이다.

21일 드디어 아침에 분란이 일어났다. 나의 체면과 형 때문에 나의 인생을 희생당한 입장을 생각지 않고 누나와 짜고 욕되게 한다. 분명한 대의명분이 없다면 귀국을 반대했다. 어설피 사할린 동포라면 구제하겠지만 그는 바로 행동의 보수주의자이며 이기주의자다. 친척을 이용하여 소련사람들을 데려오려고 한다.

22일 폭풍이 지나간 듯 조용한데 실물 폭풍이 불어온다. 이렇게 고단하다니. 어느 세상이나 그렇겠지만 권력 금력 사기력. 인간의 탈을 쓰고 어찌 그럴 수 있을까. 나는 일생동안 자존의 세계에서 혼자 단독으로 살아왔다. 결국 그럴 수밖에 없었다. 추 형은 반성하지 못한다. 그리고 분란만 일으키고 돌아갔다. 그는 분명히 소련사람이다.

23일 아미를 불러 그동안 헝클어진 가족관계에 쌓인 오래를 풀고자 했다. 주요 원인은 정이 한쪽에 쏠리며 한쪽을 소홀히 했다는 것이 아니라 이해를 못하는데 있는 것이다. 형님은 노인이기에 내가 존경한다는 의미에서 참아왔다.

24일 형이 가신 뒤 몹시 가슴이 아프다. 이제는 두 번 다시 볼 수 없을 것 같은 느낌이 든다. 나는 형을 미워하지 않는다. 다만 내일을 위하여 여유 있는 생각을 해보자는 것이다. 참으로 가슴이 아파 잠을 못 이룬다.

9월

1991년

22일 추석. 형과 누님이 계신다 해도 북으로 간 절반의 가족은 소식이 없이 둥근 달을 바라보고 고향 생각을 하시겠지. 아버님, 어머님, 준채 형, 임옥순 형수, 훈, 태양, 대하, 현순, 현, 철, 모두 생각난다. 주여! 모든 가족들을 도와주십시오.

26일 9월도 소리 없이 넘어간다. 알마티 식구들은 잘 있는지. 형님이 마음에 걸린다. 여생이나마 좀 더 보람 있게 지내라고, 당신의 창작품을 요구했는데. 대단한 오해가 됐으리라. 주여, 용서하소서.

27일 오늘이 아버님 제삿날이다. 생각할수록 어머님께서는 지쳐 죽을만한 쓰라림을 딛고 무엇으로 이겨내신 위대하심이 더할 나위 없다. 아버님, 참으로 얼마나 어려우셨나이까.

28일 어머님이 살아계셨다면 형님들 소식도 듣고 얼마나 기뻐하셨을까. 좋은 세상이 왔다고는 하지만 지금 저에게는 힘이 없습니다. 열심히 살아보렵니다. 그런데 벌써 63세이니 어떻게 할지요!

10월

1991년

01일 준채 형과 형수가 1958년 추 형에게 보낸 편지를 검토했다. 사형장으로 끌려가는 삶의 안타까움과 발버둥치는 그 슬픔이 드러나 보인다. 누가 이런 역사를 꾸몄으며 장본인은 누구인가. 공존의식도 없이 두 번이나 자신만을 위하여 온 가족을 멸망시켰다.

정준채 큰 형의 아들, 훈에게 분명히 전한다. 가통과 인심과 하동 정씨의 뜻을 분명히 전한다. 인간이 태어남에 인간이 가장 중요함을 먼저 느끼기 때문에 하는 말이다. 나도 내 아들 철훈이도 너희들의 생존을 기대하고 있다. 훈, 태양, 대하, 현순, 현, 철. 너희들에게 뭐라고 할 수는 없구나. 그러나 남과 북의 의식적 구조와 현실을 무시할 수 없지만 원컨대 참으로 인본주의 의식대로 다시 만나길 원한다. 나는 현재 너무나도 너희들을 모른다.

28일 꿈이 도사리는 월요일이 되었으면 하는 월요일이 왔다. 안 사람이 연금매장 입점을 위하여 건국대학에 갔다. 모든 게 돈 없는 사람의 슬픔이다. 방한 형이 말했다. 무엇을 도와줄까.

29일 안 사람이 쌍문 시민연금매장에 빵가게를 차려 문을 열었다. 팔리기를 바란다. 이것이 우리들의 생활 전선이다.

30일 아침부터 빵가게로 빵을 옮기는 일부터 아침이 시작된다. 참으로 극적인 인생이다. 어떻게 하랴. 근본적으로 이게 뭐냐.

31일 오늘이 목요일, 형님께 전화를 드렸다. 큰 형 준채 형의 아들 훈의 서신을 받았다는 소식이다. 감개무량하다. 준채 형님의 소식을 몰라 추 형이 소련에서 대성통곡하는 소리로 들렸다. 허나. 형들! 생각해보시오. 무엇이 진의인지 거짓인지

나는 모르겠어요. 훈, 네게 말하겠다. 메모(memo)를 봐라.

11월

1991년

02일 추 형, 용서합시다. 결국 크게 기대했기 때문이다. 방한 형도 열심히 노력중이요. 야훼는 나의 목자시니 아쉬울 것 없어라. 푸른 풀밭에 누워 놀게 하시고 물가로 이끌어 쉬게 하시니 지쳤던 이 몸이 생기 넘친다. 그 이름 목자이시니 인도하시는 길, 언제나 곧은 길이요, 나 비록 음산한 죽음의 골짜기를 지날지라도 내 곁에 주님 계시오니 무서운 것 없어라. 막대기와 지팡이로 인도하시니 걱정할 것 없어라.

1992년

1월

01일 눈앞은 턱없이 높아지고 수심은 깊어만 간다. 이 나이면 위국충절하고 명성이 높아도 하늘에 닿을 텐데 생각은 깊고 살길은 막연해진다. 나이를 먹으면 편해야 할텐데 자식 하나 있는 것 나 때문에 고생시킬까 걱정이다.

02일 종일 집에 앉아서 새해 설계를 해본다. 그동안 생각해온 것이지만 유아극본을 완성해볼 생각이다. 보림에서 명년에 단행본을 만들 생각이라니 금년 중에 준비하여 좋은 극본이 되게 해볼 생각이다. 협동생활, 서로 돕는 도덕적 생활, 즐거움을 갖는 생활 등을 그려보련다. 그리고 그동안 쓴 인형극 대본 등을 정리해보겠다.

03일 간밤에 후배 차영선의 생일에 갔다. 나도 모르게 안면 부상을 입었다. 금년 신수 조심하라는 뜻이 아닌지. 경고장 같다. 매사가 그렇듯이 연초부터 기분이 상한다. 불길의 징조일까. 하던 일도 마무리되지 않아 걱정이다. 주께서 살펴주실 것으로 생각하고 사는 대로 열심 살아보련다.

04일 아내와 함께 도봉산에 올랐다. 무언의 등산이었지만 한 걸음 한 걸음 노년의 삶을 생각해봤다. 이처럼 열심히 살아도 그래도 모자란 것뿐인 듯했다. 앞을 생각하기보다는 지난날의 반성에 그쳤다. 할아버지의 유년시가 생각났다. "산이 높다고들 하지 마라. 내가 산에 오르니 높은 산도 발 아래 있더라." 얼마나 위대한 시냐.

05일 온 세상이 적막 속에 빠져 있다. 누가 언제 무엇을 보여줄지. 모두가 기다리느라 조용하다. 해가 뜨기 전에 여명을 밝히듯이 올해도 무슨 일이 연초를 장식할까. 역시 나라는 통일을. 백성은 평화를. 그럼 나도 청빈하게 깨끗한 삶을 살고 싶다.

06일 일손을 잡은 첫날이다. 러시아 시베리아 민요집. 이렇게 명명하였다. 교정, 교열 모든 것이 끝났다. 이제는 인쇄뿐인데 멈춤하고 있다. 그러기에 또 바닥에서 시작해야 하니까 어려운 이야기다. 아무튼 민요집 소개용 PR지를 고심해 끝내 작성해 두었다.

07일 유아극 대본을 구상하고 보니 할일이 너무나 많다. 진정 좋은 극 대본이 되리라 믿는다. 오늘까지 1, 이 빠진 호랑이 2, 토끼의 재판을 준비했다. 소련의 정세가 몹시 불안한데 형님 잘 계신지 궁금하다. 부시 미 대통령이 방소하였다. 참으로 공존해야지 우리 위정자는 무엇을 하는 걸까. 그들에게 '우리'를 맡길 수는 없지 않은가.

08일 실란(絲蘭). 실처럼 긴 초록색 이파리들이 제멋대로 하늘을 뻗어간다. 웬일인지 90도로 꺾여버린 이파리. 대쪽 같이 강한 성품인데도 살랑대는 미풍과는 잘 아울려 부드럽고 연안 마음을 움직인다. 제 멋대로 쭉쭉 뻗은 네가 마음에 든다. 맑고 깨끗한 수정 같은 물방울을 머금고도 흘리지 않는 정숙삼이며 두 잎을 열고 부처님 손바닥처럼 윤회를 가리키며 피어 오른 너의 마음. 몸은 가늘어도 그 청아한 너의 모습은 모든 별들이 너와 함께 있으리라.

09일 지성이면 감천이란 말이 있듯 자신의 정성을 다해 노력하면 아는 사람은 아는 것같다. 보림출판사. 그는 누구보다 노력가이고 정성을 다하는 사람이다. 남의 뜻도 이해한다. 종채와 함께 도일의 뜻을 밝혔더니 여기 걱정을 해주었다. 물론 현상적으로 생활은 힘들지만 새로운 자극과 세계관을 위하여 출발해보련다. 하려는 자에게는 길이 열리겠지.

10일 마지막 손질이라 할까. 민요집의 요약 PR지를 만들었다. 참으로 이대로 멈추다니 괴롭기 짝이 없다. 아내가 경화에게 갔다. 부모의 자식에 대한 사랑은 어떤 것이라도 희생하고 싶은 것같다. 유난히 요사이 피로를 느끼며 힘들어 생각하더니 스스로 찾아간 듯했다. 미소 지으며 무척 친정에라도 간 듯 반갑게 가는 듯했다. 성가대를 본당 맨 앞줄로 나와 하라니 신부의 뜻 모르는 책벌인듯 하다. 무척 고민스럽다. 조용히 나만의 신앙으로.

11일 구정의 쓸쓸함을 잊고 복잡한 연휴를 피해 일본 규슈로 여행을 떠나기로 했다. 보림에 얘기했더니 여비를 보조해주겠다고 하여 생전 처음 남에게 보조를 받아 떠나기로 했다. 물론 내가 '날로 새로운 자연세계'를 열심히 만들어주었기 때문이다. 근래에 돈을 번 사람들은 돈의 가치와 쓸 줄을 알기 때문에 쉽게 보조하려 하지 않는다. 이번에는 우선 한국인이 일본으로 이주하여 백제의 얼을 심었다는 가고시마(鹿兒島)를 찾아본다. 370년 전 남원에서 일본 에호시대에 끌려간 도공들이다. 그때 박 씨의 후손에 도고 시게노리(東鄕茂德)란 사람이 있었다. 마을 입구 표식에 1, 거짓말 마라 2, 지지 말라, 약한 자를 괴롭히지 마라.

12일 10시에 세계적인 인형극 이론가 소련 국립인형극장장 미크리샨스키를 만났다. 그는 예술은 길고 인생은 짧으면서도 사람의 마음처럼 세상이 자주 변한다고 했다. 참된 삶은 오직 하나로 정성스럽게 해야 한다고 하였다. 비록 소련은 해체되고 본 뿌리부터 해체된 나라가 되었지만 참된 사람은 살아있다. 금년 10월 5일 소련인형극단이 방한 공연하게 된다하여 무척 반가웠다. 그토록 노력하고 선수를 쳤지만 금력에 뺏기고 말았다. 그 무렵 추 형을 통역으로 모신다고 한다. 아무튼 새 시대를 열어야겠다.

13일 이 달도 중순에 접어드는데 아직은 어둠 속에 잠겨있는 듯 모든 일이 풀리지 않는다. 오직 자본주의 체제이기 때문에 모든 것이 金力이다. 내가 하는 일이란 인류를 위하고 자라라는 아이들을 위하여 얼마나 순수하고 좋은 일이랴마는 자기 자신의 일인 양 돈이 없으니 이대로 풀리지 않는다. 막바지의 기승을 올려봐야겠는데.

14일 심각한 문제가 일어났다. 조양환 어코드 사장이 경영난에 봉착하였다. 문제는 나에게 일한 조건의 지분을 상실하게 되서 말이다. 지금까지 번역 교열교정 등 전 9권의 책을 이대로 방치하게 될 우려를 낳는다. 어떤 묘안이 없을지 미궁에 빠진다. 미당 서정주 시인은 그루지라로 시를 위한 유학을 떠난다고 한다. 향년 78세의 노익장. 19세기 러시아 문학연구하던 젊었을 때의 꿈을 안고 재출발하는 우리 한국을 대표하는 시인이다. 부럽기 짝이 없다. 지금도 늦지 않으리.

15일 형님에게 전화했다. 나타샤가 받았다. 릴리도 야나도 없었다. 무슨 정이길래 이렇게 애타게 소식을 전해 들으려 하는지. 사실 아버님과 어머님께 죄송하기 짝이 없다. 고향을 떠나 이국만리에 있는 식구들이 뚜렷한 성공을 했어야지 아무리 그 나라 사정이 어떨망정 자신의 공은 공일텐데 아쉽기 짝이 없지만 삶에 급급하지 말고 진실로 고향을 떠난 그들의 마음을 알고 싶구나. 이렇게 살기 어려운데 아내가 하는 빵가게도 문을 닫을 지경이다. 그나마 연화 혼비로 둔 것을 다 날릴 것같다.

16일 러시아 시베리아민요집으로 명명하였다. 그런데도 결론이 보이지 않는다. 어코드사가 출간할 능력이 없어 이달 생계비도 내놓지 못한 것이다. 농성을 하듯 출근을 한다. 청빈이 양심과 지성이라고 배웠는데 세상이 순리로 풀리지 않는다. 종채는 동생 정자의 녹음실을 이용해보라고 따뜻한 동정을 베푼다. 아직 죽을 때는 멀었는데 어떻게 해야 될지 심히 걱정스럽다. 식구 먹여 살리지 못하고 지옥으로 갈려나. 연초부터 걱정거리다.

17일 나는 술을 먹었다. 그러기에 진실을 토로하는 것이 아닐까. 나는 형제들의 방주 때문에 나의 인생을 버렸다. 신원이 불확실하여 학교도, 취직도 못했다. 그래서 하나부터 열까지 가장 밑바닥 세계에서 그나마도 유언을 지키느라고 최저임금에 만족해 살아왔다. 나는 이 이상 별수가 없다. 갈수록 이해가 되지 않는 부분에서 갈등이 심해간다.

18일 아내는 친정조카 결혼식에 참가했다. 9시 50분 전주행 새마을호를 전송하고 묵묵히 집으로 돌아왔다. 돈 많고 명예 많고 현실에 힘이 있으면 이럴 때 얼마나 좋을까. 내일 연화의 생일이라는데 어떻게 하지?

19일 성당에 현(玄) 신부님이 오신 다음 내부적 갈등이 심하여 반발하는 등 성당답지 않은 현상이 일어났다. 나에게도 지역이 다르다는 취지로 자기 지역으로 돌아가라는 등 말이 있었다. 주님의 뜻이라면 좋겠으나 인간이기에 인간적인 면의 결여로 매우 언짢다.

22일 보림에서 일본 여비를 받았다. 한쪽으로 매우 기쁘면서도 한쪽으로는 부담을 갖는다. 해가 스스로 원해서 먼저 요구하기는 처음 일이다. 일본에 가서 얼마나 큰 도움이 될지는 모르겠지만 그들은 지금 21세기를 향하여 무엇을 구상하고 있는지 어떻게 해야 빠른 속도로 과학문명을 극복해 나갈 수 있는지 복잡하고 단순화된 현실적 갈등을 어떤 정서로 풀어나가야 할지 자세히 보고 와야하겠다.

23일 지난해에는 소련을 비롯해 일본으로 뜻하지도 않았던 여행을 했었다. 1989년에 싱가폴, 1990년에 일본 두 번, 그리고 대만까지 무려 6차례나 된다. 나갈 때마다 새로운 문화와 우물 안 개구리와 같은 자신에 대한 부끄러움을 많이 느꼈다. 특히 싱가폴에 순수하고도 토속적으로 현대 문명과 접목시킨 문화, 그 화려했던 슬라브 러시아의 귀족들, 그리고 간교하고 알뜰하게 가난에서 첩첩이 부자로 자라난 일본의 살림 등 배울 게 많았으나 소비에트 민화집 외에는 환전이 되지 않는다. 뭔가 노력해야지.

24일 밤새 잠이 안 온다. 그나마 소비에트민화집으로 6개월을 살아왔는데 이제 도산의 지경에 이른 출판사가 오히려 발을 빼니 다 된 것같다. 어떻게 해야 할지 참으로 막연하다. 내일 어떤 결론이 날지 지켜봐야하겠지만 나에게는 보통 일이 아니다. 또 한 번 파란을 겪어야할 모양인데 앞날을 어떻게 끌어가야할지, 나이 먹은 것이 한이다.

25일 하얀 눈이 내렸다. 보드득 보드득 발자국을 남기며 한참 걷다가 돌아다봤더니 하나도 올바르게 걸어진 자욱이 없다. 이것이 나의 인생이었는지도 모른다. 그러나 끊임없이 외길을 걸어온 것만은 사실이다. 자연의 섭리에 못 이겨 자식을 낳고 자식들을 길러야할 의무가 있어 살기 위해 이것저것 내가 가진 재주는 모두 쏟아놨었다. 내가 청년시절 분명히 남보다는 창의성이 앞서 무엇이건 하면 앞서 갔다. 그러나 외길을 걸은 것은 이제와 생각하니 눈 위의 발자국이구나.

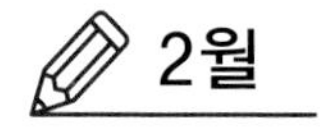

2월

1992년

1~5일 박종채, 백진학과 일본 가고시마 행

13일 허진 형님이 오셔서 아침 일찍 그를 찾았다. 비록 사회주의 국가에서 자라 자유계를 모른다 해도 더 잘 알고 행하고 있었다. 자기를 위해 최선을 다하라는 것이었다. 그는 이미 대아(大我)로 자리를 잡았다. 이미 기반을 형성하여 정치 경제 등 어느 누구보다도 할일을 챙겨가고 있었다. 역시 인간은 대담하고 실험적이어야 했다. 자기의 말대로 그 악랄한 북한 사회에서도 그 제도를 응용하고 이용하여 자신을 키워 나왔다고 하는 말이 옳다. 이제부터라도 나는 어떻게 해 나갈까. 일생을 이런 생각으로 살고 있는 자신이 불쌍하다.

14일 정병호 선생 한국의 민속춤출판 기념회 참석. 정말 어찌된 인생인지 병호 씨는 함께 출발하여 대학교수까지 진출, 커다란 업적을 남겼다. 나는 형 들 때문에 학교를 중도에 자퇴하게 되어 평생을 떳떳하지 못하게 이렇게 살아온다. 생각할수록 기가 막힌다. 허진 형이 말했다. 추 형은 이렇듯 많은 식구들을 궁지에 몰아넣고 지금에 와 명분없이 귀국하려는 것은 의뢰심에 불과하다고. 어떻게 하던지 우리를 위하여 형이 연구한 업적을 가지고 돌아오셔야지. 나는 결코 이대로는 부모님 묘 앞에 귀환시키지 않겠다.

16일 아침 일찍 샘물을 뜨러 갔다. 산은 말없이 차가웠다. 아무도 도와주려 하지 않았다. 바로 이것이 현실 앞에 서 있는 나였다.

20일 방한 형이 폐를 떼어내는 큰 수술을 받았다. 수술 결과는 대단히 좋아서 회복이 빨라지고 있다. 오늘은 이런 저런 생각에 젖어 종채와 함께 종로를 배회하며 하루를 보냈다.

22일 철훈이가 미국에 갔다. 견문도 넓히고 민기에게 꿈과 희망을 안겨줬으면 좋겠다. 무엇이 어떻게 있어야 하고, 해야 하는지 점차 이해해 가겠지. 그러나 때는 기다리지 않는다.

29일 내일이 3월 1일이다. 일제의 식민지 아래서 독립을 선언하던 선조들의 의거 날이다. 그러나 지금은 일본인들에게 부역하고 아첨하던 족속들이 지금까지 떳떳하게 살고 있다. 도대체 이승만이란 초대 대통령의 망상과 혼자만 지식인이고 국민을 어리석게 보는 자가 도취의 위정자. 그는 완전히 고등계 형사까지 자기를 따르면 모두 등용하였다. 그러기에 지조도 정조도 없는 또 한 번 하나를 이 사기꾼 배에게 팔아넘긴 셈이다. 이로써 우리나라는 지금까지도 전통성이 없는 정치문화를 형성하여 힘세고 돈 있고 권력만 있으면 정치인이라는 현상을 만들었다.

3월

1992년

03일 『러시아 시베리아민요집』이 세상의 빛을 보게 되었다. 3월 말까지 인쇄하고 4월초에 출간하기로 하여 영업부를 창설하였다. 우연한 붐을 타고라도 세상에 빛이 되었으면 한다. 세상 살기에 힘든다는 것이 마음대로 안 된다는 것이다. 그러나 이 책만큼은 그동안 들인 정성과 기도로 잘 될 것이다. 또한 조 사장을 위해서도 빛을 보리라고 믿는다.

05일 민기가 입학하였다. 입학을 축하한다.

10일 오늘이 근로자의 날이다. 모처럼 시중에 차가 적어 소음이 덜할 것같다. 민기도 학교에 입학한 뒤 피곤해서 그런지 전화하지 않는다. 무소식이 희소식이라고는 하지만 섭섭하다. 아내와 함께 재래시장에 갔다. 역시 물건 많은 곳에서 골라야 했다. 사람 역시 그렇겠지.

11일 깜박 일기 쓸 생각을 잊었다. 그건 생활의 리듬이 깨졌기 때문일 것이다. 좀 더 사색을 해야겠다. 요사이는 정신 집중이 되지 않아 기도도 잘 안 된다. 무엇인가 들떠 있는지 흑심이 많아서 그런지 자신이 부끄럽다.

16~21일 일본 동경 행.

24일 조용한 시간을 갖고 싶다. 세상은 어지럽고 하는 일도 불안하기 때문이다. 이런 곳에서 과감히 뛰어나갈 길은 없는지. 소인이 되어 대大를 끌어가지 못하기에 항상 안정이 안 된다. 선거 날이다. 아내와 함께 일찍 투표를 마치고 종일 책상 앞에서 고민을 해간다. 나도 이제 나이가 다 되었다. 힘찬 기동력이 없어졌다.

27일 내 마음 속으로는 '엄마엄마 얘기해주세요', 재미있는 구연동화를 집필하느라 바쁘지만 겉으로는 할일이 없다. 한 회사에 자리를 지킨다는 것도 쉬운 일은 아니다.

28일 오늘은 처음으로 하루를 집에서 쉬었다. 아내가 빵가게가 몹시 안 되는 모양이다. 게다가 나마저도 봉급을 못 받으니 정말 할 말이 없다. 열심히 일을 해도 생기는 게 없으니 나이 먹은 탓이 이만저만이 아니다. 생각과 현실과 눈은 판이하게 다르다.

29일 삼월이 하염없이 다 지나갔다. 종일 성당에서 성가를 지도하고 진심으로 노래로 기도를 드려본다. 진실로 거룩하신 하느님, 항상 옆에 계시어 인간된 도리를 다 못하는 소인을 살펴주시옵소서. 남을 용서하고 사랑을 베푸는 마음의 빛을 주시옵소서. 이렇게 빌어본다. 그리고 소식을 알 수 없는 준채 형과 식구들의 무사하심을 빌어마지 않습니다. 아멘.

4월

1992년

02일 삶이란 참으로 어려운 것이다. 무엇은 어떻게 살아야 산다고 하는 것일까. 아무리 세상이 혼탁하고 어려워도 인간의 탈을 벗어버린 남과 같게라면 훌륭한 삶을 살 수 없다. 다르기 위해서 다르다는 것이 아니고 수많은 인간의 욕망을 스스로 줄여보는 것이다. 싸움이란 욕망과 무시에서 발생하지 않는가. 필요한 만큼만 가지고 좀 더 지성적인 삶을 가져봐야지.

03일 허위와 가식이 가득 차면 허구가 생긴다. 마치 필독의 도서를 발간한 듯이 발간되지 않은 책의 광고만 찍어서 이 사람 저 사람에게 자랑하고 유혹의 눈빛을 보내는 조 사장을 보면 정말 사상누각처럼 위험을 느낀다. 이럴 수 있는 것인지, 심기가 보통 불편한 게 아니다.

04일 오늘까지 기대하고 있었으나 "죄송합니다"라고 끝내버린다. 3월말 봉급은 이것으로 무로 돌아갔다. 큰 욕심을 부리는 것은 아니지마는 기본이 없어져 버려 이 이상 버틸 수가 없다. 이렇게 비참하게 되다니, 실로 할 말이 없다. 나에게는 이제 가진 것이 아무것도 없다. 막연하지만 또 새로운 출발을 해본다. 어코트에게는 나의 권리를 주장하고 이만 끝맺으려 한다.

06일 무심코 날을 보내고 나니 새싹이 눈에 띄듯이 보이더니 제법 모양을 갖춰 봄이 자랐다. 그 수많은 새싹 중에서 한 이파리와 대화를 나눈다. 흘러가는 시간은 자라는 봄을 멈추지 않는다. 어떤 일이 있어도 꾸준하게 시간 속에 소화시키면서 유기적으로 계절을 몰고 온다. 그는 어디까지 자라고 어떤 모습을 보여줄지 모른다. 바람에 나부끼며 햇빛을 좇아 말없이 자랄 뿐이다. 그러나 어느 눈에 마주친 잎은 봄을, 여름을, 가을을 생각하게 한다.

07일 이가 아팠다. 병원을 거쳐 집으로 와 민속놀이 강의를 준비한다. 이제 나이 탓인지, 아무리해도 기억이 살아나지 않는다. 우리 민족 이전에 한국인이, 그 인간상이 옛과 지금은 무척 달라졌다. 여러 가지 문화의 영향, 정치 사회 경제의 영향이겠지만 인간성 상실이 문제이다. 사람이고 보니까 사람답게 살고 싶으면서도 사람을 파괴하고 혼자만 살고자 한다. 신은 사람의 행위를 제약하지 않는다. 스스로 자제해 나가기를 빈다.

08일 수원 농촌진흥청 농촌지도자 공무원 민속놀이 과정에 참석하였다. 농촌공무원이란 참으로 관심없는 곳에서 일을 하는 공무원이다. 저마다 민속놀이를 전해주려고 열심히 하였다. 살기는 그런대로 좋은 듯하다. 오랜만에 시골 전원으로 빠져나가 참으로 시원했다.

13일 경화가 10시에 딸을 순산하였다.

14일 성모축일에 경화의 신생아를 보러갔다. 정말 귀엽고 잘 생겼다. 아기가 행운을 싣고 왔으리라. 보는 사람마다 기쁜 표정을 보여주었다. 보림에서 음악 미술 체육을 새로운 유아교육론으로 집필하자는 제의를 받았다. 아기가 안고 온 행운이라 생각한다. 우리 연화도 뜻이 있는 곳에 길이 있었으면 좋겠다.

15일 마지막 연습 날이다. 부활의 뜻을 새기며 새로운 삶을 시작한다는 의미로 열심히 했다. 생각대로 잘 할런지. 우리 합창단은 청창으로 한다. 그러기에 믿을 수 없다. 신부에게 다 배워주고 나면. 무척 힘든 성당이다.

16일 몹시 기분이 언짢은 날이다. 합창 40년에 처음으로 지휘봉을 들었다. 이해할 수 없는 말이지만 단원들 앞에서 무시를 받았다. 이는 용서할 수 없는 모욕이기 때문에 부활이 끝나면 그만 두겠다.

17일 어코드에서 또 2만원을 주면서 4월 봉급에 대체하자는 심산은 무엇인가. 어처구니 없는 처사이지만 별 도리가 없는 듯하다. 인연을 끝내야겠다. 내가 있어서 더 괴로움을 주는 듯. 물러나주고 저작권은 보장받아야겠다. 이달 말까지 결과를 보겠다. 여성 라이온스클럽에서 노래지도 의뢰가 있었다.

18일 부활절이다. 부활이 무엇인지도 몰랐다. 어릴 때 달걀이 좋아서 생각했던 부화이고 부활이다. 이제 죽음을 얼마 앞두고 새로운 감회를 맞는다. 오로지 주님의 큰 은총에 감사드린다.

19일 부활절 미사를 마치고 성가대에서 중식을 하자고 했다. 사실 그들과 공동체를 이루지 못해 성가복을 안 입은 처지다. 하나도 자신들의 일은 반성하지 아니하고 무조건 신상으로 용서하고 관용하고 따르라고 한다. 인간생활에 인간이 무시당하면서 신앙세계에서 관용을 바란다니. 이것은 지극히 비합리적인 생각으로 편의주의다. 이것은 용서할 수 없다. 그래서 정식으로 선언했다. 그만두겠다고. 그만두는 데 이유는 없다. 말없이 떠났다. 그들에게 새로운 축복이 있길 빈다. 경화에게 가 보았다.

20일 수녀님께서 아침 일찍 전화를 했다. 물론 복귀해달라는 것이었으나 거절했다. 냉각기를 두고 반성을 하자고 했다. 자기들 사정만 늘어놓는다. 나에게도 사정이 있다.

23일 철훈이가 미국 워싱턴, 뉴욕, 샌프란시스코 출장. 큰 기대를 하지 않았는데 이론서는 처음으로 '엄마 얘기해주세요' 구연동화 책을 썼다. 상상 외의 원고료를 받았다. 동시에 쓸 일이 이렇게 많은지. 밀린 세금에 빚도 갚아야하고 이제 또 묘한 생활이 시작된다. 어떻게 하면 좋을까. 보림에서는 호의를 가졌다. 서로 돕자는 것인데 서로 권익을 보호하고 나도 일생동안 연마한 유아들에 대한 모든 것을 바치려 한다.

26일 민기와 희기를 기쁘게 해줄 생각으로 롯데월드를 따라갔다. 정신이 없을 정도로 좋아하였다. 어린이에게 꿈과 선악의 판단은 정서의 안정을 가져온다. 행복과 지옥의 갈림길에서 어릴 때부터 판단이 서야 한다.

29일 하루 종일 글쓰기에 날을 보냈다. 6감을 모두 동원해야 하는 것이기 때문에 조금만 나태하여도 내용이 달라진다. 참으로 "내 아들과 딸에게 바라듯이"가 나의 신조다.

5월

1992년

01일 여느 때 같으면 5월이 일 년 중에 가장 바쁜 달이다. 그것은 어린이를 위하여 무엇인가 바쁘게 일을 하였기 때문이다. 지금도 마음만은 바쁘고 그들을 위하여 무엇인가를 해야 하는데 기력이 남아 있어도 할일을 꾸미지 못했다. 참으로 안타까운 마음이다. 저쪽에 저승사자가 기거하는 것만 같다.

02일 오랜만에 방한 형에게 갔다. 폐암 수술 뒤 치료를 위해 몹시 고생하신 거 같다. 형은 일찍이 언어학이라는 학문을 개척하여 석학이 되었다. 그가 이해하고 알고 있는 문제들을 그대로 사장하기에는 아깝다. 출판사를 하나 내자고 한다. 형의 언어학 영역과 나의 유아를 위한 영역을 함께 해보자는 것이다. 자주 타협하여 연구해보려고 한다.

03일 성가대를 그만두고 처음 맞는 주일이다. 어쩐지 기분이 이상하다. 기도하는 마음으로 성서를 읽는 마음으로 엄숙하고 참된 마음으로 성가를 해야 할 텐데. 인간이 자신을 오만하고 소리를 자랑하려는 못된 심사로 모임이 이루어져 해결책이 없는 성가대의 편성에 결코 같이 할 수 없었다.

04일 벌써 반년을 넘어다보는 5월이다. 모두가 싱싱하고 활기차 보여 부럽다. 방한 형과 광릉을 돌아 도봉산 입구에 와서 13번 노선버스와 부딪혔다. 차도 대파되고 버스는 가로수와 도로 표시판을 받고 제자리에 섰다. 사고 원인을 제공했다는 것이다. 보험은 형님 오너이기에 내가 모든 것을 처리해야한다. 우선 경상이나마 다친 분께 위로를 드린다.

05일 어린이날이라고 하여 손자들이 전화를 했다. 하지만 경황이 없다. 꼭 죽고 싶은 심정이다. 다친 사람들은 경상환자인데 이로 인하여 돈을 끌어내려고 한다. 일단 50만원으로 수습하기로 하였으나 내일 가봐야 하겠다. 어린이날이라고 우리 손자들을 한번 돌봐주지 못하여 참으로 가슴이 아프다.

10일 오늘이 휴일이란 것을 아침에 처음 느꼈다. 지난주의 악몽에서 처음 깨어난 모양이다. 참으로 주님께 감사드려야지. 민기와 희기가 왔다. 할머니는 그들이 원하는 호박죽을 쒀주었다. 인간은 이렇게들 사랑하고 사는데. 아내와 함께 산에 갔다. 오후에 걷는 길은 무척 다리가 아팠다. 기분이 열리지 않아 어쩐지 우울했다. 그리고 허리가 아파 돌아왔다.

11일 다시 재출발해보려는 의지와 함께 새 날을 맞는다. 인간이란 정신적 통일이란 몹시 힘든 것이다. 아무리 잡념을 버리고 무념의 상태로 돌아가 정진하고자 하여도 불가하다. 그러나 큰일을 당하고 생명처럼 끈질기기에 순간적인 상태에서 통일한다. 이렇게 10년을 해야 통달할지 모르겠다. 그러나 끊임없이 정신적 정화를 하고 현실의 조건을 이겨나가야 하겠다.

12일 검은 두건을 쓰시고 대학자처럼 앉아계신 아버님을 꿈꿨다. 아버님은 평소에 그렇게 원하고 계셨다. 어느 땐가는 옥색도포를 입으시고 책 나라를 날아가시는 것을 보았다. 분명히 아버님께서는 이렇듯 이 세상에서 다 하지 못한 공부를 저 세상에서 계속하시는가 보다. 아버님, 우리 민기에게 그 힘을 보내주세요. 어머님을 보고 싶어 기도를 드린다. 그런데 꼭 외할머니가 먼저 보인다. 그리고 어머님은 청아하고 아주 맑고 깨끗하게 미소를 보여준다. 우리 어머니, 이 세상에 누구를 제일 사랑하냐고 물으면 나는 우리 어머니다. 어머니는 나에게 참고 견디고 순리를 찾는 법을 가르쳐주셨다.

13일 경화 딸 지윤이가 왔다. 이제 3주가 넘은 신생아가 이목구비가 뚜렷하여 천하의 미인이다. 경화가 평소의 꿈이 아름답더니 예쁘고 지혜로운 애를 낳는가 보다.

18일 꼼짝도 안하고 아내와 함께 노년기 손자 보듯이 둘이서 애기 하나 놓고 몸살을 하였다. 먹고 자는 것이 아니라 소화를 안 시켜 등을 두드려주어야 하고 그러면 잠을 설치고 못 자면 끙끙댄다. 그러면 안고 있어야 하고 밥을 제대로 먹을 수 없으며 애기는 그래도 끙끙거린다. 참으로 아기 기르기란 몹시 힘든 것이다. 나도 허리가 아파 처음으로 수지침을 해봤다.

19일 친구란 정말 소중한 것이다. 그동안 비밀이 많은 나였기에 깊이 사귄 친구가 없었다. 그리도 또 친구를 깊이 사귀는 법도 몰랐다. 가만 일하기에 바빠 누구에게나 마음을 주지 않았다 지금 이 자리에서 보니 그래도 인간적으로 참된 사람이라는 의리가 있었다. 박종채, 최성수 그리고 후배로 차영선 밖에는 아무도 없다. 무척 외롭다. 이제부터라도 의를 위해 친히 지내고 싶다. 그리고 자주 세상에 나가야 하는데 길이 있어도 못가니 참으로 빛이 나지 않는다.

21일 모처럼 나들이를 하였다. 결혼 축하차 라이온스클럽까지. 세상은 참으로 우습다. 우선 재산을 앞세우고 힘을 주며 재산을 보고 미소를 짓는다. 지적, 학문적 매력이란 보이지 않는다. 우리가 이렇게 도의적으로 타락한 사회에 살고 있다는 것도 어떻게 보면 모순 속에 사는 것이다.

23일 며칠이면 또 반년이 지나간다. 올 들어 무엇을 하였는지 답답하다. 이렇게 세월이 빨리 넘어가야. 동화구연에 대한 것은 성공했지만 민화는 영영 미궁에 빠지고 말았다. 열심히 뒤처리를 해야겠다. 보림에서 오늘 불광동으로 이사를 한 모양인데 언제 연락이 올지 궁금하다. 오후에 종채가 일본에서 오자마자 전화를 해서 무엇보다도 반가웠다. 나를 반겨 찾아주는 이가 있다니 그 우의는 참으로 의리를 저버릴 수 없다.

28일 모처럼 여의도 쌍둥이 빌딩에 갔다. 어린이동화대회에 이해창, 엄기원 두 분과 함께 심사를 하였다. 어린이 세계는 언제 보아도 거짓이 없는 진실한 인간세계다. 다만 이들의 때가 묻은 자국이 보였다. 한계를 넘어선 욕망에서 형식화된 미를 강요하기 때문에 마치 거울처럼 나타난다. 어려운 문제겠지만 어른들의 욕망이란 어린이를 궁지에 몰아넣는다. 민기, 희기에게 기회를 주고 싶다.

29일 영웅은 때를 기다려 자신을 연마하고 대의를 찾아 큰일을 한다고 하였다. 내 비록 무사는 아니지만 뜻이 있어 가통을 지켜 천민에 속하지 아니하고 정중한 양반으로 선비의 길을 닦아 만일을 위한 뿌리를 지켜 나왔으니 이렇게 가난한 시대에 도덕성이 맞지 않아 조용히 살 수밖에 없었다. 몸을 일으켜 일을 시작하며 글로써 선비의 뜻을 다하여 적게 먹고 큰 일을 다지고자 한다. 이제 유아문화연구소로 일 하나를 해야 할 때다. 이떤 일을 선택할 것인가 고민해야겠다.

31일 순록의 5월이 올해도 말없이 지나간다. 날마다 회고에 지나지 않는 더듬이 생활로 활기를 잃어가니 어떻게 해야 미래를 위한 설계를 잘 하는 것인지. 작은 돈이 있으면 좋은 출판을 하고 싶지만 뚜렷한 경험 없이 이것도 공부를 해야 도리가 생길 것같다. 유아극 대본을 다시 시작하련다.

6월

1992년

01일 아직도 일은 할 수 있지만 날이 갈수록 연령의 차가 벌어져 주변의 세계가 살펴주지 않는다. 오늘이 6월 1일. 금년도 반허리를 꺾는 세월의 흐름이 말없이 흘러간다.

03일 보림출판사 유아문화연구소 고문으로 첫 출근을 했다. 이미 익숙한 직원들이지만 자리에 앉고 보니 새로웠다. 이제 활발한 나의 노후의 첫 발이 시작된다.

04일 길은 있었다. 이미 주께서 정해주신 인생의 길을 찾았다. 꿈과 이상과 뜻이 맞는 길. 이것이 나의 최종의 봉사하는 길이다. 자신을 위하여, 지구상의 모든 어린이를 위하여. 내가 가진 모든 것을 바쳐 꿈이 깃들 길을 가련다.

06일 오늘이 현충일이다. 나라를 위하여 순국하신 선영들의 명복을 빌어본다. 참으로 나라 사랑이 무엇인지, 형들은 그처럼 나라사랑에 일생을 바친 분들이지만 아무도 모른다. 평생을 타향에서 그렇게 어려운 운명 속에서 남이 알아주기 위한 충성을 한 것도 아니며 오직 진실한 평화의 창조의 생을 위하여 열심히 살아왔는데 나라가 두 토막이 되어 이렇게 힘들었나이다. 그들에게 인생의 끝장에서 진실을 찾게 하소서.

09일 우리는 흐르는 시간 속에 순간적으로 감사의 뜻을 잊어버리게 된다. 시간은 필연을 만들고 느낌은 내적인 정화를 가져온다. 잠시도 나에게뿐만 아니라 모든 사람에게 은혜를 베푼 사실에 대하여 잊어버리지 않는 감사를 드려야 한다. 어린이문화예술단의 여름음악캠프를 맡았다.

10일 세상은 참으로 어지럽다. 선하고 착한 사람은 남에게 둘리며 살게 마련이다. 봉사하는 것을 자신의 득으로 이용하는 못된 무리들이 있어 용서할 수 없다. 무엇이든 정당해야할 것이다. 지금 우리는 모든 문화를 창출하고 창의해 나가는 이 마당에 실로 쉽지 아니하다.

11일 내가 죽고 없으면 내가 쓰던 물건 내가 소중히 여기던 것들의 쓸쓸함이 어떨지 생각해본다. 나는 하나의 물건 하나하나의 뜻있는 글로 짝을 맞춰 소중히 때를 기다리며 아껴왔다. 아내는 지저분하다고 했지만.

13일 분심을 이겨야한다. 분심이 떠올랐을 때 이것을 건드리지 말자. 마음속에 때져 있는 것을 막대로 휘젓지 말아야 한다. 기도를 깨끗이 바치기 위해서는 건드리지 말아야 한다. 분심은 죽을 때까지 따라다니는 무서운 악재이다. 묵주 5단까지 기도해야 한다.

15일 우선 보육실기, 조형놀이를 번역하고 어린이 그림에 대하여 집필 준비를 해야겠다.

16일 모처럼 시내에 나갔다. 명동 입구의 외국서점을 찾았다. 무척 많은 책이 있었다. 그러나 우리가 쓰고자 하는 순수한 책은 별로 없고 오직 난삽한 책이 가득 차 있었다. 장사이기 때문일지 모른다. 정말 정조를 파괴하는 것 같았다.

17일 보림 사장과 편집부 직원들과 함께 회식을 했다. 늙으면 느는 것이 말뿐이라더니 내가 왜 그렇게 말이 많아졌는지 모르겠다. 입을 조심해야겠다 결국 악하니까 입이 변명하는 게 아닐까. 별 실수는 하지 않았지만 무언이 천금일 것이다.

18일 인생 60부터라고 한다. 나는 지금 태어나 두 살이다. 걸음마가 시작된 초보자이다. 굳세게 희망을 찾아나가야 한다.

19일 독일문화원에 들렀다. 도서관에서 하나하나의 책이 풍기는 문화가 몹시 선진적임을 느낀다. 우선 보기 쉬운 일러스트에서 우리와 비교할 때 우리는 아직 모방적이고 시야가 좁고 아집에 사로 잡혀 있는 듯했다. 아무것도 아닌 것에서 주제를 잡아 섬세한 확대를 하였다든지, 우리 생활 속의 기묘한 부분을 재조명하고 이것을 창조의 힘으로 되살려 역점을 부각시킨 이들 독일인의 문화는 선진적이었다.

20일 서울시립대 한명희 교수가 추 형을 모셔오겠다고 한다. 여름캠프를 위해 김경호가 왔다. 연세대 김경진 명예교수도 왔다. 이들은 그 옛날에 내가 캠프를 시작할 무렵부터 동지들이다. 그들은 나를 알고 있다. 인생이란 묘하여 아무것도 없이 끊어져 버릴 것 같지만 서로가 일을 함으로써 다시 나타나고 서로 또 만나 일하게 된다. 그러기에 인간은 진실해야지.

21일 오늘이 하지(夏至)라고 들었다. 벌써 여름이 다 된 것이다. 무엇에 그렇게 허덕였는지 세월이 가는 줄도 몰랐다.

22일 6월의 허리를 굽혀 새로 주일이 시작되는 월요일이다. 금주의 생활 목표는 무엇으로 생각할까. 진실한 삶, 뜻 있는 삶의 행로를 찾아 무엇인가를 찾아가야지. 요사이 연화가 늦게 들어와 걱정이다. 이제 스스로 자신을 알 테니까 자신에게 맡기지만 하느님께 기도하듯 혼사가 이루어지지 않아 걱정이다.

23일 오랜만에 보림 권 사장과 저녁을 같이했다. 우리가 사실 어린이를 위하여 맹목적으로 코 묻은 돈 받기에 급급했으나 이제부터는 더욱 구체적으로 연령별로 시각적, 청각적 성장과 언어의 발달과 함께 미래를 추구하는 과학적인 책을 마련하기 위하여 구체적인 연구를 하기로 했다. 이렇게 연구해서 이론적 근거를 갖고 책을 만들면 어린이의 성장에 큰 도움이 될 것이다.

24일 도봉성당 성가대 휘밀키아 수녀를 비롯해 조 스테파노와 여성단장의 초대를 받았다. 다시 지휘봉을 잡아 달라는 요청이지만 단원들 스스로가 신앙심도 약하여 동생동거할 수 없다는 점이다. 그러기에 나는 아무 힘이 없지만 스스로 혼자 하겠다. 큰일을 위한 성가가 필요하면 나가 해주겠다고는 하였다. 참으로 손 안 짚고 담 넘으려는 비신앙적 잘못을 깨달았으면 좋겠다.

25일 잊을 수 없는 6·25, 동족상잔이란 인류최악의 전쟁을 난 청년으로 경험했다. 붉은 치하에서 학도호국단 간부였다고 혼나고 수복해서는 사상이 의심스럽다고 혼났다. 나는 참으로 한 가지 죄지은 일이 없는데 참으로 애국하는 형들 때문에 나의 일생을 파국으로 몰아넣었다. 그러나 내가 죽으면 우리 부모와 함께 할 사람이 없으니 어떻게 든 살아야지 하는 뜻과 양반의 자존심으로 함부로 할 수 없어 체면을 유지하면서 변화하는 세상을 살아갔다.

26일 태중에서 7세에 이르기까지 청각을 통한 음이 어떤 영향을 미치는가 하는 문제를 생각해 본다. 태아가 발달함에 뇌심으로부터 하부에 발달하는데 후천적 습성이 다 신체의 이상은 유전되지 않고 음의 영향은 언어 이전에 감정을 자극하고 자극은 혈액순환을 자극하고 그 신장에 영향을 준다. 좀더 합리적이고 구체적인 연구가 필요하지만 좋은 연구가 되리라고 믿는다.

27일 삶이란 생을 의미하고 생물이면 살아있으면 생이다. 인간이라는 삶은 단순한 것이 아니다. 어떻게 살아야하며 무엇 때문에 왜 살아야 하는가 하는 사념 속에 언제나 자신을 생각하게 된다. 이러한 의식은 참 중요한 것이다. 한번이라도 의식해본다는 것은 그만큼 대비적으로 삶을 생각하는 것인데도 결어는 없다. 가치관의 문제일터인데 사실은 윤회적, 회의적이기 때문에 현실에 만족하지 못하는데서 오는 것이다. 정념도 그렇듯이 무한한 것이다.

28일 수락산 학림사를 찾아 생수를 길어왔다. 넓은 계곡을 모아 하나로 잇는 점점이 웅장한 절을 지어 중생의 고해를 넘어다보매 인도 환생의 길을 불도로서 사모하는 부처의 대안을 터득하지 못한 자신의 부끄러움을 한층 자극하였다. 가까운 곳에 이렇게 훌륭한 사찰이 있어 기뻤다. 해를 거듭하면서 삶의 가치를 찾아보려는 것이 인생이 아닐까 한다.

30일 오늘 국립중앙도서관을 찾았다. 국립답게 웅장한 규모에 수많은 책을 소장하고 있으며 여기에는 고서, 족보, 문집 등도 있었다. 다음 기회에는 할아버지 문집도 찾아보고 싶다. 수많은 젊은이가 자료를 찾고 복사하고 열심히 공부하고 있었다. 나의 평생의 소원이었던 학문에 대한 욕망이 차올라와 할 수 없었던 나의 처지를 스스로 달래느라고 힘들었다. 허나 나의 꿈은 어떻게든 이뤄보련다.

7월

1992년

01일 1992년 반을 보내고 제 2기 반년을 맞이하는 새 마음을 갖추기 위해 새벽 미사에 갔다. 가장 젊은이의 하나였다. 노인들이나 여생을 빌며 오는 듯했다. 이제부터라도 인생을 재정리하고 참으로 죄 없이 남에게 덕을 베풀며 가족의 평화와 행복을 빌며 자성을 해야겠다. 앞으로 6개월 동안에 유아극본을 완성하고 유아음악을 재정리해볼 생각이다. 연화의 짝이 나타나지 않아 갈수록 고심스럽다. 그에게 행운을 내리소서. 기도합니다. 박종채가 서울로 이사를 했다.

02일 (음력 6월 3일) 오늘이 어머님 기일이다. 이 세상에 어떤 어머님보다도 기막히게 어려운 인내와 자연의 섭리와 인간사를 이미 상념의 세계에서 이성으로 이겨내시고 아들 삼 형제와 손자를 한 번도 입밖으로 그리움을 보이지 아니하신 위대한 어머님이시다. 그러나 그것도 마지막에 극도에 달하자 심적 고통이 너무 커 자신만의 정신세계에서 배회하시었다. 장하고도 비극적인 종말을 보내신 우리 어머니 참으로 사랑합니다. 편히 계시옵소서.

09일 큰 형님이 돌아가셨다고 한다. 어디에 계시는지조차 몰랐던 형님이 살아계시는지 돌아가셨는지 몰라 항상 막연한 환상 속에 형님의 이상과 꿈의 아름다움 속에 묻혀 기대하여 왔다. 우리 집의 모든 사정이 큰 형님의 움직임 때문에 이산가족이 되었고 그 때문에 팔자에 없는 자식들의 그리움 속에 드디어는 정신적 착각 속에 아들을 찾다 돌아가신 어머님을 생각하면 기가 막히다. 언제나 와서 붙드는 것 같고 꼭 찾아온 것만 같다고 형을 찾아 집밖으로 나가셨다. 뿐만 아니라 나는 영영 월북 가족의 한 사람으로 출세의 길이 막히고 무참히도 주어진 환경 속에 살 수밖에 없어 그 고난은 말할 수 없었다. 그나마 아버님께서 남겨주신 집 한 채로 거지생활은 면하고 운람 할아버지의 아들 운정 아버님의 가풍과 자존심을 지켜 어려움 속에서도 가냘프게 위신을 지켜왔다. 그러니까 현실과는 전혀 다른 생각과 삶속에 헤매며 경제적은 손실은 말할 수 없고 죽지 않고 산 것만이 감사할 따름이다. 1989년 추 형을 만나게 되었다. 이산가족 상태의 분가에서 또 이산가족이 되었다. 권이 형은 이렇게 되었는데, 형수는 1974년에 돌아가시고 큰 형님은 80년에 돌아가셨다니 하늘이 무너져 내린다. 나의 정신적 타격과 놀램은 하늘이 노하고 천둥번개를 치며 비가 내린다.

14일 소련 형님께서 소식을 전했다. 큰 형님은 80년에 작고하셨다니 억장이 무너진다. 물론 살아계시면 76세의 고령으로 큰 기대는 가지지 않았지만 확실히 모르는 것보다 희망이 없다. 형들을 생각하면 아버지 어머님이 생각난다. 그 얼마나 한을 안고 가셨을까. 어머님은 끝내 자식들 환상 속에 1년여를 고생하시다 돌아가셨으니 이것은 오직 주님 밖에는 모르시는 인간의 비참한 이야기가 될 것이다. 추 형은 또 당뇨가 나온다고 하시니, 고혈압에 당뇨까지 정말 나는 어떻게 하란 말일까.

15일 추 형에게 소식을 전하였다. 이번에는 돌아가신 부모님의 영혼을 위해서 주시겠지.

16일 오늘 한명희 교수가 카자흐스탄 알마티로 출발하였다. 오후면 추 형과 서로 만나서 다음 설계를 꿈 꾸겠지. 추 형은 왜 자꾸 한국에 나오시려 하시는지 모르겠다. 형 자신뿐만 아니라 가족문제는 어떻게 할 생각인지 알 수가 없다. 이번은 최종으로 맞이해보자.

19일 아침 일찍 새벽미사 드리고 아내와 함께 도봉산을 향하였다. 잔잔한 언덕을 올라 약수터를 지나 정상으로 가는 길이다. 아침 8시인데도 상상밖에 등산객이 모여 있었다. 도봉산은 참으로 좋은 산이다. 울창한 숲, 하늘이 잘 안 보이는 오솔길을 간다. 참으로 숙연한 마음이었다. 자연은 수많은 생물을 안고 세월을 흘리면서 그대로 치유해간다. 산이 허물을 벗고 땅껍질을 벗겨가도 나무는 그대로 살아있다. 그러면서도 산은 항상 높다. 푸른 숲, 맑은 공기. 인간은 항상 파괴만 일삼는다.

20일 연화가 결혼할 의사를 말해왔다. 이 아이의 소망은 풀어주어야지.

22일 지윤이가 처음으로 감기라는 바이러스에 감염되었다. 몹시 견디기 힘든 모양이다. 있는 힘을 다하여 불편을 울음으로 말한다. 인생이란 이런 것이 아니었을까. 보채는 아이에게 떡 하나 더 준다고. 기를 쓰고 울면 온 가족이 이 꼬마 공주 앞에 꼼짝을 못한다. 진즉 나도 이렇게 살았더라면 노년의 말로가 이렇게 서럽지 않을 것을. 추 형은 지금도 이기적이고 자기 위주의 성격이 남아있다. 그래서 양손에 떡 쥐고 소련도 한국도 못 버리고 망설인다. 그 당시 어떻게 망명했을까.

26일 집이 비었다. 민기와 희기를 데리고 산에 가고 싶었다. 그러나 여의치 못했다. 혼자서 도봉산 원각사를 다녀왔다.

29일 라이온스클럽 15대 회장과 만나 회원 마지막을 고했다. 사실 특별회원이라 해서 경비를 내지 않고 동락하자는 뜻에서 출발하였는데 그 돈 많은 졸장부들이 내가 필요할 때는 좋고 아니면 싫다고 표현한 것에 틀림없다. 사실 지난해에는 거의 나가지 못했다. 나도 의무적으로 출석해야하는 그 부르주아의 세계가 몹시 괴로웠다. 하지만 초지일관하는 의미로 나갔었는데 그렇게 대우 못하겠다 하니 그만 둘 수밖에 도리가 없다. 그것이 서로를 위한 편한 길이 아닐까 생각한다.

8월

1992년

01일 한명희 씨 댁에 전화. 추 형에게서 아무 연락이 없다고 한다.

03일 추 형님 소식이 없다.

04일 욕망이란 윤리적 도덕성을 의식 속에서 몰아내버린다. 그리고 무한한 꿈 속에 잠긴다. 이웃도 친구도 욕망을 위해서라면 요리의 대상이다. 여기서부터는 동물성으로 강자약식의 세계로 접어든다. 학문도 지식도 사회적 지위도 이용물에 지나지 않는다. 이것은 현실이다. 과연 이렇게 살아서 무엇이 행복하단 말인가. 인간은 태어날 때부터 이런 악습을 갖고 나온 것은 아닐까. 본성대로라면 잡아먹는 것이다. 형님이 아무리 기다려도 오시지 않는다.

05일 민족의 오랜 역사 속에 축적된 참과 의지는 전설이라는 민화로 재미있는 이야기를 남긴다. 이것은 이미 선조들이 경험한 알 수 없는 신의 계시까지 모두 함께 전한다. 이것은 문학자는 이야기를, 무용가는 무용으로, 음악는 음악으로 재현하여 인간이 느끼는 공감 속에 호소한다. 대부분 공감하고 옛 선조들의 슬기를 다시 한 번 생각하게 한다. 이 위대한 민화를 좀 더 연구하여 자라는 아이들에게 주고 싶다.

06일 형님이 어떤 사정이 있는지는 모르지만 기다리기 지쳤다. 아마도 방한하는 목적을 뚜렷이 하고 뭔가 의의 있는 일을 꾸며 결과를 가져오실 것으로 기대하여 본다. 자꾸만 이런 생각을 안 하려고 해도 인생이 석양에 기우니까 자꾸만 인류에게 무엇을 했는가 하는 생각에 잠기게 한다. 나 아닌 남의 도움으로 살았기 때문에 나를 위하여 새로운 힘을 열어주어야 하겠다는 생각이다.

07일 오랜만에 손주들과 함께 생활해보니 현대 어린이의 감각이 무척 과학적 상식에 예민하며 전자오락 등 감히 상상도 못할 컴퓨터 등에 능숙하다. 따라서 모든 생각이 동화적이고 불가능은 없다. 이들을 어떻게 첨단 과학인으로 길러야 할지 우리 인류의 숙제일 것이다.

08일 조용한 토요일이다. 몹시 무더운 날씨가 계속되어 매사에 의욕을 잃을 지경이다. 형님도 뭔가 결실이 있는 일을 해주었으면 기대한다. 전화 한 번 안 하는 그분!

09일 홀로 도봉산 원통사로 등산하였다. 몹시 고달픈 몸을 일으켜 산행을 한 탓인지 올라 갈 때는 힘들었다. 그러나 정복한 다음 몸도 가벼워졌고 상쾌했다. 이것이 바로 자연의 섭리이다. 시작과 단련은 힘들어도 노력하고 정성을 드리면 힘이 된다. 육체는 정신의 지배 하에 있다. 이것은 매우 중요한 철리이다. 의지적인 사람은 반드시 꿈을 일으킨다. 최대의 노력을 해야 할 것이다.

10일 월요일이란 주기적으로 돌아오는 것이라지만 항시 시간만은 다시 돌아오지 않는다. 그래서 조금이라도 시간을 유용하게 보내자는 생각이 든다. 지금 이렇게 느낀 이 시각이 아니면 언제 생각할 수 있겠는가. 숨 쉬는 호흡 속에 무한한 시간이 흘러간다. 이 흘러가는 시간을 잡아 조금이라도 좀 더 의의 있게 살아보자는 것이다. 선조들은 이 시각을 단전호흡하고 기를 모아 참선을 했다. 참선, 이것은 가톨릭의 고백성사와도 같다.

11일 하오 8시. 서울을 출발, 진주 마산 구미를 향해 좋은 책 설명과 구연동화 실기에 나섰다. 휴가철 고속도로는 상행선은 분주했으나 하행선은 그런대로 정상이었다. 밤 2시. 호남고속도로를 거쳐 전주, 남원을 거쳐 구례 하동 진주로 이어지는 야간주행에는 인생의 뒤안길을 달리는 듯 조용한 일방로에 새로운 삶의 체계를 느끼게 하여 주었다. 아침에 일어나 진주 남강에 나가보았다. 인근의 쓰레기가 강물에 떠내려 와서 참으로 인간의 분별없는 행위에 증오를 느꼈다. 동화 실기보다는 인생이란 뭣이냐고 생각하게 했다. 그래서 적극적으로 필요한 것은 양심을 닦고 지성을 닦아야 한다고 결론하였다.

12일 강의가 끝난 후 지리산 산청을 찾아 길고 깊숙한 계곡을 찾아들었다. 어제 구례로부터 피아골 하동을 거쳐 산청까지의 몇 시간을 갈 때도 웅대하고 푸른 숲은 지리산의 웅대한 거좌에 감탄을 아니할 수 없었다. 특히 피아골을 지날 때는 그 옛날 빨치산이 되어 이상과 의지의 싸움을 벌인 그들의 영령들의 허무와 허탈을 느꼈다. 지금 저승에서 이승에서의 고난과 고역을 웃고 있으리라. 왜 그렇게 모진 인생항로를 취했을까. 그것이 행복을 추구하는 지성인으로 산 속의 동물처럼 생을 마친 그들의 모습이 떠올랐다. 내원사에서 발을 멈췄다. 신라 때 지었다는 사찰이었으며 여기에 오층탑은 도굴되어 겨우 겉모습만 보였다. 복원은 되었으나 안타까웠다. 산중 몇 백리 계곡 속에 자리한 불신의 탑은 인도환생의 길을 닦는 도장인가하면 후세에서 이를 도굴하여 부를 착복하려는 인생이 있었으니 참으로 인생이란 각 생이며 무상할 수밖에 없다.

어머니께서 합천 해인사를 다녀오신 후 그 웅좌에 놀랐다는 말씀에 언젠가는 꼭 보고 싶었던 곳이다. 참으로 등 뒤에 태백산맥이 북에서 출발하여 여기 합천

가야산에 뭉쳐 우뚝 섰으니 그 기상과 덩치가 방대함에 놀랬다. 게다가 키 큰 소나무를 여기저기 숲 속에 꽂아놓은 듯 낙락장송이 북쪽에는 가지를 접고 남쪽으로 가지를 뻗어 휘영청 늘어져 있는 모습은 절경을 이룬다. 이곳이 바로 선과 해탈의 성지를 이루었으니 부처의 무상함을 다시 깨닫게 했다 바로 여기에 팔만대장경이란 인간의 위대한 업으로 이 대자연과 대좌한 모습은 가히 인간의 슬기로 또 다시 놀라지 않을 수 없었다.

마지막 날, 구미에서 강의를 마쳤다. 열중해 주었기에 나도 열중하여 시간을 넘겼다. 일행은 포항을 거쳐 동해안 길을 달렸다. 무한이 이어지는 수평선에서 푸른 파도를 몰고 달려오면 바닷가 바위에 부딪혀 물기둥을 이루며 깨지는 파도가 눈 속에 잠긴다. 몇십 년 만에 여름철 바다를 찾아봤다. 작은 해수욕장도 들렀다. 비가 내려서 그런지 모래와 바다와 텐트뿐이었다. 차는 해안 길을 따라 영덕을 지나 포항 백남에 이르러 시원한 온천물에 몸을 적셨다. 그리고 구미를 향하여 달렸다. 새로운 공업단지란 인상이 깊었다. 의외로 넓은 길 양편에는 아직도 빈 터가 남아 있었고 상흔이 깃들어 있었으며 수많은 음식점이 밤하늘에 네온사인을 밝혔다. 차는 정처 없이 충주냐 영주냐 하다가 깜빡 울진을 지나다 일박하였다. 마지막 날이라서 해변에서의 여름과의 안녕은 기쁜 술맛을 주었다. 그리고 석류동굴을 봤다. 볼수록 먼저 지나간 사람들에 대한 욕만 나왔다. 그 아름답고 귀한 수 만년의 역사를 한 토막, 한 토막 다 끊어갔다. 세상에 이럴 수가 있을까.

18일 어느 때부터 우리 민족이 가져온 '얼' 그것이 형이상학적, 하학적 세계에 존재하여 가장 공통권 분모는 여러 가지 형태로 표현되어 이미 그 전통을 표출했거나 사라졌기에 구체적인 것보다 막연하게 우리 생활 속에 스며들어 그 어느 민족보다도 색다른 형식과 내음, 소리와 맛을 가지고 있는 데, 등잔 밑이 어둡다고 넓은 세상을 모르는 우물 안 개구리 격이 우리는 깨닫지 못한다. 그래서 우리 유아문화연구소와 보림이 세계에 자랑할 만한 우리의 얼과 문화를 찾아 이것을 기본으로 현대의식적인 동화를 구성하여 흥겹고 소중하고 얼을 이어받을 수 있는 슬기를 이어 받자는 것이다. 이것이 현대적 민화와 전통이 되기를 기대한다.

9월

1992년

05일 추석을 앞둔 토요일이라 그런지 거리마다 선물 꾸러미를 사들고 다니는 사람들이 많았다. 미술. 유아용 감상 및 학습용으로 재검토해봤다. 역시 미란 남녀노소가 없으며 명작일 수록 심층에 던져주는 것이 많았다. 그것의 인상은 미에 대한 공통적 인식과 이상에 대한 호기심이 높다는 것을 의미한다. 얼마만큼 구체적 표현에서 둘도 없는 아름다움을 찾을 수 있는가가 문제다. 새로운 시도를 해봤다.

06일 철훈이가 소련 유학이 거의 결정적인 것같다. 자신의 장래를 위해 최대의 노력을 해야겠지만 나도 걱정이다. 어려운 가운데 외국에서 어떻게 생활을 정착하고 수많은 정보를 처리하여 제 삶에 보탬을 줄지 걱정이다. 근대의 학문과 근대의 도덕적 의식이란 무척 계통적 사고가 달라졌으며 특출한 생각 그 자체를 인정하라. 이것이 바로 앞으로 해결책이다.

11일 철훈이가 소련 유학을 결정하고 처음 맞는 추석이 이틀 후다. 앞으로 2년간 함께 지낼 수 없는 추석이라 감회가 깊다. 그 옛날 광주에 살 때 아버님께서 초년고생은 후년에 복이라고 말씀하셨다. 나도 각오를 하고 열심히 노력해야겠다.

10월

1992년

01일 사람이 산다는 것은 한결 같지 않다. 방송에 'TV유치원'을 개설하고 아무도 유아교육에 아는 사람이 없어 그 선도적 지도를 하면서 전국유치원 원장이라고 생각하며 열심히 뛰었다. 그러나 아무도 그렇게 어려운 일을 감당해 준다는 생각을 하지 않았다. 결국 내가 나온 뒤에야 활발해졌다고 전해 들으니 개척자로서 기분을 좋으나 그 희생은 엄청난 듯하였다.

02일 무미건조한 하루였다. 별 할일도 없으면서 하루 종일 분주하였다. 아동화에서 권위가 있다는 모순. 아동화란 어떤 회화성보다 언어성이다. 무한한 생각을 그림은 형태로 보여주기 때문에 보는 눈과 해석, 바로 언어적 해석이 있음으로써 구체적 사물의 관찰, 표현의 의욕 등이 발생하고 보존의 욕구가 행동으로 옮겨지게 된다.

04일 드디어 소련 오바라솔 인형극장이 서울 공연을 하게 됐다. 나는 1989년 이 인형극단를 유치하고자 무척 노력했었다. 그러나 스폰서가 나서지 않아 뜻을 이루지 못했다. 그러나 IMG라는 기획사에 의해 1992년 10월 2일부터 11월 4일까지 전국 순회공연을 하게 됐다. 극단 대표인 미크리샨스키는 창단자인 오브라솔이 작고한 후 총책임을 맡은 사람으로 정말 예술가이다. 이렇게 훌륭한 사람을 만난 것에 대해 감사드린다.

08일 전주 프루벨사 사원 교육에 다녀왔다. 들녘에 무르익은 가을을 바라보면서 차창밖에서 눈을 뗄 새도 없이 차는 달렸다. 안개가 가득 찬 6시 반 차로. 천안 근처에서 날이 새며 안개가 가셨다. 매사 잊어버리고 싶은 생각, 자신도 헤아릴 길 없는 어수선한 마음을 담고 고속도로를 달렸다. 인생을 60여 년 살았지만 아직도 모르는 것이 이렇게 많아 자신이 부끄럽기 짝이 없다. 이 큰 우주 공간에 밀알의 씨 정도로 안될 나지만 인생을 살아나가는 길이 이처럼 고달픈지 모르겠다.

12일 환갑이 넘은 내가 한국기능교육원 컴퓨터 교육장에 새벽 7시에 나타났다. 스스로 원한 것이지만 부끄러웠다. 그런데 현장에는 40대 이상이 3명, 30대가 2명 등이고 노년층이 40%였다. 그제야 마음이 가벼웠다. 나도 할 수 있다. 그리고 잘 시작했다는 마음에 기뻤다. 현실적으로 사무 이외에도 내가 알고자 하는 학문적 지식을 전산화하둔다는 것은 매우 중요한 일이다. 회사에 컴퓨터가 있어 자유롭게 쓸 수 있어 숙달이 되리라 믿는다.

16일 철훈, 모스크바 행. 세상에 이런 운명이 있으랴. 준채 형이 나 몰래 북한에 간 뒤 나머지 형제들이 따라 들어가 나를 그처럼 괴롭히더니 그나마 반체제 운동이나 하고 그중에서도 살지 못하고 겨우 연명하여 나는 소련을 종주로 하는 북한이 정말 싫다. 그런데도 이것이 인연하여 또 철훈이 모스크바 유학이라니 끔찍스럽다. 어떻게 하면 이 모순된 인간의 무상함을 말할 수 있으랴. 이것은 오직 하느님만이 알고 계실 뿐이다. 또 22일경이면 형님이 오신다니 그 반응은 자못 어려움을 말한다. 형님, 제발 이번만은 욕심 버리고 옛 아버지 어머니 자식으로 만납시다.

18일 철훈은 모스크바에서 형님을 만나 모스크바 대학 부근에 집을 구했다는 것이다. 다행한 일이다. 이제 원하던 유학이 비로소 시작되었나 보다. 성공하기를 빈다. 나의 기도 속에는 하루도 빠지지 않을 것이다.

28일 철훈이가 옐친의 행정부 앞에 아파트를 정했다고 한다.

29일 일본 도서전시회 참가.

11월

1992년

06일 며느리, 민기, 희기 모스크바에 가다.

08일 아내와 함께 수락산 본산에 다녀왔다. 관광지가 되어 몹시 입구가 어지러워 기분이 좋지 않았으나 역시 산은 산이다. 깊이 들어가면 갈수록 바위로 이룩된 산이 높은 하늘을 받들고 있어 그 사이에 보이는 푸른 하늘이 유난히 파랗다. 바위 틈의 소나무, 떡갈나무가 울긋불긋 물들어 가을을 그려주어 한껏 가을 정취가 다른 날보다 아름답게 보였다.

22일 알마티에서 추 형이 오셨다. 안색이 창백해보였다. 공항에는 야나와 내가 마중할 뿐, 아무도 없었다. 처음 귀향하였던 날을 생각하면 허전하기 짝이 없다. 세상이란 그렇다. 소문대로 모이고 그리움대로 모인다. 인정이란 득을 위해 베풀어진다는 것일까. 자기들의 궁금증이나 생색을 낼 일이 없으면 모른 척하고 있음일까. 날로 세파가 험하게 흘러가니 이후의 세상이 어떻게 발전할지 무척 궁금하다. 형도 느꼈을 것이다.

23일 형님과 함께 광주에 가다. 오후 1시 반 김포를 출발, 광주에 도착 금수장 호텔에 투숙하였다. 행자 내외가 찾아와 저녁을 함께 하고 호남문화회관에서 형님의 강연이 있었다. 나이가 들어서 그런지 두세두세 자기 본분을 찾지 못하고 지성적인 욕구도 없이 일종의 변이라 할까. 노욕심이 가득한 횡설수설이 눈에 띄어 아우인 나로서는 몹시 딱했다. 사실인즉 형이 명강을 해주셨으면 얼마나 좋을까.

24일 전남대 사범대 음악과에서 형님의 '한국음악의 미래'라는 주제로 강론이 있었다. 현대음악의 배출구가 동양음악, 한국 음악밖에는 없다. 따라서 한국음악의 탐구는 현대음악이 지향하는 이상향이 될 것이라는 내용인데 역시 자기 생각을 정리하여 집약적인 논술을 못하여 실망시켰다. 참으로 어렵다. 음악보다는 정치에 대해 말하자면 세상 돌아가는 이야기 등에 정신이 팔려 있어 옛날 양반들의 병폐를 한 몸에 지닌 어설픈 샛님이라 할까. 기대할 수 없다.

25일 아침에 서석초등학교에 가서 동창회장 김기창 씨와 환담하고 사진을 찍고 부들로 향하였다. 사실 서울서 떠날 때 형님이 "부들을 갈까 말까"라고 묻는 말에 기가 막혔다. 당연히 성묘하여야 하는데도 갈까 말까 하는 생각이란 부모를 생각하는 마음은 형식적인 것같다. 그동안 사회주의 국가의 실리적 사고라고나 할까. 무척 이해할 수 없는 상황에 내가 당황할 수밖에 없다. 이젠 시골에서도 누가 반겨주는 사람이 없다. 결국 금의환향해야지 아무 소용이 없다. 형은 구례 김익규를 만날 것이다.

27일 형님은 지금 구례에 계신다. 건강하시기 바란다.

29일 새벽 2시, 며느리의 전화를 받다. 민기와 희기의 목소리를 들으니 반가웠다. 우리와 6시간 차로 오후 8시에 한 전화다. 민기가 학예회를 하여 2, 3일 후 한국에서 방영된다고 한다. 어떤 모습일까. 궁금하다.

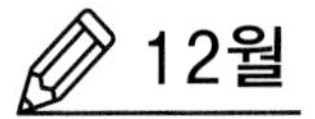

12월

1992년

02일 추 형이 광주에서 오시다. 어떻게 하면 좋단 말인가. 한밤중에 재소한인들의 처지를 SBS가 방영한 기록 VTR을 보면서 소수민족이 단결을 하지 못해 내 땅이 아닌 남의 땅에서 살면서 쫓겨나야 할 처지와 서야할 땅이 없는 입장을 보면서 이것이 바로 내가 그렇게 시킨 일이 아닌데 그 잘못을 나에게 호소하니 정말 딱하다. 혼자 오신다 해도 문제가 많은데 가족까지 물론 생각 안할 수 없는 일이지만 전혀 방법이 서지 않는다. 나에게는 참으로 아무런 방법이 없다. 지금 살고 있는 내 형편이 월급쟁이로 노후 대책도 없이 살고 있다.

03일 세월이 무정하기만 하다. 이 세상이 왜 이렇게 변해가는지 형님이 오셔서 열흘이 넘었는데도 알만한 친척 들 중에 한 사람도 안부 전화가 없다. 형님이 이런 사실을 알고 계실지. 심지어 아이(야나)가 (광주에서) 대입한다고 집안에 비상이 걸렸다. 잠잘 곳도 없다고 털어놓는다. 이렇게까지 되어서야 인간생활이라고 할 수 있겠는가. 참으로 비참하기 짝이 없다.

12일 첫눈이 내렸다. 바람에 하얀 눈이 날리며 땅에 내리자 녹았다. 산머리를 하얗게 덮었지만 땅에는 쌓이지 않았다. 그 중에서도 제법 응달진 구석에는 하얗게 쌓였다. 인생도 그러겠지. 모두가 쓸모없이 사라져 가지만 어딘가 쌓여 인간의 유정을 그리기도 하겠지. 본성은 분명히 선과 악을 겸비한 사람이지만 생각하는 동물이기에 선으로 악으로 갈라져 동물이라는 본성을 드러내기도 하겠지.

16일 허진 씨를 만났다. 역시 인간의 배짱이 크고 세상을 뒤흔드는 용기가 있는 사람이다. 이분은 말로는 형님은 샌님이라고 한다. 지식은 많고 꿈은 크고 세월을 지내다 보니 남의 것은 시시하고 그래서 자신의 하기에는 이제 능력부족이고 하는 전략으로 비참해 진 것이라고 한다. 물론 그가 가장 훌륭한 것은 아니다.

17일 인간이 산다는 것이 이렇게 어렵다는 것을 살아갈수록 느낀다. 우리가 외로울 때 누가 나의 괴롭고 잘못한 것을 용서해주기를 바라듯이 용서해 주어야 한다. 이것은 한 철인의 말씀이다. 형님의 모든 것을 용서하자. 허진의 말에 의하면 망명의 어려움보다도 세상에 제일 편하고 행복했다고 한다. 그것은 수행을 해서가 아니라 남에 비해서 그는 세상을 통달하듯 모험을 하지 않고 순응해 살았다고 한다. 지금도 그 버릇대로 살기에 부딪힌다. 참으로 건강하고 자연 그대로 살기 바란다.

22일 오늘은 레닌그라드 박물관에서 소련인 내외가 왔다. 추 형과 함께 맞이하여 도선사에 다녀왔다. 상징을 연구하는 부인은 세계적인 권위자라고 한다. 이렇게 섬세하게 학문이 열리어 인간 관계가 깊이 이해되어 간다. 내일 떠나는 부인에게 민기, 희기에게 전할 크리스마스카드를 보낸다.

25일 철훈, 알마티에 가다.

27일 추 형은 10시 버스로 광주에 가시다. 아침 일찍부터 등산 준비를 했다. 도봉산 원통사에 갔다. 초설이 내려 산은 하얗게 물들었다. 햇볕에 녹아내린 솔잎은 유난히 초록색의 연한 모습을 드러냈다. 천년이 가도 파랗기만 하는 소나무. 인간의 지조라면 좋겠다. 추 형은 스스로 기대를 부숴버렸다. 이젠 기대할 것도 없다. 그대로 자연인으로 대할 수밖에 없다. 서로 부담 없이 나의 그 괴로웠던 과거에 형들을 천운으로 생각하고 용서할 따름이다.

29일 연말이 되니 하염없이 쓸쓸함을 느낀다. 누가 자극한 것도 아닌데, 새로운 자극이 있어야겠다. 빨리 묵은 해를 보내고 새 희망이 가득찬 새해가 행복을 싣고 오기를 기다린다. 2년째 일기를 빠짐없이 적어간다. 비록 명인은 아니지만 나름대로 한 세대를 산 인간으로서 위로는 신들의 안녕과 국민의 평화, 그리고 개인은 행복이 깃들기 바란다.

31일 1992년이 나이 62세를 안고 넘어간다. 참으로 어색한 나이다. 늙지도 않고 젊지도 않고 죽기 못해 사는 것처럼! 다사다난했던 한 해를 보낸다. 철훈이가 가족을 데리고 팔자에도 없는 모스크바에 갔다. 모두 건강한 한해를 보내주기를 바란다. 생전 처음 추 형과 설을 맞게 된다.

1993년

1월

01일 6시 도봉산 도선사에 가다. 새해 새벽 고요 속에 이 세상을 밝히며 붉은 태양이 올라왔다. 도봉산 도선사의 산정에서 계유년 새해를 맞는 나에게는 감개무량하였다. 벌써 63세 어머니 품에서 철 없는 때가 엊그제 같은 데 다시 태어나 세 살이라니. 갈수록 짐은 무겁고 할일은 많구나. 금년에는 제일 먼저 연화 짝을 지어주어야 하고 그리고 서로가 건강하고 추 형 일이 잘 풀렸으면 좋겠다. 진실로 아내가 고맙다. 이 어려운 우리 집 사정을 잘도 끌어간다. 금년도 잘 부탁한다. 유화 경화 상하 지윤 하권찬 다녀가다. 민기 희기 축복을. 추 형, 박종채와 함께 의정부 동두천에 가다.

02일 새해가 시작되는 둘째 날이다. 무엇인가 희망을 찾아보려고 힘써 본다. 올해는 동화 연구 논문을 꼭 발표하고 싶다. 그리고 간간히 곡을 만들어내고 싶다. 창작을 하여야 나의 생애가 그려진다. 나의 모든 경험을 총동원하여 생각한 모든 것을 발표해야 한다. 금년은 닭해다. 하는 일마다 벼슬을 달고 금관의 영예가 있을 것이다. 발로 후비고 어두움을 깨고 솟아나는 닭소리처럼 희망차게 앞서 가리라. 나를 도와준 모든 사람에게 감사드린다.

03일 새해 처음 맞이하는 주일날이다. 생전 처음 형님과 도봉산 원통사를 향해 등산길에 올랐다. 산천천지가 모두 새로웠다. 이제는 건강을 찾는 사람들이 많다. 남녀구분 없이 산을 찾는 사람이 많았다. 인생을 즐길 수 있는 것은 건강뿐이다. 몸이 약하면 마음도 약해지고 몸이 약하면 수난을 이겨내지 못한다.

건강한 내일을 위하여 노후에 자식들 고생시키지 않기 위하여 자신의 건강을 지켜나가련다.

04일 새해 첫 출근이다. 아침에 권 사장이 탐구심 있는 연구적 태도로 경영하겠다고 했다. 당연히 지성적이고 과학적인 새로운 경영 양식을 받아들여 탐구의 꽃이 피는 날. 아무도 그 뒤를 따르지 못하리라. 젊은 사장이지만 의도가 좋아 우선 박수를 보내다. 조사연구한 민족의 얼, 신작 통화 한국적 동화 새로운 시도를 하려는 것이다. 계획대로하면 좋은 학자를 만나 집대성하고 싶다. 나는 편집 고문으로 나의 의지를 펴나갈 생각이다. 추 형이 12시가 넘도록 소식이 없어 소동을 벌였다.

05일 일이 시작되었다. 새해 들어 정상적인 일이 시작되었다. 미술 책의 레이아웃이 왔다. 미술이기 때문에 무척 어려운 듯했다. 그러나 기본이 되었으니 이제부터는 쉽게 진행될 듯하다. 무슨 일이든 시작이 반이라고 한다. 유례없이 좋은 책을 만들 생각이다.

06일 하루 중에 책상에 앉아 있는 집무로 대단히 힘이 든다. 실내 공기는 난방 때문에 무척 탁하고 건조하고 책상에 밀착되어 하루 종일 머리를 써야하니 정말 힘이 든다. 중식시간에 걷기로 했다. 시장 한 바퀴 돌면 그래도 건강유지는 되리라고 생각한다.

08일 기상천외한 일이 일어났다. 1988년도 추 형이 알마티에서 우주인의 내습을 받고 몸에서 자기(磁氣)가 일어난다고 하시더니 오늘 한국의 기공협회 검증 결과 아주 센 자기가 일어나 병든 사람을 고칠 수 있다 한다. 문제는 몸에 쇠붙이가 붙고 이 자기를 받으면 몸이 더워지고 혈액순환이 좋아지며 질병에 저항력이 생겨 낳을 수 있다고 한다. 은혜를 입었던 정자와 신부님이 함께 자기를 받았으며 이들은 내재된 열이 일어나고 빛이 났다고 한다.

09일 추 형은 자신이 게으르고 한 가지 일에 집중하고 못하고 만사에 관심이 쏠려 욕망이라는 욕구를 억제하지 못하고 지적 욕구에 시간도 나이도 모르고 욕심만 차리는 변명을 시작하였다. 이제는 도통하였다고 자만하고 자신에 도취하기 시작하였다. 이제는 염력으로 만사 해결하고 안되는 일이 없다고까지 자가 신상하기 시작한 것이다. 구체적으로 우주의 자력을 받았다고는 하지만 이것이 인간의 사고를 넘어서 신비의 세계로 간다. 스스로 선인이 된 것이다. 결과가 어떻게 될 것인지 궁금하다.

10일 추 형의 자석인간 이야기로 하루가 지나갔다. 인간이면 신기하다 아니할 수 없다. 우주의 역학이 작용하는지라 힘의 집약인데 인간의 몸에 자력이 생긴다는 것이다. 하나의 수련법에 따라 달라진다는 것인데 이것이 형님에게서 발생한다는 것이다. 참으로 놀라운 일인데 이것이 현대인의 관념 속에 어떻게 받아들여질지 어려운 문제이다.

11일 음악저작권협회 임원 선거가 있었다. 추 형은 정병호 교수의 서울예술단에 작품을 의뢰받을 생각으로 나가셨다. 기분 나쁜 것은 노인을 꼭 자기 집으로 오라는 것이다. 물론 아쉽다는 말도 성립되지만 자기가 존경한다는 뜻으로 보아서는 감히 집으로 오라는 것이 마음에 들지 않는다. 결국 능력을 시험해보겠다는 결론을 얻었다니 자존심이 용서하지 않는다.

12일 자기 창작을 해야지. 이 세상에 둘도 없는 창작활동이 되어야한다. 골고루 많이 갖춘 것이라면 그만큼 범위를 넓게 깊게 즐겁게 이루어줘야 한다는 것이 결론이다. 자유롭게 창작되어야 한다. 금년에는 극 놀이 대본과 동요를 적극적으로 만들어야 하겠다. 우리가 할일은 반드시 해내야 한다. 새해의 다짐을 잊지 않도록 유의해가야 하겠다.

13일 대구를 강의차 갈 생각으로 공항에 나갔다. 동행할 사람이 나타나지 않는다.

내용을 모르는 나로서는 돌아올 수밖에 없었다. 오전 5시부터 서둘러 나갔다가 그대로 돌아오다니. 도덕심이라는 문제에 부딪힌다. 대구에서는 30여 명이 기다렸고 하루의 일과가 무산되고 만 것이다. 피곤하셨지요, 그러고 만다. 기업도, 학술도 이렇게 해서는 문제가 많다. 하나의 죄책감도 느끼지 않는다.

14일 일러스트 명사인 박 교수를 만났다. 그 사람은 또 독일로 견문을 넓히려 떠난다. 몹시 가고 싶지만 형편이 피지 않는다. 우리는 발전하는 새로운 문화를 빨리 받아들여, 흘러온 문화와 접목시켜야 한다. 우리는 조금이라도 소홀히 해서는 안 된다. 과거엔 전문만 전문으로 해서 되었지만 문화란 모든 것이 고루 배치되어 평형을 이루어 발전하여야 하는 것이다. 견문을 넓히자.

16일 내일 형님이 떠나신다고 하기에 회사를 안 나가고 하루 종일 대기했다. 하루라도 심각하게 서로의 이야기를 밝히고 싶었지만 전연 기회를 주지 않았다. 일찍 누님이 과부가 되어 과부 투정의 성격이 있어서 모든 것을 자기중심으로 생각하고 나쁘게만 본다. 남편이 없으니 하고 말이다. 이렇게까지 할 때 나에게도 형제의 도의도 없이 무참히 나쁜 놈이라 규정해버린다. 어처구니 없다. 이런 대화 속에 추 형과 대화를 나누니 내가 또 무엇이 됐으랴. 추 형을 반기는 표현이 그러하리라 생각하지만 조카란 것들이 염력을 한다니까 병을 고치려고 찾아오고 세상에 안부 전화 한번 하지 않는다.

17일 오후 2시 30분. 아에로플로트 소련 항공기로 형님이 떠났다. 가슴이 아팠다. 좀 더 잘해 드리려고 했는데 마음대로 되지 않았다. 다행히 염력이라는 새로운 세계를 자신이 직접 할 수 있다는데서 위로를 받은 것같다. 얼마나 고국이 그리운가는 참으로 잘 체험하는 듯했다. 그렇다면 금의환향했어야지. 지금도 늦지 않다. 자신이 그토록 연구하고 생각한 것이 있다니 집대성해서 온 세상 사람을 위하여 내놓아야지. 박갑동 씨와 북한의 망명정부를 만들어 괴롭힌다는데 하느님

밖에는 누가 이 일을 알 것인가. 모두가 살기 위해서 하는 일들이 아닐까.

18일 유아정보에 보낸 시 원고를 작성했다. 음악을 생활화해야 한다는 정말 이렇게 정성 들여 썼는데 봐주는 사람이 있는지. 열심히 해보지만 그 놈의 학벌이 뭣인지 그 능력을 시험해보기 어렵다. 단연코 이 일에 발 벗고 나섰으니 열심히 해봐야지. 추 형이 남겨 놓은 악보 프린트를 주성애, 최사나에게 전할 일이 하루 종일 걸렸다. 완성은 했으나 전달이 또 문제이다. 세상에 쉬운 일이란 하나도 없다.

20일 아내가 장모 제사에 가다. 새벽에 일어나자마자 방안이 휑 빈 것 같았다. 아내와 나는 서로 풍기는 기로 살아온 모양이다. 정병호가 전화가 왔다. '한국의 얼과 문화'는 국제대학으로 전달된다는 얘기를 했다. 옛날이야기를 소홀히 하지만 이것은 큰 유산이다. 이거야말로 한국인이란 사상적 기초를 마련해 주는 중요한 전승 계보라 아니할 수 없다. 춤은 리듬의 감동에 의해서 흥을 일으켜 춤추기 시작한다. 우리 민족은 왜 어깨부터 추기 시작하였는지 연구해야 한다.

22일 아내가 철훈 식구들이 보고 싶다고 한다. 모처럼 무거운 입을 연 것이다. 명절을 맞는 사람들의 마음은 모두가 이러하리라. 사람이란 주기적이어서 어느 기억할 만한 날이 오면 모든 사람은 그리워지는 것이다. 나 역시 거짓이 아니다. 민기가 그렇게 보고 싶다. 혈육이라기보다 그 애가 준 정 때문이다. 꼬치꼬치 캐묻고 생각하고 비범한 태도는 높이 살 만하다. 그 애는 무엇인가 위대한 힘을 가진 사람같이 개척해주면 큰 인간이 될 것이다. 철학자 아니면 대 사상가로 불멸의 명예를 가질 녀석이다. 살림은 희기가 할 것이다. 거부가 될 것이다.

27일 진정한 유아를 위한 도서가 뭘까. 그들의 자연스러운 시각 범위에서 형태, 색감, 구성을 호기심을 끌어 집중력을 집약시키는 것일까. 이것이 반복되는 사이에 인지도가 높아지고 경험의 범위가 넓어져 성장해가는 것이다. 그러나 어린이나 유아를 깊이 이해하지도 못하면서 성인이 유아의 시선으로 곱고 다양하고 우아하게 꾸미고 있으니 유아들이 주목할 만한 초점이 없다. 문장도 그렇다. 유아일수록 토씨를 쓰지 않으며 생동감 있는 동화적 리듬으로 이야기하다. 이런 점을 생각하여 더욱 공부하고 연구하여야할 것이다.

31일 수락산 학림사를 다녀왔다. 산은 분명히 지열과 기가 있어 지기(地氣)를 받으면 온몸이 풀린다. 그리고 대뇌 속에 자신을 열어 놓으면 몸이 풀렸다. 이 기에 대한 관심이 많아졌다. 이 기를 몸속에 끌어들여야 하겠다. 기를 마셔라. 기를 잡아라.

2월

1993년

03일 사람은 죽어서 흙으로 돌아가도 흙에서 태어난다. 그래서 흙은 나의 고향이요 바로 내 조국이다. 고향을 버리고 조국을 떠났던 사람도 죽기 전엔 조국의 땅에, 흙속에 묻히기를 원한다. 날마다 밟고 다니며 흙속에서 나온 오곡백과를 먹고 자랐던 내 고향. 아직도 흙은 비옥한데 사람들은 없구나. 만약에 사람은 있어도 흙이 말라 사막처럼 험해진다면 사람은 어찌하리.

04일 입춘이다. 자연은 거짓이 없다. 입춘이라고 하여 우리들의 체감은 아직도 겨울인데 식물의 꽃봉오리는 벌써 부풀어 오르기 시작한다. 봄은 소생의 계절이요, 잠재력을 발휘하는 때이다. 유난히 모스크바에 있는 애들의 생각이 떠오른다. 편지를 썼다. 입춘대길 가화만사성(立春大吉 家和萬事成), 봄을 상기하는 말들을 써서 보냈다.

06일 둥근달이 하염없이 도시의 지붕 위에 떠 있다. 태양은 아버지, 달은 어머니라는데 우주의 조화가 여기서 이루어지니 둥근 달은 인간의 마음 빛이 아닐 수 없다.

사방이 어두우니 음지에선 인간의 마음이 동(動)하고, 밝게 비치는 빛은 정직한 마음을 밝히나니 음양으로 인간에게 영향을 미친다는 생각을 조금도 버릴 수 없으리라.

09일 까딱하면 해가 지고 시간이 넘어간다. 이것이 산다는 의식일까. 날마다 날마다 일을 해도 시간이 모자란다. 오늘은 '선진'에 가서 동화학 강의를 했다. 겨우 소녀티를 벗어난 처녀들이, 생활 전선에 나온 처녀들이 경청해주어서 참으로 고마웠다. 주차료가 무려 12,000원, 3시간 만에 엄청난 비용이다. 일주일 휘발유 값이다.

17일 민기 외할아버지, 모스크바에 가시다.

22일 동경에 다녀오자고 한다. 외국여행이 귀찮을 정도로 많아졌다. 이번에는 유아용 도서 구입차 가게 된다. 평소 이상적으로 생각하였던 유아용 도서를 제작해 볼 생각이다. 책을 제작한다는 게 꽤 기술을 요하는 일이다.

24일 동경에 가다. 교활한 일본인들의 상술에 끌려간 듯하나 우리는 이런 모순을 바로잡고 우리 손으로 좋은 책을 만들자고 지금 노력중인 것이다.

25일 문민시대 대통령 취임식이 있는 날이다. 일본은 역시 독서의 나라다. 엄청난 인구가 몸을 비비고 다닐 만큼 많은 사람이 서점에 있었다. 그 많은 책이 잘 분류되어 읽히고 있었다.

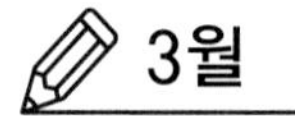

3월

1993년

02일 일본에서 구입한 책을 펴놓고 비평회를 가졌다.

06일 연화의 신랑감을 면접하는 날이다. 유화 경화 내외가 모두 와서 집안이 사람 사는 것 같았다.

07일 상하를 데리고 보문사에 갔다. 새로 지은 절인데 계곡 속에 있어 몹시 깊은 산중인 셈이다. 아직 눈이 남아 있고 얼음이 있었다. 봄이 깨이는 순간이다. 상하도 즐겼다. 역시 사람이란 자연의 아들이다. 처음 보는 자연현상이지만 몹시 즐겨했다.

11일 아내 생일, 양순식 씨 축하합니다. 오랜만에 원고를 완성하였다. 3일을 뜸 들여 생각하고 생각한 것이다. 연화 결혼이 결정될 것 같은데, 혼수 준비가 문제다. 은행에서 빌린다 해도. 생일을 축하하오. 이제부터는 우리를 위한 시간을 가져 봅시다.

13일 연화 사돈될 내외분, 상면하다. 연화는 잘살 것이다. 큰 욕망이 없는 아이가 잘 살게 마련이다. 행복하기를 참으로 기원한다.

14일 연화의 결혼이 결정됐다. 결혼 날은 4월 17일 토요일. 벌써 신방을 구하느라 집 사람이 온종일 약수동 이문동 창동 등을 돌아다녔으나 물가 상승으로 마땅한 집은 찾아볼 수도 없다. 걱정을 하고 있던 일이 풀려 안도의 한숨을 쉰다. 수유리에 방을 예약했다.

22일 한겨레문화센터 강의

29일 한겨레문화센터 강의. 경화가 왔다. 지윤이가 예쁜 짓을 한다. '나'하면 지윤이를 가리키고 머리에 핀을 가리키나. 정말 영리하게 자랄 것이다.

4월

1993년

10일 연화 함이 들어오는 날이다. 함이 들어오는 소리가 요란하다. 아파트가 요란하게 떠들썩하다. 집안에 남자가 없어 어린 상하가 남자구실을 해준다. 예쁜 이모

나오라고 소리 소리친다. 구습이라지만 참으로 즐거운 날이었다.

11일 세 사위를 데리고 점심을 먹으니 바로 인생을 다한 듯한 느낌이었다. 즐거운 날이었다. 이들을 축복한다. 인간다운 인간, 의식 있는 삶을 갖기를 바란다.

13일 최사나 다녀감. 사나! 최상옥 씨의 막내아들이다. 바이올리스트가 되어 전주에서 추 형과 함께 알게 되어 30여 년 만에 만났다. 최상옥 씨하면 나의 젊은 시절을 같이 보낸 선배이다. 둘도 없이 친하게 지내다가도 싸우기도 잘 하고 광주 문화를 쥐였다 폈다 꽤 복잡하게 지냈던 일이 생각난다. 그 공을 나라에게 갚아야겠다.

14일 추 형님과 통화. 연화소식을 전했다. 기뻐하셨다. 지금까지 공부한 모든 것을 잘 보여줬으면 좋겠다. 사나가 전주와 예술의 전당에서 형님 곡을 연주한다는 소식도 전했다.

17일 연화 결혼. 너의 행복을 빈다. 너의 기쁜 모습을 보는 순간 그동안 가슴에 안고 왔던 걱정이 한 숨에 사라지는 듯하였다. 그 어려웠던 때를 생각하여 누구보다도 행복하게 잘살기 바란다. 이제 아빠는 이 세상에 태어난 나의 할일은 다 한 듯하다. 그처럼 가슴 졸이던 사람으로서 나의 모든 것을 마치지 못할까 걱정하였는데 참으로 하느님께 감사드린다.

19일 4·19 의거 날이다. 광주에서 서석동에 살 때 학교에서 돌아오는 길에 서석초등학교 앞에서 잡혀 들어가 머리에 손을 올리고 이마를 땅에 대고 엎드려 있었던 생각이 든다. 민주화를 위하여 희생된 학생들의 명복을 빈다. 오늘 연화가 온다더니 하루 더 있다가 오려나보다. 그들의 행복을 빈다.

21일 동경 행.

25일 모처럼 두 사위를 데리고 상하와 함께 수락산 등산을 하였다. 역시 인간이란 누가 되었던 자주 접촉하여야 하겠다. 서로 서로 성격을 이해하고 무엇을 도울까를 알게 된다.

26일 새로운 장이 열렸다. 창작이란 얼마나 어려운 일인지 모르겠다. 0~3세까지의 책을 개발하는 것이다. 그들은 눈으로 보지 않고 마음으로 읽는다. '귀로 듣는 책'. 이 얼마나 어려운 일인가. 지금 우리는 세기의 의지에 도전하고 있는 것이다. 지구촌 모두가 요구하는 것이다. 어떤 형태의 것이 될지는 모르지만 철저하게 인간적인 책, 서로를 연계하는 책, 새로운 책을 만들어보려고 한다.

27일 6명의 작가를 만나 화가가 그리고 쓰는 책을 위하여 작업을 시작하였다. 꽤 반응이 좋을 듯하다.

5월

1993년

01일 벌써 5월이라니 실감이 들지 않는다. 그러나 문 앞의 나무들이 제법 파란 제 모습을 드러냈다. 옷 입기에 어색하여 긴 팔 대신 짧은 팔을 입기엔 아직 빠른 듯한 느낌이다. 5월이야말로 가정의 달, 청소년의 달이다. 어디까지나 젊음 위주로, 젊음의 대열에서 벗어난 듯싶다. 이런 이미지에서 벗어나고 싶은데 세월은 흘러간다.

07일 오늘은 아내와 갑자기 도배를 하였다. 사실은 몇십 년 만이다. 새 집을 짓어보고 그 이후 도배를 한 것은 과천에서이다. 푸른 바탕에 분홍꽃무늬가 있는 듯 없는 듯 보이는 아름다운 벽지이다.

14일 갑자기 동경 행이다. 이제야 독립적으로 움직여가는 기회를 얻었다. 좋은 생각이 없을까. 동경에서 일을 마치면 시골로 가봐야지. 한없이 돌아봐야지. 도시보다는 농촌을 봐야지. 또 다른 세계를 보고 와야지. 자연을 사랑하는 이들에게는 새로운 꿈이 있겠지. 공해를 없애고 신선한 것을 구하기 위해 모두가 노력하는 모습을 봐야지.

6월

1993년

06일 현충일이다. 6·25 때 죽은 동지며 친구들의 영령. 항상 살아남은 것이 죄스럽더니 지난 가을 권이 형이 동란 때 희생됐을 것이라는 소식을 듣고 더욱 오늘 현충일에 가슴이 뜨거웠다. 10시를 알리는 수락산 산정에서 형의 명복을 빌었다. 아버지 어머니께서 그처럼 안타깝게 여기시던 형. 일제 때 징병을 피하려고 결혼한 뒤끝이 좋지 않아 해방을 맞이하면서도 소망을 못 이루자 큰 형님을 찾아 집을 떠난 것이 영영 불귀의 영이 되고 말았는데 지금 어디서 어떻게 고향을 그리고 있을까. 형의 명복을 빈다.

07일 죽기 전에 자신의 생각을 집약해 둔다는 것이 얼마나 어려운 일인지 모르겠다. 남들은 돈을 들여 마련한다는 게 스스로 마련해 보려고 하니 어렵기 짝이 없다. 사실은 아버님 시집을 먼저 마련해드려야 한다. 그런데 그 어려웠던 때 준채 형에 대해서 쓰셨다고 하셨는데 이 글은 애들을 만나면 보여준다고 하시고서 글이 보이지 않는다. 너무나 겁을 먹고 사서(私書)인데도 없애버리신 것이 틀림없다. 참으로 비참했던 우리 집의 과거가 갈수록 억울하고 어이없는 일이었다는 것을 느낀다.

10일 모든 것이 교수, 교수로 이어져 교수 아니면 살 수 없는 현실이다. 엊그제까지 초등학교 선생이 간판만 따면 교수이다. 이처럼 불신사회가 불러일으키는 현실이 평형을 가진 나라라고 할 수 있을까. 경험 없는 도서관에서 나온 교수다. 그것도 40대라면 좋다. 30대가 뭘 안다고, 현실이 너무 쓰다. 어떻게 해서든

이 벽을 뚫고 넘어서야 하겠다.

13일 북한산 대동문을 다녀왔다. 산은 역시 대조무문(大道無門)이다. 깊은 감명 속에서 하루를 보냈다.

20일 사위 신성철, 모스크바에 가다.

7월

1993년

07일 모처럼 군산에 내려갔다.

08일 전주 동백장에서 하룻밤을 지새우고 전주 후리벨에서 150여 명의 사원을 대상으로 강의하였다. 참으로 들으려고 애쓰는 모습이 보였다. 무척 어려운 이론이다. 일생을 좌우하는 주요한 판단력을 어릴 때부터 명화를 접하는 경험에서부터 이루어진다고 하는 것이다. 이것이 바로 분별력을 주고 창의력을 준다는 개념의 이론이다.

10일 청주에서 강의를 마친 뒤 속리산 뒤편 계곡을 찾았다. 우암 송시열 선생이 말년을 보내던 암자가 있었다. 지금은 아름드리 소나무가 바위 틈에서 자라 낙락장송이 되어, 오고가는 사람을 내려다보고 있었다.

27일 아시아나 737기가 목포를 가다 짙은 안개와 비바람으로 해남 운거산에 추락하여 110명 승객 중 66명이 사망하는 대참사가 벌어졌다. 모스크바에서는 재무부장관도 모르는 중앙은행의 화폐개혁이 일어나 심한 사회혼란을 일으키고 있다. 냉전시대가 아니라고 전쟁의 위협이 없는 것은 아니다. 이것이 바로 전쟁이고 이것을 극복하지 못하는 인간은 불신 속에서 항상 불안한 사태에서, 안정을 찾으려는 갈등이 계속된다.

8월

1993년

14일 금융실명제 실시. 세상이 온통 금융실명제로 비밀이 없게 되자 돈 가진 자는 옛날처럼 때가 지나면 어떻게 되겠지, 하고 대기 상태이거나 해외도피를 꾀하는 것같다. 없는 자는 또 마찬가지다. 일한 만큼 보상받고 돈 많이 버는 사람은 비례에 따라 세금을 많이 내야지.

15일 김홍수 차 사고로 의정부 성심병원 입원.

16일 대전 강의차 내려왔다가 전주 대둔산에 다녀왔다.

19일 「딱따구리」 세 편을 끝냈다.

23일 보림의 유아음악 편 음악적 능력 발달 14편 160개의 해설을 끝냈다. 티끌 모아 태산이라더니 1년 여 조금씩 조금씩 해본 것이 집대성되었다. 물론 남이 쓴 글 중에 끼어든 내용이지만 큰일을 했다.

30일 안데르센에서 새로운 인형극의 꿈을 특강하고 티랜트 발성법도 특강하였다. 모든 것이 원리 원칙이 있다. 원칙을 이해하지 못하면 매사를 헤맨다. 그것에 인위적인 것이 가미되면 아프게 마련이다. 임진번 단장이 12월경 소련에 가기를 원했다. 기회가 되면 다녀올 생각이다.

9월

1993년

01일 아침에 보림에서 '천지개벽설화' 회의를 마친 뒤 오후 1시에 터미널로 달려갔다. 생각하기보다 표를 빨리 구하여 우등버스에 몸을 싣고 광주로 달렸다.

차도의 연변은 파랗게 벼로 익어갈 준비가 한창인데 햇볕이 나지 않아 여물지 못한 벼를 햇님은 손짓하고 있었다. 인생은 가을이 되면 풍요해진다더니 푸르름만 보아도 마음의 풍족함을 느꼈다.

02일 광주가 많이 변했다. 거리도 변했거니와 인심도 변했다. 내가 태어난 고향이지만 잠자리 하나 편한 곳이 없어 정이 들지 않는다. 강의가 끝난 뒤 경렬사에 다녀왔다. 경렬공 정지(鄭地) 할아버지는 그 거룩한 일을 하셨기에 지금도 사당에서 자신의 소망을 그리고 계시겠지. 원효사에 들렀다. 그 옛날 어머님을 모시고 같이 다녀오던 생각이 간절하였다.

03일 강의가 끝난 후 어머님 산소에 들렀다. 아카시아 뿌리를 몇 개 파내면서 묘지 정리에 대한 생각이 들었다. 우선 시멘트로 옹벽을 쌓는 것이 제일 좋을 듯하다. 죽기 전에 꼭 합장을 해드려야겠다.

04일 목포 푸르벨에서 30여 명의 주부 대상 강의는 성공적이었다. 역시 인간이란 가꾸려고 한다. 성숙한 마음이 되고 싶은 듯 새로운 교양에는 몸을 가다듬고 수강하는 모습들이 살고 생각하고 느끼고 시정하고 전진해 가는 인간의 본성이 아름답게 보였다. 그리고 광주를 거쳐 밤 11시에 서울에 닿았다.

05일 피곤한 몸을 일으켜 수락산에 올랐다. 역시 온몸을 씻어 내린 듯 시원한 공기에 몸 속이 세탁되는 듯이 개운하였다. 힘껏 마시며 기공에 열중하였다. 정화된 마음, 깨끗한 마음, 정직한 마음, 아름다운 마음. 이렇게 수많은 마음들을 생각해본다.

07일 다시 일은 시작되었다. 그림책 6권을 만들었다.

10일 부산 출장. 활기찬 도시였다. 30여 년간의 통치, 6·25로 인한 임시수도가 발전의 기반이 되었으리라. 우리는 지금 이런 문제로 고민할 때가 아니다. 다 같은 나라 땅인데 가능하면 균형발전시켜야 한다. 잠자는 항구 목포의 숨소리가 들릴 때까지 생각해야할 문제다. 아니면 소설이라도 써 만인의 공감을 받아야 할 것이다.

12일 초가을이다. 수락산 산정에는 짙은 보랏빛에 붉은 물을 끼얹은 듯한 싸리꽃이 해맑은 가을 하늘과 그처럼 잘 어울릴 수가 없다. 입은 다문 채 눈만 맑게 뜬 싸리꽃. 의지적이고 지성적인 한 여인의 상과도 같다. 그는 말없이 가을바람에 맑은 눈동자를 밝게 보여주기 때문이다.

13일 그림책의 효용을 컴퓨터에 저장했다. 그림이란 시각을 통해 어린이의 인지 발달에 중요한 역할을 한다. 더욱 구체적인 연구를 필요로 하는데 일단 문화적 측면에서 끝을 맺었다. 이론의 정립, 실험 등의 일이 남아 있다. 가을이 되면서 좀 더 건강하고 활발한 연구를 하고 싶다.

23일 놀라운 일이다. 러시아가 또 정변을 겪는다. 옐친이 의회를 해산하고 의회는 루츠코이 부통령을 대통령으로 인준하고 두 대통령이 생기는 혁명 정국에 빠졌다. 무력충돌까지 예상된다. 러시아는 민주주의와 자유를 맛보았기 때문에 보수파가 원하는 정국으로 돌아가지 않을 것이다. 다만 개혁이 필요하다. 옐친이 세계의 지지를 받았으니 힘을 얻어야지. 철훈이 잘 있는지.

27일 이 세상에 둘도 없는 우리 어머님. 어떻게 그 어려운 자식들을 멀리 보내시고 고통을 참으셨나요. 이렇게 애절하고 불타는 심정을 어떻게 참으셨나요. 살아가는 새만 보아도 나뭇잎이 흔들리는 것만 보아도 자식과 인연하여 생각이 나는데 하나도 아니고 셋씩이나 떠나보내고 얼마나 고심을 하셨는지요. 내일 모레면 추석인데 싸늘한 가을밤, 달을 보고 염원을 빌며 절 하시던 어머님 모습이 떠오릅니다. 이 세상에 가장 훌륭하신 어머니, 어떻게 그 애절함을 참으셨나이까.

30일 추석을 맞았다. 안사람과 단조롭게 둘이서 차례를 드리자 유난히 어머니 생각이 났다. 금년 들어 왜 이렇게 부모님 생각이 나는지 모르겠다.

10월

1993년

02일 휴일도 너무 길면 맥이 끊긴다. 인간이란 역시 움직이는 동물이며 일하고 사고하고 꿈을 그리며 사는 가장 낭만적인 동물이다. 너무 급급하게 살아서야 인생의 맛을 알 수 있으랴. 자아를 발견할 때면 죽는 날이 가까운 것이 아닐까.

03일 새벽부터 산행을 했다. 역시 태양은 밝았다. 변함이 없는 태양이지만 인간이 선택한 때와 장소에 따라서 다르다. 오직 하나 뿐인 해님은 때를 아는 사람을 더 밝게 비추어준다.

04일 아버님 제사. 러시아의 총성이 멎었다. 금세기 최대의 사건이며 공산당이 영영 지구상에서 마지막 빛을 남기며 사라지는 충동이 느껴졌다. 인간은 스스로를 존중하고 보호받아야 하고 자유로워야 한다. 이 자유가 방종이 되어서는 안 된다. 서로가 살기 위하여 공존의 원칙을 벗어나서는 안 된다.

09일 어제 민기가 전화를 했다. "모스크바 의회가 공격을 받아 피난을 갔다 왔어요, 이젠 괜찮아요. 겨울방학에 꼭두각시 무용을 하게 됐으니 한복을 보내주세요." 무엇이 어떻든 반가웠다. 나도 이웃이 하나도 없다. 그야말로 혼자이다. 주변에 아무도 없으니 오직 너희밖에 누가 있느냐. 세상에 없는 것을 봤으니 담대하여라.

11일 숨쉴 사이도 없이 세월이 지나간다. 오늘은 문화체육부 박태원 차관을 만났다. 이 나라 어린이를 위하여, 재외교포를 위하여, 한국의 얼이 담긴 도깨비 주제의 연극을 꾸며보겠다고 했다. 주광현, 임진번이 동행하였다. 오후에는 일어 번역을 했다.

12일 일어가 쉬우면서도 어렵다. 그들의 생각이 단순하기 때문에 우리말의 많은 뜻에서 골라야 하기 때문이다. 단순하고 간결한 말들이 우리에게는 매정스런 말로 있을 뿐이다.

13일 유아를 위한 작업 중의 하나가 극화 학습인데 참으로 어려운 과업이다. '혹 뗀 이야기'를 계속 시정해나간다.

14일 철훈, 전화 옴. 미크리샨스키 사망.

15일 진실이란 뭘까. 인간이란 오랜 역사 속에서 진실을 추구해왔다. 참으로 어려운 명제이다. 그것은 생명이라는 시간 위에서 움직이고 있기 때문이다. 움직이는 지구 위에서, 지나가는 시간 위에서 곡예사처럼 인생이 흘러가기에 언제 위배할지 모르는 위험 속에 삶의 조건이 고르지 않기 때문이다. 허나 때로는 진실이라는 눈부신 동굴이 눈부셔 손으로 눈을 가리고 지나온 지도 모른다. 때로는 이렇게 지나면서 심장이 강철 같이 굳어지어 느끼지 못했는지 모른다. 그러나 항상 진실을 위하여 인간다운 삶을 주장하며 수많은 시간을 역으로 살아간다.

18일 진주 행. 아시아나 항공편으로. 세상이 퍽 좋아졌다. 아침 7시에 출발하여 오후 8시에 상경했다. 진주는 천리 길이라 하더니. 한 역사의 자리가 뒤바뀐 진양호. 지리산에서 흘러내린 물을 받아 진주 하동 충무 마산까지 농업용, 식수용으로 쓰인다니.

28일 철훈이 내일 이사를 한다고. 모스크바대학 기숙사로.

29일 모처럼 비가 내렸다. 가을비라고 하여 찬바람을 몰고 왔다. 산은 노란 갈잎에 묻히고 땅은 촉촉히 물들어 기분 좋았다. 역시 물은 자연을 풍만하게 해주는 하늘의 선물이다.

11월

1993년

04일 오랜 생각 끝에 유아노래교본이 생각났다. 몹시 걱정이 되었는데 대체로 잘한 듯하다. 가장 중요한 듣기 감상. 가사에 대한 입 모양, 숨쉬기 등 가지가지 요령은 나의 노래와 함께 실었다. 누가 뭐라고 해도 내 나름대로 음악적 경험이 그동안 한국을 제압하였다는 것은 자부해야 한다. 광주방송 노래회, 새로나합창단 등은 6·25 이후 한국문화사에 기록되어야 할 것이다.

11일 무념이란 매사를 잊어버리게 한다. 인간이란 한계가 있는 듯, 기억으로 되살릴 수는 있어도 상념으로 일상의 모든 것을 생각할 수 없으니 이것 또한 인간이 아니면 어려울 것같다. 인간이 산다는 것이 이처럼 어려운 것인가. 인간다움이란 무엇일까. 인간이라고 할진데 대상이 있어 대비되지만 이것은 외형적 동질성을 말함이요, 내면성에 동질일 수는 없다. 인간의 정신적 추구는 결국 무념의 세계로 자신을 끌고 가기 마련이다. 불편도 불만도 있을 리 없기에.

12일 성철 스님 다비가 있었다. 세상사람들은 사리가 나오기를 기대하고 그 수량으로 불심의 깊이를 척도하려는 물질만능의 의식에 팽배하여 있다. 득도하신 지 벌써 20여 년. 가부좌하시고 자아와 오성의 세계에 사신 지 10년. 이만한 고뇌와 영적 세계에서 “산은 산이요, 물은 물이다”라고 하셨다. 아직 나 자신의 앎이 비천하여 그 뜻을 새기지 못하나 결코 진심으로 공부해 득도하고 싶다.

13일 내 어머니, 을미년 4월 6일생, 거룩하심에 고개 숙이며 어머니! 이렇게 불러보기도 수삼 년. 그 자비로우신 어머님의 모습을 가슴에 그릴 때마다 티없이 맑고 순결함으로 이 세상 모든 것을 용서하시는 인자하심을 느끼게 됩니다. 그런데 어머니, 큰 아들과 큰 며느리는 어머님보다도 먼저 갔어요. 이 얼마나 억울하고 구슬픈 일입니까. 그들이 어머님처럼 단단하고 굳은 의지가 있었더라면 먼저 가지는 않았을 텐데 하고 위로해 생각해봅니다. 지구상에 혼자 남은 독재자의 손길에 소금을 못 먹어 허탈해 죽게 하였다니 얼마나 억울합니까. 나라는 민중 위에 세우자고 예술의 기반을 대중에 두었다 하여 숙청되었다니 이것은 분명히 어머님의 생각과도 위배되는 일입니다. 어머님의 가르치심이 몸에 밴 그들이 어떠한 총칼에도 물러서지 않았을 것입니다. 부디 저승에서나마 따뜻한 손길로 위로해 주십시오. 어머니. 이것이 인생이라니 저 세상에서는 편히 쉬십시오. 저도 어머니 앞에 갈 날을 기다리고 있습니다. 이만큼이라도 어머님의 억울함을 벗겨드려서 고달픈 마음을 풀어봅니다.

30일 요사이 작곡하고 싶은 생각이 생겼다. 5곡쯤 생산되었다. 두고두고 창작상 유의하여 손질해가고 있다. 창작이란 요사이 말하는 감정을 정리하여 둔 노하우이다. 이 세상을 살면서 자신이 느끼고 살아온 생각을 생의 여백 속에 채워둔다는 것은 매우 중요한 일이다.

12월

1993년

01일 두 번 다시 돌아오지 않는 한 해의 마지막 달이다. 이제 인생을 정리할 달에 가까웠지만 아직은 먹고 살기에 바쁜 구실을 삼아 남의 사업을 돕는 상태이다. 가슴 아픈 일이지만 노후대책이니 뭐니 하면서 내 주제에 생각해볼 여유도 없었다. 그래도 이만큼 지켜온 것은 나로서는 다행인데, 인성이 약하여 자기주장을 못하고 사니 슬픈 사연이다. 왜 세상을 스스로 이처럼 약하게 사는 것인지 알 수가 없다. 결국 철학이 부족하고 먹고 살기에 바쁘서이겠지.

02일 나도 나의 65세를 바라본다. 오래 살려는지 걱정이다. 죽기야 말없이 쉬운 일이지만 살기란 정말 힘들다. 역시 정을 두고 가니 죽기도 쉬운 일이 아니겠지. 정이란 잃어버리지 않는 것. 정이란 끊을 수 없는 것. 정이란 마음을 하는 것이다. 정을 내려놓고 죽기란 고통스러운 일이다.

03일 한국어린이문화예술원 반달회에서 주최하는 동화대회에 심사하러 갔다. 엄마의 인간적인 혈연의 정을 천연적으로 전할 수 있다면 오랜 전설 민화가 가진 의의와 여인의 입김으로 직접 전하는 이야기밖에 길이 없다. 듣는 아이도 부담 없이 깊은 감명을 받는데서 성공적인 얘기가 된다. 그러기에 끊이지 않고 오랜 역사 속에 어느 나라 이야기가 전해져 내려와 이것이 전통이 되고 민족의 얼이 되고 힘이 되었다.

09일 소련행 이야기가 공으로 돌아가자 매우 우스꽝스럽게 됐다. 정말 체면이 서지 않는다.

10일 소련을 간다고 애기처럼 기분이 들뜬 아내를 생각하니 참으로 잘했다고 생각된다. "기뻐서 잠이 안왔다"고 했다. 그토록 순진한 아내가 부럽다. 지금도 애기처럼 자기하고 싶은 대로 다 해보고 싶어 한다.

11일 아내, 둘째 사위 권찬과 함께 모스크바 행.

18일 'DMZ 휴전선을 말한다.' 무념의 자유를 찾은 철새만이 떼를 지어 철원 평야를 날고 있었다. 얼마나 피눈물 나는 38선이냐. 이제 온 민족이 갈망하는 통일의 시대에 도달했다. 아무도 이 뜻을 어겨서는 안 된다. 보다 큰 이상과 꿈을 실현하려면 국력이 필요하다. 국력이란 단합된 민족이 있어야 한다.

31일 1993년 안녕. 세상은 지금 '하나'라는 개념이 형성되고 국경은 없어지고 미래를 향한 준비의 해를 맞이하게 된 것이다. 우리에게도 힘이 필요하다. 무엇이 우리의 힘이 될 것인가. 힘찬 내일을 출발해야할 것이다.

1994년

1월

01일 내 나이 65세가 됐다. 반세기를 넘어 살았으니 세상이 변하고 강산이 변해도 한참 변했다. 개화시기에 태어나 서양문명의 고리 속에 일제와 일본의 중국 침략, 제2차 세계대전이 종식되고 힘은 자원과 핵의 보유로 바뀌었다. 이렇게 급변하는 세계 속에 독안의 쥐처럼 쳐다만 보는 피동적인 삶에 반세기를 보냈다. 이제 인생의 뜻을 알아가려는 이 시점에 이르니 죽을 날이 가까워지는구나. 새해란 자라는 아이에겐 꿈과 희망을 주지만 늙어갈수록 병명을 가져다줄 뿐이다. 올해로 보림에서의 삶은 다할 것같다. 그러나 자신을 정비하는 일은 게을리 할 수 없다. 동화 작품, 유아교육, 레크리에이션 동화 등 유아문화 전반에 걸쳐서 정비를 하여야 하겠다. 해마다 연초에 세운 기획이지만 올해는 실행이 될지 의심스럽다.

03일 오늘을 잃어버리면 영원히 찾지 못할 오늘을 기억하기 위하여 바쁜 펜은 달린다. 지상에는 신춘문예를 누가 꾸며 놓은지 몰라도 어느 형식에 꽉 차 있는 문학 한 편이 또 탄생했다. 문학은 미문으로 장식하는 것이 아니라 가장 공통된, 가장 보편적이면서, 알면서도 사색의 명제에서 벗어난 일들을 솔직하게 인류의 공통된 언어로 그 도덕성 속에 그려주는 것이다. 만인의 것이어야 한다. 형식이 어렵고 이것만이라 하는 형식에 얽매여서는 문학이 아니다.

06일 불광동의 기단전원(氣丹田院)을 찾아 계통적인 연수를 위한 시도를 해봤다. 고래로부터 인간이 가진 자연과 접촉한 공생의 의기(意氣)를 무시할 수 없다.

초인적인 힘, 이것은 원하는 것이 아니라 인간에게는 이런 힘의 배경이 있고 도를 닦음으로서 이걸 부르고 이와 함께 할 수 있는 힘을 기를 수 있다. 소중한 기의 학습에 열중해야하겠다.

08일 환근과 약속에 의해 오전에 족보를 들고 왔다. 우리는 고려 때 정도정을 시조로 21대 작산(東僑), 22대 용면(邃洪), 23대 유점(商烈) 24대 부들(在華), 25대 부들(鳳鉉), 26대 부들(淳極), 준채(準采) · 추(樞) · 권(權) · 근(槿)은 그러니까 27대가 되는 셈이다. 28대가 철훈, 29대가 민기, 희기. 환근은 운람 할아버지의 형님 되시는 龜鉉의 손(孫)이다.

15일 형님이 한국 귀환을 원하시는데 수많은 문제가 있다. 우선 국적회복문제와 귀환에 따른 가족 관계를 어떻게 하실는지. 아무도 받아줄 태세를 갖춰주지 못한다고 원망하였다는데 우리도 겨우 살아가고 있는데 생산력이 없는 그들을 모셔만 올 뿐 대책이 서지 않는다. 섭섭한 이야기지만 고국에 돌아올 의지가 있었다면 조국에 쓰일 중요한 일을 해두었어야 들고 들어오지 '음악'을 계속 연구하고 저서가 있어야 하지 않을까. 그러기 전에는 아무도 환영할 사람이 없을 것이다.

16일 내가 지금 써보고 싶은 〈유아의 눈〉의 구상을 해본다. 현대는 다분히 과학의 일반화로 아기 엄마의 지적인 수준이 좋아지자 육아에 대한 관심이 높아졌다. 그러나 급지각한 자아 중심적인 사고로 아기의 생리와 감정이 멋대로 해석되는 경우를 느낄 수 있다. 그러기에 태중에 약물복용이라든가 말을 못하니까, 보이지 않으니까, 듣지 못하니까 함부로 말하고 함부로 행동하는 경우가 보인다. 그래서 나는 "자궁 속에 있는 태아는 무엇을 느끼고 있을까. 엄마의 말을 듣고 있는가. 귀로 못 들으면 무엇으로 듣고 있는가. 그리고 태어날 때에는 어떤 생각을 하고 있을까. 출산 후 영아는 반나절을 자고 있는데, 자고 있을 때는 어른처럼 무감각한 것인가. 아니면 자면서도 뭔가 학습하고 있는가. 영아는 자면서도 의식을 하고 있다는 것. 다음은 영아는 무엇을 보고 무엇을 듣고 무엇을 맛보고 무엇을 느끼고 있는 것일까. 이러한 정보에서 영아는 무엇을 지각하고 있는가. 영아는 이 세상에 거울에 비치는 세계와 같은 것으로 우리 성인에게는 멈추고 있는 것이 움직이는 것처럼 보이고 움직이는 것이 정지하고 있는 것처럼 보인다. 그리고 영아는 자라서 이 거울 속의 세계에서 빠져 나올 때 어른과 같은 감정이 싹트는 유아가 되어갈 때 어떤 생각을 하고 있는가." 〈유아의 눈〉을 쓰고 싶다.

18일 미술이란 시감각(視感覺)을 통한 선(線)의 표현예술이다. 분명 시각적이라면 월등히 문화 관계에 있어서 새로운 선의 구조가 잠재의식과의 사이에 이질감을 일으켜 또 하나의 새로운 잔류를 구성함으로서 새로운 표현주의적 의식에 도달하게 된다. 이것은 어느 시대에서나 가졌던 표현기법이겠지만 근대에 이르러 인상주의적 표현활동이 과감하게 작은 한 점의 인상을 강열한 색감으로 부조(浮彫)하면서 또 하나의 인상은 제2의 자아로 고정시키는 방법으로 매우 간결하면서도 인상적인 표현이 쓰레기 캠페인, 국악의 해 등으로 엑스포와 함께 남아 있다.

19일 금년 겨울 들어 가장 추운 날이었다. 겨울은 역시 추워야 맛이 난다. 영하 14도라고는 하지만 맑은 날씨에 바람도 없고 체감은 너 낮은 것 같았다. 옛날 같으면 양말도 못 신고 반바지에 버선을 신고 한겨울을 나던 때가 생각난다. 어머니께서 밤이면 버선을 손질해주시고 덧신을 빨아 말려 주시던 거룩한 손의 따뜻한 마음을 잊을 수 없다. 어머니 감사합니다. 철없었을 때 몹시 괴롭혔지요. 지금 색각해보니 어머님의 따뜻한 마음을 알겠습니다.

20일 아침에 마른 눈이 하얗게 내려 햇볕에 녹아내렸다. 서울은 공해로 눈도 제 구실을 못한다. 푸석푸석 밀가루 같고 얼어붙지도 않다가 차에 밀려 바닥만 얼리고 만다. 오랫만에 한강이 얼었다니 대단한 추위인 듯하다.

21일 대설주의보가 내린 가운데 아침을 맞이했다. 도봉산 등산을 계획하였기에 10시경 오르기 시작하였다. 목표는 만장봉. 이른 아침부터 눈길을 오르는 등산객이 산을 메웠다. 어려운 코스에선 5, 6명이 순서를 기다리는데 보통이다. 평소 같으면 3시간이면 되는데 무려 6시간이 걸렸다. 그 높은 산정을 로프를 잡고 발에는 아이젠을 한 채 바위산을 넘는 스릴은 이루 말할 수 없었다. 산은 정적이며 지구력을 요구하며 깊은 상념의 세계로 유도한다. 진정 사선(死線)에서 그렇듯이 위험을 앞에 두고 자신의 행위를 순간적으로 결정하게 만든다.

22일 종채와 모처럼 을지로 입구 OB호프에서 만났다. 항상 보는 사이지만 신년 들어 새롭게 마주보자 이런 저런 얘기도 많았다. 역시 늙어가는 노후 이야기가 꽃을 핀다. 슬픈 얘기다. 전회전생(轉回轉生). 다시 태어남이란 전생에 조상의 몸을 빌려 태어남에 씨와 뿌리가 나쁘면 그 후손들은 그 인과로써 생을 마친다는 설도 있다는 것들을 사색하였다.

23일 모처럼 보림 권 사장과 인사동에서 한 잔 술에 추억을 더듬으며 우의를 돈독히 하였다. 물그릇 전시를 봤다.

24일 바쁜 날이었다. 민속박물관에서 역사민속학회에서 마을지킴이 장승에 대한 특강이 있었다. 5시에는 세종문화회관에서 서울 정도(定都) 600년 기념 동남아 미전(美展)이 있었고 나를 만나고자 하는 유아교육자가 있어 유아음악에 대한 토론이 있었다. 좋은 귀를 가져야 한다. 소리는 민족의 얼이 스며있어 어릴 때부터 듣고 자라는 사이에 한 민족의 공통성을 발견하게 한다. 어릴 때 많은 음악을 들려주어야 한다.

25일 6시에 수락산에 올랐다. 싱그러운 새벽 공기 속에 보름달이 둥글게 떠오른 산정의 정기는 부지런한 사람이 아니면 볼 수 없는 그림 같은 아침이다.

2월

1994년

01일 오늘도 하루 지는 해만 붙잡고 탓할 뿐, 무엇인가 할 줄을 모르고 세월을 보낸다. 벌써 2월 1일. 잔잔한 호수에 돌 하나 날아들어 물결이 퍼지듯 자꾸만 흘러간다. 지금 꼭 하고픈 일이 있다면 자신을 정리하는 일이다. 그런데 아침에 산에 올랐을 때 왼쪽 눈이 갑자기 어두워지고 난시되는 현상을 느꼈다. 주의를 해야겠다.

02일 사념(思念)이란 중요한 것이다. 생각의 깊이란 아는 만큼이라고 하지만 생각이란 경험의 본질을 찾고 인간의 삶에 미치는 자연의 법칙이나 인간관계 등 퍽 어려운 척도를 발견해 나가는 것이다. 이러한 측면에서 방법의 개선이 요청된다.

03일 민속박물관의 역사민족특강을 들었다. 서울 정도 600년을 맞아 이성계가 개성에서 서울로 도읍을 옮기려 할 때 풍수지리에 의해 서울을 수도로 잡았다. 풍수지리의 본질은 기가 좋은 땅은 양(陽)이 많고 사람에게 영향을 미친다는 것이다. 땅에는 양기와 음기가 있어 양은 살아 있을 때의 집터 등, 음기는 죽은 후의 계보 등을 의미하여 역사적으로 명당설이 나왔다.

04일 아침에 입춘대길(立春大吉)을 써봤다. 고전적 맛을 보려는 게 아니라 자연을 문화적 문물로 느껴보자는 데 있었다. 요사이 흐르는 시간이 나의 뭔가를 재촉하는 것 같은 느낌이다. 가는 해를 잡아 매어 놓고 싶은 생각이지만 할일은 많고 세월은 말없이 흘러가는 듯하다. 꿈도 있고 사랑도 있지만 평생을 전문적 연구를 못한 것이 한이다. 정말 지금 어떻게 하려고 이런 고민 속에 사는지! 그 당시

별수가 없었다. 이것이 사실인데 자꾸만 그 옛날을 후회하고 있다.

06일 모처럼 아내와 함께 산행을 했다. 일전에 관악산에서 다람쥐란 도둑이 산행하는 사람을 위협하고 금품을 빼앗고 감금하는 것을 봤다. 그래서인지 산행도 겁이 났다. 잡혀가 봤자 별 것도 없겠지만 이웃이 시끄럽고 당하는 순간, 심장이 멈출 것 같았다. 역시 아내도 같은 생각을 하고 있었다. 외식이라도 하려고 상계동을 한 바퀴 돌았지만 결국 인스턴트 만두 한 봉지만 사들고 돌아왔다. 우리는 긴축생활이 몸에 배어 할 수 없는가 보다.

07일 대상이 있는 생각은 버리는 것이 좋다. 속으로 생각만 하고 있으면 병을 안고 있는 셈이다. 풀어놓고 보면 결과야 어떻든 스트레스는 해결된다. 유아문학이란 유아를 대상으로 한 문학적 표현방법인데 유아는 언어적 경험이 적어서 우회적이거나 수식이 많은 것보다는 생활용어를 미적 감상으로 잘 표출되어야 한다. 따라서 주어가 선행되고 음율이 있어야만 한다. 그러나 요사이 TV 등의 비속어 때문에 비문학적 어휘가 많아 정서를 해칠 수 있다. 그러난 이해시키려는 내용이 잘 전달되어야 하는 문학상의 문제는 너무 성인 중심적 사고이다. 유아는 쉬운 단어로 깊이 느낄 수 있는 감동이 있어야 한다.

08일 아내는 귀성(歸省)하였다. 인간이란 귀소 동물이다. 아무리 자리를 잡고 행복에 넘쳐 살아도 어릴 때 자라던 곳처럼 정겹고 자연스러운 곳은 없다. 돌이켜 생각하면 그렇게 어설프고 시원치 않은 곳들이 꿈에 그리던 이상향처럼 보이는 것은 자신이 간직한 영혼이 편하고 만족스럽게 길들여있기 때문이다. 산천도 전답도 이웃도 모두가 편한 곳이라 난리가 나도 나를 숨겨줄 수 있는 곳이란 고향뿐이라는 생각이 든다. 이것이 어버이 살아 계실 때 품안이 아닐까. 그리운 어버이 품안이 고향일 것이다. 아내는 장모 1주기를 맞아 어려운 교통난을 뚫고 6시 차로 갔다.

09일 음력 섣달그믐이다. 이제 변명할 날짜가 없어 이대로 한 살을 더 먹는다. 어릴 때는 한 살 더 먹는 것이 그처럼 좋더니 이제는 반갑지 않다.

10일 만 64년을 살아온 날이다. 그동안 1남 3녀의 애비가 되었고 항상 새로움에 창의하고 문화 창달에 노력해왔다. 지금에 이르러 아버지, 어머님의 사랑에 감사드린다. 어버이께서 보호해주시고 집안을 돌봐주셨을 때 지금 생각하면 가장 행복하였다. 지금 내 앞에는 손자가 다섯이다. 아쉽게도 노년기에 접어들어 새 학문은 발전하고 머리를 따르지 못한다. 이제부터 어떠하리. 우선 건강하고 마음을 가다듬어 새롭게 태어나야 하겠다.

12일 도봉산 포대능선을 다녀왔다. 무척 기뻤다. 늙어서 아들 딸 없는 사람들의 서러움을 생각하였다. 이에 비하면 나는 든든한 마름이 흐뭇하였다.

13일 오늘은 북한산 인수봉을 등산했다. 어제 도봉산에 비해 꽤 가파른 산이지만 한 발 한 발 옮겨 놓을 때면 젊어짐을 느낀다. "야호" 눈 쌓인 산길에 흰 눈의 눈부신 빛을 받아가며 금방 인수봉에 다다랐다. 북한산장에서 라면 한 그릇 먹고 사위들은 구파발로 나는 도선사로 내려왔다. 이로써 정초 휴일은 마감하였다. 참으로 즐거웠다.

14일 날이 갈수록 안정을 가져오기보다 더 바쁘고 또 할일이 태산 같다. 먹고 살아야 하기에 책 만드는 일도 바쁘고 그동안 못했던 일을 추진해 보려는 마음 또한 바쁘다. 오늘 KBS 가요무대에 그동안 서로 다른 길을 떠났던 '별 셋'이 다시 결합하여 새출발하는 모습을 보여주었다. 참으로 축하해야할 경사였다. 무려 10여년 동안 돌봐주었던 중창단이었다. 이제 추위는 가고 새봄의 기운이 있어 새 생명이 태어날 때다. 또 다시 힘차게 출발해봐야 하겠다.

15일 아내는 이해할 수 없는 청결 벽이 있다 하루면 몇 차례나 씻었느냐, 비누 냄새가 난다. 세면기가 더럽다 등 나의 몸에 대한 말을 즐긴다. 참으로 듣기가 싫다.

계속 이러면 어떻게 하랴.

16일 역사민속학회. 젊은 세대의 학구열은 대단했다. 어렵게 탄생한 학회가 특별한 지도자 없이 젊은 세대 스스로가 선도해 나간다는 것이 무척 치하할 일이었다.

17일 점심시간을 이용, 모처럼 벽제의 야외로 나갔다. 공기도 맑고 우수를 앞둔 산야가 벌써 연초록의 화사한 꿈을 꾸고 새싹들이 벌써 부푸는 것을 보고 세월의 무상함을 느꼈다. 거리에선 아직까지 동네 윷판이 열려 농촌남자들이 모여 윷놀기에 바빴다 아마 보름까지 계속될 것이다. 그러나 현대화되어가는 농촌의 일손이 옛 민속을 빙자하여 바쁜 일손을 멈추고 윷놀이만 해도 되는지 아쉬웠다.

18일 유아용 민속 관련 책을 어떻게 꾸미느냐의 큰 문제가 풀릴 듯하다. 전통문화란 선대들의 삶의 흔적인데 오늘의 문화를 이룩한 원천임에 틀림없다. 현대에 이르러 소신의 역할을 다하고 뒷전에 쓸모없는 모습으로 남아 있으나 하나하나의 작품 속에는 현대의 삶의 지혜가 들어 있으며 그 시대를 극복한 다사다난한 역정이 자리라고 있어 놀라지 않을 수 없다. 아직 분별력도 의미도 소중함도 모르는 유아에게 어떻게 전달하느냐 하는 난제였으나 유아의 사고관념을 토대로 인지 정도를 응용함에 해결책을 잠시 찾았다.

21일 남들이 보며 세상을 잘 살아간다고 할지는 모르지만 나는 크게 세 번의 직업전환을 하였다. 처음은 큰 뜻을 품고 유아교육을 했다. 1955년 이 세상 사람들이 아무도 생각지 않을 때 이 나라 어린이를 위하여 출발했다. 1967년 유아교육과 병행하여 TV에 전속작가가 되었다. 주역은 안무가로 TV를 담당한다. 작가로의 길은 1991년 후배들에게 자리를 비워주고 1992년 어코드라는 도서출판의 아동도서를 맡았고 1993년 5월에는 보림 출판의 편집고문으로 자리 잡아 3번의 전환을 하였다.

24일 고창읍 솔만리 산신제 현장을 답사하고 철륭제와 줄굿(줄다리기), 쥐불놀이에 참가하였다. 옛 것과 새 것의 차이는 형식이 없는 순수함과 형식을 갖추고 뜻을 보완하여 그 의미를 찾으려는 현대와의 차이였다. 금줄을 치고 인간의 정서를 스스로 찾게 하며 현대의 민주주의의 기본이 이 속에 있었다. 부정을 탔으면 스스로 참가하지 아니하고 모든 음식도 부정하지 아니하고 제관은 한 달 전부터 부정한 곳의 출입을 금하고 목욕재계하는 정성을 드렸다. 이렇게 정성 들인 힘으로 줄다리기 협동하는 힘으로 모았으니 이 넓은 땅 김제 벌의 농사는 협동의 땀과 힘으로 지어졌으리라.

27일 아침 9시에 집을 떠났다. 망월사 역에서 출발하여 망원사를 지나 포대능선을 돌아왔다. 엊그제 여독에서인지 몹시 몸이 무거웠다.

3월

1994년

01일 제 75회 3·1절이다. 어느 때인가 3·1절 특집에 우수상을 수상한 일이 있다. 병천의 아우내 장터에 가서 당시 일을 가볍게 재현하며 유관순 생가도 찾아보며 사진에서 본 3·1절 만세소리를 소재로 어린이들에게 전달하였다. 결국 다각적인 면에서 사실을 진단하고 긍정하는 위에 있는 대로의 미를 찾아내야 한다. 역사는 항상 역사학자에 의해서 왜곡되어 왔다.

02일 릴리의 남편 알레그가 왔다. 우리 말은 거의 못하지만 안심하고 들어서는 그는 어딘가 정겨움을 느낀 듯 항상 미소를 잃지 않았다. 살기 위하여 이국만리에 모험을 온 것이다. 사회주의 국가에서 독점자본주의 한국을 상대로 찾아온 것이다. 뭔가 되겠지. 이렇게 비싼 물건들을 사가지고 가서 장사가 되는지 나는 알 수가 없다. 그러나 이것이 숨을 쉬는 숨통이 된다면 다행스럽다. 형님이 한국인으로 복귀를 기대하고 있다. 노력해 소원을 풀어드려야지.

03일 단전 공부를 했다 퍽 어려운 단련이다. 아무나 생각대로 되는 것이 아니고 노력과 지구력이 필요하다. 봄에 땀나도록 수련을 쌓아야 할 터인데 자식 걱정으로 분심이 쌓인다.

04일 배우지 못한 한은 나이가 들수록 더한 것같다. 지식산업이란 하나 부터 열까지 고리를 문 앎의 순환이기 때문이다. 벌써 일주일째 말을 하지 않고 산다. 말을 해도 알아듣고 들어주는 사람이 없다. 나 자신도 무척 괴롭다. 하지만 영원히 계속할 수는 없다는 생각이다.

05일 말 없는 철새들은 뜻대로 넘나드는 강이련만 이목구비 다 갖춘 우리는 바라만 봐야 하는지. 보이지 않은 차양이라고 쳐 있단 말인가. 모스크바 3상회의 때 38선을 그어놓고 50년, 반세기가 되도록 열리지 않는 벽이다. 임진강변의 잡초는 무성하더라. 아무리 외쳐 봐도 대답 없는 형제여, 부모형제 버리고 그 땅에 가서 얼마나 고향이 그리우랴. 가까이 가서 본 느낌은 이렇게나 달랐다.

07일 비가 내렸다. 수많은 차들이 나와 거리를 메웠다. 상계동에서 장위동을 거쳐 미아리로 빠져나가는데 무려 1시간이 걸렸다. 차 지옥. 이런 도시에서는 문화의 변천에서 모든 생각을 달리하여야 하겠다. 그래야만 살아남을 수 있는 것이다. 구태의연한 생각, 관습대로의 생활로는 현실 극복이 어렵다.

09일 마지막 꽃샘추위인지 영하의 날씨 속에 새싹들이 봄볕을 받아 예쁘게 부풀어 오르고 있다. 화사하면서 무척 조용한 날이다. 추 형의 고국을 그리는 심정은 호적 복구를 원해 왔기에 진정서를 써넣었다. 세상에 태어나 고국의 국적도 없이 국제고아가 되어 버린 형임에 안타깝다. 그렇지만 고국을 생각한 흔적은 있어야 할 것 아닌가. 외로울 때면 얼마나 그리워했을까 마는 그만큼 지조가 있는 삶도 중요하다고 생각된다. 고국을 위한 좋은 곡들을 남겨주었으면 하는 소망일 따름이다.

10일 아내에게서 어머님의 최후의 순간을 다시 정리해 들을 수 있었다. 분명히 자식의 그리움이 기원이 되어 정신적 이상이 왔고 철훈이 결혼 때 집안에서 만든 전을 의외로 많이 잡수시어 병(배탈)이 생기어 식장에도 못 오셨다. 그리고 손부를 붙잡고 "어른을 공경하고 형제간에 우애하라"고 간곡히 부탁하시었고 돌아가시기 전날 고기국물이 먹고 싶다고 하시어 끓여 드렸더니 세 숟가락쯤 잡수셨고 가톨릭으로 믿음을 바꾸시면 어떠냐고 누나가 말 했더니 "누구나 성현인데 불교면 어떻고 예수면 어떠냐, 내가 좋으면 되지" 하고 너그럽게 받으셨다.

12일 여명에 밝아오기 전에 일어나자마자 통일전망대 강원도 고성에 가고 싶었다. 요사이 북핵문제로 심심치 않게 남북정상회담이니 통일 등의 말 성찬을 이룬대서 온 것인지도 모른다. 아니면 작은 형께 기대가 기울였기 때문에 이미 작고하셨다고 하나 큰 형님의 종적이 궁금해서인지 모르겠다. 옥순(玉順) 형수님 생각만 해도 가슴이 아프다. 혹 훈이가 남쪽 하늘을 보고 원망하지나 않을까. 통일이 되었으면 만나서 얘기라도 나눠 봤으면. 진실로 눈물이 앞을 가린다. 그래서인지 통일전망대에서 북쪽 땅을 보고 싶었다. 6시에 출발하여 오전 10시에 도착하였다.

15일 새벽길. 수락산 공기가 제법 봄바람에 날렸다. 푸른 나무가 산 밑에서부터 높이 차이에 따라 조금씩 계절이 늦게 찾아오는 듯 정상에는 이제 봄맞이를 시작하려고 한다. 유난히 산새들의 소리가 활기를 띠었다. 그동안 어디에 숨었던지, 겨울동안 모습을 감추었던 딱따구리도 내가 있건 없건 부지런히 나무를 쪼고 있었다.

16일 벌써 3월이 반달이나 지나가고 연전에 해보겠단 〈아가의 눈〉은 그대로 책상 위에 있다. 무엇이 그렇게도 나를, 나의 생각을 실행토록 못하는 것일까. 그것은 다름 아닌 근무 때문일 것이다. 인간이란 두 방향의 삶을 보통 정력이 아니면 수행할 수 없는 것같다. 그 사이에 일본 동화작가의 그림책이며 디자이너의 창의성에 대한 책을 번역하고 있는 중이다. 집에 와서 텔레비전은 그만 보고 공부를 해야겠다. 이것이 죽기 전에 할일이다.

17일 추 형의 호적을 복구하는데 30만 원을 요구하여 왔다. 문민정부라고 하지만 이러한 뒷거래가 없어지려면 아직 10여 년은 지나가야 할 것이다. 형님 입장에서는 몇 년 연금이다. 소리 없이 보내주었지만 사람이 산다는 게 참으로 이상하다. 형님이 이런 뜻이나 알까 싶다.

22일 개방화 시대를 맞아 세계의 물결이 일어나고 있다. 각 나라가 서로 상권을 차지하려고 아귀 다툼을 하고 있다. 우루과이라운드. 정말 힘겨운 개방에 쉽게 밀려드는 상품들. 정말 정신이 없을 정도다. 결국 돈이다.

24일 성남에 가서 유아심리와 그림책에 대한 강의를 가졌다. 사람이 산다는 것은 여러가지다. 유아를 잘 이해하고 그 성장 모습을 돕자는데 장사치들의 상업적 목적으로 쓰이는 게 무척 아쉽고 안타깝다. 이것이 유아들에게 직접적으로 영향을 미친다면 나는 결코 용서치 않을 것이다. 겨울도 지나고 입춘도 지난 3월에 눈이 내리다니. 세상은 지금 춘설(春雪)로 은세계가 아름답다.

26일 '홍수 설화'와 '마고 할멈'을 연출하게 됐다. '홍수 설화'는 세계 각국이 갖고 있다는 천지개벽의 설화이다. 성경에도 노아의 방주가 있다. 우리나라에도 없을 리 없다. 자료에 의하면 우리나라에도 700여 설화가 있다고 하는데 정설이 없으면 줄거리가 없다. 다만 비가 내려 떠내려가는 나무를 붙잡고 살아남은 남매가 종족 번식을 위하여 결혼을 했다는 것이 특이하지만 신(神)과는 관계없는 한국적 설화이다. 신과의 만남이나 그 사이에서 일어난 일이라면 신의 저주가 있을텐데 참으로 재미있는 설화를 20세기에 앉아서 정리하며 더욱 그 뜻을 강조해

보겠다는 생각, 퍽 재미있다.

28일 안개 낀 새벽길은 무엇이 그리 바쁜지 사람들의 부지런한 발길이 끊이지 않는다. 가도 가도 끝없는 길이었기에 이 길이 길이라면 하고 걷기 시작한 길. 40여 년, 길 속에 갈래길이 한없이 생기고 머리를 어느 쪽에 두어야 할지, 갈수록 머리가 무거웠다. 참으로 할일은 많고 시간은 없다. 이 못다한 일, 누가 할 것인가. 대학 교수들이 제 할일을 못하는데 참으로 어려운 일이다.

29일 세상은 자꾸만 역으로 순환하는지 정치나 문화가 색깔만 달리하고 환승하는 느낌이다. 우리는 어찌하여 우리의 일을 우리 손으로 해결하지 못하고 이웃나라를 찾아가 강대국들에게 시중을 드려야하는지. 객관성과 독자성을 찾아야할 때가 되지 않는가. 다람쥐 쳇바퀴 돌듯 맨날 같은 형식의 세파가 높았다 낮았다할 따름이다. 무척 시간과 기회가 아깝다. 대통령, 미중 순방을 마치고 돌아온 날.

30일 아내는 진실로 고마운 사람이다. 일생 동안 큰 불평 없이, 갖기보다는 나눠 주기 좋아하는 평화로운 사람이다. 그는 시를 좋아하고 시를 쓰는 마음으로 세상을 보고 듣는다. 바다와 같이 넓은 마음과 맑고 깨끗함이 그의 성격이다. 진정 아름다운 마음씨다. 항시 잘 살고 싶은 게 소원이지만 내가 하늘에서 허락받지 못한 죄로 가난에 쪼들려 미안하다.

31일 '홍수 설화'를 완성하였다. 우리나라의 '홍수 설화'는 신과의 관계가 없고 자연 숭배에서 나왔기 때문에 신의 저주가 없다. 따라서 완전 수몰이 아니라 산꼭대기에 바가지만큼은 남아 떠내려가던 동식물이 이곳에 걸려 살아남으로써 결국 번식을 했다. 이러한 것들이 750여 종의 설화로 있으며 중구난방으로 조금씩 한 토막 형식으로 있어, 이것을 엮어서 하나로 만들었다.

4월

1994년

04일 벌써 4월이면 한 해의 3분의 1이 지나가는 세월의 흔적이다. 벌써 개나리꽃이 만발하고 꽃집의 진달래는 봄을 재촉한다. 인간의 심성도 자연과 더불어 달라지는 듯하다. 인간도 화사한 기분으로 세우(細雨)라도 내리면 기가 펄펄 날 것 같다. 이제는 인생을 주장할 만큼 시간과 여유가 보이지 않는가 보다. 조금 모라란 듯, 아쉬운 듯 사는 것에 지혜가 있을 것이다. 편하면 편한 만큼 문제가 생긴다. 몸이 편하면 의욕도 사라지고 용기도 사라지고 심심양면이 늙어가기 때문이다.

05일 벌거벗은 우리 산을 푸르게 가꾸자는 뜻에서 식목일이 정해진 지 벌써 40여 년이다. 장작불을 때던 시대에 하루에 수십 트럭씩 나무를 때어 방도 덥히고 밥도 해먹었지만 우리 산 우리 강이 메말라 간다는 것을 몰랐기 때문이었다. 정말 노랫말처럼 벌거벗은 우리 산이었다. 그리고 내일이 한식이어서 조선 말에 학자이신 우리 할아버지 묘의 사초를 위해서 고향 부들에 갔다. 큰 집 형채 형 댁의 후손들과 우리 내외가 참석하였다. 오랜만에 새마을호를 타고 달리는 전경은 본 게 몇 년이 된 듯하다. 아직도 넓은 땅이 일손을 손짓하고 있는 듯하였다.

06일 아침 일찍, 아버님 산소와 어머님 산소를 참배하였다. 아버님 산소는 아담한 느낌이 들었다. 평온하고 안착되어 보였다. 그리고 어머님 산소는 잃어버렸던 묘를 다시 찾아 사초를 하고 약간 벌목을 해서 넓혀드렸다. 어머님은 항상 밝은 것을 좋아하시기에 말끔히 치워드렸다. 할아버지 묘는 한자 쯤 높여서 봉을 돋워드렸다. 동네 친척들이 나와 거들어 주었다. 잔디가 25평, 제수도 넉넉하게 준비하여 대단히 만족스럽게 사초가 되었다. 5시 55분 새마을호로 상경하였다. 밤사이 가랑비가 내려 자리가 잘 잡힐 것같다.

12일 진달래꽃 만발하는 초봄에 꽃샘추위와 함께 봄을 깨우는 단비가 내렸다.

13일 마음을 비워라. 인간이 욕심이 많아지면 자기를 잃어버린다. 진실이란 천연 그대로의 것이요, 삶에서 얻은 경험 중 더불어 사는 게 대상에 대한 피해를 안주는 것이다. 욕심을 내어 필요 이상의 재물을 모으고 욕심을 내어 지식을 얻으면 모두가 탈이 나고 쓸모가 없게 된다. 살만큼만 가지고 살아가면 남을 욕되게 하지 않고 그것이 가장 마음 편한 일이다. 인간이란 먼저 마음이 편해야지.

19일 34년 전 그러니까 광주방송합창단을 이끌며 광주사범학교 영생유치원에 근무하던 때다. 시위를 말리라는 관의 지시에 따라 교직원들은 전원 시내로 파견됐다. 우리는 도리어 학생들의 시위를 격려했고 함께 외쳐 일반인들의 관심을 끌게 하였다. 그리고 귀가길에 갑자기 통행금지령이 내려 서석초등학교에 구금되고 말았다. 그러나 황의돈 방송기자 겸 아나운서가 발견하고 나오게 됐다. 그동안 부정에 의하여 도문화상이 분배되었으나 4·19 한 해만은 시민의 정신이 일어나고 '전라남도 문화상'을, 가장 깨끗한 시민의 상을 받았다. 지금 서울 음대 교수 김정규와 함께 상을 받았다. 참으로 정의에 입각하여 살겠다고 뜻한 바 있어 지금까지 결백을 지켜나오며 살고 있다.

20일 늙은 것도 서러운 데 소외감마저 가져다주는 세상살이가 그렇게 좋지 않다.

26일 묘하게도 글 쓰는 사람으로 전락해간다. 글도 배운 적이 없는 나로서는 어이가 없다. 세상에 느낀 대로 생각대로 쓰는 것이 글인데 이처럼 정리도 못하는 사람들이 주제도 못 잡는다. 마음을 비우고 생각을 다시 한다.

5월

1994년

01일 싱그러운 5월을 맞이하는 1일이다. 내 몸에서 끝내 푸름을 찾지 못한다면 삶이 끝나는 날 푸름을 삼켜버린 죽음이 있을 뿐, 젊음이 이렇게도 아쉬우랴. 더 일찍이 깨우쳐야 했을 텐데. 몇 번이나 아는 색이었지만 그때는 푸름이 넘쳐 감히 생각을 못했던 일이다 금년 65회째 맞이하는 5월의 푸른 마음을 의미 있게 가져야겠다. 깊이 생각하야 하겠다.

03일 기가 열리는 듯한 느낌이었다. 아침에 산행의 공기가 맑았으면 뭔가 기가 뚫어질 듯했다. 점심 때 화제가 될 듯도 했는데 역시 침묵으로 돌아갔다. 천안공(天眼功)이 작용하여 상대의 마음을 꿰뚫고 신의를 회복해야 하겠다.

05일 이제야 어린이를 객관적으로 보게 되는 듯하다. 그들은 자연 속에 살아나간다. 문화가 발달하면서 부모들이 그 환경의 필요 이상으로 여건을 마련하여 일생동안 써야할 에너지를 조기에 발휘하여 조로증 현상이 나타나 어린이가 아는 것은 많은데 자제력과 탐구심, 창의성 등이 부족하고 각종의 문화의식으로 전문적인 방향 설정을 몹시 고달프게 하고 있다. 중요한 일이라면 보이게 안 보이게 가장 자연스럽게 자연과 더불어 삶의 기운을 얻어야 할 것이다. 그러려면 자연으로 돌아가야 한다.

08일 어버이 날이다. 오늘은 새벽부터 도봉산으로 향했다. 온갖 새소리, 싱그러운 녹색의 향연이 반가이 맞아주었다. 망월사에서 도봉 산정을 넘어왔다. 어버이 날을 자축하였다.

14일 그림이란 생각을 표현하는 것이다. 그 생각을 가장 적절하게 표현하기 위해서 선이 있어야 하고 색깔이 있어야 하고 조화된 감성이 잘 표출되어야 하겠지.

초목도 긴 대화를 하면 서로 이야기가 통한다고 한다. 그림의 진수는 심혈을 쏟아 스스로 가까워질 때까지 그리고 보여주는 것이다. 우리는 그 표현이 진솔하지 못하고 너무 욕망이 큰 것이다. 정말 기쁘다. 내가 이렇게 살아 있으니 글도 쓰고, 책도 보고, 말도 한다. 산다는 기쁨보다 더 큰 기쁨이 있으랴.

17일 5월 6일 시작한 또롱이(물방울) 유년 동화가 완성됐다. 동화로서 어떤 즐거운 줄거리보다는 한 물방울이 자연과 더불어 자연스럽게 존재하는 것을 인간이 보이지 않는 부분, 유아가 알고자 하는 신비함을 생각해봤다. 그리고 여러 가지 자연의 실음은 문자화한다는 뜻으로 의성어를 중심으로 산하의 이야기, 짐승들과의 이야기를 간단한 줄거리로 넣어 만들어봤다.

18일 부처님 오신 날. 마음을 비워라. 베풀어라. 탐내지 말라. 바로 이것이 부처의 가르침인 듯하다. 모든 것이 탐욕하는 데서 비롯된 것이니 진실로 마음을 비울 수 있다면 얼마나 좋을까. 범인(凡人)이기에 최소한 먹고 살면서 자연스럽게 살 수는 없을까. 어설피 동물들의 삶이 더 진솔한 것이겠지. 그들도 먹이사슬이 있고 약육강식의 두려움도 있다지만 인간처럼 헛되고 이기적이고 욕망적인 것이 없기 때문이다. 참으로 인간이란 이기적이다. 부처님의 위대한 가르치심에 자비로서 많은 한을 풀어주시옵소서.

25일 추 형님 호적복구를 위한 증인 신문차 광주지방법원에 갔다. 마침 법원 감사가 있어서 법원장실에서 대법관이 판사를 대신하여 간단한 신문으로 끝났다. 어떻게 러시아 거주를 알았냐 등이 주요사항이었다. 법은 나의 재산권 불이익을 보호해야 하기에 동의를 묻는다고 한다. 생각할수록 기막힌 분단의 설움이다. 형들은 그 시대, 그 어느 집 못지 않게 고등교육을 받아 우리 집 재산을 탕진하고도 이렇게 비참한 꼴이니 어디다 무엇을 어떻게 원망할 것인가도 엄두가 안 난다. 추 형님의 호적을 풀어드려 기쁠 따름이다.

31일 5월의 마지막 가는 날로 6월로 접어들면 금년도 반년이 마지막 가는 달이다 불과 6개월 남짓한 사이에 무척 많은 변화가 있었다. 좀 더 보람찬 일은 없을까. 아무리 생각해봐도 시골에 정착하는 수밖에 없다 이제 반년은 이러한 일에 전념해야하겠다.

6월

1994년

01일 후반년이 시작되는 날이다. 김영삼 대통령이 러시아를 방문하는 날이다. 이것을 역사의 아이러니라고 할까. 우리나라는 예부터 넘겨보고 원시국처럼 봐오던 러시아 제국이 공산국이 되어 70년 만에 전복되고 사상 처음으로 한국의 대통령이 군대의 사열을 받으며 충성을 받다니 감히 상상도 못할 일이었다. 역사는 정의로움에 굴복한다. 더불어서 미국과 북한은 최대로 악화되어 북의 핵문제가 쟁점이 되어 있다. 북은 전쟁도 불사한다고 버티는 데 정말 핵이 있는지 의문스럽다. 미국은 진솔하지 못하면 경제봉쇄를 하겠다는 것이다. 같은 한민족으로 동정이 간다. 빨리 서로를 이해하고 평화를 유지했으면 한다. 결코 한국에서 전쟁이 일어나서는 안 될 것이다.

05일 종채와 수락산에 갔다. 여름의 양기가 따가웠다. 임간에서 나뭇잎 사이로 스며드는 햇빛이 참으로 신비했다. 이젠 힘이 든다. 그동안 단련은 한다고 했는데도 분명 힘들기는 똑같다. 어떻게든지 건강을 유지하려면 새벽 등산밖에 없을 것같다.

06일 현충일이다. 나는 이때마다 형들이 생각난다. 그토록 기대했던 큰형 중형도 이미 기대가 사라진 지 오래이다. 그러나 마음에 늘 걸린 형이 작은 형이다. 그래도 나이가 조금이라도 가깝고 따랐던 형인데 소식조차 모르니 이는 분명 전쟁의 희생자가 되고 말았으리라. 한 위정자의 생각 잘못으로 수많은 인생이 신이 준 제 운명을 다하지 못하고 전쟁의 도가니 속에 묻혀버리다니 참으로 가혹한 신의 저주이다. 이 나라에 다시는 전쟁이 있어서는 안 된다. 지금 북핵 때문에 세계의 여론이 시끄럽다. 이 역사의 아이러니에서 하루 속히 벗어나길 원한다.

07일 왜 이렇게 심기가 불편한지 모르겠다. 인간이 불신한다는 것처럼 우의가 멀어지고 스스로 싫어지기 마련이다. 상대방에서 불신해오면 이쪽도 마찬가지다. 그러나 이러한 번민은 결국 욕망에서다. 모든 것은 공수래공수거인 것이니 마음을 비울 줄 알아야한다. 잊어버려야 한다. 억지라도 좋은 친구가 되어야 한다. 번뇌, 망상, 집착을 하지 말자. 이것만이 행복을 가져온다.

08일 불교방송 성은미술관의 '도깨비 해설전'에 갔다. 현대인이 생각하는 도깨비다. 여러 가지 조각품을 만들었는데 별로 마음이 내키지 않았다. 그것은 전통적인 한국의 도깨비는 행운을 가져다 주는 것이기 때문이다. 그렇게 무섭게 표출해서는 우리가 생각하는 도깨비라고 말할 수 없다. 다소 해학적이고 미련스러우며 인간 소통의 통로가 있는 작품이어야 하겠다. 도깨비는 무섭기보다 슬기를 실험하고 지혜를 낳는 영물인 것이다.

12일 새벽 5시. 등산준비를 마치자 6시 반. 창동역에 도착해 길음으로 가서 정릉 국민대에서 북한산에 올랐다. 대동문을 거쳐 아카데미하우스 정문 앞으로 하산, 귀가하였다. 식전이 되어서 처음에는 좋았지만 하산 무렵에는 힘이 들었다. 집에 2시경 도착, 점심 겸 저녁으로 밥을 먹고 나니 피곤하여 풀어져 있었다. 북한산은 보기보다는 경사가 심하고 높은 700m 산등이었다. 사람들이 등산을 즐기기에 좋은 산이었다.

14일 어린이예술문화원의 동화대회 심사에 나갔다. 여전히 우리의 아름다운 말이 조작된 조어에 의하여 변해가고 있음은 매우 한탄스럽다. 이것은 지도자의 잘못이다. 우리말이 가진 순수와 감정 어린 조용한 말씨가 되살아나야 한다. 동화란 이야기의 줄거리도 중요하지만 꾸밈없는 진솔한 감정의 전달이 더 중요하다.

15일 산은 만물의 자유를 보장한 공간이다. 동물도 식물도 자연의 섭리에 따라 자연스럽게 살아가며 능력에 따라 무한경쟁 속에 피해 없이 자란다. 그 근본은 역시 뿌리이다. 물론 식물도 뿌리가 단단한 식물이 잘 큰다. 동물도 튼튼한 것부터 잘산다. 그리고 햇빛을 받아야하고 지하수가 있는 곳에 생물이 살아 있다. 인간이란 필요 이상의 과욕을 하기 때문에 항상 문제가 있다. 순수하게 살아야 한다.

17일 무엇이 바빴는지 일기 쓰기도 잊어버려 아침시간이 바빠졌다. 29일 유화가 모스크바에 간다.

24일 뜻밖에 어린이문화예술원에서 중국 몽골의 개구장이 캠프에 가자는 전갈이 왔다. 어리둥절하고 있는데 일본 지인으로부터 전화가 와서 같이 가자고 한다. 지금 한국에 있다고 한다. 이렇게 이야기가 되어 문화원에서 만났다. 국제 캠프에 한국측 단장으로 초청한다는 것이다. 일단 기회를 잡아보기로 하였다.

7월

1994년

01일 인생은 시간의 흐름은 잡을 수 없다. 흐르고 흘러 가는 사이에 닳고 씻기우고 그리고 인간의 진수만이 남게 된다. 이것은 오직 예술뿐이다. 최고의 것이다. 누가 봐도 수많은 공통성을 지닌다. 신촌에 갔다. 정계를 은퇴한 윤길중 씨가 조용히 서예를 하고 있었다. 상부상조(相扶相助). 어떤 신혼부부에게 주는 글이었다. 뜻과 생각이 훌륭하다.

02일 남북정상회담이 구체적 실무회담으로 들어가 7월 25일 전격적으로 이루어지게 되었다.이것은 선진대국들의 냉전 종식과 한국민의 통일 염원이 컸기 때문이다. 형식이야 어떻든 정상이 만난다는 것은 통일의 실마리를 만드는 것으로 도중에 어떤 저해가 있든 결국 통일에 일관될 것으로, 크게 환영해마지 않는다. 훈이, 태양이, 대하, 현순 등 큰 형님의 후예들을 만나볼 수 있을 것같다. 감사합니다. 살아생전 형님을 고향에 모실 수 있는 기회를 주시옵소서.

08일 유아문학상이 마감되었다. 1차 심의를 하였는데 참으로 유아라는 특징을 전혀 생각지 않은 상황이었다. 어떻게 유아세계를 모르는데 유아 문학이 존재하는 것인지 의문스럽다. 참으로 인간의 기초를, 인성의 기본을 꾸며줄 유아세계를 너무나 몰라 어려운 복선이 깔린 이야기로 줄거리가 형성되고 있다. 유아문학은 어디까지나 단순한 내용을 즐겁게 표출해야 한다.

09일 김일성이 사망하였다. 그는 6·25 전쟁을 유발하고 7천만 민족을 이산시킨 장본인이다. 죽으려고 그랬는지 남북회담을 25일 하자고 해놓고 말없이 가버렸다. 하늘은 이렇게도 무상하단 말인가. 죽음이란 이미 약속된 것이지만 속죄도 하지 않고 이처럼 비겁하게 죽어 없어지다니 생각할수록 분통이 터진다. 우리 가족만 하여도 몇 사람이 희생되었는가. 이 죽음은 한만 뿌려 놓고 갔구나.

15일 김일성 조문을 하느냐 안 하느냐, 견해가 엇갈려 사회적 혼란이 되고 있다. 이미 국회의원 발언이 있었고 대학가에는 대자보가 나붙어 문제를 제기하고 있다. 젊은 세대는 과거를 묻지 말자고 한다. 화해와 통일을 위해서는 무엇이든 못하겠느냐하고 격앙된 대응이다. 이 시점에서 보아 통일은 20년쯤 기다려야 하겠다. 이기주의, 감점주의 등의 팽창으로 진정한 통일은 어려울 것같다.

18일 그림책 강연을 위하여 대전에 다녀왔다. 오는 길에 속리산 법주사에 들렀다. 38년 전 진몽스님이 있었던 곳이다. 그는 나의 어릴 때 친구로 한 살 밑이어서 서로 싸움도 많이 하고 커서도 나를 괴롭히는 재주를 가졌다. 그러고는 끝내 모든 죄를 속죄하고 스님이 되었건만 혈압이 높아 타계했다. 그와 함께 거닐었던 곳이 하나하나 생각났다. 가는 곳마다 입김이 새로웠다. 그 당시 미륵여래상이 건설, 마무리되던 때였다. 그리고 수안보를 들려 상경했다.

19일 한국정신문화원에 갔다. 너무나 부러운 곳이다. 연구만 하는 곳이다. 시원한 숲 속에서, 가득 찬 책 숲에서 공부하고 싶은 것을 열심히 연구만 하는 곳. 나의 최대의 꿈이고 여생을 이렇게 보낼 생각이지만 참으로 좋은 곳이었다. 청계산 뒷편이 어마어마하게 변해 있었다.

21일 몽고에 갈 준비를 마치고 유화 집에서 하룻밤 신세를 지고는 내일 22일 금요일 9시 아시아나 편으로 천진을 거쳐 북경, 내몽고로 향한다. 이후는 여행 기행문으로 대치한다.

8월

1994년

29일 오늘이 8월 29일이다. 무척 더웠던 여름을 보낸 나는 일기를 쓸 경황도 없었다. 몽고를 다녀온 나는 이대로 휴식에 잠겨 시원해지기만 기다렸다. 오늘은 문득 내몽고 캠프가 생각이 들어 펜을 들어 일기를 계속하려 한다.

7월 22일 맑게 갠 날 등산복차림으로 배낭을 메고 기대했던 중국 여행의 첫 발을 내디뎠다. 과연 중국이란 어떤 곳일까. 예부터 우리나라와는 끊임없이 교류가 있었지만 해방 후 우리는 죽의 장막이라 부르며 그 실정을 전연 알 수 없는 밀봉의 곳이라고 생각해왔다. 그 찬란했던 중국의 문화가 얼핏 짝이 맞지 않은 공산주의와 어떻게 조화 되었을까. 그 대륙성 기질의 '만만디'는 어떻게 되었을까. 그 많은 인구는 어떻게 먹고 살까. 무척 궁금한 생각을 안고 아시아나 항공에 올랐다. 드디어 비행기가 남쪽을 향해 날랐다. 제주–상해를 거쳐 다시 해안을 따라 북상하다가 내륙으로 기수를 돌리더니 2시간 반 만에 천진에 도착하였다. 국제공항이라고 하지만 지방공항 정도로, 생각만큼 그렇게 깨끗하지 않는다. 이어 마중 나온 중국 대회문화교류회 사람들을 따라 우선 점심 대접을 받았다. 우리도 식생활 개선이라는 과제가 21세기를 살아가면서 간곡히 요청되는데 중국 역시 문제를 안고 있었다. 시장했기에 첫번째 나온 요리가 그렇게 비위에 맞지는 않았지만 어지간히 먹고 밥도 잘 먹었다. 그런데 또 요리가 나왔다. 물론 이름도, 식품 재료도 알 수 없었다. 그래서 말도 통하지 않는 그들에게 "이게 안주냐"고 손짓했더니 이번에는 독한 술을 가져왔다. 놀라지 않을 수 없었다. 상호체면을 생각해 한 모금하다 보니까 목이 타들어 오싹했다. 몹시 독한 53도의 도수였다. 그리고 또 안주가 나왔다. 이렇게 5번 정도 나오더니 상 위에는 손도 안 댄 음식이 쌓여서 그만 달라고 했더니 "걱정 말라, 입에 맞는 음식이 나올 때까지 먹으라"는 권유다. 비행장 안에 대중식당이 이럴진대 일반 대중 음식점은 어떨까. 이 음식 쓰레기는 누가 어떻게 치울까, 하는 생각을 남기면서 버스 편으로 북경을 향했다. 북경에서는 중국인민대회우회협회에 들렀다. 옛날 이태리 대사관이었다고 한다. 마르코 폴로를 연상케 하는 건물과 정원을 서구식으로 단장된 규모 있는 건축이었다. 벽에는 국보급 동양화가 걸려 있었으며 우호협회 전국이사 겸 문화교류부 부주임 李志超와 대회문화교류부 문화처 부처장 李佩의 환영사가 있었다. 중국은 세계인민의 평화적 우의를 다짐하고 여러분을 환영한다고 하였다. 다음 몽고행 비행기를 너무 오래 기다리게 되어 시간을 유용하게 쓰라고 제안하여 예정에 없던 천안문 광장을 지나 시내를 버스관광하고 북경비행장으로 향했다.

북경 공항은 국제선답게 시설도 좋았으며 제법 질서 있게 보였다. 비행기는 중국 몽골 후허하오터시(呼和浩特市)를 향해 하늘을 날았다. 후허하오터시 인민대외우호협회 揚揚 부처장의 환영을 받으며 비행장에서 일본인 참가자들을 만났다. 우리 일행은 바로 버스 편으로 호텔로 향했다. 약 1시간 반 뒤에 도착, 아직 수리중인 호텔은 거리의 뒷편에 있었다. 짐을 풀기 바쁘게 식당으로 향했다. 내몽고라고 하지만 생각보다 발전한 도시였다. 자동차 도로 옆에 자전거 도로가 개설된 신시가지로 보통 5, 6층 빌딩이 즐비하였고 약자로 된 한자 간판이 눈에 띄어 자본주의 국가 같은 인상이었다. 역시 뷔페 형식이었으나 먹을 것은 풍부하였고 별로 이상하게 쳐다보는 사람도 없었으며 거리에는 노약자들이 거리 책방을 하고 있었으며 자전거를 타고 가는 모습들이 인상적이었다. 나는 어린이예술문화재단의 노봉준 부원장과 한 방을 썼다. 새벽녘, 함께 눈을 떠 거리 구경을 나갔다. 역시 중국인은 부지런했다. 아침 일찍부터 거리청소며 각종 배달 그리고 기공을 하는 노인들이 작은 공간을 메웠다.

아침 일찍부터 짐을 꾸리고 초원으로 달렸다. 약 2시간을 달려 꽤 높은 산맥을 넘었다. 가로수는 있었지만 산에는 별로 나무가 없고 간간히 있는 집 주변에 나무가 보였다. 처음 보는 산악이었지만 스키장을 하면 좋겠다는 생각이 들었다. 몇 킬로를 가도 차는 보이지 않았다. 대중교통수단인 버스와 군용차와 같은 국방색의 차가 오고 갔다. 꽤 큰 트럭이 보였다. 아주 시커멓다. 석탄 차였다. 정말 이 자원이 부러웠다. 별로 집도 없는 막막한 대지를 달려 소도시에 도착하였다. 이곳은 빠워촌이었다. 원형 돔으로 크게 보였다. 제법 높은 곳에 사찰이 보였다. 길가에는 수많은 몽고 말이 안장을 갖추고 매어 있었다. 나중에 들은 말이지만 이곳은 교통의 중심지로, 모든 여행자가 이곳에서 여숙하고 시장 거래도 하고 정보를 얻어간다고 하였다. 물 한 잔 나눠먹고 바로 초원을 향했다. 10분쯤 차가 흔들리며 길이 물에 씻긴 개울이 나와 저만치 낮은 곳으로 돌아갔다. 넓은 들판이 어디나 차가 다니는 길이었다. 가도 가도 풀밭이었다. 집도 양떼도 보이지 않았다. 끝없는 초원을 무엇을 목표로 가는지조차 몰랐다. 2시간쯤 달렸을 때 양떼가 보였다. 정말 평화로웠다. 이러한 정경을 본 사람은 선(善)이 뭔가를 알 것 같았다. 멀리 지평선이 보이는 구릉에 양들의 그림자가 지상의 구름처럼 지나갔다. 이제 목장지대에 도달했나보다. 멀리 말떼가 보였다. 길들여진 말이 아니라 들판에 마음대로 뛰노는 말 그대로의 야생마였다. 힘차 보였다. 중국 그림에 말 그림이 많은 것을 이제 알겠다. 그 커다란 몸체에 가느다란 발목. 육중한 말이 가는 네 개의 발에 실려 힘차게 달리는 것을 보면 자연의 패기를 느낀다. 드디어 목적지에 도착하였다. 6개의 빠워가 지어져 있었고 '한중일 개구장이 국제캠프 환영'이라는 환영 아치의 깃발이 말없이 바람에 펄럭이고 있었지만 우리를 반겨주는 듯하였다. 200m 전방에서 내렸다. 생전 처음 초원에 두 발을 내려놨다. 지구의 상층이라 그런지 우뚝 솟은 고층건물 위에 내린 듯한 느낌이 뇌리에 스쳤다. 한 발 두 발 옮길 때마다 무척 단단해보였다. 잎이 넓은 잔디와 0.5㎜ 정도의 노란 꽃을 피우는 나물과 5, 6종의 풀이 초원을 깔고 있었다. "때때때때" 메뚜기들이 환영이나 하듯이 약 1m 정도 높이의 공간에 연초록 날개를 펴고 제자리에서 날며 소리를 냈다. 사람이 가면 감쪽같이 사라졌다. 자세히 보면 보호색으로 위장하고 있어 360도 어디로나 위험을 피해 내려앉았다. 초원은 무한한 비밀을 안고 있는 듯했다. 인간에게는 인내와 긍지를, 힘과 용기를. 물을 먹기 위해서 샘이 나올 때까지 참고 견디어야 하고 무한한 대지를 말을 타고 달려야했다. 자연과 함께 하늘이 주는 대로 비바람과 햇빛을 기다려야 하고 자연의 섭리에 의존하면서 장구한 세월 속에 다져진 지혜와 인내는 자연을 극복할 수 있는 슬기를 낳게 했고 이것은 오직 참고 견디고 대비하는 인습을 만들어낸 것 같았다. 이들에게는 사람이 반가운 듯한 인상의 기쁨을 느꼈다. 친절하고 위로하고 물과 쉴 자리를 먼저 주었다. 그리고 자연을 이겨내기 위하여 체력을 단련하고 건강을 저장하기 위하여 고단백이 필요했다.

그 모든 것을 세월을 함께 보내는 벗이기도 한 양들이다. 이처럼 순한 동물도 없다. 가고 오는데 땅 위에 얼음덩이처럼 방향만 있으면 자동으로 간다. 혹 억지로 가자하면 혼자의 힘으로는 향할 수 없다. 양들은 따뜻함을 주고 옷을 주고 고기를 주고 자연을 노래하여 준다. 인간하고도 불가분의 관계에 있다. 심지어 양떼 속에 묻혀 자면 바람막이가 되고 위험을 지켜주기도 한다. 이렇게 인간과 양은 상부상조하며 인간은 좋은 풀밭을 찾아 인도한다.

대회는 열렸다. 아무도 간섭하는 이도 없고 밥 먹으라는 신호와 오늘은 뭣을 한다는 지시밖에 없다. 대초원 속에 인간이 어떤 존재인가를 스스로 겸허하게 받아들이는 캠프다. 밤이면 제법 쌀랑했다. 운동을 안 하면 추웠다. 빠워는 바람막이였다. 땅바닥은 양모로 짠 3㎝ 정도의 모포 한 장이 깔려 있을 뿐, 우리가 가져간 침구밖에 없었다. 몽고의 밤은 차가웠다. 7월 22일이면 한국에선 한창 드센 더위다. 그러나 영상 2, 3도로 내려갔다. 자리에 앉아 쉬기에는 춥기에 초원을 달려보았다. 이상하게도 땀이 나지 않았다. 달은 지평선 마루에 넘어갔는데 대지의 적막이란 죄 지은 자는 혼자 있기 힘든 밤의 위압이 몰아닥쳤다. 바로 옆에 200여 명이 쉬고 있는 빠워가 있기에 다행이지만 시청각이 아무것도 느끼지 못하는 적막이라는 상상만이 울려나왔다. 잡념, 이것을 버릴 수 있어야 했다. 그동안 수련해온 기공을 해봤다. 인간이 대자연의 섭리를 이해하기에도 힘들었다.

아침은 새벽 4시부터 시작되었다. 물을 길러 가는 나귀가 삐그닥거리는 수레를 끌고 언덕 너머로 사라졌다. 마치 움직이는 그림자극을 보고 있는 듯하였다. 동쪽 하늘이 심오하게 먼 지평선에서 트이기 시작했다. 바로 옛 사람이 생각했다는 지구의 끝에서 밝음은 안고 나왔다. 나는 언덕으로 뛰었다. 그리고 해가 떠오르는 순간을 보고파 올라섰다. 첩첩이 쌓인 언덕은 아직 캄캄한데 동쪽 하늘이 밝아오더니 해님의 머리가 커다랗게 강한 빛을 내며 올라섰다. 순식간에 숭숭 자랐다. 그리고 다 올라와서는 점점 작아졌다. 풀밭에 이슬들이 흘러내렸다. 서쪽을 보자 초원은 마치 은가루를 부어놓은 듯이 잘게 수많은 빛을 내고 있었다. 이렇게 아름다운 초원을 어디서 구경하랴. 아침을 먹고 초원에 서니 대기 중에 습기는 어느새 사라지고 신선하고 맑은 대기를 뚫고 깨끗한 햇볕이 따갑게 비쳐왔다. 살갗이 따가움을 느낀다. 하지만 뭔가를 가리기만 하면 상쾌한 기분이 감돈다. 이것이 건조기의 사막 초원인 듯했다. 내가 대부호라면 이 사막에 또 하나의 별천지를 건설하고 대자연 속에 살고 싶은 충동이 들었다. 그것도 거짓 없는, 오물 없는 깨끗한 자연이 좋았기 때문이다.

이런 생각을 하면서 내몽고 초원에서의 생활이 시작되었다. 대지에 다져진 흙은 바닷가의 몽근 모래가 수백 년 동안 가라앉아 빈틈이 없는 단단한 흙으로 무색무취, 다만 흙속 깊이 스며있는 지구의 체취가 신비의 소리로 들린 듯했다. 그것은 나의 습관적으로, 기후는 땀도 나지 않는 건조한 밤이었지만 뭔가 몸이 근질근질하는 것 같아서 새벽 4시쯤 대지가 잠든 사이에 한 바가지 물로 몸을 씻었다. 그 이상 물을 쓸 수 없기 때문이다. 바로 그때였다. 야명(夜明) 속에 우주의 적막이 응축해와 마치 거대한 나 자신이 물심(物心)의 양면으로 지평선에 이르기까지 작고 작게 밀알 담배씨처럼 작아짐을 느꼈다. 그 속에 점점 우렁차게 나의 귓전을 울리며 엄습해 오는 것이 있었다. 그것은 둔탁하지 않은 아주 거대하고 맑은 어마어마한 소리이기에 그 속에 내가 들어가 있기에 귀도 눈도 내음도 내 것이 아니라 타격에 의해서 공간에 떠있는 듯하였다. 이것은 어떤 한순간이 아니고 한 시간이라는 공간 속에 어쩌면 영운처럼 생각되었다. 나는 평소에 해오던 기공이 생각났다. 그래서 단전을 의식할 때 이미 단전상태에 있음을 알았다. 인간이란 분명히 대자연의 산물이며 자연을 극복하기에는 너무나 작은 존재였다. 시야에 들어오는 세계도 넓지만 하늘과 땅 사이에 서서 하늘이 누르고 땅이 솟는 천지개벽의 장(場)을 만난 듯하였다. 작은 눈빛이 야명(夜明)을 깨고 여명(黎明)의 폭을 넓히며 천지를 감쌌다. 나는 비로소 나의 몸을 볼 수 있었다. 깊은 상념 속에 빠져들며 조용히 젖은 수건으로 더러운 때를 닦아냈다. 마음도 몸도 새로 태어난 듯하였다. 모든 것을 용서하자. 그리고 얻기보다는 주자. 이 소중한 사념(思念)을 잊지 말자. 발걸음을 옮겨 언덕에 올랐다. 지구의 한 모서리가 밝아왔다. 하늘은 밝아지고 땅은 더욱 어두워졌다. 눈부신 햇머리가 두상을 보이기 시작했다. 흑과 백이 분명히 하나로 여명은 밝아왔다. 선과 악과 중용이 모두 하나로 밝아오는 태양 속으로 사라졌다. 이것은 나의 순수한 첫 경험으로 각인되어 평생 잊히지 않는 자연과 인간의 관계를 스스로 체험한 것이었다.

 10월

1994년

07일 내가 생각해보아도 몽고에 다녀온 뒤 내가 변한 것 가타. 일기를 하만 안 써도 불안하던 내가 8, 9월 두 달이나 쓰지 않아도 아무렇지도 않다니 이상할 수밖에 없다. 인간이 무디어 졌는지 그만큼 삶의 가치를 못 느끼는 것인지 아무런 반성 없이 살아도 되는 것인지 모르겠다. 그러나 가던 시계가 멈췄다면 그것은 삶을 다한 것이다. 그러나 아직도 건강하다. 새벽 6시면 수락산 620m 산정을 향해 아내와 함께 출발한다. 그 신선하고 개운한 산바람을 가슴 가득히 담아 오지 않으면 하루를 사는 것 같지가 않다.

17일 형님이 오신다. 깊어가는 가을, 인생이 귀소본능이 있어 가을이 되면 모든 생각들이 고향으로 돌아간다. 그만큼 오래 살아왔고 그만큼 삶의 허무함을 느끼기 때문에 돌아서는 길이라 하겠다. 구국–나라를 살리겠다고, 불쌍한 민족을 살리겠다고 〈구국전선〉이란 이름으로 모임을 만들고 세계만방에 알려 독재의 독주는 있을 수 없으며 언제나 비판 세계는 있다는 것을, 견제 세력으로 보이기 위한 것이다. 하지만 우리 형님만은 그만 두시면 좋겠다. 덕분에 고향에 찾아오시는 기회가 되어 좋은 점도 있으나 가능한 자신의 전공을 살려 새 문화 창조에 힘을 다해 주기를 바란다. 지금 이 시점에서 북한이 금방 쓰러질 것 같지는 않다. 훈이, 태양이, 대하, 현순 등 어떻게 살고 있는지, 아쉬울 따름이다. 그들을 위해서도 진정, 해가 되지 않게 해주었으면 좋겠다.

26일 추 형이 들어오셨다. 생각할수록 납득이 되지 않는다. 어떻게 자기만을 생각하고 가족의 개념이나 사회적 의무를 저버리고 천륜을 끊고 삶의 자리를 옮기다니. 그 후로 예기치 않은 피해와 죄 없이 가족이라는 명목으로 어려운 삶을 엮어 나온 나로서는 무어라 할 말이 없다. 그 시대 그때의 젊음과 사회적 혼란을 이해하지만 그 한순간 판단의 잘못으로 온 가족이 지옥의 길을 걷게 되었으니 어찌 이 시점을 이대로 묵과할 수 있겠는가. 이 결과는 현실이 증거하고 있다. 벌써 반세기에 가까운 47, 48년이 되었건만 무책임한 체면으로 연결된다. 헤어져 가면 다시 만날지 못 만날지 모르는 자신의 처지를 미끼로 약속을 해놓고 지키지도 못하고 편리한 대로 처세해 버리고 만다. 그럼 그 뒤처리는 누가 할 것인가. 결국 마무리는 나에게 떨어진다. 그 처리의 책임을 물어서 하는 말이 아니라 그 성격은 지적 도야가 있어도 개성이란 기본을 벗어나지 못한다. 살아갈수록 알 수 없는 아이러니 속에 올해도 넘어가는 것같다.

27일 어린이문화예술원이라는 어린이문화단체가 있어 여성동화대회 심사를 하였다. 동화란 어린이의 양식과 같이 많은 도덕성과 교양, 전통문화, 흥미로운 덕목을 갖고 어릴 때 다정한 엄마 사랑 속에 머릿속 깊이 각인되는 덕목이라고 할 수 있다. 정말 타고 난 듯 잘하는 부인도 있었다. 온 정성을 다하여 현대인이 갖춰야 하는 속도, 저음, 울림, 경각, 첨단의 신경을 동원해야 하고 그러한 억양으로 긴장을 고조시키며 열정적으로 했다. 옛날처럼 언어의 순수함과 한국인의 식불언(食不言)하는 선학적인 데에 비해서 놀랄만한 발전이다.

11월

1994년

01일 세월이 빨라 이 달이 만 64세가 되는 달이다. 요사이 죽음에 대한 천리를 무척 느껴온다. 몹시 두렵기도 하지만 이것은 일시적 아픔을 말한다. 지금과 같은 의식세계가 연속되리라고 생각하기 때문이다. 오직 죽음이란 삶에 역반되는 것이며 내세에 대해서뿐만 아니라 어디로부터 태어났는지조차 모르기 때문이다. 인간이란 욕망의 덩어리다. 따라서 오래 살고 싶다는 것은 미래에 대한 선망이며 하나의 윤회적인 사고를 벗어나 의식세계의 지속을 갈망하는 욕망이 크기 때문이다. 죽음이란 욕심을 버리면 순리로 해결된 문제이다. 모든 것을 줄 수 있으면 되는 것이다. 우리는 필요 이상의 것을 자신의 노력 이상의 것을 원하는 욕심의 태를 벗어나지 못하기 때문이다.

사람은 동물이기 때문에 필요한 만큼 움직여야 한다. 그래야 자기를 유지할 만큼의 에너지를 얻을 수 있다. 그런데도 움직이지 않고 편안하기를 바란다. 이것은 바로 영혼을 달랠 수 없기 때문이다. 사색은 영원히 멈추지 않는 것이다. 이 생각을 멈춘다는 것은 죽음의 경지에 들어선 것이기 때문에 모든 것이 편하게 된다. 불필요한 생각이란 욕망을 생산하게 된다. 무념. 이것은 유념 속의 무념으로 빗대어 생각하지 말 것이며 욕심을 생산하기보다는 무념의 상이 더 진실하다. 무념이란 포기하는 것이 아니다. 무념이란 염을 통하여 무의 세계로 입적하는 것이다. 무와 유에서 대비적인 현상으로 무의 주변에 무한한 유가 존재하여 무의 세계를 지배하게 하고 있다. 무란 어떤 무념의 세계에로 존재하는 것이며 무한히 유를 제어할 수 있어 무는 참으로 작으면서도 방대하고 약하면서도 강한 힘이 있고 이 힘은 아주 정숙하고 냉정하여 흔들리지 아니하며 작은 힘으로 방대한 에너지를 극복해 낼 수 있으며 힘의 개념은 사색에서 출발하고 있다.

마음

마음이란 진실한 생각을 의미한다. 평범한 의미에서 마음이란 생각에 따라 인격이다. 품격을 멋대로 생각한다. 이처럼 위험한 일이 있을 수 없다. 때로는 생각에 따라 허깨비도, 도깨비도, 귀신도 만들어낸다. 비록 현물이 다를지라도 생각대로 변하기 마련이다. 인간의 야성이란 지식과 도적성이 없으면 어떤 동물보다도 잔인할 것이기 때문이다. 그것은 보복이라고 생각하는 동물만이 가진 현상이다. 생각에 따라서는 악인도 선한 자가 될 수 있다.

인간이란 자기 생각 주도의 이기적 동물이다. 어떻게 하면 어떤 수단이든 자기 중심적 물심의 핵이 된다. 이것은 오직 인간으로서의 자기 자신을 발견해야 한다. 인간의 본성을 알아야 한다. 윤회적인 의미에서 전생의 무엇이 내가 되었는지 인과적 요인을 떠나서 하든 어떤 환경이 자신을 만들어냈는가의 경험이 중요한 작용을 한다. 인간도 동물이기 때문에 생명을 이어주는 물질 앞에는 지극히 마음이 약하다. 바로 이것을 극복해야할 것이다.

12월

1994년

29일 다사다난했던 한 해도 저물어간다. 이제 어지간히 나이도 들어 쇠퇴기에 이른다. 내년이면 66세. 평생 마음 졸이며 편한 날이 없었다. 1남 3녀의 가장인가 싶더니 어느새 손주가 다섯. 민기 희기 상하 지윤 지혜 영주 할아버지가 되고 말았다. 모두가 건강하고 제 할일을 하기에 큰 걱정은 없으나 경화가 이제야 사업을 시작하여 발판이 없는 이들의 내일이 염려스럽다. 그러나 개성이 있어 잘 할 것으로 믿어진다.

가슴 아픈 이야기로는 형제 간이 다정하기에 쉽게 일어나는 일이지만 시집을 갔어도 티각티각 싸우는 모습은 정말 가슴 졸인다. 평생을 형들을 그리워하며 삼형제를 잃고 마음 고생하시다 돌아가신 어머니 아버지를 생각할 때 형제끼리 말다툼하는 것은 조금도 보기 싫다.

나에게 큰 바램이 있다면 가족이 두루 화해롭게 사는 일이다 칼로 물 베듯 형제가 아니면 누가 용서하며 또 간섭하겠는가 마는 서로가 너무나 정겹기에 다투는 것이리라. 그러나 중요한 것은 도덕성의 문제다. 조금이라도 남을 이해하려하고 나보다 남을 걱정하는 기본자세가 갖추어졌으면 이런 일이 일어나랴. 정말 가슴 아프다. 여태껏 그것을 못 가르치고 자식 키웠다고 말하랴.

부모로서의 권위도 없고 존경받을 아무것도 없는 허탈감에 쌓여 며칠 동안 잠을 못 이룬다. 마치 악의 씨를 뿌린 듯한 이 가슴 아픔은 하늘에 해님을 볼 수가 없다. 이 일을 어찌하랴. 물론 형제를 증오하는 큰 싸움은 아닐지라도 우애하는 마음의 샘이 깊으면 자기주장보다는 서로 위하는 마음이 앞설 터인데 당돌하게 부모 앞에서 원시적 인간으로 돌아가 싸움을 벌이다니. 그 책임을 누구에게 물으랴. 모두가 내 탓이다.

어릴 때 그 도덕성과 인륜의 법도를 가르치지 못한 탓이니 죽어 마땅하리라. 이 쓰린 가슴을 어찌할 바 모르고 사방에서 밀려오는 위압 때문에 고독을 느낀다. 이 외로움을 달래보려고 철훈을 집밖에서 처음으로 만났다. 다행히 며느리와 손주들이 함께 나와 미처 내 가슴 챙길 새 없이 화제를 바꿔 잠시나마 외로움을 달랬다. 문제의 큰 주제란 내가 외로워서가 아니라 인간으로서 건실함이다. 더불어 사는 이 세파 속에 가정이란 소우주 속에 형제를 모르고 나만이 아는 졸녀가 어떻게 망망대해를 헤쳐나갈 것인가. 아직도 기가 세고 욕심 많고 야심이 큰 젊은 놈들이 들이받는 뿔 부딪히는 소리가 내 귀에 울린다.

이 얼마나 큰 죄악이며 이래서는 안될 원죄를 저지른 것이다. 그들은 이미 딸을 가진 어미들이기 때문이다. 참으로 그리움에 젖을 때 참으로 언니 동생이 필요할 때 혈연의 정을 생각해 보라. 나는 참으로 바늘로 내 살을 찌르는 아픔을 갖는데 정말 몸서리 나는 아픔을! 가슴이 미어터질 듯 하여 세상이 어두워졌다. 들끓는 마음의 파도를 이길 길 없어 악을 쓰고 말았다.

"그만해." 그리고 붉게 타오른 내 얼굴이 마치 극도로 달아오른 무쇠덩이다. "푸시시" 찬물에 처넣는 느낌을 받았다. 그래 그만해. 몇 번이고 메아리처럼 울려퍼졌다. 그러고는 차가운 공간에 한없이 치솟더니 여명의 광채를 보았다. 어깨는 엉성하게 들쳐 오르고 영혼은 그 밝음을 찾아 배회하였다. 아무런 무게도 저항도 없이 꼬리만 흘리며 말게 가라 앉는 흙탕물 속에서 위로 치솟는 느낌이었다.

"팍" 가슴이 매이면서 나의 모든 것이 눈으로 쏟아지는 아픔을 느꼈다. "참아야지, 애들 앞에서 눈물을 보이다니." 현실로 돌아온 나도 지금까지 그 아픔을 잊지 못하고 있다. 이렇게 반성을 하고 있는지는 모르지만 먼 훗날 나의 이같은 심정을 읽어주었으면 한다. 이 세상에 형제처럼 좋은 것이 없다. 너희가 마음의 평화를 찾고 참된 인간의 구실을 하고 사람답게 살려면 먼저 욕심을 버려라. 그리고 나보다 남을 먼저 이해하며 세상을 봉사하는 마음으로 살아라. 이것만이 평화와 우애와 사랑이 가득한 행복의 길이다.

주면 얻으리라. 줄 수 있는 마음. 베풀 수 있는 사랑. 위할 줄 아는 참된 삶을 가질 때 그때는 이미 나처럼 죽을 때가 되지 않을까. 나의 소망이 있다면 하루라도 빨리 스스로 반성하고 너희 가슴 속에 사랑의 꽃이 피기를 기대한다.

1995년

1월

01일 금년 내 나이 66세. 이제 철들어가는지 못다한 일, 남김없이 하고 싶은 생각이 앞선다. 나는 일생을 통해 한번 하려고 생각한 일들은 마음속 깊이 간직하고자 하는 일에 부딪힐 때면 보다 구체적으로 적극적으로 지식을 얻고 분석하고 실행 실천하여 윤곽을 그려놨다가 기어코 달성하였다. 기능이 없으면 기능을 연마하고 자료가 없으면 자료가 생길 때까지 끊임없는 노력과 연구를 계속하였다. 그러기에 어떤 경우라도 필요할 때 떳떳이 내놓을 수 있었다. 남들이 노령이라 할지 몰라도 나는 이제부터 시작이나 다름없다. 쓰고 싶은 드라마와 뮤지컬, 영감에 떠오르는 음악 하나도 놓치고 싶지 않다. 대체로 나의 예측은 맞아왔다 그것은 현실에 충실하면 내일을 상상할 수 있기 때문이다. 무엇이 되었든 감각적이어야 한다. 남의 아픔을 나의 아픔으로 느낄 수 있도록 같이 호흡하고 행동과 리듬을 따라가보면 흐름의 원천을 이해할 수 있게 된다. 오직 감성적이어야 느낄 수 있다. 돌이켜 생각해 보면 거의 천부적 소질이 있었던 것같다. 그것은 내가 평소에도 목표하는 것의 집념이 강해야 한다. 항상 새로운 생각과 자신이 체험한 모든 경험을 중요시하여야 했다. 어떤 경우라도 자신의 행적을 회고하고 반성하여 그것이 바로 삶의 거울이 되도록 했다.

10일 젊음. 이것은 인생의 경험이 적은 혈기왕성한 삶의 한때를 말한다. 경험이 적기 때문에 위험을 모르고 삶의 기쁨을 모른다. 항상 비판적이고 용기를 잃지 않는다. 역시 나도 이런 과거 속에 불타는 정열을 아무런 기반이 없는 문화기반을 구축하느라고 모든 것을 바쳤다. 결과의 바람은 없지만 노후 대책 하나 생각하지 못한 자신의 미련을 통탄하지 않을 수 없다. 현대에 사는 젊은이에게 건강한 내일을 위하여 항상 준비하는 마음가짐을 권유하고 싶다.

14일 내몽고에 함께 갔던 어린이문화재단 사람들을 만났다. 자연 보호를 위한 한중일 어린이들의 실험적 활동을 겸한 캠프였다. 공해가 날로 심해지는데 왜 그럴까. 대자연에 가보니까 어떤 점이 다른가. 앞으로 우리는 어떻게 해야 될까, 등 토론을 하고 구체적으로 사막을 푸르게 하는 나무심기도 하였다. 이러한 결과를 비디오 테이프로 찍어 기록영화화하여 일본에서 보내와 함께 봤다. 이러한 운동은 중요하지만 각자가 스스로 실행해야 할 것이다. 이번에 캠프에 참가하여 득도 있었지만 일기 쓰기를 잊어버리는 단점이 있었다. 다시 평소의 나의 생각을 기록하는 방향으로 옮겼다. 세상에는 허와 실이 있다. 인간이 하는 일이기에 뿌리가 좋지 않으면 썩게 마련이다. 건강한 내일을 위하여 심사숙고해야 하겠다. 금년에도 중국의 계림으로 캠프가 예정되어 있다. 좋은 결과를 가져가야 하겠다.

18일 인간이 살아가는 데는 기본적으로 도덕성이 살아있어야 한다. 지금 세계는 바야흐로 민족 간, 국가 간, 개인 간에 분열이 조장되고 냉전 이래 최대최악의 조밀한 분쟁이 일어나고 있다. 이것은 기필코 종교전쟁으로까지 벌어질 것이다. 특히 남북간은 화해하기가 힘들 것이다. 정치는 인간의 장난에 불과한 것이다. 상대를 먹여 살린다 해도 불평이 따르게 마련이다. 결국 본성으로 돌아가 인성이 선해지길 바랄 뿐이다. 레크리에이션 포크댄스연맹에 박일호가 회장이 되고 나는 고문으로 추대를 받았다.

2월

1995년

01일 누님 댁을 찾아 세배를 드렸다. 건강하시고 장수하실 모습에 참으로 감사를 드렸다. 일찍이 오남매 중 외동딸로 어머니 아버지의 사랑을 받고 일찍이 손을 많이 두셔서 복된가 했더니 자형께서 먼저 가시어 혼자서 오랜 세월, 조카들을 양육하였다. 올해 75세다. 이제 65세인 나는 벌써부터 죽기가 걱정이니 생산력이 없는 나로서 어찌해야 여생을 부끄럼 없이 보낼 것인지 답답하기 이를 데 없다. 음력 새해를 맞이하고 보니 할일은 많고 돈은 없고 자식들에게 폐가 될까 두려움뿐이다. 이대로 오막살이라도 조용한 집에서 남기고 싶은 생각들이나 정리하고 편히 쉬었으면 좋겠다. 그러나 자식들에게 얼마나 폐가 되랴, 생각하면 할수록 답답할 따름이다. 어제는 민기, 희기를 데리고 민속박물관, 경복궁, 청와대를 돌아왔다. 미래의 주인이리라. 이 나라에 태어난 값을 다 하고 남보다 노력하여 배움을 나누어주면 온 나라 사람이 평화롭고 안전하게 살도록 도와야 한다는 뜻에서 한 세대의 주인이 되라고 말해주었다.

08일 벌써 입춘이 지나고 봄의 따스함이 피부로 느껴지는 2월의 중순에 접어든다. 할일은 많고 시간은 없다더니 이제야 갈 길이 바쁘다. 유아문학이라고 시작한 일들이 모두가 성인시계(成人視界)의 문학 지향이니 듣는 아기들이 코웃음을 칠 수밖에. 아직도 무분별하여 이 시기를 미분화기라고도 하는데 일련의 줄거리를 복잡한 과정을 거쳐 만들어야 한다고 한다. 과연 유아적 상상력이 미칠 것인지 이것은 어른의 생각이다. 유아에게는 그 눈높이만큼 경험한 것만큼 상상력이 가능하다는 것을 알아야 할 것이다. 사실은 오늘 『마고할미』가 나왔다. 내가 쓴 한국신화책이다. 조선경이 그림을 그렸다. 한국최초의 신화적 구상이며 전국에 걸쳐 토막토막 있는 이야기를 한 줄거리 속에 잡아 엮었다. 상상할 수 없는 거인이며 거상(巨像)이기에 우리 민족의 담대하고 대륙적이며 기마민족다운 면모가 보인다. 이런 신화를 가지고 있으면서도 옛날 설화처럼 넘겨버린 그 동안의 처사가 너무 안타깝다. 이제 새로운 연구가 더욱 구체적으로 시작되어야 할 것이다.

19일 가평군에 있는 유명산에 유화 내외와 하권찬과 함께 모처럼 등산을 하였다. 거의 30도에 가까운 가파른 산이었다. 아직 잔설이 남아 겨울 산의 모습은 아름다웠다. 이곳만 하더라도 공기가 맑고 산정에 흘러가는 기류는 인간의 마음을 깨끗이 씻어준 듯하였다.

3월

1995년

15일 수락산에 봄기운이 돈다. 절묘한 자연의 채색은 가지마다 연초록의 순수하고 희망찬 느낌을 전해준다. 나무도 사람처럼 나이를 먹고 자라는데 봄마다 대지에 희망을 주고 자신을 숭고한 품격으로 향상시키는데 사람은 나이가 들수록 왜소해지고 희망 없는 슬픔을 자아낸다. 인간이란 기본이 약하고 공동의식 등이 약한 소재 속에 살기 때문이다 독립적 의식과 독자적 창의력이 부족하기 때문이다. 남이 하는 일을 반복하지 말고 스스로 개척하여 항상 새로움을 갖고 살면 자연은 순리로 풀어줄 것이다. 너무 욕심을 부리지 말자.

21일 세월이 빨라 춘분을 맞이했다. 겨울잠을 깨면서 왜 이리 마음이 산란한지 모르겠다. 이미 죽음을 앞둔 사형수처럼 안절부절. 나를 가누지 못하는 경우다. 이것을 욕망이라 할 것이다. 오늘 릴리가 알마티에서 SBS 초청으로 왔다.

4월

1995년

20일 수락산 진달래가 활짝 피었다. 자연은 거짓없이 지쳐하지 않고 봄을 알려온다. "꿩 꿩" 발길에 굴러간 돌멩이에 놀라 장기가 진달래꽃 사이에 이 산에서 저 산으로 날아간다. 사방이 툭 터진 산마루에 봄은 새삼 힘을 돋군다. "도르르르 휫적" 긴 겨울동안 자취를 감추었던 이름 모를 산새들이 진달래꽃 사이에서 몸짓을 한다. 자연은 참으로 맑고 투명하다. 우리 인간들도 이렇게 깨끗한 삶을 살아야 할 터인데.

5월

1995년

08일 오늘이 어버이날이다. 이제야 아버님 어머님의 은덕을 깨달으니 참으로 부끄럽기 짝이 없구나. 오남매 기르시느라 몇 고개의 보리고새를 넘시기고 치마 끈 졸라매고 아들 딸 길러내시더니 말고삐 풀려 제멋대로 집을 나가 자식들 꼴도 못 보고 돌아가시니 애닯기 한이 없습니다. 그토록 사랑하던 자식들, 저승에서 만나시니 지금쯤 어떠하신지요. 용서는 하시겠지만 그동안 쓰라린 고통, 마음인즉 상처가 없으시겠습니까. 하지만 항상 이르시던 "그놈들도 부모를 잊어버리지는 않았을 것이다. 무슨 사정이 가로막고 있겠지" 하시던 말씀은 자식들은 미처 생각지도 못한 진정한 사랑이었습니다. 어머니, 자식들이 보고파 헛것을 보고 집을 나가시고 몽상 속에 뒤따라가시다 넘어지시니 이 가슴 찢어질 듯 슬퍼 말로 다 못했습니다. 밖에서 형들이 부른다고 문을 열고 나가시던 어머님의 모습이 오늘따라 이렇게 크게 기억되옵니다. 어머니, 이제 그만 고정하십시오. 그리고 늘 자식들을 위하여 독경하시던 마음으로 그저 편히 쉬소서. 그리고 견디다 못해 먼저 가신 아버님 위로해 주시옵소서.

6월

1995년

06일 현충일을 제정하여 40년이 됐다. 살아있던들 만나보지 못할 사람이란 이미 저 세상 사람이겠지. 서로가 젊음을 나라에 바쳐 정의를 위하여 목숨을 바친 위대한 결심은 참으로 영원히 기록되어야 할 것이다. 모처럼 아이들과 4·19 묘지를 참배하였다. 그 당시 나는 광주사범학교에 있었으며 영생유치원 경영자로 있었다. 학교에서 학생들의 사기가 충전하여 큰 사고를 낼지 모르니 각자 주거지로 돌아가 학생들을 위험에서 보호하자는 학장의 뜻으로 돌아가다가 이미 시내에 큰변이 일어나 경찰과 부딪치고 군이 출동하여 대낮에 통행금지령이 내리는 바람에 무심코 서석초등학교 앞을 지나다 계엄군에 의해 학교 강당에 갇혔다. 학생들은 머리 뒤에 두 손을 잡고 이마를 마룻바닥에 대고 엎드려 있었다. 그 수는 무려 1000여 명. 나도 그 대열의 말미에 끼어 한 사람 한 사람 취조하는 차례를 기다렸다. 모든 사람의 고생이 이만저만이 아니었다. 그러다 당시 광주방송합창단을 지휘하던 나는 다행히 최의돈 아나운서를 만나게 되어 사회인으로 분류돼 석방된 적이 있었다. 바로 그 4·19 혁명이 이승만 독재정권을 타도하여 문민정부의 시발이 되었다. 이 위대한 위업은 4·19의 거룩한 희생의 덕으로, 나는 엄숙히 고개 숙여 당시의 상황을 회고하였다. 그리고 묵념을 올렸다.

1996년

1월

01일 누님께 전화로 인사를 드렸다. 이제는 스스로 운명을 만들어나가야 하겠다. 먼저 자서전, 어머니께 드리는 글을 마무리하고 '모래알 도시락'을 새롭게 조명해 볼 생각이다. 아버지, 어머니, 준채 형과 형수, 권이 형의 명복을 빌며 북한에 있는 조카들의 안녕도 빈다.

02일 방한 형님 댁을 방문하였다. 인생이란 함께 늙어간다고 한다. 역시 경험이 같고 공통성을 발견한다. 새로운 신년의 기회를 찾아야겠다. 금년 연초처럼 불안한 기분도 처음이다.

03일 영하 5.2도의 바람이 부는 체감 8, 9도의 아침바람을 몰고 불암산 봉암 약수터를 찾았다. 이렇듯 마음이 풀리지 않는 불안이 계속된다. 빨리 새로운 길을 찾아야하겠다.

04일 생각처럼 세상이 움직이지 않는다. 모두가 허위로 가득 차 있다. 아무것도 가지지 않은 자가 갖고자 하는 사람의 허를 찔러 재물을 낚으려는 군상이 유아를 위한다는 위선자들에게도 있다. 벌어먹기 위하여 독소를 만들어 사탕처럼 주고 싶다는 자들이다. 참으로 끔찍한 행위다. 지금 삶이 시작되는 기반을 닦아가는 유아들에게 강자가 약자를 얕보듯 주면 먹는다고 강제를 하려고 한다.

18일 '세계의 민화' 번역에 열중이다. 언제 어떻게 쓰일지는 모르지만 잘 진척될지 의문이다. 날로 몸이 늙어가는 것을 느낀다.

21일 중부지대 통일전망대를 다녀왔다. 오는 길에 의정부에서 40년 만의 친구들을 만났다. 세월이 변해 모두들 잘 살고 있었다. 그저 하나밖에 모르고 살아온 나에게 남은 건 뭘까. 노년 걱정밖에 남은 것이 없다.

29일 우리나라 남쪽 해안에 2만 년 전의 공룡시대 공룡 발자국이 발견되어 화가 최달수와 사진가 심장호와 함께 경남 삼천포에 내려갔다. 조용한 남해의 다도해 위에 퇴적암이 수만 년 역사를 이야기하듯이 층층이 쌓인 얇은 바위들이 바다에 접하고 있어 기암괴석을 이루고 있었다.

31일 현장에서 공룡 기획을 했다. 알에서 태어난 공룡의 생활과 현장 사진을 합성하기로 했다. 발자국 위에 공룡을 세워 실감나는 그림을 제공하자는 것이다. 초식 공룡은 무려 10m 정도의 키로 머리에서 느낀 생각이 꼬리까지 전해지려면 시간이 걸리기에 생각한 뒤에 움직임의 반응을 보이는 뇌가 꼬리부분에도 있다고 한다.

2월

1996년

02일 내가 생각하는 감성적 동화로 현대아동들의 감성에 맞는 옛날이야기를 그림책으로 새로이 써봤다. 물론 책으로 출간될 것이지만 비디오도 제작할 수 있다.

05일 지난해 12월 7일 사단법인 한국음악저작권협회 이사로 선임되었다. 이번에도 이력서를 내서 문체부의 승인을 받아야 하는데 또 그 이력이다. 졸업장이 없으니 원수처럼 학력에 구애를 받는가. 6·25 때문에 나는 내 일생을 이렇게밖에 못 만들었다. 남은 식구를 위하여 학교도 못 가고 예술적 기능으로 살아왔는데 다시 이력서를 내라니 가슴 아프다. 학력이 죄가 되는 것은 아니지만 참으로 외롭다.

09일 지난여름 북한 지역의 폭우로 백년 이래 처음으로 홍수가 나서 압록강이 범람하여 지어놓은 농토를 유실하고 주민들은 기아선상에 있다고 한다. 훈이, 태양이, 대하, 현순, 현이와 철이 한 핏줄인데 그들은 지금 어떻게 살고 있을까 몹시 걱정이 된다. 남북이 서로 화해하여 돕는다면 굶지는 않겠지만 북쪽의 고집스런 악몽이 풀리지 아니한다. 어떻게 해야 죽음을 면할는지 근본적인 생각이 달라서 기아에 허덕이니 참으로 안타깝기 한이 없다.

28일 방한 형을 찾았다. 건강해보였다. 체중이 늘었다고 한다. 장서를 전남대에 기증했는데 의욕이 생긴다고 했다. 석학이기에 항상 학문을 생각하는 형의 뜻에 감동했다. 인간의 뜻으 전달하는 언어를 의식하여 수만 년 동안 어떻게 언어가 변해왔나를 생각하는 대학자이다.

29일 2월 말이다. 나에게는 의미 깊은 날이다. 이것으로 나의 직업 생활은 끝났다. 참으로 막막하지만 정기적인 수입도 끝이 났다. 마치 동적인 삶의 종지부를 찍은 것같다. 새로움보다는 맺음이 더 어려운 것같다. 이미 예고되었기 때문에 그렇게 큰 감정은 격화되지 않았다. 앞으로 동화연구, 그림책 연구, 도깨비 연구, 유아문화 연구, 건강 호흡 연구.

3월

1996년

01일 인생이란 멍청한 것이다. 필요한 사람에게는 없고 불필요한 사람에게는 남아돈다. 이것은 모순의 모순을 낳는 불합리이다. 이 역전을 맞아야 행운이 오는 건가. 누구는 골프채가 수십 벌이라고 한다. 남아돈다고 하면서 막상 줄 것은 없다고 한다. 인생은 바보 같다.

07일 동아출판사 만화사업부 직원을 만났다. 의도를 설명했다. 좋은 뜻으로 받아들였다. 우리의 상징이 될 수 있는 자료를 찾아 우회적인 실현을 해봐야겠다. 쉬운 일은 아니다.

08일 불암산에 올라갔다. 이제는 퇴직 영감이 되었다. 이렇게 늙은 주제로 살아야 하나. 아직도 뛸 수 있고 일할 수 있다. 최달수 일러스트와 함께 동아출판사 직원을 만나봤다. 작은 희망을 걸어본다.

26일 연세대학교 사회교육원에서 연령별 그림책, 대상별 좋은 그림책이라는 강의를 했다. 시간이 짧아 생각한대로 다 하지는 못했지만 명강의로 끝났다. 수강생은 더 듣고 싶어했다. 세 장밖에 남지 않은 명함을 서로 가지려고 했다. 그림책은 어린이의 욕구를 충족해주는 삶의 기저가 되어야 한다.

30일 금년도 3분의 1이 지나간다. 이제 겨우 무직으로 한 달. 북한강 청평 근처 강이 바라다 보이는 땅을 찾아봤다.

4월

1996년

01일 추 형에게 전화. 역시 느리기는 전과 같다. 그렇게 늦어서 될 말인가. 새로운 소식에 놀라지 않을 수 없다. 최선의 목표가 고향으로 돌아오고 싶다는 것이다. 참으로 형에게 신의 영험이 내리소서.

04일 차 한 잔 마시며 정각 스님을 만났다. 그는 미래의 세계를 무종교, 개성시대로 보았다. 인터넷을 응용해 가정 내에서 영상을 통해 자기 나름대로의 신앙을 추구한다는 것이다 따라서 영상산업은 미래에 가장 중요한 사업이라고 내다보았다. 젊은 40대의 비구니인데 여행도 많이 했고 지식도 많았다. 일이 잘 이루어지면 좋겠다.

18일 긴 세월이 흘렀다. 이만큼 자신의 생각을 잊어버리고 살았다고 할까. 망각의 세계에서 그럼 무엇을 생각하고 있었을까. 분노와 울분으로 자기와의 싸움을 계속해 온 것이다.

29일 시간이 갈수록 게을러져 일기를 쓰는 기쁨조차 잊어간다. 생활이라는 무거운 짐이 힘들게 만든다. 참으로 쉽지 않은 삶이다.

7월

1996년

중국 계림에서 열린 제 2회 '한중일 개구장이캠프'에 참가. 북경 국제호텔에서 1박–계림–항주

보림 작업 일지
1995년 말 「염장이 이야기」 창작
1996년 1월 「쌀이 되기까지」 창작
1996년 2월 「호랑이와 곶감」 개작
1996년 6월 「호랑이」 창작
1996년 6월 「곰 세 마리」 번역
1996년 7월 「곰 인형」 번역
1996년 7월 「숲속의 큰곰」 번역

1997년

1월

01일 밤사이 잠을 못 이루었다. 물론 의미는 다른 데 있었다. 12월 23일 수첩을 잃어버리고 27일 차를 후진하다가 다른 차를 받아서 사고를 낸 나를 꾸짖고 싶었다. 이렇게 정신이 흐릿해졌는지 어리석어졌는지 노화현상이 뚜렷하다. 비관이 든다. 하늘과 땅이 하나 되어 움직이다. 소처럼 묵묵히 가야할 따름이다. 자식들에게 피해 없이 가련다.

02일 둘째 날이 저물었다. 아침에 눈길을 헤치고 불암산에 올랐다. 산은 말없이 받아주었다. 무거운 침묵 속으로. 잠 못 이루는 밤. 어둠이 짙어가는 밤. 창가에 앉아 달빛을 바라보네.

03일 교육개혁을 위한 실험학교인 장평초등학교에 갔다. 참으로 교육의 내일이 의문스럽다. 학교는 더 명랑하고 맑고, 국민을 시민으로서의 기초교육이 철저히 되어야 할 곳인데 세상은 학교를 기형적으로 만들고 말았다. 구슬픈 이야기다. 열린 교육을 위하여 우리말의 원류를 찾아 말하기를 집필해주기로 했다.

04일 새 첫 주말이다. 가족들이 모였다. 이제는 대식구이다. 살아온 경험에서 이들이 살면서 얼마나 고생을 할까. 문득 이런 생각이 든다. 몹시도 철없이 세상을 살던 생각. 6·25동란 뒤 죄없는 연좌제로…. 참으로 살기 힘든데…. 힘들었던 옛일이 주마등처럼 떠오른다. 손자들에겐 이런 일이 없어야지. 저 맑고 깨끗한 눈빛. 본대로 들은 대로 자라는 아이들. 어른의 잘못이 이들의 죄의 씨가 되리라. 세상은 넓고 한없이 높은 것. 쉬지 말고 생각하라. 그리고 무엇인가로 나타내보자. 삶은 생각하는 만큼 풀리리라. 그리고 항상 자신을 사랑하라.

06일 레크리에이션협회 요청으로 서울교육위원회 주관 '96년 동계교사 레크리에이션 직무연수'에 '학교와 레크리에이션' 강좌를 강의했다. 수강생은 역시 학교교사로 순진했다. 학교 교사가 창의성 교육을 지상목표로 삼고 있지만 자신들의 창의성은 뒤떨어져 있다. 이미 구태의 사회적 교육관에 젖어 있기 때문이다. 계발은 고사하고 학교에서 배운대로도 하지 않는다. 그러니 지도 방법이 개선될 리 없다. 연구를 하지 않는다. 그래서 교사 직무연수를 하고 의무적으로 참가를 명하고 있다.

10일 컴퓨터가 바이러스에 감염된 날이다. 익숙하지도 않은 컴퓨터에 바이러스까지 옮아오다니. 종일 컴퓨터가 진행되지 않는다.

13일 방한 형과 명동 나들이를 나섰다. 같은 심정이겠지만 지난 날 이곳에서 있었던 일들을 추억하며 여기저기 돌아다녔다. 오직 이 나라에 하나밖에 없는 거리 문화. 젊은이들이 찾아오는 곳. 거리에 앉아만 있어도 새로움이 싹튼다. 발랄한 옷차림, 대담한 탈주. 이것이 오늘의 계기가 되었겠지. 때로는 인생이 갈 길을 놓고 십자로에서 갈피를 못 잡을 때가 있다. 이때 눈에 보이는 문화란 것이 먼 날의 꿈과 어떻게 해봐야겠다는 행동의 용기를 주는 때가 있다. 바로 이때 이 명동을 찾았던 사람들은 사람답게 사는 방법을 배웠겠지. 그것은 나뿐만 아니라 방한 형도 마찬가지였다. 비록 지금은 그 문화권이 강남으로 넘어갔다고 하지만 진정한 문화는 지금도 명동에서 일어나고 있다. 그것은 참회할 수 있는 명동성당과 일그러진 문화가 함께 공존하고 있기 때문이다.

27일 언뜻 세상이 흘러가는 시간을 봤다. 번개보다 빠른…. 하늘은 검고 짙은 검푸른 구름에 덮이고 땅은 어둠에 묻혀 시간도 공간도 못 느끼는 무념 속에 깜박 빛나고 지나가는 세월은 순간 속에 상반의 인류사가 지나간다. 이것은 하루면 수 만 번 가고 오고 움직일 수 없는 병든 마음속에 소나기처럼 퍼붓는다. 살아온 것인지, 살아가야 하는 것인지, 아무 소리도 없이 눈 감으면 지나가는…. 역정은 순간에 지나치는 사실보다 길더라.

28일 오랜 만에 종채를 만났다. 뭔가를 열중하고 있었다. 세상 사람들은 쉽게 쉽게 살려는데 그는 역시 어렵게 풀어가고 있었다. 넘겨도, 넘어가도 좋은 일을 찾고 비비고 문질러서 달고 쓴 맛을 다 찾아낸다. 그러기에 세상 사람은 그를 좋아한다. 이가 고장이 났다고. 수년 전부터 완벽하지 않으면 손을 놓지 않는다. 어렵기는 하지만 그렇게 사는 친구다. 늙어가는 마당에 이런 일들이 신경 쓰이는 일이 없기를 바란다. 철훈이 '시' 등단을 했다고. 아직 구체적 이야기는 듣지 못했다.

29일 하루종일 집에 있는 것도 지루하다. 인간은 움직여야 한다. 을지로 중부시장에 갔다. 각종 건어물이 거래되는 산업의 현장이다. '오 리를 보고 천 리를 간다'는 속담처럼 이익을 남기려는 기본은 다름이 없다. 살기 위해서, 먹기 위하여 부득이 사 먹어야한다. 일찍이 이런 거래법을 알고 이런 환경 속에 살았더라면 나도 상인이 됐을지 모른다. 겸손이, 정직이 살아 있는 상행위가 있었으면.

30일 벌써 1월이 지나간다. 다시 돌아오지 않는 시간. 영원히 우주의 블랙홀에 흘러 들어가 버릴 시간. 누가 기억도 못하는 시간의 흐름 속에 묻혀버린 생. 삶의 가치도, 의미도 없이 흘러가버리고 말았다. 이런 생각을 빌린다면 한시도 의식을 잃고 살 수는 없다. 오늘을 기점으로 좀 더 의식 있는 삶을 힘 있게 보내야 하겠다.

31일 마지막 1월 달이다. 현주가 집에 와 있어 자는 사이를 이용, 아내와 산을 다녀오는 모험을 했다. 만화 일러스트를 하는 최달수, 그는 가평 남한강 변에 집을 짓고 이사를 했다. 내 주변에서는 처음으로 21세기 한국의 모습을 앞서가는 이웃이 나타났다. 그 혁명적 용기가 위대해 보인다. 나도 먹을 것만 있으면 이렇게 가고 싶은데. 정말 부럽기 짝이 없다. 이제는 벌써 모든 값이 올라 나는 영영 불가하게 됐다.

2월

1997년

02일 입춘이란 질서가 내일이다. 그렇다면 겨울은 벌써 지나고 새봄이 찾아든다는 뜻이다. 자연은 벌써 화려한 봄을 의식하겠지. 그리고 새로운 생명을 잉태하겠지. 이것은 자연의 섭리다. 그중에서도 사랑이 으뜸이겠지. 일찍이 새로나합창단을 창단하여 생명을 불어넣은 일이 있다.

04일 갈수록 나태해진다. 하는 일이 내일로 미뤄지고 손에 잡히지 아니하니 아무리 마음이 젊다한들 뜻을 받아들이지 않는 몸. 아니 늙었다 할 수 없다. 마음대로라면 가는 시간이 아까워 조바심치지만 가는 세월 잡아둘 수 없고 흐르는 강물처럼 바라보며 보내나니 세월인들 꾸중하랴. 이것이 자연의 섭리 아니런가.

05일 아무런 소식이 없다. 이제 양력 음력 다 지나가는 기로에 섰지만 아무도 소식하나 전해주는 이 없네. 훈이도, 태양이도, 대하도, 현순이와 혁이와 철이. 먹을 것이 없이 끼니를 굶는다는데 이들은 어떠하리. 제 뿌리 남한에 두고 북에서 태어나 고생이 웬 말이랴. 조상의 얼이 있다면 이들을 먼저 구하소서. 하늘이여, 이들을 도우소서.

07일 오늘이 섣달그믐. 설을 기쁘게 맞이하라고 밤잠을 자지 말라는 옛말이 있었다. 신구가 함께 넘어 새해를 맞는 전날이다. 나이 들기는 기다렸던 어린 시절 생각나고 나이 들까 걱정하던 젊은 날이 떠오르네. 해는 가고 새해는 올 것이니 새해를 어찌 맞이하랴. 먼 나라 카자흐의 형님도 안녕하시리. 이 마음 큰 형님 생각이 가슴 뭉클한 게 북에 있는 어린 것들 어찌 이날 잊을 건가.

08일 음력 설날 아침. 대자연의 정기를 받아 한 해의 삶을 시작해보는 오늘. 불암산 보황약수터를 향하여 합장한 그림자를 따라 올라간다. 서기(瑞氣)에 빛나는 하나하나의 바윗길에 불로 지진 듯한 영롱한 불빛이 타오르며 이제 막 시작되는 정축년(丁丑年)의 첫장을 불사른다. 산은 이처럼 촌시도 멈추지 않고 스스로 몸살하고 스스로 분쇄되어 다시 살아나는 만상들에 새 생명으로 자리를 옮긴다. 해가 지고 해가 떠도 변함이 없는 시간 속에 생명들은 윤회할 따름이다. 왜 그렇게 급하고 왜 그렇게 욕심이 많고 왜 그렇게 과거를 잊고 사는지. 날마다 떠오르는 해지만 유난히 청신하고 밝고 둥글고 날카로운 햇살이 불암산 머리를 짚고 일어선다. 온 세상이 칠흑같이 어두운 정축년(丁丑年)의 암흑을 벗겨내고 서서히 어둠을 몰아낸다. 만물이 소생하듯이 가슴 속에 벅찬 환희의 기쁨을 만끽하며 무거운 어깨를 들어 두 팔을 높이 들고 광명을 맞는다. 오, 벗이여. 먼저 가신 어버이에게 새 생명을 주시옵소서. 굶주림에 움켜잡은 뱃살이 터지도록 참고 이겨내는 힘을 주시옵소서. 신은 안 먹어도 배가 고프지 않지만 사람은 먹어야 평화를 찾습니다. 주여, 당신이 할일은 무엇입니까. 우리가 할일은 무엇입니까. 자연으로 돌아가라. 그러면 시간을 얻을 것이다. 시간은 모든 것을 치유할 것이다. 새해 새 날을 맞는 나의 마음은 지금 이렇게 속삭이며 떠오르는 해를 맞는다.

10일 하루를 미루면 10일을 미루어 뜻한 바를 이룰 수 없다. 이렇게 건망증이 많아서야 산다고 할 수 있겠는가. 날이 갈수록 건망증이 많으니 각성하지 않으면 깨우치지 못할 것같다. 항상 새롭게 생각해야 하겠다.

13일 말하기와 표준발음을 위하여 서울대 언어학과 출신을 만났다. 우리말의 표준화

발음을 위하여 녹음을 할 생각이다. 대학에서 연마한 표준 발음을 능력대로 표현해보자는 것이다. 잘 되겠지. 날로 이상해지는 우리말의 바른길을 잡아보고 싶은 것이다.

18일 아침에 산에서 만난 영감이 대뜸 "몇 이요?" 나이가 많다는 것은 자랑이 못되고 상대에 비해 적어도 이상한 듯 느끼면서 "경오생이요" 했더니 "68? 아직 젊소. 요즘은 80은 되어야 어디 가서 어른 노릇 한다"고 했다. 그러면서 "세상이 철들려면 아직 멀었소. 나도 이제야 철이 드는데. 아직 멀었소." 75세의 노장이 함축성 있는 이야기를 해왔다. 무엇을 이야기하는 지는 의중을 잘 파악할 수 없었지만 70이 넘어야 세상 사는 철이 든다는 말로 이해했다. 뭘 안다고 젊은 세대가 세상에 대고 방향을 제시한다. 자연은 이들을 용서하지 않는다. 나이가 지긋해야 자연은 가까이 해준다. 젊을수록 대자연과 거리가 있다. 우리는 억지로 발전할 필요가 없다. 과학이건 문화이건 자연스러워야 한다. 구체적으로 과학적으로 안다고 해서 특별히 좋은 것은 없다. 인간의 호기심을 만족시킬 뿐이다. 호기심이란 지극히 자연스런 동물적 발상이다. 이것을 만족하려는 문화는 마야 문명처럼 하늘에 의해서 파괴되고 만다. 극치에 이르면 한계가 없어진다. 그 하나 속에 모든 것이 존재한다. 인간처럼 만족을 위한 것이 아니라 모든 것은 순수한 자연 속에 존재하기 때문이다.

25일 국회가 열려 50년 만에 처음으로 방청을 하러갔다. 국회는 분명히 국민의 안전을 위한 입법기관인데도 국정에는 뜻이 없고 인신공격에 여념이 없었다. 이미 검찰에서도 법원 판결까지 내린 이 마당에 70년도, 80년도에 모함당했던 일들을 들춰 공격하는 비열한 정치는 국민을 위한 국회가 아니다. 참으로 비인간적인 정치이다. 자기가 살려고 적극적으로 남을 무고하게 공격하는 국회는 진실로 악성이었다.

10일 고향!

어버이 날 낳으시고
산과 들에 어울려
바위에 눈빛 새겨 살던 곳
아직도 나의 탯줄에
냄새가 나는 곳
꿈속에 나타난
동화의 나라
처음 보는 사물에 놀라고
익히어 친구 되고
이젠 구석구석
모르는 곳 없는 나의 태반
형과 아우가 어울리고
뒷동산에 올라
머루 다래 따먹던 곳
햇빛이 밝고
유난히 달도 큰 고향
이제 어찌 고향을 잊으리
한 하늘 아래
두 고향이 있으리?
내가 자라던 고향에
나의 숨결과
나의 삶의 영상이 숨어 있다
나는 고향에 가리다.

20일 몹시 몸이 고달팠다. 원인을 알 수 없었으나 스스로 조심스러운 걸음으로 시내를 다녀왔다. 자고난 아침 갑자기 소변 후 짙은 혈색의 변이 보였으나 내 것인지는 몰랐다. 오후. 자신의 것으로 판단되어 병원을 찾았다. 백병원 비뇨기과를 찾았다. 24일 X-ray 촬영하고 판단해 준다고 한다.

29일 생전 처음으로 백병원에 입원을 했다. 여섯 사람이 쓰는 방이다. 모두가 환자라 서로서로 위안을 해가며 무엇을 생각하는지 함께 살고 있으면서도 눈빛은 먼 훗날을 생각하는 듯했다. 나이는 6,70대 모두가 인생을 다 살았으니 자식들에게 폐를 끼치지 않고 소리없이 가기를 원하고 있다. 시대의 탓인지 자식을 사랑하기 때문인지, 세상에 미련이 있기 때문인지, 할일을 다 했다고 생각하는지, 조용히 눈을 감고 싶다고 한다. 환자를 찾아 많은 사람이 병문안을 왔다. 자식들에게 어떤 고통이 찾아오더라도 지금 당장 쾌유하기를 원한다. 그러고 서로 서로 안부를 전하고, 보고 싶은 사람들의 이름을 댄다. 대화는 이렇게 희비쌍곡선을 그으며 근심과 무언가를 바라는 희미한 희망을 나누며 시간을 보낸다. 한편으로 병원비는 차곡차곡 쌓여간다. 28일 CD촬영, 4월 1일로 약속하고 퇴원하였다. 인술이라기 보다 상업적인 병원의 실패가 가슴을 메운다.

4월

1997년

01일 봄

아직 익지 않은

비릿한 연초록 내음이

코 밑을 지나간다

연하고 부드러운 바람

비단실 같은 바람이

나뭇가지에 감긴다

망울망울 새싹이 눈을 튼다

해님은 잔디밭에 따스한

입김을 불어넣는다

땅 껍질을 벗기고

뾰롯이 머리를 내미는

초록의 순들

바람은 아직 차가운데

하늘을 찌르듯이 힘차게 솟아난다

봄을 부르는 까치소리가

짝짝짝

힘찬 봄을 부른다

03일 누님을 모시고 5시 30분 서울을 출발하였다. 비가 내리 뒤끝이라 맑은 공기가 한층 싱그러우며 구리를 통하는 고속화도로를 거침없이 달려 만남의 장소를 지나 판교를 돌아갔다. 화물차의 질주속에 흔들리는 핸들. 오랜만에 고속도로를 달려서 그런지 시종 불안한 기분이 그지 없었다. 나보다도 남의 차가 더 무서워 되도록 양보에 양보를 거듭하여 경쟁을 하지 않았다. 우리 일행은 산천을 유람하는 기분으로 광주를 거쳐 담양으로 갔다. 금옥 누나 댁에 들었다. 옛날 지주 댁이다. 그 권위와 재물을 자랑하는 한아름 짜리 기둥에 넓은 장광터에 아직도 90여 개의 항아리가 고향집의 운치를 돋는다. 애석하게도 지난해 강대령은 작고하셨다고 한다. 몇 년만에 만난 의형제 누님들의 해후는 진실로 남이 아닌 진정한 정이 얽혀 있었다. 차는 담양 무정면, 오산 삼거리를 부들로 들어갔다.

04일 부들은 온 동네가 음식장만을 위해 일찍부터 서둘렀다. 아랫집 형님과 질부를 데리고 아내와 함께 옥과 장으로 갔다. 아직도 후한 인심이 남아 있는 듯 옛 장 그래도 작은 골목길 양 옆에 바구니며 보자기에 펴놓은 농민들이 한 푼이라도 돈을 만져보려고 흥정하지만 스스로 받고자 하는 액수보다 먼저 팔아버리려는 심정이 "임자 만났다" 하고 사가지고 사는 모습이 지금도 다름없다. 형님도 술집에 들어 한 잔 하던 습성으로 소주병 하나 사서 농협에 앉아 남몰래 물 먹듯이 마셨다. 아직도 시골인심은 순박하기만 하다. 이미 기초 준비를 해놓은 집에서는 고기를 삶고 나물을 데치고 전을 부치고 홍어를 썰고 흙냄새 풍기는 농촌 음식은 그런대로 새로움이 있었다. 동네사람들이 모두가 친척이라 한번씩 들리며 또 한 점 먹고 가고 구체적인 인심과 소문이 난다. 정은 속일 수가 없다. 모두가 협조하는 가족사회가 우리들의 삶의 기반이었다.

05일 오늘이 한식이고 식목일이다. 예부터 내려온 전통으로 이날만은 묘소를 손질해도 좋다는 말에 따라 조상을 섬기는 애절한 마음들은 때가 살도록 묘소환경을 정리한다. 만 13년 만에 어머님 뫼를 아버님 옆으로 옮겨 드리는 일이 시작됐다. 풍수지관의 지시에 따라 묘시(7시) 이전에 파묘하라는 명에 의하여 철훈과 혁과 민기와 상하를 데리고 갔다. 환정이 형이 실무를 담담하였다. 아침을 먹고 다시 갔다. 부슬부슬 내리던 이슬비가 그치고 일하기에 마치 좋았다. 명전이 보이자 한숨을 돌리고 개관을 하자 어머님 모습이 나타났다. 깨끗이 육탈은 잘 되었으나 습기가 있어 검게 타고 아직도 부식하는 습기가 있었다. 깨끗이 닦아 드리고 나무뿌리가 파고든 엉성한 것들을 깨끗이 정리하여 모습 그대로 칠성판에 옮겨 놨다. 이런 일은 어떻게 볼까 하고 가슴 졸이며 가까이 갔으나 어머님은 모든 것은 용서해 주셨다. 그리고 속 시원하게 나의 기도를 다 받아주셨다. 준채 형, 형수, 권이 형은 구천에서 만나시어 그동안 인간으로 계실 때 한을 푸시라고 전했다. 걱정 말라고 하셨다. 추 형 소원을 들어주시고 누님 아픈 다리며 불편한 병을 다 씻어주시고 누나 댁 외손자들도 모두 잘 되게 해달라고 빌었다. 그리고 유화 철훈 연화 특히 경화 잘살게 도와주시라고 거듭 빌었다. 마지막으로 우리 장손 훈, 태양, 대하, 현순, 현이, 철이 굶주림 속에 타향에서 고생하는 이들이 잘 살 수 있도록 하루빨리 고향을 찾아오라고 빌었다. 어머님은 그 뜻을 받아주셨다. 내 어깨에 어머님을 안고 아버님께 갔다. 아버지는 철훈을 내어주시고 할머니는 민기를 내어주셨기에 민기도 상하도 기쁜 마음으로 뛰어다니며 증조 할아버지, 할머니가 한 자리에 계시는 묘소를 한층 밝게 해주었다. 모든 액운이 다 지나가고 새로운 세계가 펼쳐지는 느낌이었다. 봉안도 넓고 환하게 땅도 상상 외로 아담하고 깨끗하고 마사가 깔려 언제나 개운한 유택이 될 것이다. 여성답게 아주 예쁘고 크게 유택을 꾸며 드리며 "편안히 쉬소서" 어머님 그리며 지은 시 「구름」을 새겨 표비로 삼았다.

06일 생각하면 이상한 일이었다. 어머님을 아버지 옆에 모시자 내리던 비가 그쳤다. 그리고 하관을 할 때는 비 한 방울 떨어지지 않다가 봉분을 짓는데 안개비가 내렸다. 어머님이 돌아가셨을 때도 서울에서부터 비를 몰고 내려가 묘를 쓸 때 그치더니 이렇게 신연을 가지고 계신 어머님은 참으로 훌륭하시며 그 뜻이 영원히 실현되리라 믿는다. 어머님은 나의 영혼이며 그 아름다운 정과 마음이 훈이들에게 빛나주시기 바란다. 내 집 같지만 먼 길에 온몸을 식히려고 화순 온천에 들렸다. 그리고 관음사에 들렸다. 박 스님이 형님 얘기를 하면서 반겨주었다. 관음사는 우리 고향의 명소이며 이 맑고 깨끗한 개울가에 초가집을 짓고 가고 오는 사람에게 물을 주며 살고 싶다. 작산 칠봉 아래 뜻있는 삶을 갖고 싶었다. 끝으로 유화와 철훈이 비록 나의 자식이지만 그들의 마음의 중심을 알았기에 며느리와 함께 모두에게 감사할 따름이다.

07일 삼오 성묘를 갔다. 아직은 마르지 않아 넓은 공간과 유택만 보이지만 시원하고 맑게 보였다. 아버지 어머니 안녕히 계십시오. 다시 들릴 때까지 잘 가꿔 주세요. 이러 뜻으로 봤다. 참으로 밝은 미소를 주시는 듯했다. 간밤에 아버지와 어머니가 나란히 앉아계시는 꿈을 꾸었다. 아쉬운 정을 떨치고 8시 30분 부들을 나섰다. 입면 채옥이 누나 댁에 들려 물 한 모금 얻어먹고 마이산 앞에 섰다. 신생대에 자갈밭이 응기하여 만들어진 땅이다. 마치 달걀을 세워 놓은 듯이 지상에 불쑥 태어난 바위산. 이미 바위가 된 땅이 모든 것을 떨쳐버리고 원래 뭉쳐진 모습대로 태양을 향해 나타난 신생대 산들이다. 수억 년 되었겠지. 지금은 관광지가 되어 깊은 산골짜기 같이 되었지만 이 깊고 깊은 산중에 박 노인이 받아와 80여 년간 돌을 쌓아 탑처럼 쌓아올렸다는데 참으로 신기할 만큼 잘 쌓여진 탑이 눈길을 끌었다. 더불어 경치가 더욱 돋보였다. 이곳을 개발하면 세계적인 관광지가 될 것이다.

1998년

1월

01일 무인년(戊寅年) 새해가 밝았다. 금년은 국제금융통화기구(IMF) 때문에 우리 국민들에게 비상이 내렸다. 국민 1인당 4백만 원을 갚아야 된다는 것이다. 물론, 김영삼 정부의 금융실책에 따른 것이지만 이유를 불문하고 누구나 경계하지 않으면 안 될 위기에 처한 것이다. 새해 새 아침에 해돋이부터 구름에 가리고 흰 눈이 내려 한기를 더했다. 천지신명이시여, 굽어 살피소서. 금년에는 인형극 관계와 동요집을 꼭 발행할 생각이다. 그리고 날마나 느끼는 수상을 적어갈 각오를 굳혀본다. 올해가 아내의 회갑임을 명심한다.

02일 아내가 회갑을 맞는 호랑이해라니 새삼 감회가 깊다. 환갑이 다 되도록 자신의 본초적 성품을 한 번도 내세움 없이 속으로 인내하고 이성으로 비켜나가며 가난과 시련 속에서 살아나온 한국적 여인상이다. 벌써 환갑이라니. 그동안 나 혼자만 욕망 속에 살았을뿐, 젊음을 혼자 불살라버린 아내의 넋에 참으로 감사드린다. 나는 집안 일이 어떻게 됐는지조차 모르고 살아왔다. 항상 벼랑 끝에 선 삶의 행각에서 아내는 집안을 지켜왔다. 아들 하나, 딸 셋. 이제 일곱 손자의 할머니가 되었고 손자를 길러보고야 아내가 얼마나 수고하였는지 안타까운 생각이 한두 번이 아니다. 내가 아니었다면 그런대로 더 풍요한 삶을 가졌을 텐데 내 삶 속에 묻혀버린 아내가 한편으로는 고맙고 미안할 따름이다. 이제 자식들이 아내를 드높이 받들어주어야 할 텐데 지금부터라도 그를 지켜주는 파수꾼이 되어야하겠다.

04일 해가 바뀌고 세상이 바뀌었다 해도 별로 실감이 없다. 아마 이것이 늙은 탓이 아닐까. 세상이란 그런 것이야, 하는 생각이 앞선다. 결국 산다는 것이 그렇고 그런 혼돈 속에 똑같은 삶의 반복이 아닌가 싶다. 아무리 뾰족한 일이 있었다 해도 흘러가는 시간 속에 묻혀버리고 칼로 물 베듯이 흔적이 없다. 우리는 이런 시련 속에 존재하고 반복되는 삶 속에 아메바처럼 낳고 낳고 없어지고 거품처럼 살아온 것은 아닐 런지. 그렇게 할 말이 많은 것 같았는데 결국 말없이 가는 것이 아닐까. 그래도 시간은 흘러가겠지.

05일 흘러간 물이 아무리 계곡을 그리워해도 돌아갈 수 없다. 인생이 무상하다. 젊었을 때 형들이 영화와 음악을 전공하였기에 나는 무용가가 되려고 노력했으나 연약한 우리 문화 속에선 꿈을 이룰 수 없었다. 그러나 하루에 5, 6시간씩 몸을 단련하고 아름다움을 추구하였던 나의 다리에 이제 이상이 온 것이다. 참으로 튼튼한 다리였다 그 당시는 자가용도 버스도 발달하지 않아 이십 리 길을 오고 가면서 수많은 꿈도 그렸지만 지금 이 시간에 노화현상으로 다리가 아프다니, 늙기는 늙은 모양이다. 그렇게 튼튼하던 다리가 아프다니 자식도 대단하게 생각하지 않고 안부도 묻지 않는다. 다리 없는 사람은 어떠하랴. 참으로 슬프다. 함께 걷다가 길을 가던 사람을 멀리 보내고 우두커니 서서 바라보고 있는 나의 모습이 바치 인생의 황혼을 보고 있는 듯하다. 하지만 이러다가 내 깊은 마음마저 병들라. 그리고 제 자리에 앉아서 할 수 있는 일들을 마련해봐야지. 자신이 너무 안타깝다.

07일 매주 KBS 아침마당에서는 수요일이면 이산가족찾기 방송이 시작된다. 참으로 가슴 아프다. 꿈을 키워보겠다고 3형제가 집을 떠나더니 한 사람만 만났을 뿐, 큰 형님과 형수, 셋째 형은 해방 50년이 넘었어도 소식이 없다. 참으로 애석하고 분통이 터진다. 자식 4형제를 알뜰살뜰 키워 어느 집보다도 보람 있게 잘 되리라고 주목받던 부모님들이 3형제 소식을 못 들어보고 눈을 감으셨다. 세상이 이런 운명이 어디에 있을까. 아버님은 돌아가시던 날, 뭣인가 말씀하시려고 몸부림치셨는데 자식들이 보고 싶다는 기막힌 사연이었으리라. 말은 못 하시고 손가락으로 방바닥에 자꾸만 써 보이셨으나 붓을 드리자 힘을 놓으시고 말았다. 그러고도 이십여 년 함께 고통을 나누시던 어머니께서 돌아가신 해, 결국 치매로 밖에 나가 이 집 저 집 기웃거리며 자식들을 찾고 다니셨다. 자식들이 와서 부른다고 찾아가신다며 거리를 헤매셨다. 양친이 다 돌아가시고 십여 년이 지나서 세계의 냉전이 막을 내리자 상상도 못할 소련에서 둘째아들이 소식을 전해왔다. 반가움보다는 공포가 앞섰고 말할 수 없는 전율이 일었다. 1990년 고향을 찾은 형은 어머님 무덤 앞에서 눈물도 흘리지 않았다. 40여 년간 소련에 살았더니 소련 사람이 되고 만 것인가. 이산가족 만나면 뭘 하랴. 모든 것이 평정되어야 비로소 형제의 우의도 있으리라. 무엇 때문에 이산가족은 서로 찾아보려고 하는가.

12일 태교의 영향. 일주일간의 준비 끝에 처음으로 유아용 그림책 해설집을 마련하였다. 사람은 예전이나 지금이나 모태에서 10개월에 걸쳐 육신이 형성되고 생명을 얻어 세상에 태어나는 과정은 다름이 없지만 태아가 태어나는 환경은 날이 갈수록 달라져 간다. 몇 년 전만 해도 태아의 의식상태가 어떤지 알 수 없는 미지에 있었으나 지금은 모든 감각기관이 활발하게 태아의 정보를 얻어 반응하고 있다는 사실을 발견하고 있다. 그러고 보면 우리 한국의 태교는 감히 현실을 초월한 신의 경지에서 이루어진 것이 아닌가. 임산부는 모든 자세를 바르게 하고 틀어진 자세와 삐뚤어진 행동을 조심하고 정당한 일, 정당한 것이 아니면 보는 것도 듣는 것도 먹는 것도 삼가하며 항상 대의에 마음을 두고 바르고 고운 것을 접하고 나라 생각하고 부모를 섬기는 인륜도덕을 잘 지키는 덕을 쌓으라

했다. 이렇게 해서 태어난 아기가 바른 인성을 갖지 아니할 수 없을 것이다. 이것은 참으로 신의 경지였다. 현대과학에서도 자식을 가르치는 데는 무엇보다도 모성의 정이 중요하며 그 영향은 여러 실제 속에 잘 나타나고 있다. 오감의 발달을 보면 한 치의 차이도 없이 태아에서 돌까지의 만 2세 사싱에 아기의 인격이 형성되어 간다. 참으로 신기할 따름이다.

14일 손자들. 벌써 손자들이 7명이다. 손자가 귀엽고 커나가는 것이 재미있다. 성격도 재미있고 고집도 여러 가지다. 이들이 건강하게 잘 자라서 훌륭한 인간이 되기를 바란다.

26일 음력섣달이 다 넘어가는 날이다. 인생이 무상하여 내가 벌써 69이라니. 갈수록 할 말이 없어진다. 태어나 철들자 중일전쟁이 터지더니 일제와 어려운 삶 속에서 하마터면 소년학도병으로 갈 뻔했고 해방과 더불어 학교를 다니다 반탁신탁의 구렁텅이 속에 목숨만 건지더니 월북 가족의 연좌제 때문에 아무 일도 못하고, 6·25의 전란에 영영 구렁텅이에 빠져버리고 말았다. 이제야 둘째 형을 만났고 어른들이 못 다한 한을 잠재우니 지난해는 신장을 떼어내고 무릎이 아파 앉은뱅이가 될 뻔 했으니 이 기구한 인생을 이제 어찌하랴.

30일 어느 새 예순아홉살. 공이 굴러가도 한참 굴러가겠다. 이 기나긴 세월을 아무것도 모르고 살아왔다. 왜 사는 것인지 왜 살아야 하는 것인지. 살고 나면 왜 그렇게 잘못이 많은지. 어리석고 못 나고 바보스럽고 너무도 모르고 살았다. 삶에 둘려 살아왔다. 지금도 내일을 가리키는 지는 해를 잡아 물어보고 싶다. 나는 왜 살아왔느냐고.

31일 애초에 인간에게 선과 악이 있었다면 사람은 무엇을 선택하였을까. 선, 그것은 너무나 무거운 짐이었다. 인간이 편하게 살자는 속성 때문에, 베풀려는 고민 속에 세상의 운명도 인간을 닮아졌는지도 모른다. 악, 그것은 행하면서도 없기를 바란다. 원시적 삶만을 추구하는 아메바 같은 것. 이렇게 사념하는 이것마저도 부질없는 인간의 정의가 없기 때문이다. 선은 악과 더불어, 악은 선과 더불어 존재하는 무형의 괴로움이다. 오직 하늘만이 어리석은 인간을 비웃을 따름이다.

2월

1998년

04일 오늘은 입춘. 일년지계 재어춘(一年之計 在於春)이란 말이 있다. 일 년의 계획은 봄에 세워야한다는 말이다. 이처럼 동면에서 깨어난 봄의 서두에 자연의 질서를 보러 뿌리를 뽑아보고 한해 보리농사를 운운하고 오곡을 불어보아 먼저 튀어나온 곡식이 대풍을 한다는 자연의 한 해 시작을 점쳤던 것이다. 듣기만 하여도 서기가 넘치는 봄. 그러기에 선조들은 입춘대길이라, 건양다복이라 대문에 써 붙이고 한 해 동안 무사태평과 농사의 풍년을 기원하였다 지구상에 새로운 생명이 탄생하여 지구의 생명을 영속시킨다. 참으로 고귀한 날이다. 올해는 좋은 책과 좋은 음악을 창작하여 나의 생애를 밝혀보리라.

05일 겨울이 흘리고 간 자국이런가. 아직도 산머리에는 잔설이 남아 있다. 그 차가운 바람이 지나가고 나서 배추를 갈라놓은 듯 파란 냄새가 뒷바람 친다. 나무껍질을 밀고 나온 새싹이 움트고 움튼 꽃망울이 제법 부풀어 오른다. 그 어려웠던 보릿고개 때도 버들가지 움트면 한 숨이 가라앉았다는데 IMF, 소리만 들어도 열렸던 입이 막혀 버린다.

06일 방송작가협회 총회. 1년 만에 만나는 총회이다. 쩌든 사회악의 표본이이라고나 할까. 서로 불신하고 헐뜯고 나 아니면 안 된다는 아집에 젖어 있다. 지금 세계는 지구촌의 협동과 신용을 토대로 새로운 세대를 맞이하고 있는데 한심스러웠다. 그 옛날 협회가 돈이 없을 때는 아무도 협회를 움직이려고 하지 않았다. 이제 20억 가까운 돈이 생겼다고 경쟁을 하는가보다. 하루라도 편한 날이 있었으면.

09일 아침부터 싸락눈이 부슬부슬 내리는가 했더니. 달리는 차 소리에 멈춰버리고 급히 까치들이 날아온다. 떡가루를 뿌려놓은 듯, 희고 탐스런 싸락눈은 어디론가 사라져버렸다. 금가루였다. 누가 그렇게 탐하여 먹어버렸다. 그 많던 금싸라기가 집을 짓는 까치가 물어가 버렸나보다. 다시 바람이 잠을 자고 하늘이 어두워지더니 이번에는 문장이 뚜렷한 함박눈이 내린다. 이것은 금싸라기도 눈도 아니다. 오늘 밤, 얼마나 추운 겨울밤을 만들런지. 이 밤은 깊어가고 한파는 몰아온다. 금싸라기를 물고간 까치들은 울음소리도 그쳤다. 높은 미루나무 위에 까치집이 바람에 흔들린다. 자꾸만 자꾸만 IMF 한파는 더 얼어만 간다.

13일 동화. 옛날 옛날에, 라고 시작되는 동화 속엔 우리 민족이 살아온 역사가 스며 있다. 사람이 산다는 기본적 요인은 같지만 사는 방법은 그 시대에 따라 다르다. 그것은 인간이 살아온 지혜다. 경험에 의해 위험을 깨우쳐주기도 한다. 분명히 우리는 자연과 함께 살아온 자연인이다. 욕망이 많으면 자연은 용서하지 않았다. 부모 은혜를 모르는 자는 하늘이 벌 주고 사람이 삶에 재주를 부리면 저주를 주었다. 천륜은 참된 삶의 길이다. 우리는 인위적인 것을 너무 믿어서는 안 된다. 건강한 삶을 위해서는 자연에 순응하는 자연스런 삶이 되어야겠다.

16일 봉황약수회라는 건강을 위한 단순한 모임이 있다. 서로서로 자신들의 건강을 위하여 스스로 참가하는 약수회다. 그런데 이것도 한 조직이라고 회장도 있다. 회장이라면 다스릴 줄 알아야 하고 회원을 가져서도 안 된다. 자주 말썽이 생긴다. 민주주의를 이해하지 못한 것같다. 이번 기회에 자신을 생각해볼 기회가 되었으면 좋겠다.

17일 봄이다. 아직 잔설이 남아있다. 싱그러운 공기가 기분을 바꿔준다. 골짝에는 눈 녹은 물들이 모여 소리를 낸다. 벌써 버들가지가 부풀어 올라 태양을 향한 자연의 순수함을 말해준다. 봄은 질긴 뿌리 위에 새 생명을 만드는 여신이다. 봄의 여신! 인간도 자연과 함께 살아가는 자연인이 되게 하소서. 오직 당신만이 산다는 진실을 가르쳐 줄 것입니다.

19일 나의 동요

나라가 IMF 시대를 맞아 국민정서가 침체되어 활기를 잃어가고 있다. 세상 사람들은 6·25동란 다음 가는 상황이라고 하여 국난이라고 표현한다. 바로 이보다 더 큰 국난 속에서도 나라를 위한, 국난극복을 위한 정신적 힘이 되었던 동요가 있었다. 바로 전쟁동요였다. 부르기 쉽고 어린 자식과 가정을 생각하고 어른이 야기한 전쟁 때문에 희생되어가는 어린이를 생각하고 동족상잔의 아픔 속에서 참된 눈물의 노래가 동요였다. 인간은 귀소 동물이라고 한다. 살다보면 고향이 그립고, 그리움 속에는 어릴 때 자라던 향취가 숨어있기 마련이다. 애초에 음악을 좋아한 우리 민족은 특별히 아이들만 부르는 동요가 따로 있었던 것은 아니다. 어른들이 노동요로 피로를 풀고 단합과 어울림을 청했던 노래에 비하여 동요는 놀이동요가 주된 역할을 하며 어린이들의 놀이생활을 돕고 놀이형식에 맞게 노래와 동작과 율동이 함께하는 동요가 발달되었다. 어른이 부르는 자장요(謠), 애기업고 달강달강하며 달래는 애기보기요(謠) 등 그 발전사를 보면 생활중심으로 어린이의 정서 함양에 일익을 해왔다. 이것이 지금 우리에게 남겨진 전래동화이다.

이러한 발상은 일제에 조국을 생각하는, 나라 없는 설움이 뿌리를 생각하는 「나의 살던 고향」을 생각하게 하고 어릴 때의 향취를 불러일으키는 「고향 고향」은 반드시 일제에 항거하는 노래가 아니었다 해도 그 사연은 나라 없는 설움으로 의미를 빗대어 노래 불렀다. 해방을 맞이한 해방 동요는 우리 민족의 기쁨과 환희를 노래하며 나라가 재생하는 신생의 기쁨을 노래하였다. 그러다 6·25동란의 무서운 국난을 맞아 전쟁의 사기를 돕고 전선 용사에게의 고마움 등 참으로 피에 맺힌 한을 노래하였다.

그리하여 국난이 회복되어 삶에 터전이 마련되자 아름다운 한국인의 정서가 표현되기 시작하면서 동요는 지속적인 발전을 해나왔다. 나라가 군사정권으로 변하면서 어린이 정서는 다시 침체해지기 시작하였다. 그동안 활발하게 진행되었던 어린이 합창 콩쿠르들이 자리를 잃게 되고 어린이 노래의 발성문제로 논란을 일으켜 정열이 사라지고 외국의 풍물이 등장하고 강렬한 팝송이 유입되면서 우리는 동요의 생명을 위협받게 되었다. 이것은 몹시 안타까운 일이다. 생각하면 동요는 어릴 때를 겪은 사람이면 누구나 그리움을 갖는 마음의 고향이다. 그 시절 그 때를 다 잊어버렸다가도 몇 소절의 동요가락을 기억할 때 주마화발처럼 밀려오는 어린 시절과 햇볕처럼 따뜻했던 모정. 이것은 바로 인간의 양심을 찾게 하여 주는 정다운 노래, 동요이다.

이처럼 소중하고 귀한 노래들이 헌신짝처럼 버려져가고 있다. 다시 말해서 우리 한국인의 양심이 희석되어간다는 의미일 것이다. 손에 손을 잡고 선생님의 구령에 맞춰 동요를 부르면서 들판을 거닐던 시절, 꽃을 보면 꽃노래가, 시냇물을 보면 시냇물 노래, 초가지붕에 빨간 고추가 열리고 싸리나무 담장에 호박꽃, 반딧불이 어둠을 밝혀주던 반디노래, 어머니의 높으신 사랑을 마음 속 깊이 생각해보는 어머님 노래, 늙어서도 생각나는 아버지에 대한 그리움, 친구의 정, 어른이 되어 사랑을 노래하는 것보다 깊은 정을 남기는 동요는 우리들의 활력이며 우리 민족을 하나로 묶는 힘의 원천이다.

나는 동요를 사랑했다. 동요부르기 운동을 벌였다. 1940년대 우리 동요의 기억은 없고 학도가는 들은 적이 있다. 해방이 되자 맨 먼저 애국가가 스코틀랜드 민요에 가사를 붙이고 들어와 재빨리 배워서 대중이 모이는 곳에서는 으레 애국가를 부르고 만세삼창을 하였다. 그리고 「고향의 봄」「봉선화」「반달」 등이 쏟아져 나왔다. 학교에서는 노래 책이 없어 미 군정청 발행 나운영 편집의 얄팍한 노래 책이 나와 초등학교는 동요가 불리어졌다. 학교에서는 학예회가 성행하여 우리 동요 부르기를 장려하였다. 당시 유치원에서는 일제 강점기에 나왔던 일본 동요 번역노래가 불리어졌다. 「사이다 사이다」「뽀뽀뽀」 등과 「주먹쥐고」「아침 해가 떴습니다」 등이 그것이었다. 일반사회인이나 음악인들도 동요에 대한 관심이 무척 낮았다. 물론 시급한 정부 수립 때문에 동요를 돌아볼 틈도 없었으나 그 중에서도 「어린이 행진곡」 등 어린이 찬양의 노래는 선을 보였다.

26일 음력 섣달이 다 넘어가는 달이다. 인생이 무상하여 내가 벌써 69이라니 갈수록 할말이 없어진다. 태어나 철들자 중일전쟁이 터지더니 일제의 어려운 삶 속에 하마터면 소년병학교에 갈 뻔했고 해방과 더불어 학교를 다니다 반탁찬탁의 구렁텅이 속에 목숨만 건지더니 월북가족의 연좌제 때문에 아무 일도 못하고 6·25의 전란이 영영 구렁텅이에 빠져 무사하지 못했다. 이제야 형을 만났고 어른들이 못다한 한을 잠재우니 지난해는 신장을 떼어내고 무릎이 힘들어 앉은뱅이가 될 뻔했으니 이 기구한 인생을 이제야 어찌하랴. 이제는 IMF란 괴상한 한파에 시달린다.

26일 권 형을 생각하며

나에게는 바로 손 위의 형님이신 권 형이 늙어갈수록 마음에 걸린다. 큰 형님은 어딘가 엄격하고 인생이란 장도에 옳고 그름을 가려 선비의 도를 지침해주시는 어른같이 느끼면서 창조적 역동감을 주는 형, 둘째 추 형은 아집이 강하고 이기적이어서 남을 위하지 않고 오직 자기밖에 모르는 유형의 형님이라면,

권이 형은 지적이고 사념적이어서 말도 없고 하나를 주어도 정확하며 거의 그릇되지 않은 표본을 제시해주는 형이었다. 큰 형들 때문에 희생되어 유학도 못가고 고모댁에서 기숙하며 아버지의 오랜 선비 집안의 가난을 벗어보려는 생각에서 그 당시 명문인 목포상업학교를 수학하게 하였으나 형님 자신은 선비의 가통을 지울 수 없어 늘 학자처럼 생각하고 선진적인 사고로 나에게 따뜻하고 아우를 사랑하는 우애를 가슴 깊이 느꼈다. 그러기에 나는 마음에 잊혀지지 않는 가장 가까운 형으로 생각하는 형이다. 이런 형의 학우이며 사진에도 있듯이 항상 김대중 인형(仁兄)과는 함께 있었던 학창시절의 친구들이었다. 오늘 김대중 인형이 무척 권이 형을 생각하게 된다. 지금 어디서 무얼하는 것일까. 무엇을 하시느라 이렇게 소식이 없으실까. 목상을 졸업하던 때가 일제 말기로 대학에 진학하면 일본군에 학병으로 끌려가고 취직도 힘들어 조선사람이 삶의 행방이 대단히 어려울 때 권 형은 당시 가장 안전한 소학교 교사의 길을 택하여 광주사범학교 강습과(5년제 중학과정을 마친 사람이 가는 교직과 단기 양성학교 1년)을 나와 화면초등학교, 지금의 오산초등학교 교사로 부임하였다. 그러나 이 2차 대전이 치열해지자 학교 교사에게 주는 특혜인 병역면제의 길도 해제되고 일제는 병역의무를 강조했다. 따라서 교직에 있었던 것이 도리어 화근이 되어 할 수 없이 징병에 끌려가게 됐다. 군 징용을 피해 이웃면 면서기로 와 있던 준채 형님과 입영 전날, 밤새워 토론하더니 도망하기로 결정을 하였다. 이것은 위험한 모험이었다. 곡성군에 집결하는 날, 간장을 한 대접 먹고 열이 나자 양호실에 간병차 와 있다가 감시가 허술한 틈을 타서 도망을 나온 것이다. 야음을 타고 약속된 심산 고사(深山 古寺)에 몸을 숨겼다. 후에 들은 이야기지만 큰 형이 일본의 패망을 짐작한 모험이었다. 약 1개월이 넘어서 군(郡) 병무과에서 소재 확인을 확인을 하려 왔고 전쟁은 남방에서 패전을 거듭하며 일군이 옥쇄하는 보도가 지상(紙上)을 메웠고 소황도(日領)가 점령되고 일본 본토 상륙도 눈 앞에 두고 있었다. 아버지께서도 당황하시는 모습이었다. 일본인의 막바지 발악을 예상하시었던지 집안을 단속하시고 항상 만약의 사태에 대비하시는 모습이었다. 권 형은 심산에서 꼼짝도 못하고 은거생활에 진이 빠졌다. 상상 외로 달포가 지나 일본의 패망 소식이 전해왔다. 이 기쁨의 소식은 준채 형이 제일 먼저 권 형에게 알렸다. 더불어서 우리 조선은 해방을 맞이하게 되었으니 모든 일이 순조롭게 풀렸다. 일군의 패망병이 의기 양양하게 돌아왔다. 추 형이 돌아왔다. 우리는 광주로 이사를 했다. 형수는 친정에 가 있었다. 권 형은 외국어에 능하여 전주의 전산관리청에 취직이 되어 광주를 떠났다. 나에게도 "어려운 책도 읽으면 읽을수록 이해가 가는 법이니 책을 가까이 하라"고 했다. 당시 집에는 준채 형이 쌓아둔 책이 수백 권 있었다. 그러나 형수와의 사이가 영영 풀리지 않아 외로움을 달랠 길이 없다는 소식이었다. 어느 날 형의 소식이 끊기고 준채 형을 찾아 떠나고 말았다고 한다. 권 형으로서는 마음의 안식처를 찾아 형들을 찾아가 제 2의 삶을 계획했던 것같다. 그러나 우리 민족의 비애는 여기서부터 일어났다. 남북이 38선으로 갈리고 이데올로기의 투쟁이 시작됐고 드디어 2개의 정권이 수립되고 급기야 남북전쟁이라는 불행을 우리 민족 스스로가 자아냈으나 우리가 편할 수도 없었다. 가족은 이산되고 남북은 적대시되어 지구상에 하나밖에 없는 분단국으로 지금은 그 1세대들이 자꾸만 죽어가고 있다. 형, 이 일을 어떻게 하면 좋겠소. 꼭 살아계십시오. 그 희망을 품고 살아남읍시다.

3월

1998년

09일 나의 동화

나라가 IMF시대를 맞아 국민정서가 침체되어 활기를 잃어가고 있다. 세상사람들은 6·25동란 다음 가는 처사라고 국난이라고 표현한다. 바로 이보다 한층 큰 국난 속에서도 나라를 위한 국난극복을 위한 정신적 힘이 되었던 일이 있었다. 바로 전시 동요. 부르기 쉽고 어린 자식과 가정을 생각하고 어른이 야기한 전쟁 때문에 희생되어가는 어린이를 생각하고 동족상잔의 아픔 속에서 참된 눈물의 노래가 동요였다. 인간은 귀성동물이라고 한다. 살다보면 고향이 그립고 그리움 속에는 어릴 때 자라던 향취가 스며 있기 마련이다.

애초에 음악을 좋아하는 우리 민족은 특별히 아이들만 부르는 동요가 따로 있었던 것은 아니다. 어른은 노동요로 피로를 풀고 동요는 놀이요(謠)가 주된 역할을 하며 어린들의 놀이생활을 돕고 놀이 형식들에 붙여 노래와 동작과 율동이 함께 하는 요가 발달하였다. 어른이 부르는 자장가며 애기를 얼래는 자장요, 애기를 업고 달래는 애기보기 요, "달강 달강" 등 발전사를 보면 생활중심으로 어린이의 정서 함양에 일익을 해왔다. 지금 우리에게 남겨진 전래동요이다.

이러한 발상은 일제 때 조국을 생각하는, 나라 없는 설움의 뿌리를 생각하는 「나의 살던 고향」을 생각하게 하고 어릴 때의 향취를 불러일으키는 「고향 고향」, 반드시는 일제 때 항거하는 노래가 아니었다해도 그 사연을 나라없는 설움으로 의미를 빗대어 노래 불렀고 해방을 맞이한 해방 동요는 해방을 맞이한 우리 민족의 기쁨과 환희를 노래하며 나라가 재생하는 신생의 기쁨을 노래하였다. 그러다 6·25동란의 무서운 국난을 맞아 전쟁의 사기를 돕고 전선 용사의 고마움 등 참으로 피에 맺힌 한을 노래하였다. 그리하여 국난이 회복되어 삶에 터전이 마련되자 아름다운 한국인의 정서가 표현되기 시작하면서 동요는 지속적인 발전을 해나왔다.

나라가 군사정권으로 변하면서 어린이 정서는 다시 침체되기 시작하였다. 그동안 활발하게 진행되었던 어린이 합창 콩쿠르 등이 자리를 잃게 되고 어린이 노래의 발성문제로 논란을 일으키던 정열이 사라지고 외국의 풍물이 등장하고 강렬한 팝송이 유입되면서 우리는 동요의 생명은 위협 받게 되었다. 이것은 몹시 안타까운 일이다. 생각하면 동요는 어릴 때를 겪은 사람이면 누구나 그리움을 갖는 마음의 고향이다. 그 시절 그때를 다 잊어버렸다가도 몇 소절의 동요가락을 기억할 때 주마등처럼 밀려오는 어린 시절과 햇빛처럼 따뜻했던 모정. 이것은 바로 인간의 양심을 찾게 하여 주는 정다운 노래, 동요이다.

이처럼 소중하고 귀한 노래들이 헌신짝처럼 버려져 가고 있다. 다시 말해서 우리 한국인의 양심이 희석되어 간다는 의미일 것이다. 손에 손잡고 선생님의 구령에 맞춰 동요를 부르면서 들판을 거닐던 시절, 꽃을 보면 꽃노래가, 시냇물을 보면 시냇물 노래, 초가지붕에 빨간 고추가 널리고 싸리나무 담장에 호박꽃, 반딧불이 어둠을 밝혀주던 반디 노래, 어머니의 높으신 사랑을 마음 속 깊이 생각해보는 어머님 은혜, 늙어서도 생각나는 아버지에 대한 그리움, 친구의 정, 어른이 되어 상황을 노래하는 것보다 깊은 정을 남기는 동요는 우리들의 활력이며 우리 민족을 하나로 묶는 힘의 원천이다. 나는 동요를 사랑했다. 그러기에 수많은 동요를 지도했고 동요부르기 운동을 벌였다. 1940년대 우리 동요의 기억은 없고 학도가는 들은 적이 있다.

해방이 되자 맨 먼저 애국가가 스코틀랜드 민요에 가사를 붙여 들어와 재빨리 배워서 대중이 모이는 곳에서는 으레히 애국가를 부르고 만세삼창을 하였다.

그리고 「고향의 봄」「봉선화」「반달」 등이 쏟아져 나왔다. 학교에서는 노래 책이 없어 미군정청 발행 나운영 편집의 얇다란 노래책이 나와 초등학교는 동요가 불리워졌다. 학교에서는 학예회가 성행하여 우리 동요 부르기를 장려하였다. 당시 유치원에서는 일제 시대에 나왔던 일본 동요 번역 노래가 불리워졌다. 「사이다 사이다」「뽀뽀뽀」 등, 「주먹 쥐고」「아침 해가 떴습니다」 일반 사회인이나 음악인은 동요에 대한관심이 무척 낮았다. 물론 시급한 정부 수립 때문에 동요를 돌아볼 틈도 없었으나 그 중에서도 어린이 행진곡들, 어린이 찬양의 노래가 선을 보였다.

1999년

1월

01일 20세기 마지막 해를 맞는다. 송구영신이라고 하던데 나는 고희는 맞는다. 송년의 종소리가 TV를 통해 울려퍼지면 젊은이는 불타오르는 미래의 꿈을 상기시키며 함성을 질렀다. 나는 무엇을 소리쳐 볼까. 며칠 전부터 생각해온 일이지만 할일은 많고 몸은 움직이고 않고 시간은 잘도 흘러간다. 가장 두려운 것이 시간이다. 그러나 사람이 이대로 시들어 버릴 수는 없지.

1. 먼저 음악공부를 새롭게 시작해 보겠다.
2. 그리고 이야기 동화 원고를 탈고해야지.
3. 경화의 행복을 지켜봐야지.

어젯밤에는 인수가 광주에서 올라와 저녁을 함께 했다. 죽마고우로 학렬은 내가 삼촌이지만 나이는 인수가 두 살 위다. 70이 넘어 옛일을 회고하면서 서로 위안을 했다.

04일 横山太郎 방한

뜻밖에 일인(日人) 작곡가 横山太郎이 내방으로 박인진(朴仁鎮) 선생과 함께 맞이 했다. 나는 생후 처음으로 横山太郎의 나에 대한 평가를 듣는다. 어린이 문화란 여러 방향에서 집약되어 발전하는 것이라지만 근본적으로는 교육, 예술, 창조 등 다양한 지적 활동에서 새로운 문화가 창출된다고 한다. 한국을 자주 내왕하지만 20여 년 사이에 나처럼 폭넓은 지식인이 없다고 한다. 그 어려웠던 시기에 새로운 어린이 문화를 창출한 나의 전기를 꼭 써달라고 한다. 의외의 일이었다. 그야말로 아첨인가! 박 선생에게 신신 부탁하더라는 것이다.

05일 IMF 어려운 국가 경제가 그동안의 노력으로 많이 풀려가는 모양이다. 혁신이란 어려운 것이다. 찌든 때를 벗기려면 생살도 벗겨지고 묵은 때는 사금파리로 긁어도 떨어지지 않을 때가 있다. 웃돈이 생기고 이권이 난무하던 좋은 세상을 보내고 새 지갑을 헐다보니 내 것이 아까워 눈물이 나오겠지. 하지만 어찌 돈만이 행복을 가져오겠는가. 선비는 청빈했다. 이런 것까지 생각하다보면 정말 시간이 없다. 박인진 선생과 약수터에 갔다. 어제 横山太郎가 나를 존경하는 뜻이 하늘같다고 전한다. 그러나 나는 나다.

06일 일고의 가치도 없는 일이지만 요사이 젊은이는 왜 그렇게 뻔뻔할까. 회사를 설립하고 멋대로 놀더니만 회사는 어디로 침강해버리고 이제는 배짱만 남은 영선이가 마치 부하직원 다루듯 광고공사 사장이 선생님 잘 아는 분이니까 일거리 좀 부탁해주세요, 하고 전화를 했다. 돈에 눈이 어두워 선배도, 선생도 보이지 않는가. 정말 그보다 내가 한탄스럽다. 이렇게 인덕이 없을까!

07일 어젯밤 봉황약수터에서 알게 된 은퇴 사업가의 방문을 받았다. 노래처럼 생각했던 시골 행. 꿈을 성취한 것이다. 경기도 이천에 마련했다는 소식이다. 몹시 동경했다. 실제로 이겨낼 수 있을까. 답답하지만 가슴이 툭 트인 듯이 반가웠다. 얼마나 좋은 일인가. 내가 가진 한 문화를 지고 들어가 또 하나의 사회를 개척하는 것이다. 온몸으로 할 수 없으면 머리로 해야지. 그리고 그 시골에 정착된 농촌문화를 빨리 빨리 습득하여 공동체를 이룩해야지. 흙은 돌아가자. 이것이 나의 소망이다.

08일 시간은 유수와 같다고 하더니 이제보니 바로 늙어서 이해하게 되는구나. 올해가 칠순이라니 오래도 살았구나. 아버님은 회갑을 맞이하시고 이듬해 떠나셨다. 어머님께서는 90을 넘기셨다. 남자로서는 부들 형님, 카자흐 형님과 함께 할일

없이 오래 사는 것같다. 올해도 벌써 일주일이 지나갔다. 이렇게 가는 해를 어찌 잡아둘까. 나이보다 먼저 흘러가 나이를 어찌하랴.

10일 반달회는 「반달」 노래를 작곡한 윤극영 선생의 슬기를 기념하여 만들어진 모임이다. 일본인 OO씨와 윤 선생과의 친분으로, 그들이 만든 반달회를 본보기로 모임을 가졌다고 한다. 그러나 지금 반달회는 음악 하는 사람들의 모임이 아니라는 점이다. 이들은 동화대회 입선자들로, 얘기꾼들이다. 사람이 어떤 일을 하려고 생각한다면 먼저 국민의 생각을 분석해야 한다. 아직도 사대적, 유교적, 그리고 개인주의가 팽배한 이 땅에 어떻게 역사적 인물이 어떻게 보일 것인가, 생각해볼만 하다.

11일 올 들어 가장 추운 날이 찾아왔다. 사람들은 자신만이 춥다지만 굶주리고 고향을 잊어버린 사람들에 춥고 배고픈 사정을 아는지. 감각이 없다. 추위도 기본이 내려가 추운 것과 기댈 곳 없는 쓸쓸한 추위가 있을 것이다. 지금 훈이와 태양, 대하, 현순, 현과 철. 이들은 부모를 여의고 그 얼어붙은 땅에서 얼마나 추울까. 참으로 헤아리기 어렵다. 살아남아 꼭 만나보자꾸나.

12일 청계천 7가를 나가봤다. 독일의 프랑크푸르트 고물상가처럼 "없는 것이 없다." 고전으로부터 현대까지 이미 국경을 초월한 세계 곳곳의 물건들이 선을 보인다. 또 이렇게 먹고 사는 사람들의 모임. 매사가 거짓이고 헐고 부서지고 이상야릇한 뒷골목 상품들이 양성화되어 눈길을 끈다. 이것이 왈, 21세기의 잡동사니 문화가 아닐까. 이제 혼란을 의미하는 뒤죽박죽 고전과 첨단문화가 뒤섞이는 '죽 문화'가 온 것이다.

13일 통일약수터를 찾았다. 두 줄기의 물이 하나가 되지 못하고 흘러내린다. 약수터 이름에 비해 어긋난 두 갈래 물. 이것마저도 신경이 쓰이는 곳이다. 어서 통일이 되었으면! 누나가 오셨다. 상업주의에 빠진 자식들. 정경부인이 된 아미.

80세가 된 누나가 가족들의 이러한 혼돈 속에 어려운 듯하다. 안사람이 한 마디 했다. “가족을 잊어버린 세대라고.” 하지만 이것이 누구 탓이랴.

14일 모처럼 누나가 오셨다. 나의 친 혈육이란 두 분인데 형님은 카자흐 알마아티에 계시고 가장 가까이하는 이 누나가 계실 뿐이다. 벌써 30여 년전 홀로 되시어 4남2녀를 길러오시느라 고생도 많으셨지만 큰 딸은 정경부인이 됐다. 아버님 말씀대로 사주가 좋아 왕비가 된다고 하시더니 그들이 걸어온 길에는 그렇게 될 수밖에 없는 시운이 따른다. 누나는 이제 피셨지만 그래도 뭔가 부족하신 듯하다. 오래 사시기를 빈다.

15일 고 윤극영 선생 추모노래비 건립을 위한 취지문을 작성해 어린이문화예술원을 찾았다. 대부분 시정 없이 통과되어 “노력은 성공의 맛.” 그래서 술상을 받았으나 말마다 개성이 강했다. 역시 늙었나보다. 차차 나를 알아간 듯하다. 이제 정성을 들여 조심스럽게 얼음장 위를 가야겠다.

17일 도봉산 망월사 등산을 아내와 박인진과 함께 갔다. 등산이라기 보다 인간시장이었다. 망월사에 내린 10개 전차 중 9개 차에 사람이 마치 극장이 끝나 나오는 사람들이 쏟아져 나왔다. IMF로 쉬는 사람도 많고 스트레스 해소를 위한다고는 하나 방학중 어린이들까지 참으로 많은 인파가 산으로 나왔다. 서울은 정말 만원이다.

18일 나는 문화라는 뜻도 잘 모른다. 그리고 이것이 문화의 뜻을 가진 어떤 행위라는 의식도 전혀 해본 일이 없다. 다만 살고 있을 뿐이다. 우리에게 가장 소중한 것이 있다면 현실에 가장 충족하게 사는 것뿐이다. 21세기에 즈음하여 인간은 너무도 경박해 있다. 이것은 어떤 경우라도 어른의 의식에서 나온 것이지 어린이의 꿈속에서는 추호도 보이지 않는 현실이다. 세계의 문화란 한 마디로 세계의 주권자가 자신의 행복을 위하여 강요된 산물이었다. 그러나 그 가치관은 오늘날 역사학자에 의해서 증명되고 있다. 우리나라의 경우도 6백여 년 전부터 겉으로는 그 당시 관규에 의해서 밀착된 행위였다.

20일 어떤 생각을 실행에 옮긴다는 것이 쉬운 일이 아니다. 이달 말까지 어떻게 하든지 끝맺음을 하고 싶었던 이야기 동화의 원고가 제자리 걸음을 하고 있다. 핑계도 많아서 늘 놀고 있으면서도 주변이 시끄럽고 어수선하여 이루지 못한 꿈을 전가시킨다. 이러다간 영원히 끝을 못 맺겠다. 비상한 각오로 이 자리를 떠나지 않아야 하겠다.

21일 산, 말없이 침묵을 지키는 산이여. 그 어느 땐가 노도와 같은 불을 토하고 성난 모습으로 꾸짖었던 기상은 어디 가고 말없이 자리에 누워 무엇을 준비하는고. 온갖 새들이 노래부르고 짐승들이 땅을 박차며 달리어도 한 마디 말없이 눈, 비, 바람을 이겨내며 숨을 죽이고 묵시하누나. 이젠 뭇 사람이 오르고 흙으로 돌아가는 무덤을 받아야만 한다. 그러나 산, 또 하나의 새로운 생명을 낳는다. 새 생명을 낳는다.

22일 자정이 지났다. 모처럼 이야기 동화의 원고가 반절이 끝나는 시간이었다. 간간히 멍청한 기계를 의심하여 저장할 것을 생각하여 준비를 하였다. 바로 그때다. "메모리가 부족합니다. C에서 에러가 생겼습니다." 어깨가 내려 앉았다. 가을부터 준비한 나의 모든 것이 한꺼번에 없어져 버린 것이다. 순식간에 일어난 일이다. 내 인생이 이렇게 끝나는 것일까. 이렇게 생각되었다. 참으로 비참했다. 너무나 억울하였다.

23일 일이 손에 잡히지 않았다. 컴퓨터 기술자를 불렀다. 아직 20대 초반의 젊은이다. 그는 돈이면 살려낼 수 있다고 한다. 살려내야지. 나의 모든 것을 다시 찾아야지. 젊은이에게 머리를 숙였다. 지금 멍청한 기계는 껍질만 남았다. 컴퓨터 병원에 가고 없다. 순간에 그 생명을 다하는 기계. 이것이 21세기를 맡아간다니.

어느 순간에 없어져 버릴지도 모른다.

25일 음악저작권협회 이사가 된지 벌써 3년이 됐다. 오늘이 최종회로 모두들 감회 깊은 토의를 했다. 전 회장의 퇴직 위로금. 노고에 비해서는 좀 더 주고도 싶지만 사전에 모색하지 못한 애로로 염출할 길이 없어 늦게까지 문제가 있었다. 돈이란 대의명분이 서야 되는 것인데 말썽이 없을는지 걱정이다. 다행히도 차기까지 일하게 되어 섭섭함은 면한 셈이다.

26일 몸을 위해서 라면서 오늘도 산에 가는 일을 잊었다. 새벽 벽두부터 혈액검사 그리고 2시간 후에 재검사에 당뇨검사에 하루를 보냈다. 언짢은 날이다. 또 이가 빠졌다. 한편 누나가 야나를 위하여 50만원을 만들어 보내주었다. 기숙사비로 1학기 분이라고 하는데 제 말대로 하면 고국의 외로운 하늘 아래 반년 살 수 있는 숙비를 마련해 준 것이다. 이제 얼마동안 박사과정 연구를 할 수 있겠지.

27일 보림출판사에서 나에게 무슨 매력이 있어서 자꾸 찾는지 모르겠다. 인형놀이를 중심으로 유아노래를 소개하는 책의 곡 해설을 써줬는데 못 싣는다는 얘기다. 그것도 그렇지. 나의 위신이 턱없이 떨어지는데 인생이 지는 것 같은 생각이 들었다. 물론 지면이 좁아져서 할 수 없는 상황이라고 하지만 나에게는 이렇게 느껴지는 황혼기가 온 모양이다.

28일 며칠째 되었다. 이야기 동화 원고가 컴퓨터 속에서 순간에 없어지고 말았다. 나의 생의 작품이 그리고 나의 저서가 없어져 버린 것이다. 더구나 컴퓨터를 살리려고 한 자, 돈을 요구하는 깡패를 만났다. 없어지지나 않고 남아 있기를 바란다. 오직 희망이란 유삼성 씨로 하여금 다시 뜨게 만드는 최종 방법밖에는 없다.

29일 아내가 친구 따라 장성(長城)으로 나들이를 갔다. 집이 텅 비었다. 외로움을 달래느라고 반달회 회가를 완성했다. 8/6박자의 명랑한 노래다. 내가 언제나 바램이 음악은 즐거운 것이라는 이념 때문이다. 가락이 재미없으면 리듬이라도 즐거워야 한다. 슬픈데 실컷 울고 나면 신세계가 보이는 듯이 나는 나의 인생을 기쁨으로 남겨주고 싶다.

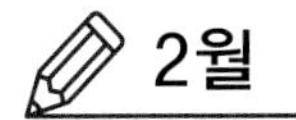

2월

1999년

01일 반달회가를 작곡하였다. 윤극영 선생을 추모하고 어린이를 사랑한 마음을 계승하여 제 2세 국민의 정서를 위하여 이야기 동화와 노래 동요 보급 등을 하는 회를 만든 것이다. 나는 고문으로 추대되어 그 기념으로 회가를 만들었다. 동요작곡가들의 모임이고 관심이 집중되는 것이라 신경이 쓰였다. 약수를 뜨러 갔다. 벌써 많은 사람이 찾아와 생수 먹기도 힘이 든다.

08일 도봉산을 올랐다. 길은 하나 오르면 둘, 또 오르면 갈라지는 산길은 왜 그렇게 길도 많을까. 어디로 가는 길이기에 여기서부터 시작하였을까. 출발은 같은데 갈 길은 다를 뿐이다. 그 중의 한 길이 제 갈 길. 길은 험하고도 순한 길. 길은 멀고도 가까운 길. 길은 낳아서 묻힐 때까지 하나밖에 없는 길.

12일 오직 인간만이 변했다. 모처럼 멀리 산행을 했다. 인간이 토해낸 뜨거운 공기는 자연도 싫어한다. 잎을 떨고 가지를 휘어 찬바람을 막아 보려하지만 소리만 요란할 뿐, 차가운 공기가 귓전을 스쳐간다. 그 맑고 청정한 바람. 이것은 산정에서가 아니면 맛볼 수 없는 현상이다. 자연은 거짓이 없었다. 그들은 말도 없었다. 그들은 자랑도 없었다. 그냥 태양 아래 묵묵히 살고 있었을 뿐이다. 때로는 넓게 때로는 좁게 때로는 푸르게 붉게 그러면서도 그 조화의 아름다움에는 고개가 숙여진다. 누가 헐뜯고 밀고 늦추고 밟지도 않는다. 다만 씨앗을 뿌릴 뿐.

적자생존의 대자연의 섭리는 하나도 변하지 않았다. 오직 인간만이 변했다. 인간은 제 꾀에 제가 넘어가고 있다. 너무나 슬픈 사연이다. 그래도 자연은 말이 없다.

18일 이(齒). 이는 인격체의 표면이다. 이가 가지런하고 치열이 정돈되어 있으면 품위가 있어 보인다. 그래서 옛날엔 며느리를 맞을 때 이의 건강과 치열을 봤다고 한다. 이것은 이에 대한 미적 견해이지만 노년기의 건강에는 이가 절대적인 관계가 있어 건강한 이를 가져야 건강한 생각과 건강한 신체를 가질 수 있다. 문제는 이가 좋아야 부담 없이 음식을 먹을 수 있다는 점이다. 요사이 이에 구멍이 뚫려 의치를 끼었으나 병원에서 기초를 잘못하고 몇 번이나 빠지는 사례를 빚어 불편하기 짝이 없다. 노년기의 이가 이처럼 심각하리라고는 생각지 못했으나 당하고 보니 어렵기 짝이 없다. 우선 남 앞에 나서기도 힘이 든다. 먹기도 불편하다.

24일 늙은 매화나무. 아직 겨울인데 촉촉하게 봄비가 내렸다. 겨울비 치고는 봄을 재촉하는 여명의 비다. 아직 나뭇가지에 연초록빛이 새어나지는 않지만 그래도 이번 비에 한들한들 봄기운을 느끼는지, 목련꽃 봉오리가 제법 크게 보였다. 공원 한쪽에 늙은 매화나무가 있는데 올해는 꽃봉오리가 보이지 않아 불안하다. 그대로 봄을 맞으려나, 걱정스럽다. 비록 나무는 아이들이 괴롭혀 험상궂게 혹이 달려 늙어 보이지만 해마다 하얀 빛 매화꽃을 피워 오고 사는 사람들의 사랑을 받았는데. 늙은 나무에 봄보다 먼저 싱싱한 꽃을 보여주는 매화나무. 정말 상식을 깨뜨린 현상이다. 이번 비에 다시 깨어나길 바란다. 그리고 늙은 나무도 아름다운 꽃을 피울 줄 안다는 희망을 안겨주기 바란다. 꽃은 항상 사람의 마음속에 가장 순수하고 깨끗한 정서를 불러일으켜 준다. 더구나 매화꽃은 눈 속에서 움추렸던 겨울 인간들에게 희망을 심어준다. 꽃은 아름다워라.

26일 예술. 예술 그 자체는 낭만적이고 창조적인 오랜 숙련과 감각을 길러 창작해가는 일일 것이다. 그러나 예술이란 예술인과 보통사람의 차이가 있다. 예술인이란 첫째 타고 나야 한다. 둘째 기가 있어야 한다. 셋째 환경이 있어야 한다. 타고나야 한다는 것은 천부적인 소질이 있어야 하고 기라는 적극성과 체면 몰수한 광기가 있어야 성공의 비결이 된다. 다음으로 환경인데, 자기 주변이 나로 하면 될 수 있겠다하는 가능성을 발견할 수 있는 주변 환경이 자극을 주어야할 것이다. 이러한 모든 것은 직접 간접으로 자신이 좋아서 나름대로 서험하고 어떤 형태이든 참여하여 충분한 의견이 생길 때 비로소 창의력이 발휘되는 것이다. 예술을 느끼는 일반 대중이란 좋은 것만을 좋아한다. 작가의 학력이나 경력 따위는 문제가 안 된다. 작품만 좋으면 대성할 것이다.

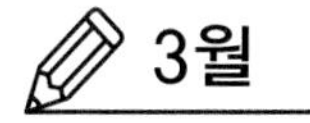

3월

1999년

29일 TV어린이프로에 대한 소고(小考)

요사이 세계적으로 이름난 영국의 텔레토피아라는 유아대상 프로그램이 있다. 토실토실한 3, 4세 어린이의 예쁜 몸매를 갖춘 인형들이 아직 말은 자유롭게 구사하지 못하나 몸짓 언어를 통해 자유롭게 활동을 한다. 내용은 유아의 심신 양면에 기본이 되는 여러 가지 놀이와 기초과학을 놀이를 통해 경험하여 시청자의 흥미를 끌고 암암리에 교훈의 잔상을 남겨준다. 그중에 텔레토피아는 전자파를 응용하여 크로마키에 어디선가 전해오는 화면을 볼 수 있다. 여기에 주변에서 구성한 내용이 수록된다. 물론 이 코너에도 텔레토피아와 비길 만한 활동이 전개되는데 여기에 출연한 어린이가 말하는 언어는 분명히 우리 한국말인데 가정이나 사회에서는 전혀 사용하지 않는 엑센트의 말을 사용한다. 그 원인은 십여 명 어린이가 일제히 같은 말을 하려고 하는 데서 일어난 것이다. 말하자면 통일미가 없어서 언어 리듬이 획일화한 것이다. 이러다 보니까 언어리듬이 같아지고 듣기에도 거북하고 그 행동도 부자연스럽니다. 현대는 개성시대라고 하면서 텔레토피아는 각 인형이 자신의 특징을 가지면서 똑같은 경험을 보여주면서도 개성이 살아 있어 우리는 다양한 경험을 엿볼 수 있다. 이러한 프로그램 속에 획일적인 내용이 국적 없는 어색한 내용은 차라리 멀리서 본 유아들의 자연스러운 모습을 보여주는 쪽이 좋을 것같다. 우리나라의 유아교육도 1세기가 넘고 교육방법도 선진국에 못지않게 발전하였는데 첨단의 정보를 빨리 알려준다는 TV의 정보가 50, 60년 전의 교육에서나 했던 내용을 보여준다는 것은 퇴행을 보여주는 것이다. 이제 우리 어린이도 영양도 좋고 사고도 건강하게 발달하고 있다. 제작자가 경험한 40, 50년 전의 경험을 토대로 제작에 임하는 태도는 무척 아쉽기 짝이 없다.

4월

1999년

05일 식목일이다. 그리고 청명. 옛날 같으면 아니, 어머니 아버지 산소가 가까우면 산소를 깨끗이 조상을 모시는 정성을 다할 터인데, 멀리서 죄송스런 마음으로 달래본다. 이렇게 살아서 뭣하랴. 하지만 이미 늦은 길이니 사는 대로 살아보자. 자식들에게 피해나 주지 말고 열심히 살아보자꾸나.

07일 나의 생활이 얼마나 엉망이었으면 일기를 적지 못했다. 이 달은 아내의 생일이 있는 달. 조촐히 모여서 점심으로 끝냈지만 나로서는 늙어가는 속에 감회가 깊었다. 19세 처녀가 시집와 43년. 벌써 62세가 된 할머니가 되었다. 자수성가하신 장인의 큰 딸은 누구나 부잣집 맏며느리가 되리라고 손꼽혔던 아내. 그 품위로 인격도 잘 갖추어 시집을 왔으나 가난한 6·25동란 후의 1957, 가난을 면치 못하고 어느 집이나 살 길을 마련하지 못하여 어려운 살림살이였다. 나는 그때 어렵사리 광주사범학교 영생유치원 교사로 있었고 장가 갈 여유도 없어 문화계에 진출하여 '광주음악협회' 상임이사로 활동중이어서 결혼이라는 생각도 못할 때였다. 아버님이 생을 마무리하시려고 그랬는지 강력히 추진하시어 순수한 시골 처녀를 아내로 맞이하였다. 참으로 복스럽고 예쁜 얼굴에 동그란 눈은 수줍고 착해서 만족스러웠다. 이렇게 시작하여 다른 사람들처럼 사랑의 낭만도 꿈꿔 보지도 못하고 겨우 처가에 가는 나들이가 고작이었다. 먼 여행 한번 가보지 못했다. 이것이 모두 가난에서 온 안타까움이었다. 그러나 아내는 이 어려운 시대를 신부로서 이겨 나왔고 첫 딸 유화가 2살 때 아내가 친정에 가고 없는 사이에 아버지가 운명을 하시니 하늘이 무너질 듯 살기조차 어려워져서 장인께서 식량을 대주시고 장작도 대주시어 기본살림을 꾸려나갔다. 생각하면 이 고마움을 아내에게 갚아야지. 아내는 본래 심성이 곱고 도덕심이 강하고 불의를 보지 못하고 어려울 땐 스스로 삶을 개척하려는 훌륭한 사람이었다. 지금까지 남에게 돈을 빌린 적이 없고 세금 한 번 밀린 적이 없이 주어진 인생을 충실하게 살아온 모범적 여인이다. 그러기에 우리 가족은 돈이 없어도 행복하게 사는지도 모른다. 이밖에 잘못이 있다면 모두 나의 소관이니 아내에게 미안하다. 이제야 참으로 사랑하고자 하나 벌써 60이 넘은 늙은이가 되어 있다. "여보, 미안하오. 그렇지만 건강하게 여생을 살아갑시다." 12일 이 자리에 앉기까지 뭐가 그렇게 할일이 많은지, 두세 두세 정리를 하고 보면 오전 시간이 다 간다. 나는 이 시간을 뜸 들이는 시간이라고 말한다. "산에 갑시다." "그래 갑시다." 하고

3, 40분 지나는 것은 한두 번이 아니다. 할일도 많은데 왜 이렇게 시간이 잘 갈까. 봄이라고 눈 비비고 꽃망울을 보자 봄은 벌써 다 지나간다. 어제 아내와 함께 교회로 기차를 타고 나가봤다. 정말 화사하고 봄볕도 좋고 진달래도 곱게 피었다. 연천을 지나 신당리 전원만 보고 무턱대고 내려왔다. 갈 길을 몰라 동네 사람에게 물었더니 이런 데 오시면 흙을 밟으셔야 건강에 좋은데 큰 길은 아스팔트로 동네 안은 시멘트 길이고 흙을 밟으려면 인공도로를 한참 가야하는데 어차피 가시려면 한 정거장 더 나가라고 했다. 얼마 전만해도 그토록 시멘트로 길을 덮어달라고 외치더니 흙이 부러운 모양이다. 맞는 말이다. 왜 흙이 싫겠는가. 내가 들어가야 할 땅인데.

14일 '마고할미'를 그렸던 조선경 씨가 컴퓨터 일러스트로 도깨비를 캐릭터로 세계시장에 내놓고 싶다는 뜻을 전해와 그동안 연구해왔던 도깨비를 선뜻 내주며 짧게 도깨비를 설명할 비디오 원고를 부탁받아 작성하였다. 세상이 그런지라 자본을 요하는 작업이라면서 무보수를 연상케 하였다. 무서운 세상이다. 젊은이가 자신의 이익만을 추구하고 모른 척하려는 의도는 몹시 분하다. 그러나 현재 원고는 전달 전이어서 생각 중이다.

19일 또 시간이 흘렀다. 이처럼 놓치면 아깝고 다가오면 무섭고 지나가면 아쉽고 바라보면 먼 시간. 그 시간은 살아있다. 우리가 함께 살고 있다. 시간처럼 무서운 것이 없다. 시간은 어느 누구의 머릿속에도 잠재하는 그리고 공통으로 느끼는 감성이다. 언제부터인가 기다림, 그리움과 같은 정념의 세계에 존재하는 그런 개념이다. 이것은 그 자리에 머물지 않고 모든 생명을 노화시키며, 혹은 새로 탄생시키며 새로운 변화를 주면서 앞으로 나간다. 시간 그 자체는 기다려주지도 않고 쫓아오기를 기다린다. 시간은 그렇게 성장을 하며 비대해지고 뇌리를 가득 채운다. 그리고 흘러간다. 그 사이에 수많은 우주가 태어나고 우주의 공간 속에 시간은 그 간격을 좁혔다 넓혔다 그 자체의 생명력에 맡기고 있다. 우리는 지금 이 시간 속에 살고 있다. 한 치의 여유도 없이 시간이 시간에 밀착하여 연한 선을 꾸민다. 이 선은 우리 이전부터 영속해 나왔고 앞으로도 영원히 영속한다. 그러면서 시간은 뒤돌아보지 않는다. 뒤돌아보면 후회를 의미한다. 수많은 실수도, 그 실수의 연장이 성공으로 이어준다. 따라서 시간은 쉬지 않고 흐르고 흐르는 사이에 뭔가가 완성된다. 불가능은 없다. 불가능은 시간을 거부했기 때문이다. 시간은 소멸 아니면 가능을 말하고 있다. 인간은 이 사이를 이기지 못하여 자멸한다. 시간은 웅대한 우주를 운영하고 있다. 그러면서 작은 세포 하나하나의 생명에 힘을 전달하고 있다. 시간은 참으로 거룩하다. 지금 흐르고 있는 이 시간. 우리는 날로 우주 속에 묻혀가고 시간은 또 새로운 생명을 산출하고 있다.

25일 모처럼 아들 내외가 왔다. 반기는 마음은 하나부터 열까지 변함이 없지만 향여 이들의 마음이 어떤지 눈치가 보인다. 벌써 한 달 만에 상면하는 것이니 왜 그랬을까. 무엇이 부족한가. 제 생활에 어떤 변화가 있어서 그런지 엄마는 속속 알고 싶어 한다. 아들은 말이 없다가 신문사 자리를 옮겨 새벽 1, 2시에 돌아오는 것이 일상생활이라고 말할 뿐이다. 들은 대로, 말대로 그러기를 바란다. 하지만 어느새 나이가 들었는지 부모는 세세히 물어주기를 원한다. 생각이 많고 약해져서 그런다. 부모는 행여 저의 그 자연스런 모습 그대로 털끝 하나 건드려 마음 상해주고 싶지 않기 때문이다. "잘 있느냐? 건강은 좋지?" 이것이 전부다. 어릴 때는 그런대로 말도 알아듣더니 커가면서 강한 개성을 내보이더니 성품대로 시인이 되었다. 괴팍스러움이 시인의 성깔이었다면 지금은 온화하고 진실하여야 성웅(聖雄)이 되는 것이 아니냐. 이렇게 말하고 싶구나. 시의 구조라는 내면의 표출을 신성한 시어로 쓰고 싶다면 먼저 폭넓고 높은 천사의 소리처럼 만인의 가슴을 어루만져주는 맑고 깨끗한 삶의 원천을 다스려 주어야 한다. 성현의 말도 결국 그런 것. 소인이 들으면 당연하고 보편적인 말이지만 인간은 누군가 깨우쳐주어야 한다. 바로 시인은 인간이 소홀히 생각하고 당연하게 생각하는 그 속에 영원한 행복이 있다는 것을 알려주어야 한다.

30일 1999년도 반에 반이 넘어선다. 이처럼 세상이 빨리 가는 것인지 내가 꾸물대고 있는지 알 수 없다. 누구 말대로 할일은 많고 시간은 없다. 이대로 살아보려는 것인지. 아니다. 나는 나의 길을 건강하게 달려갈 것이다.

5월

1999년

03일 누나와 함께 부들로 떠난다. 이번에는 누나가 외손발복했다고 인사를 겸한 행차다. 좋기는 하지만 부끄럽다. 나는 뭣인가. "그저 순수 속에 정씨 가문을 지켜온 사람이라고 하겠지. 아버님 어머님 산소에 가서 실컷 묵념해야지. 그리고 내 자리를 하나 봐둬야 하겠다.

04일 꿈속에 그리는 고향이다. 탯줄을 묻고 어머니 아버지가 계시는 곳. 이곳은 우리 가족들에게는 잠시도 잊어서는 안 될 곳이다. 아직 북한의 미아로 남아 있는 장손들이 땅을 잃고 마음은 살아 찾아올 이곳이다. 수백 년 전 조상님이 자리잡아 주신 곡성군 오산면 섬진강 상류 속에 실개천이 흐르고 아직도 오염되지 않은 맑은 물이 남해바다로 흐르는 곳이다. 북으로 설산, 남으로 화순을 바라보며 이곳은 우리 고향 오지봉이 높이 솟아 있는 곳.

05일 어머니 아버지 묘 앞에 숙연히 머리 숙여 어리석어 못다한 말. 정성껏 중얼거리고 나니 가슴이 확 트인다. "편히 쉬소서." 그 쓰라렸던 삶의 고단하고 외롭던 때를 남모르는 고통 속에 살아 넘기시고 영면의 세계로 자리를 옮기셨지만 아직도 열어놓은 관용의 마음으로 문이 열려 있어 이 불효자들이 참배하는 기회를 주시옵소서. 어버이 생전에 그렇게도 기다리던 삼 형제가 겨우 살아남아 천추의 한을 싣고 그 중에 둘째가 다녀갔지만 흔적도 보이지 않는 멀리 조국을 카자흐로 길 떠난 지 오래며 그 딸이 어버이의 눈물을 닦으려고 찾아왔을 뿐이다. 누나도 그 나이 79세. 백발이 되었는데 지금도 정답게 "어머니 아버지, 저 왔어요" 흐느끼며 그리워 목메이는 것을 보니 이곳이 어버이의 따뜻한 품이 아니고 무엇이랴. 며느리도 살아생전 제 손으로 모시던 정이 눈물로 앞을 가르며 못다한 효성을 슬퍼하니 이 뜻이 또 하나의 고향을 마련한다. "당신 들어갈 자리도 봐두시오." 어버이 앞에 어두운 저승 길을 찾아가라고 70이 되어 서슴지 않고 말해주니 이제 이 세상을 미련없이 하직해야할 때가 된 것 같다. 지금도 어머니가 그리울 때면 마음을 달랠 길 없고 외로울 때면 그 옛날 안아주시고 참고 기다려 보라고 일러주시던 어머님의 말씀이 그리워라. 나보다 앞서 새 지식, 새 문화를 맞이할 때면 "아버지 그 높으신 지혜를 배워 둘 것을" 이제야 말한들 무슨 뜻이 있으리오마는 아버지 그리울 때면 이렇게 아쉬움 속에 찾아뵙습니다. 이 세상에 땅덩이가 크다 한들 어버이께서 펼치신 두 팔보다 더 큰 사랑이 어느 곳에 있으리오. "저 멀리 하늘에 구름이 간다 외양간 송아지 음매 울 적에 어머니 얼굴을 그리며 간다 고향을 그리면서 구름은 간다" 뜻대로 하소서….

16일 공백. 너무나 긴 시간을 헛되이 보냈다. 때로는 초를 다투는 공간에서 죽음보다 강한 외침과 눈동자로, 강한 삶의 환상을 추구했건만 무엇에 이렇게 시달려야 했는지 정맥이 숨을 이을 정도다. 거짓없이 그리고 조용히 나이와 함께 가려는 것이 아닐까.

18일 아직도 허공에는 이마가 깨지고 피투성이가 된 영령들이 새끼를 꽈서 당겨 소리를 내보려 한다. 하늘이 두 조각나고 먹구름이 감돌며 지구가 깨어져 불꽃이 솟아 하늘을 덮어도 영영 소리는 물그림자도 흔들지 못한다. 그렇게 보려는 눈과 귀가 실감을 느끼는 대로 소리는 영영 들리지 않는다. 제3의 폭죽이 터지면 화려한 막이 올라도 연극은 시작되지 않는다. 그것은 먼 그리스의 아테네 신들이 너무나 왜소한 꿈을 갖고 있었기 때문에 지금 은하수 강가에는 사랑의 큐피트, 박카스의 호걸들이 그 큰 대문을 열어젖히고 강한 바람과 기를 받아쥐고 있지만 한낱 환상일 뿐, 흐린 날씨 속에 파묻히고 만다. 카메라가 찰칵하는 사이, 날도 바뀌고 해도 바뀐다. 시간과 시간 사이를 가득 메워 보려는 작은 공간에 서서 이미 쏴버린 과거를 묻는다.

6월

1999년

01일 1999년의 절반을 보내는 6월이다. 시간이란 의식하기에 따라서는 무서운 것이다. 언제부터 시간을 의식하였는지 모르지만 째깍째깍 넘어가는 시간은 마치 불 속에 뛰어드는 멀리 저 세상의 영원한 길로 빠져들어 가는 것같다. 하늘과의 약속이었다. 하늘은 말했다. "너의 가슴속에 또 하나의 시계를 묻어두었으니 그 시계가 다 닳도록 나를 기억하라. 나는 너의 모든 것을 보고 있을 것이다." 그러기에 시간은 이처럼 무서운 것이 아닐까. 시간은 지켜야할 신의 부르심을 향한 발자국이다. 가도 가도 막연하지만 그 속에는 별처럼, 무수한 별 빛처럼 다양한 가지각색의 일들이 존재하고 있다. 태어날 때부터 함께 카운터 되고 있지만 의식할 때란 아주 짧은 것. 의식보다는 망각이 더 많은 것. 때로는 버려지고 때로는 지켜야할 의무를 약속하고. 시간 때문에. 악몽을. 시간 때문에 처절함을, 파괴를. 시간 때문에 잠적을, 시간 때문에 무수한 고민을, 시간 때문에 이처럼 삶의 기로에 선다. 시간은 심장을 조여매는 압축기와 같다. 터지면 가루로 날아갈 터인데 이처럼 뛰는 고동소리를 안고 당황하고 있으려나. 작은 도둑도, 큰 도둑도 살인자도 강도도 모두가 이 속에서 편한 날이 없으리라. 어느 시간이 지나가는 순간, 행복과 시간을 잊어버리는 순간의 시간에 빠질 뿐이다.

7월

1999년

01일 해가 서쪽에서 뜬다더니. 망각 속에 기억조차 흐린 일기에 손을 댄다. 6월도 지나간 반년이면 벌써 정해진 세월의 50%가 감소된다. 그동안 별일이 다 있었다. 아무튼 후반기는 새롭게 시작하련다.

15일 어머니! 나의 거룩하신 어머님. 인자하시고 참으로 인간을 터득하신 어머니, 감사합니다. 오늘날 이렇게 떳떳하게 사는 것도 어머님의 가르치심이 컸기에 지금 건강하고 힘 있게 살아가고 있습니다. 벌써 10년이 넘는 오랜 세월, 어머님을 잊어버린 일은 없습니다. 이미 하늘나라에 아버님과 함께 하시며 준채 형, 임옥순 형수, 권이 형은 이미 이 세상에서는 아까운 인물들이지만 함께 계신 줄 압니다. 손주들이 아직도 이북에 남아 있고 통일을 맞지 못한 이 세상에 온 가족이 흩어져 있는 형편입니다. 인간으로는 할 수 없는 일인가 봅니다.

어머님! 이렇게 어렵고 괴로운 고난을 어떻게 겪으셨나요. 참으로 어려웠던 시대를 무언지성으로 인내와 선으로 이겨내시고 혼자서 정신적 내면에서 고통을 소화하셨으니 이 얼마나 거룩하시옵니까. 이제야 철들어 어머님의 위대하신 뜻을 새삼 알게 됩니다.

어머니! 아버님과 두 아들과 며느리를 저 세상에서 거느리셨으니 이제는 모든 것은 잊으시고옵고 오늘 기일을 맞아 앞으로는 아버님과 함께 제사를 올리겠사오니 이승에서 터득하신 인간의 마음을 보살펴 받아주시옵소서. 그러나 어머님의 기일은 음력 6월 3일은 우리 식구들이 모여 사모하는 미사를 보겠습니다. 어머님의 거룩하신 뜻을 되새기며 다시 한번 깊은 뜻을 고합니다.

8월

1999년

03일 맹희원(孟喜元)이란 몽고의 화가가 5년만의 만남을 위하여 찾아왔다. 지금 생각하면 나의 초상을 그려주어 대가를 갚을 수 없는 입장에서 감사함과 고마움을 잊을 수 없어 초청한 것이다. 그는 내몽고의 의원이며 고급 국가적 화가로 이름난 화백이다. 6세때 그림을 시작하여 16세 때부터 천재적 화가라고 알려졌으며 중국의 명사 초상을 그린 명사이다. 우연히 한중일 어린이캠프에서 만나게 되어 신세를 진 것이다. 그는 무척 조용하고 깊은 사고를 하는 정적인 인물이다. 그리고 인연을 존중하는 지성인이다. 1994년 이후 연하장을 보내는 마음과 마음이 연결되었다. 언어가 불통한 국제간의 일이지만 우리는 우정을 통해 그가 방한하고자 하는 꿈을 이루었다. 침으로 기쁨으로 맞이한다.

2000년

1월

01일 새해 새 천년의 해가 떠올랐다. 전 세계가 국력을 다해 새 천년을 맞이했다. 새 천년이란 지난 20세기를 정리하고 새로운 천년을 열어가자는 것이다. 그러나 문화와 과학이 혼동하는 새 천년의 세기를 자연과 인간의 문제가 더 존망의 세대를 맞을 것이다. 따라서 1. 인간성 회복 2. 더 알려고 하지 말자 3. 자연에 순응하고 사랑하자.

02일 미래는 만들어가는 것이지 오는 것이 아니다. 윤리적 파괴는 21세기를 파괴할 것이다. 유전자 식품 등 사실은 걱정이 없는데도 걱정하는 모순. 우리는 새 21세기를 향하여 높은 신망과 사랑으로 새 천년의 문을 열어야 한다.

10일 우리 늙은 부부의 마지막 소망이 이루어졌다. 아내가 깨끗하고 조용한 집을 원해왔다. 우연히 집이 팔리자 아내가 계획도 없는 이사를 시도하였다. 여유가 없기에 새 집은 못가고 조금 오래된 아파트를 찾아 나섰다. 푸른 산이 가깝고 먼지와 소음이 없는 곳. 그곳이 바로 낙원이라고 했다. 상계역 지척에 대림 아파트를 택했다. 무려 4천여만 원이 비싼 32평이다. 나는 정신이 없다. 어떻게 감당하려고! 아내는 마지막 소원이라고 했다. 여기서 생을 마치자는 생각이다.

11일 '이야기 동화'를 어떻게 잘 할 수 있을까. 항상 마음에 걸린다. 날마다 새벽 2시면 책상에 앉는다. 그리고 그동안 쓴 글을 읽어보고 다음을 이어간다. 예문을 찾기가 무척 어렵다. 그렇게 많은 이야기가 어디에 다 숨어버리고 알맞은 이야기가 나오지 않는다. 오늘 밤도 찾다가 찾다 잠이 든다.

18일 맑게 갠 날이었다. 아직도 겨울바람이 귓가를 스쳐가지만 찬 공기가 맑게 느껴졌다. 일주일 만에 아내와 함께 등산을 했다. 불암산 산허리를 지나 통일약수까지 집에서 도보로 출발하였으나 현지에서부터 지치고 말았다. 청암약수까지 겨우 갔다. 살이 빠져야 한다. 이렇게 가다가는 굳어버릴 것같다. 모처럼 청아한 마음에 상쾌한 기분으로 겨울등산을 다녀왔다. 점심은 아내와 함께 중국집에서 먹었다.

22일 내일은 최상옥 선생의 둘째 영훈 군의 자식을 여우는 결혼식에 참석한다. 그 어머니가 나의 친구 위창혁의 누나이며 최 선생의 부인이다. 최상옥 선생과는 청소년기, 6·25의 어려운 시기를 함께 지냈다. 그리고 보육학교 경영에 함께 참가하였다. 너무나 정열적으로 했기 때문에 한가족 같았다. 그러나 마음속에는 어머니 아버지를 잊을 수 없었다. 무척이나 어려운 시기였으니까 살 수 있는 일은 했어야 하는데 봉사만 하고 있었으니. 내 자신이 한탄스러워 극단의 일을 저지르기도 했다. 그러나 끝내 그 사정은 얘기하지 못하고 자리를 떠났다. 그때 영훈은 중학생이었으나 그가 유치원 다닐 때부터 귀여워했던 터라 그 어머니를 만나보기 위하여 광주를 간다. 지금 내 앞에는 광주행 기차표가 놓여 있다. 지금 그 시대 그 어려웠던 때의 일이 주마등처럼 지나간다. 친구 창혁의 소식은 전혀 알 수가 없다. 현덕신 여사가 떠오른다. 죽었다 깨어나는 어스름한 얼굴이 최상옥 씨의 어머니 현덕신 씨였다. “살아서 뭐하랴?” 했던 생각이 얼마나 불경스러웠던가. 그래서 나는 평생 아버지와 어머니를 잊을 수 없다. 이런 생각을 회고하며 길을 떠난다. 모든 이의 행복을 빈다.

28일 10시 반. 반달회 임원회 소식을 듣고 바쁜 걸음으로 신촌에 갔다. 1시간을 기다려도 아무도 나타나지 않았다. 12시쯤 내가 장소를 잘못 들었나 하고 자리에서 일어섰다. 그동안 시간을 너무 허비했다. 사람과 사람의 약속이란 이렇게 스트레스를 주는 건가. 나는 45년 동안 방송 생활을 통하여 시간관념이 확실하다. 약속이 일생을 그르칠 실마리가 될 수 있기에.

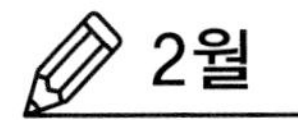

2월

2000년

02일 반달회. 반달정신은 이 땅에 동심문화를 꽃피우고 때 묻지 않고 깨끗한 동심으로 돌아가 아름다움을 추구하고 어린이와 이웃을 위하여 헌신한다. 순수한 인간성 개발에 노력하여 어린이에게 꿈과 희망의 씨를 심어주자. 위와 같은 일을 이룩하기 위하여 모든 회원은 노래와 봉사로 실천한다. 이것은 반달회 고문으로 있는 내가 어린이운동의 기본 정신을 만들어 반달회의 실천요강으로 정한 것이다. 이 나라에 1930년대부터 방정환 선생에 의하여 어린이운동이 시작되었지만 일제 때는 민족정기를 자극하고 이 땅에 살아 있는 한민족의 얼을 깨우쳐 준 위대한 업적을 남겼지만 그 열기는 해방과 더불어 창립 자체의 축원이 되었고 이후 육영수 여사의 관심으로 겨우 어린이회관 하나 설립했을 뿐이다. 그리고 자본주의의 확산으로 돈벌이를 목표로 어린이를 황금의 수단으로 이용하여 어린이운동은 순수성을 잃어갔다. 그러기에 누구 하나 기꺼이 어린이 운동에 순수한 기금을 내놓은 사람 없이 세상은 흘러가고 말았다. 이제 그 흐트러진 마음만이라도 바르게 잡아보기 위하여 반달회를 염려해보고 있으나 이것도 여자회원들의 질투에 의해 제대로 이어질런지 의문에 의문을 거듭한다.

07일 입춘이 넘어선 추운 날씨를 예상한다. 아침일찍부터 행여 집을 팔고 사는 문제에 불이익이 있을까봐 은행을 찾았다. 다행히 문제는 없었다. 밤 11시 45분에 추 형님의 일대기가 KBS 1에서 방영됐다. '알마티의 한인 작곡가' 시사

다큐멘터리 월드비전으로 77세의 고령으로 민족의 비애를 한 몸에 안고 한국 사람이 북한 국적으로 무국적 소련 시민에서 소련으로, 지금은 카자흐 사람으로 살아온 기나긴 인간사를 엮었다. 전통 음계인 5음계를 고집하며 망향의 한을 달래며 양배추를 잘게 썰고 고춧가루를 뿌려 만든 김치를 먹고 살아왔다. 형은 자신이 살아남기 위하여 김일성을 비판하여 소련으로 망명하자 그날로 준채 형님은 비운의 예술가가 되고 말았다. 큰형은 북한에서는 영화계에 신화적 존재였다. 최초의 총천연색 영화를 제작하고 국립영화사를 창설한 분이다. 이렇게 우리 형제가 산산히 부서져 이산가족이 되어야 했던가. 모두가 건강한 나라 사랑의 뜻을 기본으로 문화적 발달을 위하여 봉사했는데 이렇게 무참히 부숴버린 신이 원망스럽다.

08일 여러분들의 축하를 받았다. 결론은 이랬다. 처음 내가 나온 줄 알았다는 것이다. 그렇게 닮았을까. 3자의 눈에는 그렇게 형제간의 정을 느낀 것같다. 북한을 거쳐 소련으로 망명한 형님. 그 당시 철의 장막이라고 하였던 그곳에서 남한 사람이 어떻게 들어갔을까. 결국은 주체사상을 반대하고 망명의 길을 떠나 카자흐스탄이라는 나라에 정착한 형은 이방인이 되었다. 그러나 음악이라는 말없는 소리가 공감대를 만들어 형은 천우신조로 이방인 가운데 존경받는 예술인이 되었다. 그러면서도 한없이 조국을 그리는 마음과 그리움 속에서 살아야 했으니 형은 형대로 겪은 최악의 상태였다. 지금, 어머니 아버지의 영혼이 형을 보호하고 계시리라. 그러나 그토록 고향에 돌아오고 싶으면서도 끝내 말을 참고 은근히 나를 피하여 혼자서 야나를 앞세워 일하고 있는 형의 모습은 참으로 가상하다.

12일 을지로를 찾았다. 먼저 종로벽지에서 도배를, 한샘 직영으로 부엌을 개조하기로 결정했다. 돌아오는 길에 수도꼭지를 봤다. 추가비용이 자꾸 커져가 겁이 난다.

아내가 이런 일에는 잘 알고 있기에 따를 생각이다.

13일 모처럼 기분전환을 위하여 등산을 시도했으나 결국 주저앉았다. 아침에 사뿐 뿌린 겨울비가 얼음판이 되었고 바람이 차가워 체감온도는 영하 10도여서 집에서 조용히 쉬는 것이 나을 듯하다. 오후에 찜질방에 들었다. 역시 몸은 따뜻하게 보존하는 것이 좋은 것 같았다. 몹시 몸이 가벼워진 듯했다.

19일 이사를 앞두고 마지막 김장을 했다. 자식들이 와서 이삿짐을 정리하고 김장도 같이 하였다. 의미 있는 날이 되었다.

21일 반달회 광주지부를 결성하기 위해 광주에 다녀왔다. 그 옛날 최상옥, 이은렬과 함께 어린이문화 창달에 투신했던 공주에서 동심의 문화가 살아났으면 하는 희망을 전하고 왔다.

23일 이사. 이제와 생각하니 집을 옮기는 일이 나의 생애에 한 두 번이 아니다. 광주 서석동에서 계림동으로 옮길 때는 세상사를 몰라 작은방에 살던 놈이 집을 다른 사람에게 팔았다고 집을 못 비워주겠다는 협박을 받아 앓아눕기까지 했었다. 알고 보니 아무런 하자가 없는 일인데 경험이 없어 떼쓰는 사람에 동정이 더 강하여 자신이 더 걱정하여 생긴 일이었다. 덕분에 장인께서 우연히 들리셨다가 이 어리석고 안타까운 사정을 보시고 계림동에 자리를 잡아주셨다. 그 후로 서울 녹번동으로 강남의 논현동으로, 다시 동작동으로, 다시 사당동으로 그곳에서 집을 지어살다가 다시 예술인마을에 집을 짓고 영구히 살려는 계획이 사기를 당해 집은 없어지고 봉천동으로 그리고 과천으로, 과천에서 철훈을 따라 상계동으로 이제 상계 3동으로 생의 마지막 이사를 하게 된다. 꼭 10번의 이사이다. 이사를 할 때마다 쓰지도 않는 물건, 구 시대의 물건들을 한아름씩 버리지만 또 나온다. 아무리 버렸다해도 광주에서 지금까지 강아지 따라다니듯 이사 때나 한 번 펴볼까 말까 하는 물건도 있다. 신주단지도 아닌 게 아무도 버리자는 식구가 없다. 도리어 이건 잘 보관해야지. '훈'이가 오면 전해줘야지 하는 물건이 있다. 일정때부터 지금까지 80년 동안 우리 집에서 떠나본 적이 없는 물건들이다. 이제는 색깔이 변하고 거죽이 닳아 제법 옛것이라는 인상을 풍기는 종이와 사진들인데 그 중에는 유치원 졸업장, 소학교 졸업장, 상장. 돌아가신 숙부님 것을 비롯하여 큰 형님, 둘째 셋째 형들의 졸업앨범과 형수님의 사진첩 등이다. 꺼내볼수록 색다른 감회를 느낀다. 비록 주인들은 없지만 어릴 때 그 모습이 그대로 살아있다. 무척 슬기롭고 대담했고 창의성이 넘친 자취들이 영롱하게 보인다. 그 시대에 벌써 지금보다도 앞선 생각들이 아무도 이것들을 버리지 못한다. 그리고 주인을 기다리고 있는 것을 아는지 모르는지 이삿짐 속에 가장 소중한 것으로 남아 있다. 물건이라기보다는 영혼일지 모른다. 그나마 내가 죽으면 어떻게 될른지 모르는 것들이다. 무려 71년이나 나와 함께 살아온 사진들은 나의 과거도 그대로 말해주고 있다. 귀찮다고 생각을 하다가도 가장 소중히 여기는 이삿짐 속에 주인을 기다리는 물건들. 이것은 살아 있는 역사가 따라다니는 나의 소중한 역사이다. 어서 빨리 주인들이 찾아주길 바란다. 그때는 통일된 날이 될 것이다.

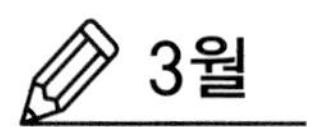

3월

2000년

07일 새집으로 입주하는 날이다. 이렇게 많은 짐이 어디서 나왔을까. 깨끗이 도배를 하고 안방은 백색으로 단장을 하여 모든 물건이 낡고 고풍스러워 보인다. 환경의 격에 맞지 않는다. 거무스레한 책상과 검은 소파는 그 자리에서 퇴짜를 맞아 폐품장으로 나갔다. 헌 옷가지도 나를 떠났다. 새 환경 속에 새 마음으로 새로 시작되는 시간을 맞이한 것이다.

08일 나는 내 책 정리만 맡았다. 며느리가 새 책장 3개를 사줬기 때문에 분야별로 정리하기 시작하였다. 그렇게 쉬운 일이 아니었다. 자연히 책을 보자 옛 생각이 떠올라 하나하나 보게 된다. 책은 옛일을 상기시킨다. 깜박 잊었던 일들이 책을 대하면서 다 생각이 났다. 그렇다. 책은 영원히 내 옆에서 나의 이성과 지성을 깨우쳐 주는 반려자이다. 책은 삶을 밝게 빛어주는 한 줄기의 빛과 같이 또 다른 인간을 만들어준다. 오랜만에 내가 꼭 읽어야하겠다고 사다놓은 사서삼경을 대하자 오늘 내일 하고 미루었던 자신의 부끄러움을 느꼈다. 어떻게 하던지 읽어봐야지. 나의 인생의 짐이 더 무거워진 듯 하다. 그리고 유아들을 위한 책을 꼭 만들어 보이고 싶다. 그래서 더욱 건강하고 이로운 어린이가 되도록 하고 싶다.

10일 아들은 시인으로 자랐다. 언제부터인가 책 표지에 돋보기가 없으면 볼 수 없을 정도로 깨알 같은 글씨, 문득 생각난 일들을 적어놨다. 나는 읽어도 알 수 없는 글이었다. 시인의 생각은 범인의 생각을 넘어 과거에서 과거를 모질게 비판하고 현대에 사는 우리가 어떻게 서 있는지를 잘 보여준다. 미려한 수식어보다는 짧아도 뼈에 새긴 글감이 더욱 인상적이다. 현대인이란 본능주의자들처럼 멋대로 살아가기에 윤리적 개념이 달라져 가고 있다. 시, 육감적이고 진솔한 데 현대시의 가치가 있지 않을까.

17일 산은 산이로되 못 오를리 없건마는 사람은 제 아니 오르고 뫼만 높다 하더라. 참 뿌리 깊은 말이다. 이사한 지 열흘이 넘었다. 이사 구실을 산이 좋아 산 아래로 왔다고 변명을 늘어놓으면서도 엎드리면 코 닿는 불암산 탐색도 다 못했다. 오늘 만큼은 꼭 해야지. 누구도 보고 있지는 않지만 사람이 굳은 의지를 남이 보지 않는다고 이대로 말랴.

아내와 함께 등산복을 차려입고 불암산 용천약수터로 향했다. 벌써 도시개발로 3분의 1, 검은 아스팔트가 깔려 걷기는 편했지만 산의 운치나 맨살에 스쳐가는 바람은 높은 고층 아파트 사이를 지나온 매캐한 개운치 않은 바람결이다. 한 발 한 발, 별 저항 없이 걷는 발판은 반들 해서 좋았지만 울퉁불퉁 발목이 휘어지는 산행의 맛을 잃어 눈앞을 가린 아파트와 함께 짜증스러웠다. 아파트 짓느라 황폐한 산자락이 어지러진 흙 쓰레기장 같은 골을 지나자 겨우 산머리부터 보이기 시작했다.

우리 집에서 산을 동쪽에 있으면서도 보이는 산골들은 서향이라 겨우내 쌓였던 눈들이 녹지 않아 깊은 골짜기에는 흰 얼음이 남아 있다. 풀잎 하나 보이지 않는 황폐한 땅. 자연이 이루어놓은 개울물가에 홀연히 서 있는 버드나무 한 그루에서 제법 탐스럽게 은빛을 반짝이며 망울망울 가지에 돋아난 버들개지가 봄을 실감케 하여 내 마음을 사로잡는다. 얼마나 저 햇볕이 그리웠으랴.

지금 막 펴려고 부풀어 오른 버들개지의 봄 알리는 젖가슴은 자연 파괴에 성난 내 마음을 활짝 펴주었다. 아내도 한참 발걸음을 멈추고 바라보았다. 그리고 눈을 개울 따라 산자락으로 옮기자 자연은 아주 엷은 연초록의 베일 속에서 봄 단장을 서두르고 있는 듯 봄의 향기가 코끝에 닿았다. 발걸음이 가벼워졌다.

따라따따따 딱따구리의 나무 찍는 소리가 골짝에 울려 퍼졌다. 유난히 날씨도 맑아보였다. 이마에 땀을 닦아내며 20도에 가까운 가파른 돌계단을 올라 산길로 접어들었다. 밤새 안녕하세요. 아침 인사소리가 들렸다. 통일약수터를 찾는 동지들의 인사말이다. 모두가 황혼 길에 선 노인들이 건강을 되찾고자 가벼운 물지게를 지고 올라온 사람들이다.

사람! 사람처럼 반가운 길손도 없다. 자연과의 대화를 파고 들며 사람마다 아침 산길에 마음과 마음을 전해준다. 역시 산은 좋은 곳이다. 고독을 피해 산을 찾는 사람들의 마음도 펼쳐보고 산새의 말도 듣고 숲의 속삭임도 들어보는 산은 산이다.

4월

2000년

05일 꽃잎이 피어나는 설중매가 많은 사람과 호흡을 같이 한다.

21일 산불. 4월도 이제 며칠 남지 않았다. 금년은 봄에 자연의 느낌을 갖지 못하고 국회의원 선거 때문에 꽃구경 한 번 못하고 지나갔다. 뿐만 아니라 동해안 산들은 서울의 20배가 넘는 산이 잿더미가 되었다. 참으로 인간의 무지에 통탄하지 않을 수 없다. 자연발화도 있다고는 하지만 산불은 강한 해풍을 타고 넓은 지역을 불태우고 민가와 축사에 많은 피해를 주었다. 수십 년, 수백 년 자란 소나무, 주목 등이 한순간에 재로 변했으니 인간이란 참으로 무지하다.

25일 어린이문화예술원. 이것은 어른들이 붙인 이름이다. 가장 이상적인 어린이문화를 전개해보자는 것일 것이다. 그렇다면 가장 순수한 의미로서 어린이문화 창달에 힘써야 할 텐데, 21세기 자본주의는 결코 이렇게 순수하게 놔두지 않을 것이다. 결국 권력에 의존하고 자본에 의존하려 하기에 특단의 용기를 가지고 창달에 힘을 기울여야 하지 않을까.

26일 동화 구연이라는 것. 동화는 어린이를 상대로 한 이야기라는 뜻이다. 누구나 어릴 때가 있었듯이 사람이 자라나는 과정에 말을 배우고 인간관계를 알고 뜻이 통하는 방법을 생활 속의 필요에 따라서 배워가는 바탕을 만들어주는 것이다. 다시 말해서 어떤 교육의 일환으로 꼭 이렇게 해야 한다는 강제성은 없고 가족과 함께 살아가면서 자연스럽게 얻어진 결과가 언어로 배워주게 되었고 삶의 방법을 배워주게 된 것이다. 이런 자연스런 행위가 가족사회를 벗어나 또래의 공동체를 이끌 때 인간은 뭔가 형식을 만들어내어 스스로 자승자박하는 현상을 만들어낸다. 바로 이것이 새로운 기능이라고 이름 붙어 구연이라는 묘책을 생각해낸 것이다. 구연이란 이야기 소재가 있고 대상이 있고 말하는 사람이 있어 말하는 것을 듣는 아이에게 연출한다는 의미이다. 사실 옛부터 입담이 있는 사람을 이야기꾼이라고 말했다. 중요한 이야기란 문화가 발달함에 따라 이러한 전문적인 것을 독립시켜 좀 더 발전적으로 해보자는 의도도 있다. 사실 이야기란 사람이 창작하여 꾸미기도 하겠지만 어느 나라나 선험적인 이야기 꺼리를 그 또래에 알맞게 이야기해 나온 것이다. 그 이야기 속에는 옛 조상들의 사랑과 기쁨, 슬픔과 고통, 삶의 지혜와 용기 등이 그때의 세월의 입에서 입으로 전해 내려오면서 그 민족의 얼과 전통이 전수되고 새로운 꿈을 그려주는 중요한 역할을 하게 된 것이다. 인류역사에 이야기가 없었다면 지나간 역사는 하나도 알길이 없었을런지 모른다. 이것을 본으로 한다면 어떤 형태에 맞춰 행위를 연출해내서는 안 된다. 옛처럼 이야기꾼에 따라 입담 있고 자연스런 전달을 해야 할 것이다. 세상은 이미 개인주의가 발전하여 모든 정보를 개별적으로 얻고 있는데! 참으로 생각해 봐야 할 문제이다.

28일 인간이란 동물에 비해서 서로를 의식하고 산다는 뜻으로 한자로 인간(人間)이라고 쓰는 것 아닐까. 물론 그 사이에는 인간과 인간의 존엄, 그리고 자존심 이런 것들이 유지될 때 인간이 인간성이란 말을 쓰게 된다. 우리는 인간다운 삶을 찾아야 한다. 적어도 이런 생각은 가지고 살아야하는 것이 아닌가. 요사이 뭐가 불만이 많이 생겼는지 자꾸 이런 생각이 든다. 잘 살아보자고.

29일 용서하소서. 가난과 부는 사대적이다. 그러나 가난한 사람이 부자가 되면 무슨 앙심같은 것이 생기는 모양이다. 개구리 올챙이 때 일을 모른다고 부자가 되면 가난할 때 일은 생각도 안 나는 모양이다. 말하자면 부와 함께 도덕성은 멀리 떨어져 나가는 모양이다. 바쁘다. 틈이 없다. 그래서 전화라는 것이 있는 것 아닌가. 또 전화는 스트레스도 잘 풀 수 있다는데 말 한 마디 없는 사람들. 내가 의식하는 자존심이 죽었나 보다.

5월

2000년

01일 오늘은 May day. 세계의 노동절이다. 이제는 노동의 의의도 많이 알게 된 듯하다. '근로자의 날'을 '노동자의 날'로 환원하자는 등 주 5일 노동은 보장하라는 등 자취를 감추었던 화염병이 난무하였다. 꼭 이렇게 폭력 대항을 하지 않으면 안 되는가. 좀 더 이성적인 방법이 없을까. 어려움을 타개하는 지혜를 주시옵소서. 인간이 편하고 평화롭게 살자고 하는 일인데 사람을 다치게 하는 일은 아직도 원시적인 방법이 아닐까.

02일 2000년 들어 가장 화창한 날이었다. 황사 한 점 없는 맑은 날씨라 아침 등산길을 찾았다. 평소에 멀다고 생각되는 통일약수터, 4㎞ 넘어 되는 두 봉우리를 넘는 산길이다. 몸이 무거웠기에 발이 가볍지는 않았지만 맑은 하늘에 시야도 멀리 남산 타워가 다른 날에 비해 눈앞에 보였다. 대자연이 인간의 마음을 이렇게 풀어주다니 살아갈수록 자연의 신비에 머리 숙여진다. 참으로 자연은 고마울 따름이다.

05일 어린이 날이다. 옛날 같으면 몇 주 전부터 분주하게 뛰어다니며 서울운동장에서 어린이를 위한 행사를 위하여 무전기를 들고 있을 것이다. 그러나 벌써 10여 년이 된다. 어린이야말로 21세기를 이어나갈 새싹들이다. 우리가 그들에게 무엇을 잘해준 일이 있는가. 명색이 유아교육자라고 자칭하는 학원에는 어린이를 미끼로 돈을 벌려는 상업주의가 이 땅에 자리잡은 지 오래다. 어린이를 이용한다는 것은 대도(大盜)다. 자신들도 누구를 위하여 돈을 벌려고 하는 지 이해해야 할 것이다. 어린이는 거짓이 없다. 그리고 어른이 보여준 만큼 반사된다. 착한 아이는 그 부모부터 착했다. 못된 아이는 그 부모부터 못된 씨를 뿌린다. 유아문화연구소를 하면서 이제 어린이를 위한 「말하는 이야기 동화」가 성숙되어간다. 꼭 책을 내어 어린이를 보호해야 하겠다.

08일 어버이 날이다. 아버지 어머니 생각이 난다. 불의를 보지 못하시고 어려운 고난을 겪으시면서 사실을 밝혀내시는 아버지. 내 일, 남의 일이 없고 좋은 일이라고 생각하면 끝까지 최선을 다하시던 아버지. 끝내 빛을 보지 못하시고 한 폭의 글씨도 남기지 못하시고 말없이 조용히 가신 아버님이 참으로 애석하기 짝이 없다. 외가에서 받은 논밭을 팔아 큰 형, 둘째 형 유학 보내느라 탕진하셨지만 세상이 남북으로 변하여 도리어 고행을 하신 아버님. 천상이 있다면 못 푸신 뜻 다 푸시고 한이 되었던 일, 천상에서 이루시옵소서. 어머님, 얼마나 말이 하고 싶고 자식들이 보고 싶어 남들은 치매라고 말하지만 그것은 정말 정신이상이 생긴 것이죠. 얼마나 보고 싶고 억울하셨으면 "왜 집에 안 오고 담 너머서 부른다"며 밖으로만 찾으러 나가시던 불쌍한 어머니. 지금 어디에 계신가요. 천상에 계시다면 형들은 만나 보셨는지요. 한은 푸셨는지요. 못다한 말씀 다 하셨는지요. 벌써 제 나이가 드니, 그 시절 그때 어머님의 애타는 마음 이제야 알 것 같아요. 어머니 아버지, 외치고 싶고 보고 싶고 만져보고 싶어요.

09일 요사이 일기를 쓰지 않고 지나가는 일이 많아졌다. 밤새 일을 하는 바람에 시간이 아까웠던 탓이다. 일기를 쓴다는 것은 나의 기록이라기보다는 변하는 생각, 변하는 세상, 새로운 문화, 새로운 일, 사건 등을 기록해보는 일이다. 어떻게 하면 좋은 세상을 만들 수 있을까. 어떻게 하면 북의 조카들을 만날 수 있을까. 이런 생각을 적고 싶다.

11일 석가탄신일. 나무아미타불 관세음보살. 사실은 나는 불가에서 태어났다. 외가는 불교에 입문하여 수시로 절에 갈 때 따라다녔던 생각이 든다. 송광사, 서남사에는 외할머니께서 많은 시주를 하시었고 할아버지의 49재를 모시기도 했다. 어릴 때 송광사에서 내가 토마토를 좋아해서 토마토 줄테니까 동자가 되자고 볼 때마다 장난을 했다. 몹시 놀란 나는 고민에 빠졌다. 어머니를 따라간 나는 어머니 치맛자락만 잡고 다녔기 때문에 탑돌이 지장보살을 하며 대웅전을 돌 때 같이 따라 돌던 생각이 난다. 그렇게 불교에 열중하시던 어머니께서 누나가 부처님이나 예수는 다 같은 신앙이니, 천주교로 바꾸시라고 하자 성인은 다 같은 데 누구를 믿던 양심을 믿는 것이니 좋을 대로 하자하고 전교하시었다. 위대하신 분이다. 득도하신 분이었다. 나 이렇게 훌륭한 어머니를 모실 수 있어서 참으로 고맙고 감사드린다. 어머님, 성불하십시오. 그리고 석가모니불과 함께 불쌍한 사람들의 소망을 살펴주십시오.

12일 한국의 전설

귀한 책을 얻었다. 비록 2권이 빠졌으나 보충해주기로 했다. 우리나라가 전설의 나라라고 할 만큼 설화, 전설 등이 많다. 이건 분명이 우리 국민이 영석하고 문화를 보존할 수 있는 우수한 민족이기 때문이다. 누가 언제 이렇게 꾸민 이야기인지는 모르지만 한 개 돌, 산, 못 할 것없이 모두 신성이 있다. 요사이 우리 고향 오산면 관음사의 사찰 창건 때 이야기가 심청전의 원안이라는 말이 일어나 학자는 고증하고 작가는 글을 쓰고 무척 새로운 사실로 등장하였다. 독일에서 오페라를 작곡한 윤이상에 의하면 심청이가 장님 아버지를 궁중에 앉아서 맹인잔치를 통해 만났다는 것은 설화 가치가 없다는 것으로 이야기의 기본이 흔들린다고 했다고 한다. 이제 정체를 밝히고 건전한 연구를 할 때가 왔다. 이것을 문학으로 승화시켜야 하겠다.

13일 인생이 남긴 물건들. 청계천 골동품 점은 찬란했다. 사람이란 제멋대로라고 말하고 싶다. 그리고 이기적이다. 자신들의 행락을 위하여 무수히 많은 물질을 소모하고 변형하고 자연을 훼손하고 자기 위주로 편리하고 아름답게 쓰고 주인을 잃은 것들이 또 다른 주인을 찾기 위하여 줄줄이 나와 있다. 지금 쓸 수 있는 것인지 아닌지도 모른다. 진짜인지, 가짜인지도 모른다. 다만 인간이 쓰고 버린 것들이 고금을 막론하고 형태만 갖추고 있으면 모두 나와 있다. 그 중에는 인간의 손때가 묻은 것이 대부분이다. 동남아에서, 구라파에서가지 별의별 것이 들어와 있다. 다른 동물이 보면 정말 지저분한 것들이라고 말할 것이다. 자연에 돌아가지도 않을 쓰레기만 만들어내는 인간들이 몹시 미울 것이다. 이 중에 인간쓰레기도 있겠지. 동물들은 자연과 더불어 살면서 자연을 그대로 보존하고 동물들이 배설하는 배설물, 시체까지도 자연으로 그대로 돌려보내고 있다.

16일 오월의 신록이 더 푸르기 전에

산은 수채로 그려놓은 듯
짙고 얕고 검고 흰 빛까지
수많은 초록빛이 뒤덮였다
아기의 입술처럼
연한 색
노동자의 팔뚝과 같이
짙고 강한 무쇠 같은 빛
이렇게 어우러진 5월의 신록

마치 짙은 초록들이

연한 빛을 시샘하듯이

바람을 타고 흔들어보지만

신록은 보다 빛나보인다

앳되고 빛나보이지만

보다 짙고

보다 크고

보다 건장한 초록으로 크겠지

얼마든지 내일이 맑은

연초록 잎들

그들은 이미

내일이 약속된 미래의 힘이어라.

18일 펜을 들기가 무려하다. 20년 전 나의 고향인 광주에서 폭도가 일어나 양민을 죽이고 진압군과 총질을 하고 있다는 소식이 처음이자 마지막이었다. 당시 다행이 방송에 종사하였기에 가다오다 주워들은 이야기로는 시민을 완전히 매도하는 풍문뿐이었다. 그러나 그렇게까지 하고 예향의 인심이 사람을 죽이리라고 믿지는 않았다. 사실은 5월 16일 난데없이 광주에 있던 아들이 갑자기 집에 돌아왔다. 광주의 학생운동이 격화되어 무슨 일이 일어날 것 같아서 돌아왔다 했다. 웬일일까. 그저 흔히 있었던 학생들의 데모려니 하고 큰 관심을 갖지 않았다. 공수부대가 진압군으로 투입되고 저항하는 폭도와 광주 근교에서 접전 등 심상치 않은 사태들이 군의 일방적 보도로 들어왔다.

지금 광주는 민주화운동의 기수로 인권옹호의 선두로 민주화운동에 앞장섰던 영령의 죽음을 추모하고 있다. 20년 전 한민족 한겨레이면서 분단의 설움을 안고 있으면서 정권 유지를 위하여 선량한 시민들 폭도로 몰고 무차별 사격을 가하여 수많은 시민을 일시에 '죽음의 광장'으로 끌어냈던 것이다.

매 맞고 쓰러진 시민을 철사로 묶고 확인사살을 한 자들은 부마사건의 경험을 가진 공수부대들이 광란의 동족 살생을 하게 하였으니 이것은 참으로 하늘이 공노하는 위정자들의 만행이었다. 이제는 그 넋을 기리며 국립묘지화하여 유족들의 마음을 위로한다고 하나 이보다도 앞서서 인권이 중시되는 민주화가 광주 5·18정신으로 이루어져야 할 것이다. 무고한 시민의 희생은 헛되이 해서는 안될 것이다. 그리고 그 명령자들을 끝까지 색출하여 처단하여야 할 것이다.

19일 까레이스끼를 위한 작은 나눔– 네 번째 시와 음악의 밤

음악평론가 이상만 씨의 청으로 챌런지라는 예술의전당 건너편 KAL빌딩 4층을 찾았다. 음악평론가 이상만의 사회로 시인 인도대사 Mr. sautobr Kumae, 이동진 대사, 최자웅 성공회 신부, 여류시인 김혜정, 양정자의 자작시 낭송과 소프라노 박성순, 피아니스트 위정혜 등이 출연해 시와 음악과 설화의 순으로 진행되었다. 행사 취지는 재소한인들의 무고한 이주와 구 소련의 죄상 그리고 하나같이 조국의 독립을 위하여 나라 사랑을 위하여 자기를 희생하였으나 지금 나라를 되찾고 부강한 나라로 가고 있지만 애국지사들을 돌아보지 않은 위정자들의 이기주의적 참상에 놀라움을 표하고 그 어려움 속에서도 살아남은 음악가는 조국을 흠모하고 티없이 맑고 깨끗한 한 줄기의 음향을, 향(香)으로 불리고 그 순수함이 그 어느 지역의 교포보다도 맑으니 마음을 위주로 작은 성의라도 이들을 돕자는 것이다.

비록 오늘은 시중에서 50명의 사람이 모여 칵테일까지 문화적 형식까지 갖추었지만 장래 양심이 있는 모임으로 성장되기를 기도드린다. 사회자 이상만 씨의 소개로 등단하여 준채 형님, 추 형, 권이 형 등의 연달아 월북한 비애와 재소 한인들이 스탈린에 의해서 황무지인 카자흐에 버려져 살이 헤어져 뼈가 보이는 손으로 구멍을 파고 삶이 뭣인지 자연과 싸워 살아남은 1세들이 땅을 개간했다. 벼 농사를 짓는 농사법을 개발하여 그들은 안착하였고 그 어려웠던 2차 세계대전을 극복하게 하였다. 그때 그 교포들이 바로 한국인이고 애국자다. 조국을 갈망하고 삶의 절규 소리가 들리는 것같다. 그러나 때가 바뀌어 까레이스키를 돕는 나눔의 밤에 대하여 한없이 감격스러우며 시를 짓는 마음과 작곡을 하는 마음 마음들이 합하면 무엇보다도 큰 마음으로 카레이스키의 마음을 헤아리며 한국인으로서의 복권과 그들의 애국적 정상이 참작되기를 빈다. 그 중에 정추는 세계에서 김일성 주체사상을 정면으로 반대해 반체제운동을 한 분으로 오늘 여러분의 성의에 감사드린다고 인사하였다.

23일 번역이란 뜻만 통하면 된다는 식의 사고를 버려야 한다. 이번 기회에 유아 책 번역의 새로운 영역을 정립해야겠다고 생각 중이다. 그래서 아는 단어도 한 자 한 자 사전을 다 찾아봤다. 한 단어의 뉘앙스, 앞뒤 말이 엉키면서 새로운 운이 터지는 일어의 특출한 어의 등이 새롭다. 번역이 이렇게 어려운 줄 몰랐다. 그들의 언어습관과 특히 어린이의 언어습관! 이것을 우리 생활을 중심으로 이해하기 쉽게 재미있고 리드미컬하게 역시 한 군데는 웃음이 있어야지 어려운 과제를 뚫고 나간다.

24일 아들

아들이기 이전에 나는 역사와 문학과 지금 살고 있는 현실을 날카롭게 보는 시성(詩性)이 마음에 든다. 사십 줄에 들어서면서 글도 매끄러워졌다. 세상을 보는 관용의 절구도 읊을 줄 안다. 갈수록 인생이 무거워진다. 나는 그를 좋아한다. 정의롭고 매섭다. 그래야 정의사회가 존속하는 것이다. 앞으로는 더 공부하여 미래학적 시를 써주기 바란다.

25일 봄을 보내는 향연이 벌어졌다.

아직도 아카시아 향기가
콧전을 스치는데 남들은
들로 산으로 간다는데
큰 댁 마루에 앉아
한 사람은 맥주 놓고 세 사람은
소주 놓고 날아가는 나비를
잡으려 하니
꽃이 저 가는데 잡힐소냐
하지만 진짜 꽃을 찾아
온다니 때를 기다려 봅시다

29일 열 권의 책이 번역되었다. 과연 3, 4, 5, 6세 어린이의 엄마가 읽어주는 책. 눈으로 보고 귀로 듣는 이야기가 그들을 만족시킬런지. 현실과 공상의 세계를 넘나드는 어린이 세계에는 언어적 논리 이전에 인상적인 말이 무엇인가가 문제이다. 말의 흐름에 악센트를 어느 말, 어느 때에 주느냐. 이것은 어린이들의 사회적 언어 습관을 좌우하기 때문에 그들 세계의 언어리듬을 찾아야 한다. 그것은 바로 순수한 우리 말 속에서 찾아야 할 것이다.

30일 **아카시야 향기**

봄은 향기를 뿌린다
하얀 향기

하얀 눈이 내리는

꽃밭의 향기

5월의 향기

코를 벌렁거리며

산책을 한다

아카시야 꽃잎이

내리는 산길

오월의 향기는

아카시야 향기

하얀 향기

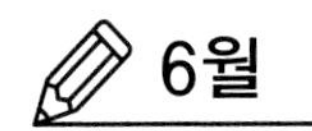

6월

2000년

03일 야나가 고기가 먹고 싶다고 한다. 왜 그럴까. 채소만 먹어 속이 쓰리다고. 그 말도 맞다. 언제 고기를 먹었더냐. 이사 전에 먹고 벌써 4월이 지났구나.

04일 나는 일요일이 없다. 날마다 일요일이니까. 일요일이 있어서 불편하다. 모두 일요일에만 쉬니까. 구속없는 일요일이 있었으면. 몸과 마음이 편하고 열심히 살 때까지 살고파서.

06일 통일약수터 행. 불암산 입구에서 청암 약수를 올라가 야호 바위로 갔을 때 숨이 차고 주저앉고 싶었다. 그러나 새 아파트가 있는 폭포 약수 입구에서 이름 없는 산길로 오르다보니 숲속에 쉴 곳이 많았다. 자연과 더불어 사람이 영장이라고 하는데, 사실은 가장 비속한 동물이다. 자연은 그대로인데 인간이 자연을 파괴하고 있다. 자연은 말이 없지만 한 번도 쉬지 않고 스스로 치유하고 공동체로서의 삶의 원칙을 잘 지키고 있었다.

13일 남북정상회담

남북의 통일의 염원이 김대중대통령의 취임사부터 베를린 선언 등 기회가 있을 때마다 뜻을 전하고 박지원 문화부 장관의 밀사의 공으로 21세기로 가는 첫 머리에 세계의 눈길을 끌며 남북정상이 한 자리에 무릎을 마주 대고 7000만 국민의 소망의 통일의 영원을 다져놨다. 참으로 감개무량하고 눈물이 앞을 가렸다. 아버님께서 늘 말하셨던 말씀이 생각난다. "근아 내가 살아서 통일을 보고 죽을 것 같으냐" 그리고 어머니께 "내가 먼저 가면 당신은 통일을 보고 오시오." 하고 아들을, 손주를 북에 두신 아버님의 아쉬운 말씀이 참으로 실감난다. 내가 벌써 70이 넘어 이산가족이 되어 55년 그 사이에 추 형은 만났으나 긴 세월이 말하듯 사고방식이나 삶의 가치관들이 많이 달라져 있었으나 그래도 혈육의 정은 날마다 보고 싶은 것뿐이다. 특히 준채 형님과 권이 형이, 형수가 그렇게 보고 싶구나. 권이 형, 살아 있으면 동창생인 김대중 씨 꼭 만나 보시오.

14일 한화갑 씨가 어린이문화예술원 이사장에 취임식을 겸하여 전국반달이야기대회가 열렸다. 동화 이야기대회는 전혀 발전이 없었다. 사실 이야기는 어머니들의 것이어야 하는데, 한화갑 씨는 이야기 하는 도중에 국정 걱정을 하는 말 도중에 청와대를 어린이에게 개방하고 대통령이 어린이와 함께 하는 날을 마련하자고 말했다. 그리고 어린이전문연구단체가 없어 뜨내기들이 경험도 없이 지향하고 있으니 연구소를 설치하자고 제안하자, 3억 원의 장학기금을 어린이재단에 넘기겠다고 답변하였다, 큰 개가였다. 실천이 되는 날 반드시 인사를 가야겠다. 나의 평생소원이 풀린 듯하다.

25일 6·25

말은 "반세기 전 한국에 전쟁이 일어났었지" 하고 쉽게들 하지만 내 나라 내 땅에서 내 민족 내 형제 자매가 동족 살생의 전쟁을 일으켰다는 것은 전생사 속에서도 유례없는 아픔을 만든다. 아직 가족들이 모이기 전에 집을 비우고 피난을 했어야 하고 배고픔과 기다림을 무려 3년이나 겪어야 했다. 참으로 비극 중의 비극이었다. 그러나 반세기가 지난 오늘, 남과 북이 화해를 하고 통일의 기초를 닦아 통일의 길을 후손에게 맞기자는 것이었다. 뜻대로 되어야지! 되었으면 얼마나 좋겠는가. 그러나 6·25에 희생된 영령들의 억울함을 누가 보상할 것인가. 참으로 무고한 죽음이고 타의에 의한 또는 자의에 의한 애국심으로 희생되어 갔지만 너무 슬픈 일이다. 나뿐만 아니겠지만 훨훨 모르는 세상으로 날고 싶듯이 형들도 멀리 가고 싶었을 것이다. 그러나 어디서 어떻게 죽었는지 알고 싶다. 왜 죽었을까.

28일 그리움

밤이면 어둠을 헤치고 귀촉도 귀촉도 피를 토하고 우는 소리가 들린다. 어릴 때 아버님께 들은 얘기다. 촉나라 망제의 혼이 붙어 촉나라로 돌아가고 싶은 애정한 울음소리가 "귀촉도" 하고 들린다. 이 새는 두견새라는데 진달래 꽃이 피는 5월에 왔다가 8~9월에 돌아가는 후조이다. 두견새가 진달래꽃에 피를 토하여 붉은 꽃이 되었다고 하여 두견화라고도 한다. 얼마나 애절한 얘긴가. 어릴 때 놀던 곳, 바로 고향이고 그 어릴 때 놀던 친구처럼 그리움 속에 빼놓을 수 없는 친구들이다. 그리움. 그리움은 반기어줄 사람들과 자연이다. 그리움이란 맑고 깨끗한 한때의 어린 나를 찾아가는 것이다. 귀촉도 귀촉도, 그리움이 솟는다.

7월

2000년

01일 2000년의 반이 지나고 오늘이 벌써 7월 1일. 크게 작고 할일도 없으면서 살아 있는 것이 어색하기 짝이 없다. 그동안 나는 고아 아닌 고아로 남달리 슬픈 인생을 살아왔기에 철훈에게는 외롭지 않게 무엇이든 상담역이 되어 주었다. 벌써 40 고개를 넘어선 훈이. 제 사촌들이라도 만나서 활기 있는 세상을 찾았으면 얼마나 좋겠는가. 세월은 기다리면 뜻을 이루나니 꾸준히 노력해 보아라.

04일 어머님 기일

지난해 자손들 앞에 아버님 제사와 합하여 가을 추석 지나고 한가한 20일 아버님과 함께 제사를 모시기로 하고 벌써 한 해가 지났다. 결국 기억하는 손자는 하나도 없고 나마저 아내의 말을 듣고 아차 하고 생각이 났다. 물론 잊어버리기 위하여 제삿날을 아버님과 함께 한 것은 아닌데 살아있는 인간이란 우선 눈 앞에 사는 일이 바빠서 곧장 잊어버리는 무성의한 죄악이다. 어머님, 이제는 남북의 정상이 서로 만나 불쌍한 이산가족들을 만나게 하여 준다는 회담이 성립되어 2000년 8월 15일을 기하여 100명씩 750대 1의 비율로 만나보게 했답니다. 이런 소식이 전해질 때마다 제가 생각난 것은 우리 어머니 아버지입니다. 이미 준채 형도, 임옥순 형수도 돌아가셨다고 하지만 우리 장손 훈이는 지금 평안남도 순천시 순천동 B3반 3층 5호에서 살고 있답니다. 모두 가족을 만난다는 기쁨과 기대 속에 있는데 우리는 지금도 입장이 다르군요. 일 년쯤 지나보고 차례가 오면 어머님 장손을 만나 보겠습니다. 어머님, 혼령은 마음대로 떠다닌다는데 그 장손들에게 행운을 실어다 주십시오.

05일 합창 콩쿠르

나의 생애에 합창은 빼놓을 수 없는 추억 속에 들어간다. 광주방송 어린이합창단으로부터 수창학교, 교대 부속 학교, 새로나합창단 등 미친 듯이 십여 년을 하는 사이에 따를 자가 없어졌고 서울에 와서 신광학교, KBS, 리라학교 등 수많은 학교를 지도하여 명성을 얻었다. 그러나 나에게는 항상 뒤에서 도와주는 사람처럼 전면에 나설 수 없는 슬픔이 있었다. 왜 그렇게 비굴했을까. 이것은 비굴해서가 아니라 남의 뒤에 설 수밖에 없었던, 정식 교사가 아니었기 때문에 일은 했어도 공은 그들 앞에 바쳐졌다. 참으로 억울한 일이었으나 가족관계로 앞장설 수 없는 환경이 있었기 때문이다. 그 시대, 얼마나 심하게 목숨까지 달라고 하는 위협은 상상도 못할 것이다. 그러나 합창은 내가 살아오는데 나를 사회에 중화시키는 유일한 수단이었다.

07일 내 책

지난해 '교원'이라는 출판사가 '호야 호야의 옛날이야기' 시리즈 중에 두 권의 책을 의뢰하여 왔다. 모처럼 받은 청탁이기에 그림책이 되도록 문단을 나누고 내 나름대로 그림을 구상하고 두 장이 함께 펴지므로 두 페이지에 기승전결을 적용하여 밝고 해학적인 내용을 나름대로 힘들여 꾸려 보았다. 무려 일년 여, 2000년 4월 20일 발행 소인으로『황금보다 더 좋은 친구』와『냄새 값, 소리 값』 두 권의 책이 나왔다. '교원'에서 전화로 책이 나왔으니 보내드리겠습니다, 주소는 이대로 맞습니까, 하는 전화가 무척 반가웠다. 유아용 그림책 작가가 된 것이다. 그동안 보림출판사에서 남의 글을 써주다 지금 내 글이 본문이 되기도 했지만 보림에서『호랑이와 곶감』에 이어 이 두 권이 창작품으로 나왔다. 나는 계속 그림책 연구와 이야기 동화를 연구해 볼 생각이다.

08일 춤

춤이란 인간이 생각하는 내적 사고를 시지각적인 외적 조건으로 표출하는 예술적 활동이다. 인간의 생각이나 의식을 표현하는 수단은 여러 가지가 있다. 먼저 소리로서 소리가 주는 감성의 흐름을 소리의 고저, 길이, 폭, 강약 등 리듬에 의존하여 순리적인 방법으로 자연스럽게 그려내는 음악적, 신체적 표현이다. 근래 춤이 현대화하면서 괄목할 만큼 발전을 가져왔으나 근래는 집단무용의 경우도 움직임의 독자적 표현을 위주로 공통적 미학적 구성의 형식이 없는 형태로 발전하여 공간에 있어서 인체의 가장 아름다운 표현을, 그 함수적 공감을 공간의 미로 실현하는 데 상상치 못한 연출력을 가져오고 있다.

12일 차창(車窓)

차창이란 네모난 렌즈이다. 이 엷은 녹색의 창으로 보면 세상이 돋보인다. 유난히 크고 예쁜 얼굴들. 이럴까 저럴까. 망설이며 움직이는 터미널 근처의 사람들. 차를 기다리며 앉아 있는 의자 밑에 구겨 넣은 쓰레기 봉지도 보인다. 손자들 쪄 먹여야지. 고개가 틀어질 정도로 무거운 짐 속에 든 고구마가 보자기의 곳곳에 천을 밀고 나올 때 한 보따리를 이고 가는 할머니도 보인다. 웬 처녀가 발을 구르며 차창 문을 지킨다. 누군가 약속이라는 보이지 않은 정신적 결탁이 터져나온다. 막 차가 문을 닫자 발을 동동 구르며 닫은 문을 잡고 따라 나오면서 차창을 두드린다. 기다리던 사람을 포기하고 갈 길을 선택하는 모양이다. 안내원이 나와 차는 멈추고 문이 열리자 "빨리 타요" 한다. 그러자 "자 잠깐만요, 저기 와요." 급해도 보통 급한 소리가 아닌데 그 상황은 차창을 통하지 않아도 다 알 수 있다. 드디어 모습을 나타낸다. 너냐 내냐. 차표를 보자는 운전사의 말도 아랑곳없이 빈자리가 웃고 있다.

네모의 필름 속에 도시와 하늘 사이를 기억하며 고속도로를 달린다. 벌써 짙은 녹색으로 변한 들판이 파노라마처럼 펼쳐진다. 건너편 차창이 더 아름답다. 자연 더하기 네모의 액자가 그만큼 자연을 제한하여 준다. 명화도 됐다가 엉터리 구도로 넘어가는 산과 들이 눈을 감게 한다. 그리고 눈을 떴다. 그 신선하고 돋보이는 자연, 차창이기에 생각도 다 못해 지나간다. 목이 휘도록 뒤돌아보는 인상 깊은 차창의 변화. 차창은 같은 자연의 그림에 더욱 새로움을 안겨주는 아름다움을 간직하고 있다.

15일 추 형(樞兄)

요사이 추 형을 찾는 사람들이 있다. 그 추운 나라 소련에서 조국을 생각하며 음악으로 표현했다지요! 소리로는 조국을 어떻게 표현하는가요! 이런 의문에서 일거다. 한양대 박교수(성악전공)는 어떤 생각에서 찾았을까. 국립무용단에서는 한국적 표현이란 곡이 있나요? 무용이란 무형의 것이지만 사지와 몸통의 굴신으로 생활 속 움직임을 인상적인 연상으로 한 이미지를 그려내는 시간적 공간예술이다. 철의 장막 속에서 한국을 어떻게 느껴서 음악을 표출했느냐. 그 음악을 기초로 그 고민을 그 시간적 움직임을 몸으로 표현하여 보겠다나요. 김은역 국립발레단원이 정추의 곡을 요청해왔다. 모든 정답은 뭣일까. 카자흐 아저씨.

19일 북에서 남으로 피난 온 사람들의 과거는 어떻든 우선 피난민이라는 한 마디로 이산가족상봉의 기회가 이루어진다. 남에서 북으로 간 사람들의 입장은 또 다르다. 의용군으로, 국군포로로, 납북으로 또 그 이데올로기를 따라서 간 사람들인데 이들은 하나같이 월북자, 국가보안법에 저촉되어 반세기 동안 연좌제나 불순분자로 분류되어 국가에 비상이 걸리면 조사대상이 되어왔다. 그러면 북에서 찾는 이산가족이란 누구를 찾는 것일까. 그 찾는 사람은 누구일까. 아직도 수많은 사람들이 이 의문에 빠져 있다. 공개된 사람은 창평 출신 과학자 이승기 박사이다. 그는 가족을 찾고 있으나 벌써 이성적으로 남북을 잘 이해하고 국가적으로 필요한 사람이기에 도리어 보호받아야할 사람이다. 어떤 문제가 있을까. 그럼 나는 뭣 일까. 지금도 알쏭달쏭하다.

24일 여름 장마

요사이 여름 장마란 말이 마른장마란 말로 유행한다. 이것은 다름 아닌 장마이어야 할 여름에 비는 오지 않고 34도를 오르내리는 무더위가 기상청을 무색케 한다. 밤이면 25도를 넘는 아열대성 찜통이다. 이런 더위를 기상청의 말에 따르면 기후의 이상변화 때문에 온다고는 하지만 장마 때 비가 오지 않고 이렇게 더우니 피서는 내 집이 최고이다. 그런가 했더니 경기남부에 200㎜의 폭우가 쏟아져 인명피해, 산사태. 용인 일대를 무차별 개발로 하수구가 막혀 엄청난 수해를 불렀고 비구름이 남으로 하강하면서 수해는 더욱 심하고 10여 명의 사망과 행방불명 등 수해를 불러일으켰다. 참을성 없는 인간들의 소리는 하늘을 노하게 만든 것이다. 인간이여, 자중하여라.

29일 장관급 회담에 유감

6·15 정상회담에 이어 6·15선언의 실천을 위하여 장관급 회담이 29~31일까지 서울에서 열렸다. 경의선, 6·25동란으로 끊어진 철도를 잇고 8·15는 남북 범민족대회와 통일대축전을 연다는 소식이다. 얼마나 반갑고 나라를 위해 좋은 일이겠는가만은 형은 일찍이 이런 뜻을 담고 북으로 가 일했지만 지금은 흔적조차도 지워져 버린 그동안의 북의 정책이 가증스럽다. 돌을 앞두고 훈을 업고 따라간 형수는 그 튼튼하던 건강이 약화되어 먼저 돌아가셨다니 참으로 슬픈 일이다. 그리고 추 형의 망명이 문제 되어 운명을 같이 한 큰 형님은 반세기 쯤 지나서야 학자들에 의해 조명될 것이다. 상상해서 생각을 해도 이런 비극은 없다. 사실 생각하고 싶지도 않다. 회담이 잘 된다는 것은 통일을 앞당기는 좋은 애국관이지만 이에 희생된 사람들의 슬픔은 더해간다.

8월

2000년

07일 추 형

지난 5일부터 어제까지 7, 8회 전화를 했으나 통화를 하지 못했다. 무슨 일이 있는가! 휴가를 갔는가. 글쎄 어려운 경제 사정인데 휴가는 상상도 못하지만 야나 식구가 늘었으니 집안에 한 사람쯤 있을 텐데, 여러 가지 생각이 앞선다. 요사이 이산가족의 희망인 가족상봉의 날이 가까워져 8일에는 북에서 남에서 각각 백 명의 이산가족이 만나게 된다는 데 우리는 새삼스럽게 또 이별인가, 하는 생각까지 든다. 무소식이 희소식이란 말이 있다. 아무 소식이 없는 것이 잘 있겠지. 더불어 생각난 것이 장조카 훈이다. 형수가 훌륭하게 길렀을 텐데, 어떻게 지내는지 가슴 아프다. 훈이, 태양이, 대하, 현순, 현, 철. 이들이 모두 존경하는 큰 형님 자손인데 무얼하고 있는지! 이번 2, 3차 이산가족상봉 시 만날 수 있을는지 기대되고 그 뒤 수습에 걱정도 된다.

08일 다리가 삐끗

통일약수터에 나섰다. 그 시간이 5시 밤. 소나기가 지나간 새벽이어서 시야가 깨끗하고 자연이 샤워를 해서 초록빛 지구가 아름다웠다. 5시 40분경 산행이 시작되었다. 며칠 쉬었던 몸이라 벌써 굳었는지 한 발 한 발 옮길 때마다 힘이 들어간다. 그리고 계단을 올라서면 다리를 펼 때가 가장 힘이 든다. 동행한 아내도 같은 몸짓이다. 힘이 드는지 도중에 발을 멈췄다. 덩달아 나란히 한 자리에 서자 쿨쿨쿨 계곡물이 흐르는 소리는, 새삼 자연의 아름다움을 깨닫게 해주었다. 약수터에 겨우 도착하자 2명의 선착자가 약수를 받고 있었다. 극성스런 모기가 옷을 뚫고 피를 빨아댄다. 여기 저기 모기를 잡는 손뼉소리가 요란하다.

약수 차례가 되어 물병 몇 개에 받아 짊어지고 산을 내려오는데 왼발 무릎 앞의 인대에서 '뚝' 소리가 났다. 이것이 원인이다. 인대가 늘어졌는지 걸을 수가 없다. 다리를 펴고 오무릴 수도 없다. 밤사이 열이 나고 힘든 여름밤을 보냈다.

09일 손자들이 백두산과 북경으로 여정을 떠났다.

10일 북한에 있는 조카 훈에게

너를 생각하면 가슴이 뭉클하다. 얼마나 고생하였느냐. 네가 추 삼촌을 찾아가려고 몇 번이나 편지를 써 보낸 사실을 잘 알고 있다. 그러나 삼촌이 답장을 못한 것은 너를 보호하기 위한 수단으로, 만약 삼촌의 행방을 알게 되면 너에게 어떠한 일이 일어날지 염려해서, 하고 삼촌 이야기를 들었다. 그래서 내가 몽고에 갔을 때 간접으로 몽고사람을 통하여 너를 알고 있다는 소식을 알렸다. 그 후 알았다는 소식을 받았다고 하더라. 그러나 여기서 듣기에는 너희가 러시아나 한국에 가족이 있다는 것을 알면 매우 불리하다는 말을 들었기 때문이다. 내가 어찌 너를 두고 마음이 편하겠느냐. 하루속히 너를 만나 너의 아버지 일이며 어머니, 그리고 권 삼촌의 소식을 꼭 듣고 싶다. 할아버지는 1958년에, 할머니는 1985년에 치매 증상 속에서 너희들을 기다리며 환상 속에서 만나 이야기하시며 돌아가셨다. 이 고통은 조국이 두 동강이 났기 때문이다. 나도 그 피해자의 하나이다. 이제 너희는 젊은 꿈이 있고 뭔가 한 가지 기술이 있으면 얼마든지 살 수 있으니 집안의 명예를 회복하고 전통을 세워나가야 할 것이다.

18일 추 형님

카자흐작곡가동맹 맹원 자격으로 휴양을 다녀오셨다니 얼마나 다행입니까. 여기서 같으면 다섯 식구가 여름 휴가를 한 달 다녀오려면 5백만 원은 들 것입니다. 이 돈이 있으며 집을 구하는데 써야겠지요. 이렇게 따지기 보다 형님 생각이나 전화를 했습니다. 하시는 일마다 기쁨이 넘치어 얼마나 행복하신지요. KBS의 해외동포상은 한국대사관의 좋은 추천을 받아 꼭 성공하시기를 기대합니다. 그리고 한양대학교 음악대학의 정추 가곡연구반에 꼭 가곡을 보내주기 바랍니다. 카레이스키를 돕는 회에서 전달한 돈은 다시 한번 민족에게 봉사하라는 귀한 돈입니다. 한국에 오시면 반드시 보답하셔야 할 것입니다. 이와 같은 일들은 형님의 소중한 작품을 민족적 감정이 넘치는 좋은 작품을 얻고자 하는 소망에서입니다. 형님은 반드시 이뤄내야할 의무가 있습니다. 아직도 양악과 전통음악의 접목이 되지 않아 독립적인 양상으로 발달하고 있는데, 어떻게 하든지 접목하는 방법을 마련하시기 바랍니다. 준채 형님 같으면 진즉 해냈을 것입니다. 요사이 북한 영화 개척사가 자주 TV에 나오는데 그들이 큰 형님을 얼마나 낱낱이 지워버렸는지 존재도 없습니다. 모두 형님 덕이 아닐까요. 권이 형은 소식을 알 길이 없으니 빨리 훈이와 태양이를 만나 보시기 바랍니다. 생각할수록 나이와 비례하며 생각이 깊어만 갑니다. 형님도 그러하시겠지요. 참으로 형제지간의 친의를 발휘해 봅시다. 스케르쪼 악보는 보내 드렸습니다.

26일 아들, 네팔을 가다

30일 이산가족(죽은 뒤에나 소식을 듣게 되겠지)

누가 가족이 모여 살기를 싫어하는 사람이 있겠는가. 사람은 강아지가 에미를 떨어져 며칠 동안 밤을 새우면서 우는 것을 개 애호가들은 겪지 않은 사람은 없을 것이다. 만물의 영장이라고 하는 인간이 한 핏줄 한 가족이 떨어져 소식을 모르는데 그 그리움이 강아지보다도 못하다는 말인가. 강아지가 울다지치고 지쳐 잠이 들면 주인도 안타까워 하룻밤을 같이 샌다. 그때 들은 강아지 소리는 원망하는 소리, 애가 타는 소리, 절규하는 소리, 눈물이 마르고 피가 마르는 소리도 들렸다. 형제의 정도 이러한데 자식을 이별한 부모의 정은 어떠하리.

날마다 가슴이 찢어지는 한맺힌 소리가 들리다가 지쳐서 이제는 눈에서 허깨비가 보이는 아픔을 간직한다. 그놈, 그 녀석, 어이구 내 새끼, 그 망할 놈, 불효자식, 몹쓸 놈. 아는 말로 다 불러 풀어보려고 하지만 풀어도, 풀어도 풀리지 않는 마음! 이제는 자기를 욕한다. 내가 죽일 년이다. 그때 잡아 놓을 것을. 벼락맞아 죽지 왜 살고 있어. 그 눈치를 몰랐어. 미련한 것. 왜 죽지도 않고 밥은 먹고 사는고. 자학을 하며 마음을 달래봐도 달래지지 않는 가슴을 안고 밤마다 자식 생각에 벽에 기대어 잠드는 어머니! 그 마음을 어떻게 어떻게 헤아려 드려야 할까요. 피리불고 춤을 추고 달래봐도 가장 기분이 풀어져 하는 말이 "그것들이 있었으면 얼마나 좋으랴." 눈앞에 살아 있는 자식도 안중에 없고 오직 보이지 않은 자식만을 챙기는 어머니의 그 마음. 그 가슴 아픔을 어찌 알리오. 가족일란 뗄 수 없는 정신적 묶음으로 내 죽엄을 두려워하지 않은 형제의 사랑은 하늘이 주신 정이 아니고 무엇이랴.

요사이 6·15남북정상의 회담으로 이산가족 상봉이란 합의가 지상에 자주 보인다. 얼마 전에 남북이산가족이 서로 만났으나 그 슬픔은 영원히 남았다. 얼굴만 보고 헤어지면 뭐하랴. 2차의 이별이란 더욱 그리움을 쌓고 이별의 아픔은 더할 뿐. 헤어지고 나면 살을 에이는 듯한 아픔을 눈만 감으면 느낄 터인데. 무엇이 참으로 상봉일까. 어설피 생사확인(生死確認)이라고 말해줄 것을. 그러나 월북가족들은 아직도 믿음이 없어 지금도 떳떳이 만나고 싶은 생각도 못한다니, 얼마나 그동안 정치가 무서웠는가. 참으로 뼈에 저리게 보고 싶고 알고 싶은 가족들의 소식은 죽은 뒤에나 들릴런지!

9월

2000년

18일 아버지 어머니 이제야 알겠습니다. 한참 혈기 찬 소년시대는 어머니 아버지가 안계셔도 살 것 같은 생각이 들었을 때도 있었지요. 마치 날뛰면 천하가 손아귀에 들어올 것 같은 기분은 밑도 끝도 없는 환상이며 삶에 가장 소중한 의식주가 어머님, 아버님에 의해서 해결되었기 때문이지요. 어느 날 집을 떠나고 싶을 때도 있었지요. 그곳은 분명히 미래를 일러주시는 어머님, 아버님의 소중한 훈화를 나를 매어놓으려고 하신 말씀으로 들었지요. 금기할 것이 많았고 인정 못 받는다는 생각에 제 먼저 생각했던 것은 고재희와 밀항으로 일본으로 들어가고 싶었지요. 허영은 아니었어요. 무슨 발달한 문화에 접하고 싶었고, 가면 일하면서 공부할 수 있다 하기에 꿈만 꿔 봤지요. 그러나 산산이 무너지고 말았어요. 해방 직후 우리 사회에 자유가 범람하고 질서가 없는 사회였기에 호기심을 사서 밀항을 주선하는 사람들의 이야기였지요. 그래도 어머님 아버님의 주의 깊은 뜻이 있어 남 앞에서는 신중하게 생각하는 버릇이 있어 호락호락하게 감언이설에 넘어가지 않았지요. 그들이 여수로 떠났다는 말을 듣고 며칠 후 모두 잡혀서 인생을 망쳤다는 말을 들었지요.

그때부터 어떻게 하든지 나를 지키고 집을 지켜야 한다고 생각했지요. 어머니 아버지께서도 형들을 모두 북으로 빼앗기고 무엇보다도 더 귀한 아들 하나를 희망으로 삼고 계셨는데 저도 무한한 고심을 했지요. 지금 생각하면 벌이가 될까, 하고 신생보육학교의 교단에 섰지만 결국 이용만 당하고 비지떡이었지요. 아버님께서 학교를 나오라고 조선대에 추천해 주셨지만 그 당시 집안 형편으로는 먹고 살기에도 힘든 처지이고 경북대에 한두 번 등록 때문에 집안의 논밭을 다 팔으셨다는 말을 듣고 더 이상 진학의 꿈은 없었지요. 이제 생각하면 하나부터 열까지 어머님 아버님의 말씀이 백 번 천 백 옳은 말씀이었는데 그때의 공을 지금 어떻게 헤아릴 수 있겠습니까. 아버지 어머니 생각에 밤을 새웁니다.

29일 이제 통일의 종소리가 울렸습니다. 55년의 긴 세월. 북한을 적으로 칭하고 적대하여오던 세력들은 아직도 그 화려했던 방종의 배안에서 꾸었던 꿈을 지금도 몽민하나 봅니다. 이제 큰 문은 열렸습니다. 비록 준채 형님이 돌아가시고 형수님도 돌아가셨다는 소식은 추 형을 통해 들었습니다. 그것도 자기 탓이라고 생각을 했는지, 감추고 감추다가 몇 년 전에 훈이가 추 형에게 편지를 비밀리에 해서 알게 됐지요. 어설피 살아서 안보신 것이 더 좋을 지도 모릅니다. 추석을 앞두고 이산가족의 남북한 만남이 정치적으로 이루어졌는데 글쎄요, 북에서는 오직 김정일의 은혜로 꼭두각시 놀음이고 남에서는 돈 자랑이라는 사정은 이렇습니다. 50년 이별의 정은 이백 명이 한 자리에 모여 매스컴에 공개되어 어떤 절을 나누었을까요. 얼굴만 보고 손 좀 잡아보고 하룻밤 고향의 정든 집에 가보지도 못하고 전시적 효과만 누린 것이었습니다. 이것은 또 한 번 가슴을 에이는 비극이었습니다. 어느 어머니는 보살이 되어 평생을 의용군에 빼앗긴 아들의 안녕을 위해 기도를 드렸다는 할머니는 말이 없었습니다. 아마 우리 어머니도 살아계셨다면 뜨거운 가슴을 손으로 어루만져 전했을 뿐 "지나온 과거사 말한들 뭣하랴" 하셨을 겁니다. 아버님도 같이 "잘 있었느냐. 고향을 잊어버리지 않았구나" 아마 이런 말씀뿐이었겠지요. 남들처럼 호들갑을 떨고 지나온 잘잘못을 남에게 소리쳐봤자 모두가 함께 겪은 그 시절의 슬픈 가슴만 자극할 뿐, 무엇이 새롭습니까. 우리는 이미 울다지친 뼈만 남은 사람들입니다. 이미 마음이란 세월이란 생각이 모두 지상을 떠난 사람들입니다. 허깨비가 살 따름입니다. 실망도 아니고 희망도 아니고 이세에서 저세를 사는 우리들의 형상입니다.

이제는 40년의 한만을 노래하고 이것에 얽매일 때가 아닙니다. 우리는 울고 울고 울고 난 다음, 귀에는 태고의 소리가 들리고 눈에는 어둠을 뚫고 새 빛이 들어보며 몸이 공간에 솟는 환상의 기쁨을 힘잡아 또 다시 귀에는 우렁찬 해머의 소리가 울리고 눈에는 새 천지가 보이는 신세계를 가슴에 안아야 합니다. 이것은 모두 어머니 아버님의 가르침 속에서 얻은 참다운 정념의 세계일 것입니다. 사랑한다고 말해서만 사랑이 아니고 밉다고 굳이 손톱으로 할퀸다고 마음이 정화되는 것이 아니겠지요. 그 아픔을 참고 내색하지 않으신 우리 어머니. 앞을 내다보시고 "당신은 나보다 오래 살 것이니 자식을 만나면 어떻게 살았느냐고 듣고 오시요"하시고 먼저 가신 아버지. 들으면 뭐하겠어요. 하늘 말도 못 들은 척하라고 말씀하시던 어머니. 결국은 치매로 고생하시며 자식들이 찾아와 부른다고 그 환상을 찾아 마을 돌아다니시던 어머니. 그 마음 어찌 모르오리까. 그러나 어찌 할 수 없는 사정에 거짓으로 침 바르는 위정자들의 감언이설을 듣고만 살아온 지 저도 벌써 칠십이 넘었습니다. 아버지 어머니, 아직은 때가 이르니 때가 되면 훈이를 데리고 찾아사 뵈올게요. 편히 쉬세요. 우리 아버지 어머니는 이세를 무념으로 이겨내신 거룩한 영생을 가지신 20세기에 가장 훌륭한 분이었습니다.

29일 호주 시드니 올림픽.

10월

2000년

04일 오늘에야 겨우 가을인가. 아직 눈에는 녹색이 푸르게 보인다. 조석으로 차가운 공기가 가을을 느끼게 한다. 가을은 천고마비의 계절이요, 오곡이 무르익어 풍요한 계절이요, 책 읽고 공부하기 좋은 독서의 계절이요, 인간 발달의 좋은 계기로 삼았고 자연에 감사드리는 감사의 계절로 삼았다. 이 풍요로운 때를 맞아 통일의 꿈을 어찌 잊을 수 있으랴. 이제 이산의 아픔을 씻고 사상적 냉전을 종식하여야 한다. 그리고 인간의 행복한 내일을 위하여 욕망하는 성악설적인 부위를 절개하고 인류 공존의 낙원 건설에 서로 힘쓸 때가 됐다. 가을은 인간의 마음을 살찌게 하는구나.

05일 동화

아직 세상일도 모르면서 젖을 물고 옹알이를 한다. 말귀 터지지 않은 갓난아기가 엄마의 말을 재촉한다. "그래, 너, 엄마 말 알지." 이 말만 들어도 아기는 희희낙락. 얼마나 눈치가 빠른지 말보다는 엄마의 표정을 다 안다. 말을 눈으로 듣는다. "아, 아파!" 젖을 꽉 물었다. 깔깔대고 웃는 아기는 말을 못해도 엄마를 깨물며 사랑한다. "엄마, 얘기해주세요. 나도 말을 배워야지요." 그래서 동화가 생겼나 보다. 동화! 동화는 너의 마음의 양식이다.

12일 도올 김용옥의 논어 이야기. 공자와의 만남. 대륙의 광대함. 그의 고향 곡부는 30만 인구. 곡부에 공자의 후손이 40%가 산다고.

24일 금강산 기행

새벽 5시부터 설레는 가슴을 안고 돌아가지도 않는 시간을 기다리며 시간을 보냈다. 8시 30분 드디어 금강산 행 버스에 몸을 맡기고 동해로 달렸다. 오후 1시 경 점심 겸 아침을 먹고 항구에 도착했을 때는 1300여 명의 동승 관광객들이 열을 지어 저마다 금강의 빛을 그리며 웅성이고 있었다. 길이 200미터가 되는 5, 6층 규모의 관광선 금강호가 문을 열었다. 대단히 호화로운 여객선이었다. 천 명 이상의 집회가 가능한 홀과 대형식당, 농구장, 풀장이 둘. 9층 구조의 여객실과 갑판, 그리고 각종 카페와 헬스연습실, 도서실 등 총원 1500여 명이 타고 동해에 떴다. 잠자는 사이, 무려 12시간 동안 동해를 돌아 새벽 5시 30분, 드디어 북한 장전 항에 도착하였다. 간밤에는 장닭도 새벽을 위하여 잠시 존다는데 왜 그렇게 잠들지 못했을까. 눈만 감으면 아련히 떠오르는 어머니, 아버지의 모습이 떠올랐다. 아들 넷을 낳으시고 그 어려웠던 일제 치하에 대학까지 유학시키시고 남들처럼 자식에 대한 기대도 컸으련만 해방이 되자 큰 형은 영화인으로, 둘째 형은 작곡가로, 셋째 형은 형들을 찾아 지금 내가 밟고 있는 북한 땅으로 갔기에, 길고 긴 세월을 기다림 속에 헛것을 보시던 안타까운 생을 마치신 두 분의 생각이 절로 보였다. 참으로 슬프고 어렵다기보다 그 애달픔은 70세가 되어 참으로 느끼는 것 같았다. 아마 이런 기대 속에 조카 훈, 태양, 대하, 현순, 철, 혁이 사는 북한 땅에 첫발을 내디뎠다. 마지막 사형수가 이날을 기다리듯 어제를 어둠 속에 보내고 오늘을 맞는다. 엎드리면 코가 닿을 지척인데 가도 보도 못한 땅. 형들이 너무나 안타까웠다. 바로 이 땅이 그들이 사는 땅일 뿐 그나마도 소식조차 알릴 수 없는 냉전의 아픔을 안고 부두에 내렸다. 항만의 파도는 마치 내 복잡한 생각을 알아차리듯 잔잔하였다. 밤사이 가볍게 내린 비는 이북 땅을 신선하게 비추이듯 맑은 공기 속에 산야가 깨끗하게 보였다. 앞을 다투는 관광객들의 대열 속에 세관으로 가는 미니버스에 올랐다. 차창으로 보이는 마을들은 밤사이 불빛 하나 보여주지 않은 차가운 마을들이 줄잡아 20여 채로 보인다. 뒤에 들은 얘기로는 전력부족으로 특별한 행사가 있는 날이 아니고는 전기공급이 없다고 했다. 그러니 상상했듯이 암흑의 세계다. 암흑이란 염라대왕이 사는 곳. 인간의 범죄는 암흑 속에서 기획되고 암흑 속에서 보다 큰 범죄를 저지른다. 더구나 군항인 장전 항은 해군의 요새이며 기지이어서 해방 직후에는 소련 극동함대가 정박한 유일한 부동항이었다고 전한다. 바닷물은 한없이 맑아 20미터 해저가 들여다보이는 청정해수였다. 바라다 보이는 산은 노쇄기에 접어든 바위산으로 나무보다는 암석이 많이 보였다. 세관을 통과하기 위해 또 줄을 섰다. 군복을 입은 군인들이 짝지어 나와 섰다. 몹시 시계가 긴장되었다. 그리고 민간복장의 세관원이 냉엄한 자세로 여권을 검사하기 시작하였다. 짐은 X-ray 통과기에 올려졌다. 그리고 사람은 검색 받아야 하는 불신임 속에 세관을 통과하여 다시 버스를 타고 현대가 시설한 말하자면 30년 동안 사용 허가된 현대의 기지에 도착했다. 약 500평 규모의 단층 건물로 식당이 200여 평, 화장실 50여 평, 토산품 전시 및 판매장 200여 평, 그리고 각종 특수 생산품 또는 예술품 등이 별로도 지어진 3채의 건물에서 판매되고 있었으며 장충체육관만한 돔은 북한의 서커스를 관람하게 되어 있었다. 잠시 화장실을 다녀온 다음 또 산행에 대한 주의를 듣고 버스를 타고 구룡폭포 8㎞의 등산로를 따라 버스를 달렸다. 쭉쭉 뻗은 황장목(붉은 소나무가 10여 m까지 가지 없이 자라서 관상용 나무 같다) 숲을 지날 때 그 향기, 소나무 향이 더욱 신선함을 말해준다. 드디어 비룡폭포 길로 들어서 계곡을 따라갔다. 물은 말랐지만 둥글게 깍인 바위들이 계곡에 이리저리 굴러 멈춰선 자연의 심려한 계곡의 원시적 현상이며 햇빛이 드리운 붉은 오동잎의 선명한 색소의 아름다움에 감탄을 아니할 수 없다.

27일 장닭도 새벽을 위하여 잠드는 밤. 왜 이렇게 잠 못 이루고 별빛만 바라보는가. 깜박이는 별들이 모두가 한 마디 말을 전해주는 밤. 색 다른 밤. 내 어찌 부모님 살아계실 때 이 자리에 모시지 못했을까? 불효를 느끼는 밤. 잠은 무념의 세계에서 숨 쉴 뿐, 별이 깜박일 때마다 눈을 깜박이는 사념의 밤. 어제를 지금 막 보내고 오늘의 새벽을 맞이하려 하지만 아직은 나에겐 새벽은 없다. 저 검은 암흑 속으로 던져버리고 싶은 상쟁의 피비린내. 교수대 앞에 선 태연함이 무의 시공을 달린다. 너무나 길고도 짧은 밤 형들의 말소리가 들린다.

28일 만 70세. 어언 한 일도 없이 70년을 살았다. 지금도 어머니 아버지가 그리운 애기 같은 마음인데, 자식들은 저마다 손자들을 데리고 와 할아버지라 부른다. 이제 와 생각하니 못 다한 일이 너무 많아 생각할수록 깊이 탐구하지 못한 것이 가슴에 닿는다. 살아남기 위하여 힘이 들었다. 변명이지만 그래도 그 속에서 무언가 열심히 했더라면 그래도 이처럼 후회는 안 했을 것을…. 미지는 공포를 낳고 세상은 살수록 무서워진다. 왜 그런지 갈수록 불안해지는 세상사가 두렵기만 하다. 남과 북이 통일이라는 물꼬는 텄지만 갈수록 가로막는 보수세가 방해를 하는 정변이 오고 있다. 이러다간 큰 내란이 오지 않을까. 뿐만 아니라 교사도 학생들의 공부는 가르치지 않고 데모에 가담하는 형식주의의 발로로 이 나라의 장래는 의문스럽다. 이것이 자유민주가 아닐 텐데,국민이 자기 의무를 벗어나 개인의 이득을 위하여 집단적 행위를 반대한다는 것은 뭔가 인식이 잘못된 것이리라.

11월

2000년

08일 해도 뜨기 전인 5시. 드디어 82세의 누나와 아내 그리고 지윤이를 데리고 일본 교토로 가기 위해 김포로 향한다. 좋은 여행이 되기를 기대한다. 참으로 좋은 날씨를 기대한다.

17일 이렇게 긴 시간의 공백을 두고 나는 무엇을 하고 있었을까. 나의 지식을 조금 나누어 주었고 남을 조금 즐겁게 해주었다. 그리고 아무 생각 없이 이 달을 넘긴다.

12월

2000년

09일 세종문화회관 소강당에서 작은 음악회가 열렸다. 시립소년소녀합창단, 김규환, 최영섭, 김동진, 이수인의 작품 공개와 음악회. 이런 모임이었다. 재미있는 것은 누가 무엇을 왜 어떻게 하는지 주체가 없어 보기에 앙상했다. 새로운 곡도 없었으며 특별히 연습된 합창도 없었다. 이 자리에 모인 사람이란 그 사람이 그 사람이었다. 10일에는 이수인이 음악회를 한다고 한다.

11일 어제는 한국여가레크리에이션 협회가 창립된 지 40주년 기념일이었다. 당시를 회고하면 광주에서 이영생(李永生) 씨와 함께 이미 41년 전에 광주레크리에이션협회가 창립되어 한 달에 한 번씩 충장로 아카데미다방에서, 혹은 YWCA에서 여러 가지 행사를 진행해 오던 터였다. 김오중(金午中) 선생이 서울에서 전국적인 레크리에이션 창립을 의도하며 합병 창립을 제안해 와서 타협 끝에 합병하기로 하고 광주고교 강당에서 포크댄스 강습회를 마지막으로 전국레크리에이션협회를 서울에서 창립하고 지금의 서울시의회, 당시는 부민관에서 창립기념 여가선용 방법을 세상에 알렸다. 사무소는 장충동 재향군인회관 안에 두었던 협회가 40년이라니 감회가 무량하다. 그동안 시대가 몇 번이나 바뀌어 포크댄스가 재즈댄스로 바뀌고 각 방송국은 레크리에이션 프로그램이 편성되어 의젓하게 출범하였다. 차마 내가 적극적으로 뛰어들지 못한 것은 생계가 문제였다. 결국 이것을 해결하려는 사람들은 상업적 레크리에이션을 하게 되어 이들이 레크리에이션의 본질을 망가뜨리고 말았다. 참여 안 하기를 잘했지, 지금쯤 자식들에게 내가 어떻게 보였을까.

13일 몇날 며칠 일기 쓸 것도 잊어버리고 골똘히 생각에 젖었다. 금강산에 갔던 일. 형들이 살던 곳이라는 하나의 신념만 가지고 어려운 처지에 찾아갔으나 흔적도 볼 수 없었다. 육체란 정신적 영향을 받아 생각대로 따를 뿐이다. 금년 들어 왜 이렇게 나도 모르는 불안이 지속된다. 노쇠한 탓이겠지만 심장이 약해진 것도 같다. 금강산호 배 위에서 금방 형들이 뛰어들어올 것만 같았다. 그 한밤에 그런 환상 속에서 실내음악을 들으며 조용히 사색에 잠겼다. 형들은 아무도 나타나지 않았다. 나는 그들의 희생물이 되고 말았다. 다행히 민주국가인 한국에 살았기 때문에 아마 살아남았으리라. 아버지께서 쓰지도 먹지도 못하시면서 형들을 유학 보내시어 형들은 뜻대로 기성인이 되어 나라를 위한다고 북한을 찾아갔지만 결국 북쪽 사람들의 횡포에 말려 기능, 기물만 빼앗기고 결국 생을 마친 것같다. 너무나 억울하다. 형수님의 얼굴이 떠오른다. 형님을 따라갔으나 전쟁 후 어려운 살림과 숙청에 의하여 희생된 듯하다. 내가 어렸을 때 사랑을 많이 받았었는데 누구보다도 보고 싶다. 그리고 조카 훈이, 태양이, 대하, 현순, 현, 철. 이 조카들은 어떻게 살고 있는 것일까. 그리고 권이 형은 어떻게 됐을까. 세상에 태어나 그처럼 서럽게 가족들의 사랑도 받지 못하고 형수와도 이별하고 형들을 찾아갔는데 전쟁으로 돌아오지 않았다. 형님 제사를 지낼 수도 없고 어떻게든 소식을 들어봐야 할 터인데. 정부가 이산가족의 상봉을 추진중인 줄은 알지만 신분이 노출되어 피해망상에 빠진다. 결국 "자라 보고 놀란 가슴 솥뚜껑보고 놀란다"는 격이다. 이런저런 생각이 내 가슴을 억누르고 있는 듯하다. 그래서 여행도 해봤지만 자신이 너무나 초라하게 보였다. 내가 죄를 지은 것 같은 생각에 억눌린 듯했다. 나는 우리 가족의 흔적들은 찾고 싶다. 아버지 어머니께서 희생하신 마음의 뜻을 위로하고 싶다. 보다 훌륭하고 큰 이상을 그려온 인류의 행복을 빌었던 형들의 모습을 찾고 싶다. 준채 형님의 그 예술성은 높이 평가받을 것이다. 북한에 예술영화를 정착시키고 반체제 운동에 희생되었으리라고 생각된다. 그리고 권이 형은 무엇을 생각했을까. 권이 형은 압도하는 카리스마가 있었다. 그것은 기획성이 뛰어나고 실천력이 강하고 판단력이 좋았기 때문에 뛰어난 사람이라고 외갓집, 큰 매형이 칭찬을 아끼지 않았다. 그런데 이런 형님이 결혼의 실패로 준채 형을 찾아 갔을 때 외국어에 소질이 있다하여 평양외국어대학 노어과에 다녔다 한다. 그 도중 전쟁이 났으니 어찌 되었으랴. 형의 영혼이라도 만나고 싶다. 그 억울함을 듣고 싶다. 얼마나 고통스러웠으랴. 그리고 추 형, 조카들이 그렇게 소식을 듣고자 하는데 자신의 안정을 핑계대고 돌아보지도 않다니요. 같은 입장에 있는 사람들도 있는데 어떤 생각을 하고 계시는지 알고 싶습니다. 우리는 운람 자손으로 한 가족인데 자신이 저질러 가난한 것을 형 때문에 희생된 나에게서 만회하려는 것은 마땅치 않습니다. 좋은 일은 혼자 꾸며서 물 말아 먹고 평소에 편지 한 장 없으니 형의 가족 사랑은 면목도 못 지킵니다. 나도 오래 살 것이라는 보장을 못 합니다. 억울합니다. 누나도 그래요. 한 번도 나의 생애를 말로만 생색낼 뿐 철훈 하나 심어주지 못 하니 알만 하지요. 그저 옷이나 보석들만 욕심이 있을 뿐, 안타깝지요. 그리고 자식들도 한 해를 보내면서 전화 한 번 묻지도 않으니 형이 그런 사람으로 내놨겠지요. 생각할수록 자신이 부끄러울 뿐입니다. 이제 철훈은 시인으로 성장했답니다. 이제 어떤 역경도 이겨갈 수 있는 선비가 되었지요. 죽을 때까지 편하게 살렵니다.

23일 무념

요사이 생각을 하고 싶지 않다. 모든 곳이 모순에 가득 차 불의가 정의이고 비판만하고 자신 또한 비리에 싸여 있음을 의식조차 못하는 현실이 너무나 심하여 말을 하려는 사람이 우습게 되는 현상이다. 과연 이래서 되겠는가. 그래서 입이 막히고 생각이 그친다. 무념. 이것이 무난할지언정 이러다 바보가 되는 건 아닐까. 새해 들어 연구해볼 만하다.

2001년

1월

01일 새해 새 아침, 원하는 것이 있다면 정치가 본연의 상태로 돌아오고 민심이 수습되고 사회공공기관들이 양심선언을 하고 매사가 정상화되었으면 하는 바람이 앞선다. 올해는 훈, 태양, 대하, 현순, 현, 철 등 조카들을 만나봐야겠다. 노력을 해봐야겠다. 그리고 사위들이 안정되기를 빈다. 그리고 아내의 건강을 기원한다.

02일 떠오르는 해를 보려고 수락산에 올랐다. 불암산에 가려 보이지 않았다. 소망이 있다면 전 가족의 건강을 먼저 빌고 싶다. 그리고 북에 있는 형님 가족들을 먼저 만나고 싶다. 그들을 살릴 수 있는 재력이 있는 것은 아니지만(이것은 만나면 해결하여야 할 중대한 문제이기 때문에) 내 마음의 고리는 너무나 그들이 불쌍하다. 물론 숙청이라는 정치적 희생을 받았기 때문에 얼마나 쓰리고 아픈 세월을 보냈으랴. 인간이 큰 뜻을 가지고 출발하였다가 어떤 정치적 압력에 의여 굴하게 되다니. 이것은 참혹한 비극이 아닐 수 없다. 그 진의를 구체적으로 알 길이 없으나 2세들의 삶에 무슨 책벌이 내려졌을지 궁금하기 짝이 없다. 그리고 동화학을 공부하고 싶다. 지금까지 집필하던 「말하던 이야기 동화」의 마무리를 짓고 보다 구체적인 공부를 시작하고 싶다. 그리고 좋은 노래를 남겨두고 싶다.

08일 **아동음악상 수상자 모임**

이 세상에는 아름다운 천사와 같은 일을 하는 사람이 많다. '어린이'라고 이름지어주신 방정환 선생은 동화를 통해서 민족의 얼을 심어주고 나랏말을 익혀 나라가 있어야 뜻을 펴고 산다는 뜻을 밝힌 선각자이시며 윤극영 선생은 어린이의 자연스런 순수하고 순박한 마음은 인간의 거울이라는 동심 문화를 주장하여 성인들의 순결론을 펴 보인 선각자였다. 지난 1977년 제정된 아동문학상이 이번에 무려 25주년을 맞는다. "왼손이 하는 일을 오른 손이 모르게 하라"는 성경 말씀대로 어린이에게 음악을 제공하는 작곡가, 작사가, 연주자에게 주는 아동문학상을 주신 분도 있었다. 남촌 이흥렬 선생은 자라나는 어린이의 동심을 살려, 바르고 씩씩한 기상을 갖고 큰 꿈을 키워주자는 뜻으로 이 상을 만들었다. 1990년에 나도 이 상을 받았지만 참으로 훌륭한 상을 제정하여 이 나라가 복되리라. "감사합니다." 어린이운동가에게 주는 상이 제정됐으면 하는 생각을 늘 해본다.

09일 준채 형님을 추도하며

형은 나의 별이요, 영웅이었다. 일찍이 일본의 식민지하에 있을 때 민족의 애통한 나라 없는 설움을 한 몸에 안고 길이 역사에 남기려했다. 펄펄 끓어오르는 열정은 드디어 현해탄을 건넜다. 활동사진을 전공하고 민족의 비애를 기록으로 남기며 왜 이렇게 살아야하는가를 깨우쳐주려고 영상으로 아픔을 노래하고 그늘 아래 눌려있는 얼을 닦아 하나의 이름 아래 뭉치려 했다. 그러나 극심한 야심은 전쟁을 일으켰고 정의는 승리하였다. 덕분에 나라는 찾았지만 남북의 분단은 약소민족의 또 하나의 슬픔을 가져왔다. 손에 손 잡고 애달프게 기원했던 통일의 한을 풀어보자. 민족의 애타는 마음을 눈에 보이게 하고 민족 한의 가슴을 갈라 보여주려고 남과 북을 오고 가다, 그 양심을 찾으려다 북에 머물다 염분(鹽分)의 해수(海水)가 되고 말았다. 1958년까지 남북전쟁의 아픔 속에 생생한 기록을 남기고 원인을 파헤치고 세상을 떠났다. 통일의 문턱에서 형의 참 모습을 찾고자 목매어 불러본다. 그리고 임옥순 형수, 훈, 태양, 대하, 현순, 현, 철, 보고 싶구나.

11일 이석우(李碩雨(福童))

간밤에 8시가 넘어서 전화가 왔다. 여기는 일본 북해도입니다. 듣기만 하여도 무척 반가웠다. 사실은 아버지가 작년 12월 20일 작고하셔서 알려드리며 한국으로 유골을 가져갈 생각으로 사전 답사하고자 합니다. 맥이 풀렸다. 준채 형의 친구이며 형제같이 지내던 형인데 준채 형들의 행방을 몰랐을 때 친형처럼 모셨던 분이다. 일찍이 일제 때 일본으로 건너가 북해도까지 들어가 사업을 성공한 분으로 아버님 상석을 만들어주신 고마운 분이다. 나는 참으로 형을 존경하였고 어릴 때 정을 잊지 못한다. 한두 해 소식이 끊겨 전화도 해봤지만 통화가 되지 않아 궁금하던 차에 애통한 소식을 접하니 깊은 감상에 빠진다. 조실부모한 편모(偏母) 아래서 아무도 도와주는 이 없이 막막한 세상에 혼자 뛰어들어 살기 위한 일을 찾아 아무도 모르는 북해도 찾아가 성공한 분이다. 이분의 인생역정은 많은 사람의 교훈이 될 것이다. 혹 형의 아들이 찾아오면 형의 비망록을 권하고 싶다.

12일 누나

82세의 누나. 남들은 할머니라 부르겠지만 나에게는 하나밖에 안 계신 누나. 이 세상에서 가장 나를 잘 아는 누나. 나도 나보다 앞서간 나이만큼 빼놓고 그리고 아는 동생은 나. 이렇게 자랑했었지만 누나는 나도 모르는 열정이 숨어 있다. 북해도에서 죽어간 복동 형, 그의 죽음을 슬퍼했다. 전화를 하면서 "내가 왜 이러는지 몰라. 동생, 내 가슴이 뛰고 정신이 아찔하고 이대로 죽어도 아무도 모를 거야" 하셨다. 소녀 때 함께 자란 복동은 일제 때 일본에 들어가 해방 후 6·25 직전에 성공한 사람으로 고국을 방문하고 자식을 기다리며 혼자 살아온 어머니께 집을 사주고 돌아갔다. 그리고 어머니 운명을 못보고 전쟁이 끝난 다음 조국을 찾아와 어머니 유택을 만들어 속죄하였다. 나는 몰랐지만 누나는 그때마다 옛이야기 나누며 만났던 것같다. 육십이 넘은 소년소녀 때 친구가 만나 추억에 위로를 받았겠지. 때로는 오해도 했고 그때 나는 말도 못했지만… 그래도 말을 했어야 속이나 알았지, 하면서도 둘의 사이는 하나로 될 수 없었던 신분으로 사춘기의 막연한 그리움이… 무엇인지도 몰랐던 사실들이 지금은 추억으로 청춘을 상기하게 됐나보다. "그래서 말인데 왜 이러지. 죽었다는 소식을 듣자 가슴이 뛰는구나…." 그렇겠지요. 80이 넘어도 그 순수한 감정만은 속일 수 없는 인간의 참된 마음이겠지. 아무도 간섭할 수 없는, 또 간섭해서는 안 될 맑고 깨끗한 인간의 순정이겠지. 그래도 그 가슴이 떨리는 순간이 아마 누나 생애에 최고의 순간일 거야. 심장은 튼튼하지요? 새해 첫 선물이었다. 오래오래 사세요. 누나야말로 소녀 때부터 바라던 그 가슴속에 있던 모든 것을 얻었습니다. 행복한 현실 속에 편히 살다 가세요.

15일 살고 싶은 아침

아들의 등단 첫 시집이 창작과비평사에서 출판되었다. 참으로 기쁜 일이다. 그리고 시인으로서 첫발을 내딛는 아들에게 축복을 바라마지 않는다. 시인이란 세상만물을 아름답게만 보는 것이 아니다. 현실과 미래를 신의 경지에서 통감하고 그 아픔을, 그 기쁨을, 가장 평범하여 잊어버리기 쉬운 것을 웅대하게, 거짓을 진실로 그려 시대적 대변을 때로는 해주어야 한다. 배가 고프지만 그래줄 수 있는지 눈을 뜨고 있는 세속 속에서 글을 풀 수 있을런지 아니면 먼훗날에 누가 찾아 읊어줄런지 아무도 모를 일이다. 첫걸음에는 기대도 크고 자신의 고민도 커서 어지럽겠지만 기왕 뜻을 가진 용기를 잃지 말고 불길처럼 일어서기 바란다. 지금 시는 민중의 대변자가 되고 민족의 이상을 노래하여야 한다. 그것이 곧 바로 나가야 할 민족의 길이 되도록 닦아야 한다. 긴말 필요 없고 짧고 간결하게 네 마음 속에 고동치는 소리와 외침을 그대로 써라. 오직 너의 정의로운 시심을 기대한다. 시란 고민 속에 부상(浮上)되는 신의 계시이어라.

2월

2001년

01일 오는 겨울보다 가는 겨울을 잘 보내리라.

하얀 세상 하얀 세상 두 옥타브 위에 불협화음이 긴 꼬리를 달고 눈길을 달린다. 나무는 눈꽃을 피우며 산과 들판, 계곡을 평안한 하나의 세계로 만든다. 이 겨울이 서늘해서 그렇지, 평화는 겨울 속에 있다. 눈도 귀도 입도 얼어붙어 소리도 없다. 이 얼마나 시원하고 맑고 깨끗한 하얀 세상이랴. 날마다 진의도 없는 방송국도 하얀 눈에 덮여 모두 얼어붙어라. 티 없이 맑고 하얀 원시적 백색의 겨울. 오직 태고의 소리만 간직한 하얀 세상. 옷을 벗어 두고 조용히 물러나려나. 그 수정 같은 마음의 씨앗이 새 봄에 새싹을 피워다오. 오직 하나 당신만을 조용히 보내리라.

03일 '아동문학과 비평정신' – 원종찬 평론집을 읽고

– 자연산 무공해 동요 시 김용택 동시집『콩, 너는 죽었다』편

김용택이 자연산 무공해 시인이라면 원종찬 평론가는 자연의 소리를 듣고 말의 리듬을 찾아주는 바람잡이다. 인간 사회에서 함께 살면서 달을 보고 우짖는 달밤의 개도 두어 마디 우짖고는 멍멍멍하고 달라지는 리듬은 아무리 긴 세월 달밤에 개가 달을 보고 우짖었지만 그 소리를 언어로 들려주는 시인은 없었다. 도리어 동물의 소리를 응용하여 자신의 정서를 대변하였다. 김용택은「참새와 수수 모가지」에서 참새와 수수의 대담하는 소리를 찾아내어 자연의 순리를 밝은 눈으로 보고 솔직한 소리로 대변해주었고 원종찬은「할머니의 잠」

「동무 없으면」에서 자연이 한 고비, 한 고비 리듬을 타고 지나가는 시간적 흐름을 평해준 김용택의 동시들을 보다 아름답고 꾸밈없는 자연의 일상적인 현상에서 강약의 리듬이 인간에 공감할 수 있는 자연의 언어를 찾아주었다. 『콩, 너는 죽었다』는 제목부터가 얼마나 동심이 밝게 보이며 "또르르 또르르 콩콩"하는 자연의 리듬이 얼마나 우리의 삶에 생동감을 주는지 모르겠다.

5일 봄을 맞았다. 어제 입춘을 맞이하고 나니 봄처럼 느껴지는 하루였다. 생각뿐인지 모르지만 피부에 느끼는 체감도 분명 겨울은 아닌 듯싶었다. 아내가 화지에 국화를 그려 그도 겨울 아닌 봄을 기대하였는지 아직 미숙하지만 "꽃이 탐스럽지?" 한다. 방에 앉아있기가 쑥스러워 "지금이라도 산에 가볼까" 하고 잠시 뒤에 뒤따라 불암산에 올랐다. 앞서 가는 아내가 쓸쓸해 보였다. 백지장도 맞잡아야 가볍다고 혼자서 가는 아내의 뒷모습에 나의 쓸쓸함도 느꼈다. 걸음을 재촉하였다. 눈길을 오르면서 뽀도독 소리에 뒤돌아보는 아내의 눈에 들켰다. 둘리는 미소보다는 조금 더 크게 히히히. 2001년의 봄의 문을 여는 소문만복래(笑門萬福來) 입춘대길의 기상을 찾은 것 아닌가. 즐거운 봄맞이였다.

07일 달

"모난 아파트 귓가에 걸린/ 하얀 보름달// 누군가 장난스럽게 둥근/ 가로등 하나를 매어놓은 것 같다// 그러기에 달은/ 오지도 않고 가지도 않는다// 내가 살던 산허리에 걸린 달은/ 장대들고 달 따러 가던 정다운 달// 달을 보다 엄마를 보면/ 눈부신 달빛에 숨어버리고// 두고두고 달 속에/ 어머니가 그리워 달만 보던 보름달// 허공에 떴더라면/ 그리운 얼굴들을 모두 안고…// 이 가슴에 밝은 달로/ 떠오를 텐데// 나는 시골 달을/ 찾는다"

09일 84세가 된 누나

누나라 부르기도 어색할 만큼 흰 머리에 휩싸여 이젠 할머니란 말이 어울린다. 일찍이 40대에 혼자 되어 4남 2녀를 기르시느라 흰 머리가 되셨겠지. 누가 하나 생활비도 벌지 못한 어린 것들을 데리고 해가 살수록 학교에서 학교로 나이는 성숙해지면서 쓸 일은 더 많아지고 이제 장가까지 시집까지 보내야 할 역경 속에서도 어렵게 시집 장가 다 보내고 지금은 정경부인의 친정 어머니로 세상 부러워 할 것 없는 복인으로 살아계신다. 그렇게 살아오셔서 그런지 그 어려웠던 시절은 다 잊어버렸는지 애타고 가난한 사람의 사정은 말로는 알지만 이미 모르는 세계로 덮어버린지 오래다. 출가외인이라더니 그 말이 맞다. 우리 집안 고모들은 하나 같이 친정 일은 모른 척한다. 그 유명한 극작가 김우진의 부인이 된 고모가 그랬다. 혹 들르면 호남의 거부가 행여 보리 한 말이라도 손해 끼칠까봐 이 핑계 저 핑계로 돌려보낸다. 누나 역시 마찬가지다. “없는데 했다”, “없어서 겨우 맞췄다”, “어떻게 될지 모른다” 등의 입에 붙은 말이 전부다. 그래서 편하겠지. 너무나 사치하고 이제는 낭만적이다. 생각은 지금도 소녀같이 젊은 날의 꿈을 잊어버리지 않고 있다. 그래서 그런지 애들도 이재에 밝고 자기밖에 모른다. 그래야 하겠지. 비난하지 않는다. 나 역시 늙어서 이런 생각을 하겠지.

13일 자물쇠와 열쇠

“쨍…/ 잠겼다 잠겼어 이제는 안심이다/ 열쇠만 있으면 그만이지// 이건 이건 비밀이야 비밀이지만/ 쨍하고 잠긴 내 작은 상자에는// 금은보화보다 더 소중한 내가 그린 그림이 들어있지// 입이 합죽한 우리 할아버지/ 아가에게 쩔쩔 매는 우리 엄마// 나를 사랑하시도 인자한 우리 할머니/ 할아버지께 쩔쩔 매는 우리 아버지// 이렇게 재밌는 비밀 그림이 들어있지// 어때 조금만 보여줄까/ 붓으로 그린 내 그림…// 쨍! 어! 내 열쇠가! 열쇠가 없어졌네/ 간곳마다 다 찾아

봐도 보이지 않네// 난 몰라 난 몰라, 엄마…/ 내 열쇠?/ 응, 나도 모른다"

14일 향우(鄕友)

"내가 자란 곳은 광주/ 백제 때는 무진주라 했다/ 지금도 동쪽에 자리하고 있는 무등산/ 그 묵직하고 우람한 모습으로/ 눈을 감고 있는 서석산은/ 무진주 그 이전부터 속눈을 뜨고/ 우리가 자라온 광주를 잘 보고 있다/ 나는 남문밖에 살았다/ 지금은 금동교회가 되었지만/ 이층 누락으로, 한때 종각으로/ 격하됐지만 성안으로 들어가는 문이었다/ 우리 집은 꽃바심 모퉁이를 돌아/ 대밭 아래 작은 초가에서 살았다/ 밤이면 깽깽이 기타 나팔에다/ 꽹과리를 치면서 지신밟기를 하는/ 신식 풍악놀이 패를 따라다녔다/ 그리움보다도 아주 어린 꼬마를/ 형들이 함께 손을 잡아 주던 곳/ 바로 사람으로 대우받던 곳이다/ 호박꽃에 벌이 들어가면…/ 싸잡아 꽃을 따서 귀에 대고/ 왱왱거리는 고향 소리, 벌 소리/ 감나무 위에 올라서면/ 손 벌리는 친구들에게/ 떫은 감하나 던져주던/ 천하대장군/ 좁은 골목 뛰어다니며/ 숨바꼭질하다/ 해 지는 줄도 모르고 숨어 있던 헛간/ 지금은 흔적도 없는 외로운 곳이지만/ 친구가 있어 마음을 달랬다/ '너, 그때 코 흘렸지'/ '너, 구멍 난 고무신 엿 사먹었지'/ 이런 이야기를 지금 누구하고 하랴./ 친구란 허물이 없다/ 내 고향 친구/ 지금은 나 하나 남은/ 고향은 내 마음 속에 있다"

16일 건망(健忘)

"밤이 깊었다/ 삼라만상이 모든 것을/잊어버리고 잠드는 삼경// 홀로 잠깨어/ 잠자리를 더듬는다// 무엇을/ 왜/ 대답이 없다// 있어야할 영혼들은 없고/ 백발의 등신만…// 평양에서/ 전선도 없는데/ 전해왔다// 모두들 잘 있느냐고/ 잊지 못해 눈을 뜨고 보고 있노라고// 평양도 밤이겠지/ 붉은 깃발은 밤의 어둠 속에 물리치고/ 이제야 겨우 고향을 생각하나보다// 잊어버려야지/ 아무리 더듬어도 없는 것"

19일 말하는 이야기 동화

어지러운 이야기다. 동화에 대한 관심 1987년. 보림출판사가 '위대한 탄생' 전집 발간에 앞서 「말하는 이야기 동화」(구연)를 총 144권, 144개의 동화를 말하는 이야기로 녹음테이프에 수록하는 연출을 맡아서 본격화하였다. 이 무렵 나는 KBS에 있으면서 '모이자 노래하자' 대본을 쓰면서 십여 년에 걸쳐 어린이에 관한 모든 문화를 구성하여 TV방송하던 터라 경험을 토대로 맡게 되었다. 40여 명의 색동회 어머니회(전국 색동회 주최 구연동화 입상자 모임체) 회원을 지도하여 수록하였는데, 말이 입상자이지 동화의 abc도 모르는 주부였다. 겨우 하나의 동화를 외워서 입상한 터라 3분의 2는 읽기조차도 제대로 못했다. 우선 읽는 동화로 시작하여 한 사람이 5회 이상 나와서 호된 연습을 시켰다. 자연히 이렇게 해보니까 어린이를 대상으로 하는 동화이니만큼 따뜻한 모성애가 필요했고 어린이 특히 3세에서 6세까지의 아기들이 알아들어야 할 말씨와 화술이 문제가 되어 작가들이 써온 이야기를 한 사람 한 사람의 언어체계에 알맞게 개작할 수밖에 없었고 밝고 명랑한 동화로 만들기 위한 나의 노력은 참으로 나 자신이 생각하여도 놀랄 만하였다. 어느 때는 밤중까지 또 출석이 부진하여 기다리기를 한두 시간, 어떻게 훈련을 시켰던지, 주부들의 능력이 노출되어 자기가 자신의 결점을 잘 알게 되었다. 약 한 달에 걸친 연습을 통해 녹음실로 갔으나 마이크 앞에 선 어머니들이 손쉽게 될 일이 아니었다. 한번은 연습, 한번은 녹음. 제대로 된 어머니는 하나도 없고 연속 NG로 결국 톤이 달라지고 피곤한 소리로 변하여 다음날로 미루고 해서 10일 정도의 녹음계획은 20일 정도 끌었고 나도 녹음 도중 졸음이 올 정도였다. 이렇게 하다 보니 나 자신이 무척 공부도 하였고 참고서적도 많이 봤고 왜 이런 일을 맡게 되었나, 실망도 했지만 결과는 한국에서 가장 새롭고 훌륭한 동화 구연 테이프를 만들게 되어 보림출판사의 개가를 올리게 되었다. 이로부터 「말하는 이야기 동화」를 책으로 써보려고 1999년에 기획하여 지금까지 수정에 수정을 거듭하고 있다. 또 출판계 사정이 달라져 내가 책을 발간하려고 하니까 3, 4백만 원의 자본이 필요했고 무척 어려운 고비를 넘기기도 했다. 금년에는 어떻게든지 끝을 맺을 생각이다.

21일 아내의 불침병(不寢病)

"아내가 잠을 못 잔다/ 천사처럼…// 불의 화신이 삼켜버린 시커먼 한밤중에// 국화를 그리고/ 상형문자를 쓰고 있다// 눈을 뜰 때마다/ 밤의 요정이 눈빛을 밝히고// 잠든 세상을 보도 있는 듯/ 그는 천사와 같다// 이것이 미화한 내 마음 같았으면 좋겠다// 잠 못 이루는 병이라니/ 안타깝다// 참으로 조용히 누워서는 안 된다/ 가슴이 두근거린다/ 자꾸만 그 얼굴이 보고 싶다/ 영원한 나의 사랑이여"

22일 겨울은 가고 봄은 오는데

"그처럼/ 우둔한 빛이/ 한 나절 내려 비치더니// 잔설이 녹아내려/ 자연계가 먹칠되었다// 그처럼 춥고 아리듯이/ 추위를 몰아 부치더니// 나직한 그 한숨에/ 하얗던 산야를 마음대로 짓밟아// 오기가 대단한 동장군/ 침을 내뱉고 떠나버렸다// 이것을 인간이 배워서야 되겠느냐// 이렇게 짓밟고 간 네가 그 하얗던 세상을 잊었는가/ 소복이 그리고 탐스럽게 보리밭을 덮어 쓴// 너/ 다시 오리니 짓밟지 마라// 네 뒤에 찾아온 봄이 연약해도/ 너를 비웃듯 방긋 미소를 지으리라"

23일 고향

"까치가 울더니/ 길을 재촉하였다// 유난히 밝은 2월 초하루/ 보채는 훈과 함께 고향을 찾았다// 그 어느 땐가/ 어머니를 모시고 가던 길에/ 하늘이 울어 비에 젖던 길을 따라// 빗방울 하나하나가 내리며/ 지난날의 발자국을 깨뜨려 길에 뿌리는// 思念의 세계로 나는 간다/멈추지 않은 굽이굽이의 이야기// 그리움이 지금 막 연초록 물감에/ 번져드는 버들강아지를 몰고// 간다 간다 이야기 나라로/ 눈길이 머무는 곳에 옛 이야기가 있다// 보리피리 불던 언덕길/ 송아지가 엄마를 찾던 언덕배기// 지금도 숨 쉬는 내 고향/ 어머니, 아버지가 계시는 곳"

24일 성묘

"그 어느 땐가/ 나는 오록굴 숲 속에 가지 않으련다// 하시기에 앞이 툭 터진 가곡 가는 길/ 언덕배기에 모셨더니// 너무 외로우실까봐/ 아버님 유택에 요를 깔아드렸어요// "여보 준채, 추, 권이/ 어떻게 살았는가나 물어보고 오시오"// 하시던 아버님 옆에 함께 계시니/ "이젠 그것도 모르고 벌써 왔소"// 행여 꾸중이나 안 들으셨는지요/ 그 소식을 기다리며 50여 년// 지치고 지쳐서 먼저 가셨으니/ 한으로 남을 수밖에요// 아직도 문이 굳게 닫혀져 있어요/ 그리운 자식들이 앞서가 있데요// 슬픔보다는 한이 남아 그리움이 더하는/ 이 막둥이가/ 지금도 엄마 아빠 그리워 찾아갑니다"

26일 제 3차 이산가족상봉

겨우 백 명의 이산가족이 서울과 평양에 이뤄지는 수는 각각 백 명씩. 축하행사가 있다. 참으로 이산가족이 아니고서는 그 쓰라림과 그리움을 실감할 수 없을 것이다. 보자마자 목이 메어 울지도 웃지도 못하고 정신이 아찔해지는 듯했다. 흔히들 전생에 무슨 죄를 지었기에 이처럼 쓰라린 고통을 주느냐고 말한다. 어머니께서는 자식들의 그리움에 정신적 이상을 앓으셨다. 헛것이 보이는지 준채야, 추야, 권아 부르시면서 집밖으로 나가시어 길을 잃고 다니다가 파출소에서 전화가 와 모셔오길 몇 년. 부들로 산서로 가서 회생을 시도해 보았으나 깊이 앓고 계시는 정신적 타격이라 치유되지 않으셨다. 한 번은 형이 뒤뜰에서 부른다 하시며 밖으로 나가셨다. 뒤따라 가보니 길은 보지 않고 허공만 보고 가시다가 언덕길에 넘어지시고 말았다. 손을 잡아드리며 일으켜 드렸지만 내가 누구인지도 모르셨다. 이렇게 뼈 아픈 이산가족의 슬픔이 이제는 얼굴이라도 보게 되어 참으로 감사하기 짝이 없다.

27일 메아리치는 가슴의 소리

"황혼이 질 무렵/ 허공에 날개 되어 부르는 소리// 갈수록 메아리 되어/ 울려 퍼지네// 음매/ 어미 찾는 송아지 소리/ 송아지 찾는 어미 소리// 소리와 소리가 맞부딪치니/ 허공은 울음으로 가득차고/ 찾고 찾는 마음만이 엉키었네// 이제는 그 부르짖음을/ 분간할 수도 없는/ 울림으로 귀가 얼얼하고// 눈은 감빛 노을만 보네/ 노을만 보네/ 보네// 고희가 지나서야/ 알듯하여/ 내가 어머니 그리워하듯// 어머니의 가슴 속 말을/ 조금 알아듣겠네/ 그 메아리 소리를…"

3월

2001년

01일 1919년. 벌써 82년 전 태극기를 손에 들고 독립만세를 외치던 선대들의 거룩한 모습이 눈에 아롱거린다. 젊은 시절 KBS TV '모이자 모래하자'를 집필할 때 어린이 3·1절을 쓴 적이 있다. 일경이 사다리를 대놓고 높은 곳에 걸어놓은 태극기를 떼어내는 것을 보고 어린이 몇 사람이 힘을 합쳐 사다리를 쓰러뜨려 나무에 매달린 일경이 곤궁에 빠진 모습. 또 태극기를 들고 만세를 부르던 어린이들이 일경에 끌려갔다. 일경이 "너희들이 독립이 무엇인가 안다면 종이에 태극기를 그려봐라, 그러자 아이들은 비단 한 폭을 가져오면 그리겠다고 했다. 왜경은 가소롭기도 하고 깜찍한 생각이 들어 백지 한 장을 주었다. 깨끗한 종이 한 장을 앞에 놓자 어린이들은 거침없이 태극기를 완성해냈다. 왜경은 아연실색했다는 이야기였다. 참으로 나라 사랑의 진실하고 솔직한 어린이의 마음과 행동은 상상을 넘어선다. 인간은 새삼스럽게 생각하지만 순수하고 깨끗해야만 한다. 본대로 들은 대로 어린이는 어른의 거울이다.

02일 반달회

우리나라에 예부터 전해 내려오는 고요(古謠, 옛 동요)가 있는데 이것은 민속음계 5음계로 가락이 있어 주로 할머니가 손자를 달래면서 불렀던 노래로 전해져 왔다. 1930년 무렵 동경유학생들에 의해서 동요가 서양음악적 방법으로 신작되었다. 그때 동요로서는 최초로 윤극영 선생에 의해서 작곡된 노래가「반달」이라는 노래다. 이 노래는 고요(古謠)와 서양음악과의 가교 역할을 하여 높이 평가받고 있어 윤극영 선생을 추모하는 뜻에서 '반달회'를 만들어 동요의 보급 등의 사업을 전개하여 왔으나 주로 여성들의 모임이 되어 사업적으로 능력부족, 시기 상실 등 문제로 난항을 겪고 있다. 명색이 반달회 고문을 맡아온 지 십여 년이 되지만 이런 일로 마음에 들지 않아 금년에는 적극성 없는 터에 신입회원 동요강습을 실시한다 하여 원고 준비와 자문에 임하였지만 결국 수강 관리 잘못으로 가을로 연기하는 결과를 가져왔다. 대단히 불쾌한 일이다. 크게 반성을 해야 할 것이다.

4월

2001년

12일 판문점의 아픔

죄도 없으면서 북으로 가는 임진강 다리를 건너자 괜히 숙연해진다. 자꾸만 자꾸만 내 살아생전에 이 땅에 함께 살아온 사람들을 내가, 우리가 둘로 나눠놓은 듯한 느낌이, 죄스럽게 찾아드는 아픔이 바로 바로 이곳이었구나. 보잘 것 없는 작은 촌락이 가슴이 찢어지듯 반세기동안 남과 북을 끌어안고 이제는 가랑이마저 찢어져 버티기 힘든 판문점이더냐. 자유의 집, 평화의 집, 판문각이 제 아무리 큰 집인들 무슨 소용이랴. 사람도 살지도 않는 집을 바람에 나부끼는 들풀들이 웃고 있구나. 이제는 피가 흐르고 아픔의 소리가 천지를 진동하여도 모르는 척하는 판문점이다. 너희는 그 소리가 들리느냐. 지금 아픔을 아는 세계는 죽어가고 무엇인지도 모르는 무덤 같이 변해버리는 판문점. 가도 가도 너의 찢어지는 아픔을 아무도 몰라주겠지. 그러나 하늘은 인간에게 마지막 힘이라는 것을 주신 것을 알고 있겠지. 한 번 힘을 주면 보도 터지고 산허리도 무너지는 그 힘. 마지막 힘을 모아보게. 천만 이산가족이 힘을 다해줄 걸세. 더 피가 나고 생명이 다하기 전에 우리 한 번 힘써보자고 소리쳐 보게. 땅 속에 묻친 영혼들까지도 한을 못 풀고 죽은 원한의 귀신들이 함께 힘을 써 보일 것이네. 무덤보다도 조용한 판문점. 이제 힘을 내보게. 하나, 둘 힘을 모아 민족의 아픔을, 내 조국의 아픔을 마지막 힘을 다해 끌어당겨 하나로 이어 보세.

14일 어린이

한국의 어린이운동은 1921년에 방정환 선생의 제창으로 시작되었다. 그 이전에는 양반 댁에서는 대를 이어갈 도련님이었고 사회적 계급이 낮은 서민층에서는 그저 심부름이나 하느 꼬마둥이였다. 생각할수록 어떤 집안에서 태어나야 사람대접을 받느냐는 문제는 태어나는 것에 따라 이미 결정되었다. 어른보다 약하고 아무것도 모르는 애기들이라 하여 사람이면서 사람의 대우를 못 받고 먹여 살리자니 귀찮은 존재이기도 하고 노동력에도 아무런 도움이 되지 않았다. 그래서 천대받았고 질병에 약하여 의식적으로 천대하여 몹시 안타까웠다.

다행히도 이 나라를 걱정하던 선각자들에 의해 제2세들의 중요성을 인식하고 꼬마둥이가 '어린이'란 칭호를 얻게 되고 1908년『소년』이란 잡지를 필두로 1921년에 방정환의『사랑의 선물』이란 동화집이 나와 비로소 어린이다운 대우를 받게 되었다. 참으로 귀한 선물이었다.

16일 무념무상

이렇게 제하여 무어라 쓸까. 세상에 상념의 세계를 벗어나 무아의 세계에 들어갈 수 있다면 얼마나 행복할까. 사람이 생각한다는 것이 얼마나 어려운가. 무념무상. 이것은 내가 인간이라는 것을 탈피하는 것이다. 생각해야 하는 사람이 그 생각을 멈추자는 것이다. 이 세상에 무엇이 있다고 떨쳐버리지 못하는 건가. 인간이기에 그 놈의 정념 때문에 인연 때문에 떨쳐버리지 못하는 우리. 그러기에 이성과 감성마저도 버려야 비로소 나는 나를 알아갈 것같다. 무(無), 이 속에 내가 있으리.

17일 누구를 위하여

무엇이 이처럼 바쁘기에 밤을 새워가며 컴퓨터에 글을 쓴다. 1시, 2시. 시간은 흐르는데 할말이 너무나 많구나. 말이 많구나. 그 어느 땐가 어른이 싫어서 어른이 무서워서 동화하는 얘기가 좋아서 동무하자고 했을 때 손잡아주던 동화나라 아저씨. 나에게는 지금도 동화 아저씨가 좋다. 순박하고 거짓이 없고 무서우면 떨고 함께 해주고 기쁘면 하나 남은 이빨을 보여주는 아저씨. 이곳에는 힘도 없고 권력도 없고 있는 그대로. 낙엽이 떨어지면 거름이 되고 거름은 또 나무를 키우고 나무는 또 잎을 피우듯이 누구도 그 과정을 어기지 않는다. 바로 그 자연의 순리 속에 동화는 나와 친구다.

입에 붙은 쪽박 이야기, 목말라 급히 물 먹는 사람에게 버드나무 잎을 띄워주는 이야기, 삼 년 고개 세 번 넘어진 이야기, 병풍에 호랑이를 묶어보는 이야기, 겨울에 딸기와 뱀과 바꾼 이야기, 하나도 버릴 수 없는 작은 이야기들이 지금은 교과서에서도 하나 둘 사라져 간다. 내 이야기가 아닌 동화 아저씨의 이야기, 아리가 울다가도 뚝! 울음을 떨치고 듣는 이야기. 나도 모르게 알다보니 버릴 수 없어 들고만 있었더니 이것을 떡처럼 나눠 달라하네. 그래야지. 내 것도 아니고 선조들이 남겨주신 교훈인데 그 수많은 경험 속에 후손들이 겪어서는 안 된다고 남겨주신 이야기. 부모에게 효도를 다해도 모자란 이야기, 인간의 도리를 다 물어 얘기가 된 얘기. 건네줘야지. 힘이 되어 주어야지. 눈앞에 팔십 여 사람들이 모여 경청하는 젊은 가슴에 선조들의 슬기를 전해야지. 이런 집념이 밤을 새우고 나니 기쁨만 남았다. 꿈도 큰 조선대학교 사회교육원에서 광주 반달회 회원에게 기쁨을 나눠줘야지. 이날 너무 일찍 광주에 내려 3시간여 객지에서 시간을 보내는데 이처럼 어려우랴. 없어도 내 집이 좋더라.

20일 고향을 뒤돌아보며

마지막일지도 모르는 고향. 나의 탯줄이 묻힌 곳. 어버이 누워 계신 곳. 저 멀리 하늘에. 구름이 간다. 어머니 얼굴을 그리며 가나. 뒤뜰에 송아지 음매음매 울 적에 고향을 부르며 구름은 간다. 어머니 얼굴이 떠오른다. 그 가난했던 옛날. 젖을 나눠주던 유모의 얼굴이…. 현실과 환상의 세계를 오고가며 갈수록 동화와 같은 꿈이 한없다. 고향산천은 그대로인데, 혹 내 마음이 변하지 않았을까. 고향과 나 사이에 남은 것은 정뿐이다. 돌 하나 풀 하나. 모두가 그리움에 넘친다. 들녘에서 우는 송아지 소리. 바람결에 흙냄새. 내 어릴 때 것과 다름이 없다. 고향을 뒤돌아보며 상념에 눈을 감을 때 어느 새 차는 고향을 뒤로 보냈구나.

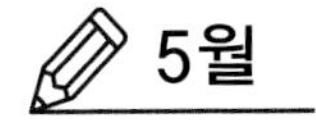

5월

2001년

02일 오월의 노래

개나리 진달래가 봄소식을 알리던 날이 엊그제 같더니 벌써 5월이라니, 세월도 빠르구나. 예부터 5월은 청순한 달이라하여 어린이와 젊은이를 빗대어 희망을 주었지만 이제 그런 축복도 못 받는 늙은이가 되었구나. 사람이면 누구나 가질 수 있는 희망이지만 벌써 그 뜻마저 가버리고 모른 척 사는구나. 이제 남은 건 죽음뿐이러니 아무도 없는 조용한 산골에서 조용히 눈을 감고 싶구나. 간밤에 나를 부르는 소리에 창문을 열어봤더니 회사한 꽃잎들이 연초록 작은 잎에 말려 떨어지고 잎만 보이더라. 세월이야 가고 오는 것이라 하지만 그 아름다운 목련꽃도 밀고나와 기지개를 펴는구나. 그러니 아무리 훌륭한 일을 했다한들 젊음이 소리 없이 밀고 오면 조용히 물러서야지. 봄, 그것이 그렇게 화사하더니 푸른 잎이 나와 세상 물들이니 푸른 바람이 밀고 여름이 찾아드는구나. 지칠 줄 모르는 계절의 오고감이 어찌 이 몸이 늙어가는 것을 보고만 있으랴. 누구나 늙어간다는데, 이제야 젊고 늙는 것을 아는 둥 마는 둥 지나가는 바람에 여름을 느끼는구나. 이대로 살아 뭣하리오. 세상에 할일이 태산같이 많은데 애초에 갈 길을 잘 못 들어 아는 것이 없으니 내 어찌 옛날이야기 한 토막 적기도 힘 드는구나. 오월은 지금 6월을 찾아가는데 나는 지금 가는 세월을 보고만 있으니 그 쓸쓸함이 입을 꼭 다물게 하는구나.

08일 어버이날을 맞으며

나에게도 아버지와 어머니가 계셨다. 아버님을 여윈 지 벌써 마흔세 해 아득한 옛일이 되어 기억조차 하기 힘든 날이 되었다. 만약 잊는다는 인간의 방정식이 없으면 아마 나도 일찌감치 아버님 곁으로 갔을는지 모른다. 일찍이 전라도의 선비 운람 할아버지의 둘째 아들로 태어나 온양 정씨 정낙교(鄭洛教) 댁에 사위로, 어머니를 맞이하시어 광주가 전라도의 중심이 되는 일제시대, 내 외가가 있는 광주에 터를 잡으셨다.

부지런하시고 활동가인 아버님께서는 의사가 되고 싶어 한양에 올라가 지금 서울대학의 전신인 의학연구소에 다니시다가 실습에 들어가 외과수술을 공부하시는 도중에 해부하기가 무서워 그만 두셨다. 겁고 많으시고 인정도 두터워 남의 일이라면 모든 일을 제쳐놓고 뛰어다니시던 아버님은 문중의 도유사도 지내지며 문중의 중심인물로 존경을 받으셨다. 총명하시었고 한학에 능하시어 광주향교의 시회에서 언제나 장원을 하신 아버님이셨다. 어쩌다 형들이 예술에 입문하여 큰 형이 상상도 못한 봉건사회에서 영화를 공부하겠다고 나설 때 이해를 하시고 일본대학 영화과에 유학시키시고 둘째 형도 음악을 공부하러 유학을 보내셨다. 아버님, 이때 차라리 잡아놓고 농장이라도 경영하셨다면 재산이라도 남기셨을 텐데 논 팔아 유학 보내 배운 자식들이 그나마 남북이 갈린 북쪽에 자리를 잡았으니 38선을 두고 남북이 전쟁으로 잿더미가 되고 나라가 양분이 되는 고통을 몸소 감당하셨으니 그 얼마나 야속한 현실입니까. 자식의 덕은 고사하고 적화된 자식들 때문에 평생을 자식 걱정에 생을 마치셨으니 참으로 존경해 마지않습니다. 북검 할아버지(외가의 시조) 댁의 사위가 되시어 논밭도 수십 석 받으셨다는데 자식들 교육에 다 쓰시고 당신을 위해서 마음놓고 술 한 잔 들어보지도 못하시고 승하하신 아버지. 이 세상에 자식을 위하여 자신의 삶을 희생하신 아버지를 빼놓을 수 없을 것입니다. 이 세상에는 효자효녀는 있어도 아랫사람에게 베푸는 도타운 사랑, 자애를 기리는 특별한 뜻이 없어 한스럽습니다. 어느 땐가 비(碑)를 세워드리고 싶습니다.

아버님은 일제의 어려운 시대에 민족의 힘이 되고자 동시대에 살기 힘든 지사들의 뒤를 돕고자 동분서주하시며 어려운 사람들을 도와주셨다. 글이 출중하여 설득력이 있어 일인(日人)들도 감탄하여 사정을 들어주었으며 호남의 민족사관학교인 고창중학에 일인들의 압력으로 학교에 못 가는 학생들을 입학시켜 수많은 학도를 도우신 자애로운 분이셨다. 20세기 초 자식들을 영화감독으로, 음악인으로, 문학인으로 길러 세상에 바쳤으나 두 동강난 나라 형편에 해방과 더불어 북쪽에 자리를 잡는 바람에 평생을 자식사랑의 자애로서 살다가 1958년 8월 20일 이승을 버리고 저승으로 가셨다.

10일 이래서 되겠는가

하루 종일 누워서 지냈다. 이것은 오랜 습성인데 허리가 아프다. 또 성격상 문제가 있다. 시작한 일을 끝맺지 않으면 자리를 뜨지 못하는 사고 때문이기도 하다. 아무 일도 않으면서 자꾸 누워 있는 습관이 나도 지겹다. 그 시간을 밖에 나가서 산책을 하든지 가벼운 등산을 하는 것이 건강에도 좋으련만. 이렇게 생각하면서도 누워있기를 좋아한다. 스스로 늙어가는 있는 것이다. 문제는 내가 나를 싫어하게 된 것이다. 가장 문제는 TV다. 일종의 중독성이 아닐까. 그 유치한 연속극. 아직 인생경험이 없는 소녀들의 상상력 속에 놀아나는 배우들이 어색하다. 사랑 아니면 테마가 없다. 이런 것을 보면서 자버린다. TV는 혼자서 기계적으로 불이 켜진 대로 12시간 불이 켜져 있다. 이렇게 반성하면서도 열중한다. 겨우 TV에서 외부의 정보를 얻기 때문이다. 크게 반성한다.

11일 일조일석에 이루어지지 않는다

「말하는 이야기 동화」란 저서를 시작한 지 3년째다. 그동안 컴퓨터가 바쁘다고, 공부가 모자라서, 하고 이유에 이유를 달고 지금까지 끌고 온 것이다. 안다는 것이 이처럼 무식하고, 안다는 것은 길잡이밖에 되지 않는다는 것을 새삼 느낀다. 며칠 손대지 못하다 기억을 살려 다시 보면 문장을 비롯해 내용이 너무 나 허술하다. 며칠 새 새로운 지식을 얻었기 때문이다. 이렇게 해서 다시 교정 하고 짓고 쓰고 하는 시간이 지금에 이르렀다. 아마 체계적으로 시작했다 하면 벌써 끝났을지도 모른다. 그러나 글은 참 좋아졌다. 그리고 이 책을 읽을 사람 의 욕구를 여러 측면에서 더 구체적으로 잘 설명되었다. 다만 누구의 말인지 모 두가 내 생각, 내 뜻과 같아서 어찌할 바를 모르겠다. 오늘은 12시간 진행이 잘 되었다. 아내가 맛있는 요리를 준비해뒀어도 제시간에 먹지 못해 미안했다.

14일 아카시아

아침 햇살에 아카시아 향기가 묻어 오월의 아침을 맞는다. 간밤에도 파랗던 수 락산이 하얀 모자를 썼다. 이것이 하늘의 조화가 아니면 어찌 이런 변화가 있을 텐가. 수만 수억 마리의 벌이 윙윙 대며 아카시아 꿀 향기가 바람에 날린다. 이 것이 만약 독가스라면 다 죽고 말 것이다. 향기로운 아카시아. 일찍이 독일 사람 이 민둥산이던 한국의 산이 홍역에 허물어져 아카시아 씨를 가져다 심었다는데 지금 아카시아 숲이 되었다. 꿀 냄새가 바로 아카시아다. 방울방울 꿀단지가 열 려 벌들을 불러들이는 아카시아 꽃. 5월의 하늘에 흰구름처럼 향시 속에 둥둥 떠 돌아다니는 아카시아 꽃은 가시가 있다. 엄지 한 마디만큼 작은 17잎의 나뭇잎 이 모여 한 가지의 잎새를 만든 녹색의 아카시아 잎은 화합의 잎이며 둘둘씩 짝 을 지어 놀게 한다. 아카시아는 오월의 여왕이다. 화합의 주인이다. 아카시아는 새로 시작하는 백지장과 같다. 희망찬 오월의 하늘에 휘날리는 아카시아 향기.

15일 혼자서 집에 남아

요사이 아내가 붓을 들고 나간다. 하얀 백지에 시간을 그리고 검은 대도 그리고 난도 그린다. 그 얼마나 배움에 한이 되어 환갑도 넘은 할머니가 이제야 시간이 아까워. 하지만 그 용기가 부럽다. 아직도 살아남은 선비정신이 기어코 끝까지 그리고 말 것이다. 참으로 보낸 세월이 아까워 열심히 다닌다. 나도 그 길잡이 되어 가는 길을 함께 한다. 나는 집에서, 아내는 교실에서. 우리는 낮이면 허공에서 만난다. 난도 치고 글도 쓰고 혼자 남아도 섭섭지 않구나.

18일 모처럼 외출

집안에만 앉아 있어 뒷동산에 가봤지만 산에도 숲속에도 혼자 있기는 똑 같으니 모처럼 갖춰 입고 전철에 오르니 기분은 상쾌하지만 아무도 쳐다보는 이 없구나. 모처럼 친구 만나 세상 소식 듣다보니 술 한잔 먹고 싶어 주막에 들렸더니 세상은 더 시끄러운 데 나만 모르고 있었구나. 살기 좋은 나라 만든다더니 사람마다 못 살겠다니, 아예 입 막고 귀 막고 보지 않는 것이 좋을세라. 어지러운 세상일에 귀 기울이니 집이 그립더라.

22일 여름을 느낀다

그동안 20도가 넘는 날씨도 있었지만 그렇게 덥다는 느낌은 없었다. 그러나 오늘은 종일 움직일 때마다 덥다는 말이 절로 나온다. 그럴 수밖에. 정치 문화 경제, 하나도 시원하게 풀리는 것이 없이 비록 나하고는 거리가 먼 것이란 생각으로 살지만 너무나 지루하다. 탁 트일 수는 없는 것일까. 심지어는 손자 녀석 학교 진학 문제로 몹시 신경이 쓰인다. 계속해서 비리가 폭로되어 세상사람을 놀라게 하지만 언제까지 이런 일들이 사회불안을 가져 올 것인지 답답한 느낌이 여름을 재촉한다. 편하게 살 수는 없느냐고 질문해보지만 아 하나의 문제가 아니다. 이제 희망도 보이지 않는다. 모든 것이 돈이고 돈만 있으면 된다는 역순의 윤리관이 마음을 아프게 한다. 조용히 살련다.

28일 매실

겨울이 가기 전에 곱게 이어 오른 매화꽃. 흰 빛에 다섯 잎이, 잎보다 먼저 피어 추위를 이겨내는 여인의 절개. 매섭게 부는 바람도 이겨내며 미소를 보여주는 네 얼굴에는 굳은 마음의 지조가 보이나니. 한국의 봄은 바로 너부터 시작하여 산에는 진달래, 개울에는 개나리, 벌판에는 유채꽃이 덩달아 화사한 봄을 부른다. 꽃을 꽃이라고 함부로 꺾다가는 매화 침에 고생하니 아예 보기만 하라는 꽃이니 행여나 꺾으려다 망신당하리라. 그 절개 무섭게도 결실을 하니 그렇게도 시고 시려 생각만 해도 침이 절로 나는 매실. 어찌 사나이가 매실주 한 잔 못하랴.

31일 지루한 하루

아내는 서예 연수를 위하여 중계동사회복지관에 일찍부터 나가고 없다. 화분에 물주고 쓸고 닦으며 1시. 눈 깜박할 사이에 오전이 지나고 점심준비에 바쁘다. 요사이는 월드컵 대회가 열려 축구 편이 방영되어 또 하루가 지나간다. 이렇게 때가 지날 때마다 몸이 나이를 먹는 소리가 들린다. 나도 모르는 사이에 발을 끌고 다닌다. 모든 근육이 수축하는 모양이다. 밖에 나가면 자연히 돈을 쓰게 되고 자연히 집에 있게 되면 지루한 하루가 된다. 아내가 기다려진다. 젊었을 때 아내가 나를 얼마나 기다렸을까. 낯설은 시집에 와서 또래의 시누이도 없는 데 풍습도 다르고 시부모 모시고 자기 친척도 없는 낯선 곳에 시집와서 몹시 고생했으리라. 이제야 생각하니 미안하구려.

6월

2001년

04일 고독한 세상을 생각하며

나는 선비의 집안에 태어나 4남1녀의 행복한 가정의 막내둥이로 선각(先覺)한 부모와 형님을 맞아 어릴 때는 누구보다도 단란하고 유복한 귀염둥이로 자랐다. 그러나 때는 일제이고 학교 교육은 받았으나 초등학교 5학년 때 일제의 광상(狂想)으로 2차세계대전이 일어나 나라가 몹시 혼돈에 빠졌다. 형들은 동경에서 고향으로 돌아오고 학병 동원에 시달려야 했고 추 형은 일본에 징병으로 끌려가고 권 형은 징집을 반대하여 산속으로 피신했다가 1945년 해방을 맞았다. 우리의 기쁨은 무한하였다. 큰 형은 영화감독, 둘째 형은 음악가, 셋째 형은 외국어를 잘하는 경제인으로 우리 집안에 대한 부러움은 하늘을 찌르는 용트림을 꿈꾸게 했다. 그것도 당시로는 최신의 학문을 했고 전망이 좋은 예가의 집안으로 선견지명이 있었다.

그것도 하루아침. 나라가 두 토막으로 갈리고 민주와 공산이란 상극되는 이데올로기가 출현하여 어지러워졌다. 그러나 선비 집안인 우리 집의 정서와는 무관하였기 때문에 선각적으로 일하기 좋은 곳을 찾아 자리를 잡은 곳이 이북이었다. 지금 생각하면 비통한 일이다. 나는 이때가 19살. 형들의 꿈에 부풀어 있었고 나는 무용가가 되려고 했다. 그러나 모든 꿈은 여지없이 무너지고 남한에 혼자 남아 고독을 씹어야 했다. 더구나 연좌제니 유색분자(有色分子)니, 나 아닌 형들의 행방 때문에 요시찰 인물이 되어 학교에 들어가면 나와야 했다. 이때부터 무한한 고민이 시작되고 세상을 어찌 살아야 할지 아무 대책도 서지 않았다. 이렇게 해서 나름대로 사회봉사로 나를 숨기고 이력서가 필요 없는 세상을 찾아 살 수밖에 없었다. 그러면서도 선비로서의 양심을 지켜나갔다. 그러기에 같이 일해도 모난 주장도 못하고 주어진 한계 속에서 최대한의 성과를 거두며 자식들에게 부끄럽지 않은 아버지로서의 역할을 해나왔다.

인생이 아내를 얻고 한 고비, 자식 기르며 두 고비, 부모 여의고 세 고비, 이렇게 살다보면 자식들 여우고, 손자 보고 인생을 낙담한다고 생각했는데 남의 식구가 들어오고 딸이 지아비를 따라가게 되니 주변에 식구가 늘고 모두가 형편에 따라 제 인생을 살아감에 이리 얽히고 저리 얽혀서 두근거리는 가슴이 쉴 새가 없었다. 바로 이럴 때다. 한 다리 넘어섰다고 생각하는 자들, 그리고 가깝다고 생각하는 자들이 제일 무서웠다.

인간이 기질에 따라 그 인격과 품격이 달라진다. 사위가 딸을 볼모로 공작을 쳐온다. 여기에 딸이 바른 눈을 못 뜨고 부모보다는 지아비 편을 든다. 편리하고 아쉬울 때는 부모를 찾고, 불리할 때는 찾아오지도 않는다. 세상이 그렇게 가르쳐 놓은 것이다. 나 자신이 피할 길이 없어 쥐구멍이라도 숨고 싶구나. 자식이 손가락이라면 깨물어서 안 아픈 손가락이 어디 있겠느냐. 그 아픈 손가락을 이용해 잘라 먹으려 하다니 고독하기 짝이 없다. 물불을 모르고 일을 할 때는 시간이 가면 잊혀 지더니 이젠 고독이 찾아온다. 아마도 죽을 때가 온 것같다. 죽기는 서럽지 않으나 이북에서 고생하는 큰 형님, 조카 훈, 태양, 대하, 현순, 현, 철을 만나 형들이 이북에서 어떻게 살다 생을 마쳤는지 알고 싶다. 그래야 죽어서 아버지 어머니를 만나 어려웠던 시대에 가슴속에 담고 말 한마디 못하고 돌아가신 부모님의 한을 풀어드리고 싶다. 요사이 같으면 죽고 싶은 생각이다. 아내의 말처럼 돈은 없다가도 있고 있다가도 없는 것이지만 형제 간의 정은 돈으로도 못 사는 것인데 어떻게든 외로운 철훈이 나와 같은 고독에서 벗어나 활발하게 살았으면 한다. 형제의 정을 살려라. 그리고 외로움을 달래고 용솟음치는 힘을 저장하여 명시를 남겨라. 이러한 인격을 살아야 만이 외롭지 않다. 고독은 생각하기에 따라 달라진다. 이 순간 잠깐 고독하지만 정을 주고 함께 걸으면 누구나 동반자가 된다. 나보다 더 잘알겠지만 너는 덕을 베풀어 고독한 사람의 구원자가 되어라. 너의 정신세계에서 고독은 없는 사람이 되어주기 바란다.

15일 6·15 남북공동성명 1주년

김대중 대통령이 김정일을 만나 통일의 실마리를 찾고 앞으로 통일을 위한 작업을 시작하자고 굳게 협약하고 성명을 낸지 만 1년이 되었다.

16일 별

나라를 위하여 집을 나간 형들의 소식이 없는지 50여 년이 넘었는데 엉뚱하게 철의 장막 속의 카자흐스탄에 추 형이 살고 있고 6남매를 둔 준채 형은 유명을 달리하시고 안타까운 조카들만 통일을 기다리며 이북에 살고 있다니 이 얼마나 기막힌 일이더냐. 장조카 훈이가 2살 때 할머니 옆을 떠났고, 그 애가 벌써 55세에 가까우니 세월도 많이 흘렀으며 그 아래 식구들을 본 적은 없으니 이렇게 천륜의 정을 끊어놓아도 좋단 말인가. 천륜이라는 부자(父子), 형제(兄弟) 사이에서 마땅히 지켜야할 떳떳한 도리를 막아놨으니 서양 강대국들의 탁상공론이 우리 민족에게 이렇게 큰 타격을 줬단 말인가. 목숨이 달려 있으니 살고 있는 것이지 이 어질어진 이산가족의 슬픔을 조금이라도 이해하였는가. 남북에 발을 묶어 놓고 바라만 보라는 동물적 처사이지 이것이 인간들이 그어놓은 38선인가. 이 때문에 6·25전쟁이란 아픔을 겪었고 두 개로 갈라진 민족상잔은 누구를 위한 싸움인지 알 수 없어 참으로 위정자들의 반성을 촉구한다. 날이 갈수록 전쟁의 야욕의 골은 깊어지고 민중은 날로 이기적으로 자리를 떠나니 결코 이것은 인심이 아니고 천심일 것이다.

21일 두 분의 고모

나에게는 고모가 두 분 계신다. 선비이신 할아버지는 그 시대에(1800년대) 저명한 학자이시기에 여기저기 양반들과 (딸자식들이) 결혼하였다. 그 중 한 분이 순창의 안동 권씨 집으로 가셨는데 그 옛날 세도가였으나 몰락하여 몹시 가난하게 겨우 연명했다 한다. 나하고는 고종사촌이 되는 권오영 형은 3형제를 두었고 어릴 때는 외가라고 하여 자주 들렸다. 시대가 바뀌어 한 분은 금융계로 진출하였고 그 아들은 교육계에 진출하였다. 어제 몸도 좋지 않은데 부고가

왔다. 경기도 안양시 평촌의 병원을 찾아갔다. 미국에서 딸과 손자가 와 있었고 형은 벌써 80이 다된 노인이 되었다. 대장암으로 누워 무려 7개월을 큰 고통 없이 살다가셨다는 형수가 안타까워했다. 그러나 없을 때는 찾아오고 소식도 전하던 사람들이 조금 잘 살게 되자 소식을 끊고 살던 사람들이 부고를 보내어 좀 감정이 좋지 않았다. 사람마다 그런 감정이 눈에 띄게 보여서 인덕이 있어야 한다는 말을 실감하였다.

22일 며칠 전 방송작가 편집장의 답방을 받고 대담을 했다. 오랜만에 은거했던 자신의 이력을 펼치고 신상도 밝혔지만 어딘가 어색하기 짝이 없다. 그것은 잊혀져 가는 1950년 이야기 때문이다. 그 시대를 살아본 사람이 아니면 알 수 없는 이야기라 그렇게 심각성이 안 보였다. 형들이 북으로 동란 전에 갔다는 것도 이미 6·15 남북정상회담 후 모두 당연한 역사의 아이러니 정도로 생각했다. 내가 받은 고통이란 생사를 같이 한 무서운 이승만 정권의 연좌제에 시달린 점, 졸업장도 안 주었다. 그리고 모든 사회 진출을 방해하여 먹고 살 수가 없었기에 세상이 외면하는 유치원을 직업으로 살았다는 점이 그리 큰 자극이 안 되었다. 회보의 결과가 나오고 보니 불명예스러운 느낌이 든다. 글이 조리가 없고 그런 심리적 갈등을 묘사하지 못하여 아쉬웠다. 방송작가라는 영역이 영상이 뒷받침한다는 개념이 강하여 현상주의 식의 글은 문제가 있다. PD들이 그런 글을 영상화하는 데 얼마나 힘이 들까.

25일 6·25

벌써 51년 전 오늘, 라디오에서 전쟁이 일어나 인민군이 의정부를 점령하고 서울을 향해 진격하고 있다는 미확인 보도가 있었다는 소문이 있어 사람들이 당황하였다. 당시 아버님께서도 밖에 나가 듣고 오셔서 아무래도 서울 근교에 불상사가 생긴 모양이니 주의를 하자고 하셨다. 그날로 좌우 친구들을 찾아가

정보를 들어봤으나 당시는 라디오를 가진 집이 많지 않아 모두가 뜬 소문이었으며 겨우 신문 호외가 유일한 정보였으며 신문도 나오지 않았다. 이러한 상황에서 보도연맹에 가입한 사람들 모두 불러갔다. 형무소 문이 열려 죄수들이 출옥했다. 우익단체 사람들이 피난을 갔다느니 하는 소문이 나더니 며칠새에 경찰, 군인들이 어디론가 이동하고 시가에는 서로가 생대방을 알 수 없는 무서운 공포 분위기로 변했다. 모든 교통이 두절됐고 치안은 마비, 관공서는 소리 없이 앞다투어 떠났다. 아버지께서 가장 두려워하시는 말씀이 당시 좌우로 나뉘어 있던 사회의 두려움을 말씀하시며 나에게 목포 누나에게 가 있으라고 하셨다. 벌써 그날이 6월 26일이었던 것같다.

아버지 판단으로는 사회가 불안하고 정확한 정보가 없어 돌아가는 상황이 하루 사이에 민심이 좌우로 갈리어 내적으로 은근히 그동안 겪어온 해방 후 6·25까지의 민심을 분석하시고 불안해하셨다. 그래서 젊은 매형이 판단력이 있으리라 생각하고 "너 혼자라도 살아남아라. 도시는 위험하니 시골로 가라. 같이 고모 집으로 가 있어라" 하셨다. 소문에 의하면 광주 남쪽 목포나 여수 방향의 기차는 간다는 말을 듣고 역으로 달렸다. 시내는 냉랭했으며 오가는 사람들의 발걸음이 빨랐다. 당시로는 마지막 열차를 타고 목포로 향했다. 누나 집에 도착했을 때는 벌써 전선이 서울을 뒤로 하고 후퇴하여 한강을 교두보로 싸우고 있다는 소문이었다. 누나는 남악리로 피난가자고 했다. 벌써 좌익계에서 준동하기 시작했고 "식량을 구하여야 한다. 정부미를 강탈당했다"느니 상상도 못하는 사회 불안이 계속되었다. 무서운 분위기 속에서 항구는 피난 가는 사람들로 들끓었고 불안한 사람들, 스스로 인심을 잃은 자, 남을 해치던 사람, 부자, 권력자 등이 이동하기 시작하였다고 말했다. 그리고 숨어있던 좌익계 사람들이 활발하게 움직인다는 소문이 나돌아 사회는 날이 갈수록 불안하게 되었다.

아버지의 권유로 목포에 왔지만 이곳은 더 불안하였다. 모르는 사람들 사이에 끼어 행여 오해라도 생기면 어떻게 될까 두려웠다. 소문에 의하면 마지막으로 목포항을 떠나는 LST함정이 움직이기 시작했는데 그 함정을 향하여 총을 쐈다는 것이다. 그러니까 지방 자위대가 생겨서 움직인다는 말이었다. 목포 역에 대형 창고가 있었는데 유달산을 넘어서 날아온 포탄이 공기를 뚫고 날아오는 소리도 요란하게 휘휘휘하고 넘어와서는 그 창고에 꽝하고 떨어졌다. 어느 것은 바다에 떨어져 커다란 물기둥이 하늘 높이 올라가면 그때서야 꽝하는 소리가 났다. 생전 처음 목포 항구 밖에서 쏘는 함포라고 말했다. 목포에도 자율 자치대가 생기고 낯선 곳에서 날로 불안해졌다. 매형이 밖에서 돌아오신 다음, 피난을 가자고 하셨다. 그날로 걸어서 임성 남악리 고모 댁으로 피난길에 올랐다. 목포 교외에 인척이 있는 사람들은 모두들 피난길에 올랐다. 마치 대집단의 동물들이 이동하듯이 모두가 묵묵히 앞다투어 걷기만 했다. 말이 없었다. 말할 시간도 없었다. 우리는 앞선 사람에 끌려서 뒷사람에 밀려서 가듯 흘러갔다. 남악리에 도착했을 때는 피난민이 집 안팎으로 가득 메웠다. 고모를 찾아가 인사를 드렸더니 서울에서 방한 형님의 소식이 없다고 하시며 당황한 표정으로 반겨주지도 않으셨다. 나는 집밖의 그늘에 캠프를 폈다. 그리고 우선 저녁밥 걱정을 했다. 역시 누나는 주부답게 냄비 밥을 준비하였다. 너무 맛이 있었다. 당시는 스무 살로 혈기왕성하였다.

전쟁과 무모한 백성. 들려오는 말에 의하면 국군은 속수무책으로 패주에 패주를 하면서 양민에 보복적 학살을 했다는 소문 때문에 더욱 공포에 떨었다. 이렇게 되자 고모의 걱정은 날로 더해갔다. 방한 형이 도중에 잡혀 갔다는 소문에 모두들 놀랐다. 그리고 고모의 근심이 커지자 모두들 분위기가 좋지 않아 하나 둘 자리를 떠났다. 전쟁은 더욱 치열하여 인민군이 목포에 입성하였다고 했다.

나는 다시 매형과 작별하고 광주로 향했다.

29일 비

하염없이 비가 내린다. 아무런 생각 없이 비를 본다. 저마다 방울방울 허공에 그림을 그린다. 가뭄에 쓰러진 벼. 쓰러진 고추. 쓰러진 배추. 그리다 못해 눈물을 흘린다. 비는 무념과 무념의 사이를 내리며 유념의 세계를 씻어 내린다. 하늘을 욕하던 사람들. 쓰레기 같은 사람들. 이제는 소리치면 환호하는 아첨꾼. 비가 땅에 떨어져 넘치자 되로 막고 말로 막고 하다가 문턱까지 차오르자 손 놓고 앉아 있네. 비는 끊임없이 내리는데, 비는 모여 물이 되어 강으로 흐르는데 사람은 비를 맞으며 물 흘러가기만 기다리네.

7월

2001년

07일 전국어린이합창단 경연대회에 초빙되어 갔다. 옛 생각이 무럭무럭 떠올랐다. 어린 아이들이 제비새끼 같은 입을 벌리며 나름대로 고운 화음을 만들어가는 모습은 참으로 아름답기 짝이 없었다. 특히 이 아이들을 지도하고 있는 교사들의 모습은 성스럽게 보였다. 하나하나가 다들 개성이 다르고 태어남이 다르고 환경이 다른 아이들을, 노래를 즐긴다는 공통성 하나를 중심에 주고 서로가 협력하여 또 하나의 소리의 생명을 불어넣으니 참으로 아름다운 화음이 만들어진 것이다. 만인의 마음을 하나로 묶는 교사의 힘은 참으로 성덕이 아닐 수 없다. 그 옛날 광주방송합창단이며 새로나합창단을 한 시대에 올렸던 아름다운 정서가 남아 있다. 참으로 감회가 깊었다. 또 한 번 이런 기회를 바랐으나 풀리지 않은 자본주의를 맞아 단체에 속하거나 돈이 있어야 이런 일을 해볼 수 있다.

13일 녹용

새벽 5시. 사슴농장을 찾아 일동으로 달렸다. 6시 조금 넘은 농장에선 사슴들의 울음소리가 들렸다. 사슴뿔은 사슴이 아침을 먹기 전에 잘라야 하기 때문에 아직 중국산 활엽을 주지 않아 그 예리한 코앞을 스치는 활엽수의 넓은 잎 냄새가 코를 찌르는 듯 유난히 애처롭게 들렸다. 나는 어릴 때 녹용이라는 사슴뿔이 나무에 걸려 뚝 떨어지면 나무꾼이 주워와 약용으로 쓰이는 것으로 알았다. 아내가 이웃과 어울려 사두었다는 35번의 아기사슴이 이번에 세 번째 녹용을 자르는 날이었다. 마취약을 맞고 비틀거리는 사슴을 잡고 뿔을 자르다니. 정말 인간이란 무엇인가, 생각이 맴돌았다. 이 욕심을 버려야할 것이다.

18일 한 여름 소창(小窓)

하지(夏至)란 여름이 든다는 말이다. 말만 들어도 땀이 솟는 여름. 그래서 생각 하는 것은 시원한 숲속이나 그늘 아니면 더위를 모르는 폭포다. 이렇게 심약해진 현대인의 여름은 바캉스로 이어진다. 근래에는 장사꾼도 문 닫고 여름휴가를 즐긴다. 그러니까 여름의 한 더위도 사는 형편에 따라 달라진다는 얘기다. 이것이 자본주의가 만들어낸 피서인가. 넉넉히 사는 사람은 무조건 하와이나 유럽 등 세계적인 휴양지를 향해 가족이 함께 떠난다. 사돈이 논을 사면 배아프다는 논리를 적용시키는 것은 아니다. 국제적 매너를 도덕성을 갖추지 못한 가족들이 식당에서 떠들고 술 한잔 들어간 아버지의 주정으로 쫓겨나기도 한다. 휴양지 꼴불견 중에 하나를 장식한다고 한다. 호텔에서 밥 끓여 먹고 치우지도 않고 나오는 못된 의식은 무식해서일까. 비행기 표가 매진이라니 돈이 많기는 많은 모양이다. 근래 한국인 사이에는 교육이민이라는 유행으로 대이동을 하고 있다. 한국식 사고다. 남편은 돈을 들고 나가 자리를 잡아주고 다시 한국으로 돌아온다. 참으로 안타까운 일이다. 그러든 말든 한여름 돈 없는 빈자

상투에 부자 욕을 하고 나니 시원하다. 바람이 불어도 시원하고 미운 놈 꺼꾸러져도 시원하고 비가 와도 시원하다.

25일 엄마, 엄마 내 동생이

"엄마, 엄마 내 동생이/ 책상에 앉아 책을 펴고/ 글을 읽다 막혔어요/ 이건 무슨 글씨예요/ 이제 겨우 가나다라/ 읽으면서 물어 보네/ 이건 무슨 글씨예요/ 책을 들고 다니면서/ 묻고 묻고 또 물어/ 그건 그건 아니야, 아니야/ 글씨가 아니야 그림이야/ 내 동생이 묻는 것은/ 그림이야 글씨가 아니야"

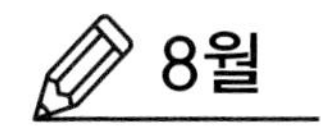

8월

2001년

01일 장마

이번엔 장마에 시달려 곳곳에서 침수피해가 늘어나고 산사태에 집이 파괴되고 주차장을 물이 쓸고 가 수십 대의 차가 떠내려가 무서운 교통사고 현장처럼 서로 부딪혀 보기에 험하다. 불은 흔적을 남긴다는 데 물은 흔적을 남기지 않는다는 말이 틀림없다. 해마다 그렇게 홍수주의보에 경고까지 하건만 등산 갔다가 고립되어 구출되고 냇가에서 놀다 실종되는 사고가 연일 난다. 그렇게도 지각이 없는가. 세상이 속도 채우기 전에 사람들을 너무나 많이 유혹을 한다. 사람은 어리석기에 호기심에 빠져든다. 참으로 안타깝다.

02일 민기의 팔

민기가 가진 최상의 기능이 보드를 타고 30, 40㎝ 높이를 뛰어넘는 것이라고 한다. 요령은 알아도 행동이 둔하다 하더니 드디어 용기를 낸 것이 팔목의 성장 판에 금이 갔다. 잘못하면 팔이 삐뚤어지거나 성장이 멈춘다고 한다. 칭찬을 해야할지 야단을 쳐야할지 판단이 서지 않는다. 복장은 배나 더 큰 반바지에 한 쪽은 걷어 무릎까지 올리고 머리에는 띠를 질끈 매고 미국의 불만투성이 흑인 소년들 모습을 그대로 따른 것이다. 왜 하는지, 의미는 알고 하는지, 해서 뭘 하는 것인지도 모른다. 다만 그 용기로 할일을 해낸다면 영웅이 될 것도 같다.

11일 팔월의 오후

"어디서 날아오나 팔월의 향기/ 누나와 손잡고 찾아갑니다/ 하늘엔 뭉게구름 둥실 떠 있고/ 솔솔솔 다가오는 달콤한 내음// 발걸음 절로 간다 향기 따라서/ 누나와 산모퉁이 돌아가보니/ 알알이 익어가는 포도송이들/ 더위를 식혀주는 포도밭 향기// 들에는 벼이삭이 피어오르고/ 누나의 포도밭길 노래 부르면/ 포도가 송이송이 익어만 간다/ 산꿩이 훠조로록 날으는 오후// 포도밭 사잇길로 들어가서는/ 누나와 포도송이 함께 맡으면/ 포도가 방긋방긋 반겨주어요/ 달콤한 포도 내음 향기도 좋다"

23일 오늘은 11시에 출발하여 책을 들고 승차했다. 4호선 충무로에서 3호선으로 바꿔타고 일산 쪽 백석에 내렸다. 아주 조용한 그리고 사람도 적고 깨끗한 역이었다. 바닥이 유리알처럼 들여다보이는 자재로 되어 있고 대기실에는 8인용 대형 소파가 있고 책도 서가에 꽂혀 있었다. 거기엔 신문에 가린 노인이 나를 기다리고 있었다. 종채였다. 벌써 1시, 점심시간이 되어 백석의 유명한 갈비탕 집을 찾아 점심을 같이 하고 다시 3호선을 탔다. 목적지는 타고 난 뒤에 정하기로 했다. 점심식사 때 40대 여자들의 계모임이 얼마나 시끄러웠던지, 한국주부들의 생태가 화제가 되기도 했다. 결국 수지 종점까지 갔다. 8호선을 바꿔 타고 옛날을 그리며 모란시장을 찾아보기로 했다. 장날이 아니라 모란시장에 죽음을 기다리는 닭, 오리, 개들이 더위에 시달려 구원을 청하지도 못했다. 다시 8호선 종점으로 갔다. 그리고 5호선을 바꿔 타고 종로3가에서 내렸다. 종로3가역은 너무나 넓어 출입구 찾기가 힘들었다. 3호선을 찾아 이별을 하고 나는 충무로에서 다시 4호선을 타고 집으로 돌아왔다. 시계는 6시를 향해 갔다. 시원한 전차 속이었다.

29일 2001년의 여름

처서가 넘었는데 더위가 고개를 숙일 줄 모른다. 밤이면 열대야 낮이면 30도를 넘는 더위는 사람을 피곤하게 한다. 8월도 이제 며칠 안으로 넘어갈 듯한데, 막가는 더위일지 모른다. 지구 온난화 현상이 기승을 부리는 것인지도 모른다. 지금도 밤잠을 못 자게 한다. 6·25동란 때 목포 누나 댁으로 피난 갔다가 걸어서 광주로 오던 때가 생각난다. 혼자서 그 먼 길을 어떻게 걸어왔는지 모르겠다. 길은 자연히 오고 가는 사람들에게 물어서 검문하는 사람들을 피해 산으로 들로 왔으나 다음에 들은 일이지만 정말 위험한 모험이었다. 때에 따라 득세한 사람들이 권력을 쥐었으니 휘두르고 싶은 충동으로 낯익은 사람이 아니면 누구나 통행을 금지하고 일을 시키고 가두고 의용군으로 보냈다고 한다. 나는 천우신조로 이런 일을 당하지 않고 조용한 여행을 했었다. 지금 생각하면 등이 오싹한 현상이었다. 왜 이런 동족상잔의 슬픔을 우리 세대에서 겪어야 했는지 하늘에 묻고 싶다. 생각하면 중학교 때는 좌우의 대결로 어려운 시기를 보냈다. 우리는 지난 40년을 일제 식민지하에서 겪었으며 2차세계대전 때는 소년 척후병, 항공병, 전차병, 소년 공작청 등에 동원되었다. 해방이 되자 학교로 복귀하였으나 좌우의 사회적 혼란 속에 여순반란사건을 겪고 지리산 빨치산과 경찰의 대결은 전쟁을 방불케 하였다. 매일 신문에 공비 토벌기사가 실렸고 그 가족들의 아우성을 들을 수 있었다. 그리고 6·25 동족상잔의 아픔은 분단 한국의 쓰라린 전쟁으로 가슴을 아프게 했다. 그때는 젊고 의욕도 있었지만 부모를 모시고 있던 나로서는 어찌할 도리가 없었으나 세상은 그렇게 보지 않았다. 형들 때문에 이적자로 본 것이다. 무조건 체포하고 무조건 고문 하니까 무고한 대답을 하게 되고 고문에 못 이긴 사람들의 희생이 너무나 컸다. 지금 이 더위와 함께 모두 사라져 버렸으면 좋겠다. 기억하고 싶지 않은 아픔이 더 덥게 하는 지도 모른다. 더위여, 빨리 떠나다오.

9월

2001년

06일 반달회 총회

여성동화가 모임인 반달회 총회가 있었다. 윤극영 선생을 기념하기 위한 회의지만 음악은 멀리가고 이렇게 동화모임이 되고 말았다. 그러기에 의의도 없고 질서도 없었다. 권위적인 요소가 많아 동화 연구는 하지 않고 제 밥에만 눈을 뜬다. 명색이 총회인데 인원점검도 하지 않고 회장단 임기도 마음대로 결정한다. 이런 것이 비사회적인 횡포이다. 무조건 박수를 치는 부대로 전락해 버린 것이다. 사전 임원회의를 통해 안건을 구상하고 해야 되는데. 물론 구두이지만 공식석상에서 고문이란 직함을 내버렸다. 세상에 이럴 수가 있는 것인가, 생각하면 너무나 어리석다. 그동안 들인 정성이 헛된 것같다.

12일 아무것도 보이지 않는다. 산다는 것이 이렇게 괴로울지 몰랐다. 이 고달픔을 이겨나갈 힘도 없다. 이 세상에 살았다는 흔적도 없애고 죽고 싶다. 좋은 아내를 만나 폐만 끼쳤다. 조용히 가련다. 이게 다 내 탓이다.

13일 아침에 일어나보니

또 세상이 바뀌었다. 미국의 심장부인 월가의 무역센터가, 힘의 상징인 국방부, 그리고 부시 대통령의 휴양지를 한날 오적이 납치한 미국비행기로 가미가재

특공대처럼 살인보복하며 강타하고 말았다. 자본주의가 극심하면 뿌리가 썩은 줄을 모른다. 여하튼 세계의 정세가 말할 수 없이 변할 터인데 이대로 가다가는 너나없이 죽게 될 것이다. 나는 자연의 순리대로 살아가자.

19일 일가애화(一家哀話)

어떤 뜻인가 하면 한 집안의 애처로운 이야기란 뜻이다. 마음은 가졌어도 어찌할 수 없었기에 그 한데 모은 마음의 흔적이란 우리 형제가 평생을 흠모하는 어머니와 아버지의 그리움 속에 그 가르침 속에 살아온 삶의 기초를 마련해주신 부모의 그리움 속에 우리는 형제라는 혈연의 의기를 느끼며 살아보니까, 그때 그 시절 얼마나 어려운 마음의 고통을 참고 살으셨을까 하는 느낌만은 틀림이 없는 것같다. 입이 있어도 생각은 있어도 제도와 환경이 이해해주지 않기 때문에 입을 굳게 닫고 살았겠지. 어느 날 6·25때 납북된 외삼촌의 부인 외숙모가 찾아오셨다. 어머니는 당신의 시누이가 되는 터인데, 형들이 북에 있으니 그들이 시켜서 외삼촌을 납치해갔다고 억지를 쓴 일이 일어났다. 어머님께서는 말없는 표정으로 일관하시며 그 입담 좋은 외숙모의 몰지각한 행동을 지켜보았다. 이 아픔과 쓰라림은 남편보다는 자식의 정이 더한 것이 아닌가. 남편의 그리움이란 잊으면 잊어지는 남과 남 사이라 물리적으로 볼 수는 있지만 부모와 자식 사이는 떼려야 뗄 수 없는 몸의 일이며 자나깨나 자식을 그리는 마음과 그리움은 남편보다는 더할 터인데 대학까지 나온 지성인이며 이성을 가진 숙모가 셋씩이나 소식도 모르는 어머니의 마음을 헤아리지 못하고 느낀대로 말을 해댔으니 이것을 어떻게 해석해야 할 것인가. 참으로 피를 토할 아픔을 느끼셨을 것이다. 이미 자식들은 체제가 다른 세상에 살고 있으며 잠깐 다녀오겠다고 집을 나간 자식들이 어머니께 이런 불효를 끼쳤다니 천만 번 사죄해도 용서받지 못할 슬픈 이야기이다. 그래도 참고 그래도 참으시고 영영 혼자 남은 이 자식을 위하여 입을 다물고 저승으로 가지고 가셨다. 참으로 비통하기 짝이 없다. 아버지께서는 나를 불러 "내가 한시를 썼으니 들어보아라"하시며 구구절절 자식 생각의 애절한 마음을 그리시고도 행여 이런 말은 내가 죽더라도 남이 읽으면 자식들의 마음에 못을 박는다"하시며 시집을 불살라버리셨다. 정말 애처롭고 가슴 아픈 일이다. 아마 이런 느낌이 텔레파시로 형들의 머리에도 느낌을 전했으리라. 하루도 이 아픔을 잊을 수 없어 내 자식들에게 전하고 싶지 않다. 참으로 누가 애틋한 마음을 풀어줄 것인가….

24일 사진 찾기

"여보 갑시다." 아내의 말소리에 시계를 본다. 새벽 5시 반. 나는 이미 일어나 하루를 기획하고 있다. "오늘은 저 어지러진 것을 어떻게 하고, 당장은 안 될 테니 다녀와서 하시지." 며칠째 낡은 사진을 찾느라 열 박스에 담긴 책들을 펴보고 있었다. 영화연극을 비롯하여 음악책, 일제시대로부터 근대에 이르기까지 형들이 쓰시던 일어 책과 내가 그동안 모아놓은 각종 책들이 마루에 가득히 널려 있다. 혹 이 속에 내가 찾는 사진들이 있는가 하고 벌써 이틀째 큰 형님의 영화촬영 모습, 둘째 형의 젊은 때 모습, 셋째 형의 학교 때 모습. 이 중에는 현 대통령과 동문인 목포상업학교 때 사진이 있어 열심히 찾아보았다. 그러나 어디선가 선뜻 보고 잘 보관해야 하겠다고 둔 사진들만 없다. 아내가 "글쎄 이것을 찾아 무엇에 쓰려고 그러는지, 벌써 반세기 전의 것들을" 하는 말에 한숨이 절로 난다. 하지만 꼭 쓰일 데가 있어 찾고야 말겠다는 것이다. 일전에 다큐 코리아가 우리 사형제 모습을 담아 남북으로 갈려 사는 형제들의 모습을 담아보려는 의도를 받아 조금이라도 근거가 되는 사진을 찾아보려고 한 것이다.

형들은 모두 북으로 갔다. 큰 형은 영화를 위하여, 당신의 꿈과 이상을 찾아 갔다면, 중형은 호기심에 갔을런지 모른다. 셋째 형은 결혼의 실패와 당시 국내

정세에 시달려 갔을지도 모른다. 그 후 우리는 6·25란 전쟁을 치러야 했고 그야말로 형제간에 총을 겨누어야 할 형편에 있었다. 이제 중형을 만나 알게 됐지만 나는 남한에서 월북가족이란 낙인이 찍혀 형들의 호적을 정리해버렸고 고향을 버리고 서울로 왔으며 그동안 큰 형은 북에서 숙청을 당해 작고하셨다. 중형은 모스크바에 유학하여 3백여 유학생들이 모인 자리에서 주체사상을 비판하고 인권을 주장하다가 결국 소련에 망명을 하고 말았다. 결국 이 때문에 큰 형은 숙청을 당했고 중형은 망명, 셋째 형은 행방불명, 나는 연좌제로 시시때때 검문검색에 시달려야 했다. 이 비운의 가족을 이산가족의 아픔으로 한국의 가족상을 그려볼 생각인 듯했다. 이렇게 그려본 듯 어떻게 되라마는 후련하지 못하다. 결국 때를 잘못 타고 난 힘없는 사람들의 비참한 꼴을 보여주는 것이다. 이것이 교훈일 수도 없고 그렇다고 인생의 비애를 그린 다큐멘터리가 될 수도 없다. 갈수록 웃음거리가 될 수밖에 없다. 사람이란 때로는 베일 속에 있어야 사회적 관심이 많아지고 상대의 흥미를 끌 수 있는 게 아닌가. 너무 사생활이 공개되어도 투명인간처럼 들여다보이는 사람처럼 흥미가 없어지는 것 아닐까. 사진 한두 장 찾기 위하여 오늘까지 나흘간 나는 하나둘 들춰 나오는 사진들로 지나간 날을 회고하고 때로는 바보처럼 때로는 그 시대의 표정으로 때로는 그 망을 벗어나 세상 사람의 망각의 귀에서 영화 〈도망자〉처럼 살았던 옛일이 주마등처럼 스쳐갔다.

참으로 머리가 아팠다. 정리가 아니라 더 혼란을 샀다. 작고하신 형의 모습을 볼 때마다 그 안타까움과 신이 주는 죄와 벌, 이 고통을 나만 느끼는 것이 아니라 돌아가신 아버지 어머님은 지금도 눈을 뜨고 형들을 기다리실 것이다. 왜 이렇게 고달픈 것인지, 친구라고 사귀다 외로움을 달랠 길 없어 이야기 중에 이런 말을 흘리면 그 후 반드시 악용하여 힘들게 만든 사실이 있어서 나는 친구도 없다. 그런데 왜 형들의 사진을 찾아야 하는 것일까. 나도 알 수 없는 일이다. 결국 시청자들의 흥미거리의 대상이 될 뿐이다. 참으로 가슴 아프다. 내 자식들에게도 막내가 이십이 넘도록 이러한 가족사정을 알리지 않았다.

자식들이 알게 된 것은 자유민주주의가 주창되고 소련도 공산주의에서 탈출하고 세상이 온통 새 세계로 개혁되어 가는 1980년대 후반기였다. 그때까지는 막연하게 아버지도 형제간이 있었단다, 라는 미확인 정도의 상식이었으나 "뭐 그것이 우리 삶에 무슨 큰 영향을 주나요" 하고 관심도 보이지 않았다. 다만 영화인, 음악인이라는 것을 연예계 인물이라는 흥미는 있었다. 올림픽이 1988년 있은 다음 1990년도에 중형을 만나게 되었다. 그때부터 실감하고 비로소 예술가 집안이라고 인식하기 시작하였다. 그토록 비밀에 싸인 베일이 벗겨진 것이다. 기왕에 이렇게 공개되려면 어머니 아버지 계실 때였으면 얼마나 좋았을까. 참으로 부모님께 죄송스럽기 짝이 없다. 세상이 세월이 이렇게 장난을 할 수 있는 것일까. 이래서 그 옛날 신화가 생기고 기적이 일어났고 인간의 무지와 신앙과 철학이 생겨난 것은 아닐까. 결국 인간학적인 문제이다. 결국 나는 나지, 누구로 하여금 달라지지 않았다. 고민 속에 사는 것이 인생이러니 하고 생각할 뿐이다.

10월

2001년

05일 아버님을 생각하며

얼마 되지 않은 논밭을 팔아 유학을 시키시고 말년에는 살기조차 힘든 세상을 보내시며 시음(詩吟)으로 마음을 달래시더니 갑자기 형들에게 당시의 느낌을 적으셨던 시들도 모두 태워버리시고 자식들을 기다리던 약한 마음을 남기지 않으시겠다고 하시며 결의를 보여주시었습니다. 이제와 생각해보니 얼마나 그 아픔이 크셨는지 감히 짐작하고도 남습니다. 그러한 가슴에 한을 안고 계시다가 8월 20일 가실 날을 적어두시고 숨막히는 고통을 받으셨습니다. 손가락으로 글을 쓰시며 무엇인가 말씀을 하시고자 하셨지만 그 충격으로 숨을 거두시고 말았습니다. 그때 제 나이 27세. 아무것도 모르고 세상 풍파에 시달려 자립도 못하고 있는 그때인데 화를 못 잊어 운명을 다하시니 참으로 막막하기 짝이 없었습니다.

11일 형님

나에게는 세 사람의 형이 있었다. 그러나 형들과 나 사이에는 나이라는 거리가 있어 귀염도 받았지만 세 형이 모두 다른 교훈을 남겼다. 큰 형은 나와 14살 차이로 형이 중학교 다닐 무렵 난 유치원 생이다. 많이 귀여워해주었던 기억들이 새롭다. 어릴 때 형들이 축음기를 들고 숭일학교 운동장에 아침체조를 하러 갈 때 당당하고 자랑스럽던 추억이며 형의 친구들이 찾아와 귀여워해주던 일, 정월 보름날 악기들을 들고 마을 안을 행진하여 가장행렬을 하던 인상이 지금도 즐겁기만 하다. 해방을 맞아 모처럼 가족이 함께 모여 사는데 형제들이 사랑방에서 형수님을 모시고 윷놀이를 하는데 내가 편을 가르는 일에 광주 사투리로 형수는 작은 형하고 붙고 큰 형은 막내 형하고 붙으면 좋겠다고 했더니 "붙다니, 그 따위 말버릇을 어디서 해" 하고 큰 형은 야단치며 밀었다. 나는 영문도 이유도 모르고 갑자기 당하니 화가 났다. 대항을 했다. 그러자 윷놀이는 막을 내리고 나를 놓고 말이 많아지며 때리려고 했다. 나는 돌아서서 도망을 쳤다. 무려 십리 가까이 달려갔다. 그 뒤를 형수, 큰 형 등 줄줄이 따라왔다. 뭣인가 정의로운 것을 가르쳐줄 생각이었던 것 같았다. 그보다 앞서 광주 양림동에서 내가 어디서 고양이 새끼를 얻어와, 들건 데 꼬리를 묶어주면 짧게 떨어진다는 말을 듣고 묶어줬는데 고양이가 마루 밑으로 들어갔다. 이것을 본 '와이스'란 개가 따라 들어가 고양이를 잡혀 먹고 말았다. 그 일로 몹시 울며 개를 긴 막대로 마루 밑에 넣고 찌르고 때리고 소동을 벌였다.

밖에서 돌아온 큰 형이 소란을 피우다고 야단을 치며 매를 들었다. 어머니께서 말리셨다. 나는 끝까지 "내가 잘못했으니까 내가 매를 맞겠다"며 어머니를 뿌리치고 맞았다. 그날 밤, 아버지 옆에서 자면서 어머니께 하시는 아버지 말씀이 "근이 고집이 대단한 놈이야, 고집대로 하면 크게 될 놈이야" 하시며 칭찬해주셨다. 그때 그 당당했던 내 모습이 지금도 생생하게 기억된다. 그리고 큰 형은 큰 형답게 집안을 다스려주셨는데 "나라를 위해 갔더라" 하시던 부모님도 다 돌아가시고 큰 형님 자리도 비어있으니 그 쓸쓸함이 더해온다. 사실 큰 형님이나 둘째 형은 내가 어릴 때 서울에서, 일본에서 공부하였기에 같이 생활할 기회가 없었다. 겨우 방학 때가 되어야 집안이 북적거리며 친구들이 찾아오고 밤새 토론하고 어머님은 먹을 것을 만드시느라 분주하셨던 일이 기억날 뿐이다.

둘째 형은 부들 하청단리에 살 때 해방을 맞아 군에서 돌아와 광주에 다녀오더니 구두를 맞춰 신고 다녀야한다고 설명했다. 그러면서 밑창이 닳으니까 미리 창을 하나 더 달 구두는 비싼데 그 구두를 사겠다고 고집을 피웠다. 지금 당장 돈이 없으니 창 하나 짜리를 짓고 다음에 달면서 창갈이를 하라고 해도 막무가내였다. 그때 듣기에 구두 한 켤레가 쌀 한 가마니 값인데 쌀 한 가마니면 우리 식구가 한 달 먹을 쌀이라고 꾸중하셨다. 그때 집안 사정도 모르고 자기하고 싶은 대로 하던 형이 무척 밉기만 했다. 둘째 형의 인상은 그때부터 욕심이 많고 고집이 세다고 인지되어 왔다. 셋째 형은 나하고 4살 차이라 다정한 사이였다. 목포상업학교를 다녀서 어릴 때부터 떨어져 생활했고 고모의 푸대접을 받아가면서 공부하였기에 애닯기 한이 없다. 성품이 온화하고 독서를 좋아해서 어디를 가나 책을 들고 다니며 외국서적(영문 중국문)을 잘 읽었다. 일제 시 병역 때문에 일찍이 결혼하여 형수와 지적 차이가 나서 고민하다 아마 이런 사정을 안고 북으로 간듯하다. 내가 어렸을 때 형들의 행방을 가르쳐 주지 않아 정말 나는 모르는 일이었다. 뒤에 어머니께 들은 얘기로는 나에게 알려주면 "너까지 가게 되면 어떻게 하냐" 하시던 어머님의 서글픈 마음을 기억한다. 참으로 이렇게 가족이 파괴되었다. 너무나 가슴이 아프다.

(큰 형님 1917. 7. 21일생, 작은 형 1924. 2. 3일생, 셋째 형 1926. 8. 26일생, 큰 형수 임옥순(林玉順) 1926. 11. 23일생)

18일 김방한 형 작고

일기를 쓰려고 책상에 앉았다. 밤 12시. 따르릉 전화벨 소리가 수상치 않다. 형님이 77세로 11시 반에 작고하셨다는 통지였다. 머리가 혼잡했다. 형은 우리나라 최초의 극작가이시고 그 유명한 성악가(윤심덕)와 현해탄에서 운명을 같이 한 고모부(김우진)의 유복자이다. 형은 어릴 때부터 장난꾸러기였으며 고집도 있어 언어학을 전공했고 한국어 체계와 역사비교언어학 등 우리나라 언어학 발전에 기여한 학자였다. 형은 "너하고는 이야기가 돼" 하시며 학문적 이야기도 많이 들려주었다. 나에게 섭섭한 일이 있다면 6·25동란 후 아버지께서 잠깐 목포에 이사하여 한약방을 하셨는데 그 주변인물들의 말을 듣고 외숙을 고발하여 무고한 날을 보내신 적이 있었다. 당시는 모두 눈이 뒤집힌 사람들만 있었기에 섭섭했다. 그러나 영영 그 말의 해답을 못 듣고 길을 보냈다. 그동안 형들이 없는 외로움 속에서 그래도 형님하고 부를 수 있는 유일한 형이었는데 막상 세상을 떠나고 보니 가슴이 무너진다. 친 형이 셋이나 있지만 한 사람도 이웃에 없고 소식도 알 수 없는 나에게 형이 모든 형의 대역을 해주었는데…. 형, 이 세상일 다 잊으시고 편안히 쉬소서. 형은 서울을 떠나 무안 해제 고모 옆으로 갔다.

나의 가장 가까운 형이었는데….

22일 추 형이 내일 오신다니 참으로 반갑기 짝이 없다.

23일 새벽 3시, 6시에 도착하는 알마티 출발 비행기를 출영하려고 동부간선도로를 달린다. 모든 사람이 고요히 잠든 시간인데 찻길은 대낮 같다. 달려오는 헤드라이트, 강물에 비치는 은빛 물결, 달리는 빨간 후미등이 서울이 아니면 볼 수 없는 진풍경이었다. 시속 80km, 새벽바람을 가르며 유난히 빠르게 차가 달린다. 난 나의 인생이 이렇게 빨리 지나간 것만 같다. 지금까지 나는 무엇을 했을까. 아무것도 하지 않은 허무감을 느꼈다. 그래도 형님은 '조국'이라는 제하의 소설처럼 구구절절 교향시를 남겼는데, 생각하면 슬픈 역사밖에는 적을 것이 없다. 형님을 맞이하러 가는 차 속에서 나는 어릴 때 꿈을 생각해봤다. 말 탄 기사! 말 탄 목자! 그렇다. 길 잃은 양을 돌봐주는 목동이 꿈이었으나 지금은 살기에 급급한 못난이가 되고 말았다. 형님과 이야기를 나눠봐야지.

24일 김정옥은 광주 양림에서 함께 자란 친구이다. 그는 세계연극연맹 회장 겸 문예진흥원장이다. 오늘 형님과 함께 그를 만났다. 그리고 음악평론가 이상만 씨. 그는 서울대학을 거쳐 유학까지 한 음악평론가이다. 일찍이 KBS에서 젊었을 때 함께 일한 적이 있다. 두 분은 지성인다운 품위를 갖춘 조용하고 부드럽고 인자한 예술가이다. 예술을 하는 사람이란 이렇게 부드럽고 선한 인성이라야 할 것이다. 그래서 깊이를 강하게 표출하고 누구에게나 친근하게 접할 수 있는 그리고 아름다움을 찾아낼 수 있는 것이다. 예술이란 한 개인의 감성에 의해서 표출되지만 이것이 세상이 나오면 대중의 것이다. 얼마나 많은 사람이 자신들의 체험과 비교하면서 예술 속의 자기를 재발견하고 또 함께 호응할 것인가, 하는 것도 바로 인성이 기초가 된다. 두 분을 존경하며 영원한 친구로 마음이나마 함께 하기를 기대해 본다.

25일 때마침, 우리 가족사를 촬영하는 이때, 광주 반달회의 특강을 맡게 되었다. 그래서 요란하게 촬영 팀을 몰고 광주에 내려가게 되었다. 광주는 내 탯줄이 묻힌 고향이다. 인간이란 귀성 동물이라고 하더니 나이가 들면서 고향의 정이 두터워진다. 내가 그동안 공부하고 연구한「말하는 이야기 동화」를 어린이에게 나누어주고 그려줄 생각이다. 내가 어릴 때 들은 거인 설화를 이야기해 줄 생각이다. 꽃바심 모퉁이 바위 위에서 장수가 태어났는데 낳자마자 걸어서 숲속으로 들어가 숨었는데 때를 기다리며 더 힘을 기르고 있었다. 그때 흔적이란 움푹 패인 자리와 걸어간 발자국이 있는 데 이것이 거인 전설의 원천이다. 그리고 김덕령 장군의 힘이 너무 세서 힘자랑을 하고 다니자, 그의 누나가 씨름판에 뛰어들어 동생을 눕혔다는 이야기. 의기소침한 동생을 위해 다시 시합을 하자고 제안하여 누나는 삼베 한 필을 짜기로 하고 동생을 무등산을 나막신을 신고 돌아오기로 했으나 누나가 동생이 안쓰러워 일부러 져주었다는 전설. 이런 사랑을 바탕으로 전해줄 생각이다.

26일 고향집

형과 함께 누나를 모시고 고향 길에 올랐다. 벌써 고향을 떠난 지 30여 년. 사실 고향인 광주에는 이제 찾아볼 사람조차 없다. 마침 누님과 의형제를 맺은 금옥이 누나가 연락이 되어 마중을 나와 주었다. 나는 조선대 사회교육대학원에서 '동화는 어떻게 할 것인가'를 특강했다. 형도 참석했다. 강좌는 9시 경에 끝났다. 형님의 삶을 계속 영상으로 담는 다큐의 활동이 동화의 세계를 압박했다. 나는 강의 중에 여러 가지를 의식하였다. 그래서 어려웠다.

27일 부들을 찾았다

형은 벌써 6, 7차례 참배를 하면서 눈물 한 번 흘리지 않았던 곳인데 모처럼 "흐흐" 하며 울음을 청하다가 멈추고 말았다. 참으로 감동이 없는 분이었다.

지금도 50년 전 생각만 하고 있었다. 그리고 남의 힘은 빌리지 않고 자기 힘으로 돌아왔다는 인상을 주려고 지금까지 도움을 준 나에게 쓸데 없다고 외친다. 자신의 죽음을 각오하고 소식을 전한 '훈이' 장조카에게 나에게 만남을 주선하라고 한다. 당연히 자기 때문에 희생된 큰 형님을 생각해서라도 당연히 먼저 해야할 의무가 있는 분이 나에게 미룬다. 자신은 항상 뒷전에 선다. 뒤가 무르고 큰 것에 의존하는 성격이 몸에 배어 있다. 혼자 살 궁리만 한다. 고향이 좋아서 받아들인 것이지, 지금 추 형은 신선이 되려는 집념이 강하여 엉뚱한 우주인만 믿고 있다. 권이 형의 행선지도 알 터인데 입을 다물고 있다. 준채 형이 살아있을 것이라고 말하던 분이 요사이는 숙청되었다고 공공연히 말한다. 나는 이미 재소한인들에게 듣고 있는 사실이다.

30일 형의 뒷모습

집에서 인천 신 공항까지 약 2시간. 늦은 가을바람을 가르며 다큐 코리아의 작은 버스가 달린다. 지금 시각은 오후 3시 반. 형은 밝은 표정이었다. 2002년 월드컵 때문에 잘 정비된 고속도로 주변은 혼자 달리기가 아까울 정도였다. 역시 빈손으로 온 형의 짐은 대형 가방이 둘, 어깨에 멘 가방이 둘. 공항에 도착하자 모두 들어주었다. 넓고 텅 빈 공항에는 밤 8시 25분 카자흐 행 비행기 하나를 위한 손님이 50명밖에 없었다. 이번만은 이타심을 잡아주기 위하여 공항 사용료, 개인 휴대 짐 초과분 등 일체 간섭하지 않았다. 그래서 한 사람도 금전을 도와주지 않았다. 몹시 섭섭했을지 몰라도 나로서는 할 수 없었다. 형은 그동안 모든 것을 뒷받침 받았다는 것을 인식시키기 위한 생각에서였다. 형은 한 번도 고맙다는 말을 하지 않았다. 으레 마음껏 가지고 가도록 도왔기 때문에 당연히 초과 짐 값이 나왔고 1998년에는 21만원이나 나왔다. 그리고 출구를 향할 때 무사 귀국을 빌었다. 울먹이는 형의 모습은 처음 보았다. 어떤 새로운 사실이었다.

정말 안 되었다. 다른 사람은 재외국민회 대의원이 되어서 조국을 방문하는데 형은 그 대열에서 빠졌다. 돌아가는 모습이 초라한 느낌이 들었다. 형은 벌써 노년기에 쇠퇴해가는 모습이었다.

31일 형을 떠나보내고

형은 떠나고 집안이 텅 빈 것 같은 느낌이다. 어쩐지 오늘은 그 쓸쓸함이 더한 것 같았다. 새벽에 낙엽이 지는 수락산 오솔길을 아내와 함께 걸었지만 우리는 한 마디도 안 했다. 그것은 지난 일주일 동안 형에 대한 잡념이 정리되지 않아서이다. 형은 음악가로 대성했지만 지금은 상상치도 못한 우주인으로 대접 받으려는 데서 여념을 남겼다. 하루도 한시도 그 우주인에 대한 이야기가 끝나지 않았다. 좋은 얘기도 석 자리 반이라는 말이 있듯, 기독교 바이블의 비판에 일관한 얘기라 미국과 아프간의 전쟁도 우주인의 영향으로 해석한다. 이런 얘기를 어느 곳에서나 꺼내놓는다. 어제 집에서 공항까지 2시간 반 동안 잠시도 입을 쉬지 않고 우주인 얘기였다. 그리고 서울에서 광주까지 4시간 동안도 우주인 이야기로 메웠다. 참으로 정신적인 피로가 이만저만이 아니지만 형은 신들린 사람 같았다. 이웃을 소중히 느끼는 일도 없었다. 극도로 심한 개인주의이며 SF 소설에 묻힌 어린이 같은 꿈을 꾸고 있다. 너무나 철저한 러시아 사람이 되어 있다. 침으로 안타까운 일이다.

11월

2001년

03일 나의 형제들의 이야기를 영상화하는 작업이 막을 내렸다. 생각지도 않은 일이 다큐에 의해서 멀리 알마티에서부터 시작되었다. 그것은 또한 색다른 인연이었다.

아들 철훈이 쓴 『김알렉산드라 평전』을 접하게 된 다큐 코리아가 철훈의 조언을 듣게 된 게 계기가 되었다. 알렉산드라 촬영이 시작되어 추 형님이 소개되고 현지를 답사하면서 정태일 PD가 우리 형제의 역사적 아이러니를 발견한 것이다. 어떻게 해서 남한 사람이 카자흐스탄 알마티에 살고 있으며 어떻게 해서 모스크바 차이콥스키 음악원을 졸업하고 공훈 예술가가 되었는지, 이 인증할 수 없는 아이러니를 생각하고 그 역사적 배경을 찾았던 것이다.

06일 요사이 심정이 너무나 복잡하다. 다큐 코리아 때문에 형님이 다녀가시고 세상에 공개되지 않은 나의 젊었을 때 일들을 다시 돌이켜 생각하게 되어 꿈자리까지 뒤숭숭하다. 사실인즉 나야 무슨 죄가 있을까마는 세상이 험해서 자꾸만 보복이라는 인간 이하의 행동이 나오기 때문에 불안하다. 세상이 이렇게 뒤집힐만한 요인이 생길 때마다 나에게는 불리했기 때문이다. 인간에게 양지와 음지가 있어 남모르는 음성적 행위도 있을 법한데 거울보듯이 모조리 공개하고 나면 투명인간처럼 남의 의식 속에 내가 존재하여 이것은 무한히 많은 장난기 있는 일들을 만들어낼 것이다. 죄도 없으면서 놀란 토끼처럼 그렇게 살아왔기 때문에 나는 항상 불안에 떤다. 이렇게 죽는다면 나의 인생이 불쌍해서 어떡하랴. 참으로 심각해진다. 젊었을 때는 자살할 용기라도 있어 시도해보기도 했지만 지금은 그런 용기마저 없으니 자식들에게 보여줄 것도 없는 멍청이가 되고 만 것이다. 그런데 어머니 아버지는 그때 그 심정이 어떠하셨으랴. 형들을 생각하며 쓰신 글마저 하나도 없이 태워버리셨다. 행여 나에게 무슨 피해를 줄지 모른다고 하시고 어머니는 아예 입을 다물어버리셨다. 죄송합니다. 어머니 아버지!

07일 집 보기

아내가 없는 집이 텅 비었다. 아침부터 서둘러 어린이대공원으로. 오늘 하루 어린이의 벗이 되어 보겠다고. 아내는 몇 사람과 함께 떠났다. 텅 빈 작은 집보다 넓고 넓은 어린이대공원이 가득 차 보인다. 아이들처럼 뛰어다닐까. 아니야, 그러지 않아도 공원은 가득할 거야.

19일 은령(隱鈴)-은령의 작은 서실을 꾸미다

세상을 피하여 조용히 살고 있는 선비를 은사(隱士)라 한다. 혹은 남몰래 하는 일을 숨겨 비밀로 하는 것은 은밀(隱密)이라고 한다. 아내가 남몰래 서예를 시작하면서 아호(雅號)를 받아왔다. 은령(隱鈴), 숨어서 소리를 낸다는 뜻이다. 어쩌며 참 좋은, 그럴듯한 아내의 처지를 잘 표현한 아호라고 하겠다. 양씨일가(梁氏一家)가 머리가 비상하여 재능이 좋은 집안이어서 학자도 있고 많은 식자(識者)도 있다. 아내는 타고난 재능과 예술가로 특별히 체계적으로 배운 것은 없으나 하나를 알면 열을 소통하는 훌륭한 재사(才士)이다. 아호는 일찍이 1999년경 낙관까지 받아왔으나 서도가 부족하여 숨겨오다가 요사이 무엇인가 자신이 생긴 듯 서화에까지 손을 뻗치면서 대단한 열성을 보인다. 소박하지만 나를 생각하여 적극적으로 장려하는 생각으로 작으나마 서도 공간을 꾸며 주었다. 아내가 무척 기뻐하는 것을 보고 무척 반가웠다. 글을 잘 쓰고 못 쓰고는 둘째로 치고 서도는 글을 쓰면서 마음을 닦아 덕을 베풀고 지식과 품성을 높여 인격을 도야하는 선비로서 마땅한 일이지만 여자의 몸으로 닦기 힘든 일을 스스로 하려함은 자식들의 자랑이 아닐 수 없다. 아내의 음식솜씨는 이미 감각적으로 재료를 보면 맛을 생각해내는 재사다. 우리 집안의 부덕(婦德)을 닦아 세상에 모범이 되기를 부탁드린다.

12월

2001년

07일 내가 좋아하는 합창

합창이란 각각 제멋대로 사는 사람들이 음악이란 하나의 즐거움을 같이하면서 노래하는 마음이 하나가 되어 환상적인 소리의 숲으로 들어가 서로가 서로의 소리를 들으면서 서로 존대하고 느낌을 교류하면서 새 아침에 숲속에 드리우는 한 줄기 햇빛처럼 한데 어울리는 노래를 부르는 감성적인 표현을 즐기는 음악이다. 나는 어릴 때 준채 형님이 사다놓은 레코드 판을 너무 많이 들었기 때문에 교향곡, 바이올린 곡, 피아노곡 등의 주제음악을 생리적으로 잘 이해하여 왔다. 한참 음악에 젖을 때는 몇 번이고 며칠이고 같은 음악을 듣고 나로서 어떤 합리성을 찾을 때까지 열심히 들었다. 무슨 음악의 이론을 알아서 들은 것도 아니다. 그렇다고 음악해설을 보고 들은 것도 아니다. 그러니까 1940년경 2차대전을 피하여 시골에서 살 적에 학교도 안다니고 특별히 할일도 없었기 때문에 집에 있는 판을 열심히 듣고 음악의 흐름을 알게 되었다.

그 후 한국에서 자랑스런 광주방송어린이합창단을 창설하고 새로나소녀합창단, 적십자청소년합창단을 지휘하고 끌어왔다. 나의 이러한 합창의 꿈을 싣고 서울에 상경하였으나 기회를 얻지 못하여 보여주지는 못했으나 어머니동요합창단을 운영하면서 좋아하는 합창을 했었다. 오늘 초등학교 합창의 수준은 옛날에 미치지 못하고 유병무의 남성합창이 들을 만했다.

10일 제12회 반달 동화대회

반달 여성동화대회가 벌써 12회를 맞이하였다. 1회부터 현재까지 여성들의 계몽의 하나로, 가정교육의 일환으로 여성의 사회진출을 위하여 등용문으로 길잡이가 되었다. 여자들 모임이라 쟁취든, 탈취든 변란과 질투심도 많았고 사회경험도 적어서 제멋대로 하던 때인 1998년 내가 회칙을 만들고 전문을 넣어서 동심 중심의 반달 정신을 환기시키고 어린이, 특히 유아교육의 일환으로 정립시킴으로써 크게는 사회봉사로, 작게는 동화의 현대적 의의를 살려서 여성의 정신적 배경으로 삼아왔다. 지금도 운영이나 사회적 활동이 미숙하지만 그런대로 회원을 확보하고 정진해와 지금은 매년 이 동화대회를 열어 회원도 확보되었다. 나도 이들을 지도하면서 「말하는 이야기 동화」 원고를 작성하였고 '세계의 동화 문화'를 접하고 우리 현실의 비중도 생겨 비판력도 생겼다. 그러나 아직도 동화 연구는 멀고 여성들 앞에 군림하려는 사람들이 많아 어려운 실정이다. 좀 더 이성적이고 뚜렷한 동화 관을 가지면 변화가 올 터인데 아직도 알 수 없는 여성의 오묘한 심리는 노력을 하지 않으면서 단순한 지략으로 군림하려는 심사는 바르게 시정되어야 할 것이다. 또 이제 이틀밖에 남지 않은 음악저작권 경선에서 어떤 결과를 가져오려는지, 이대로 멈춰버려서는 안 되고 그렇다고 맨입으로 부탁만 할 수도 없고, 내가 남에게 주는 인상을 실험해 볼 따름이다.

11일 하루 종일 무엇을 했는지 모르겠다. 이렇게 앉아 있으려면 전화라도 할 걸, 내가 나를 재촉하는 듯 조마조마했지만 나는 힘들어도 꼼짝하지 않았다. 그래, 그만큼 자신이 있나요? 이렇게 물어도 "아니요" 하는 대답이 없으면 답답한 심정은 다르지 않았다. 그럼 움직여봐야지. 재촉하지만 그런 생각일 뿐, 움직이지 않았다. 그것도 그럴 수밖에. 애초에 가진 뜻이 인위적으로 하고픈 생각이 없기 때문이다. 그리고 나는 자연숭배를 하는 자연주의자이지, 억지로 일을 조작하는 본 뜻이 없기 때문이다. 다시 말해서 내일이 KOMCA(음악저작권협회) 임원선거일인데 이웃들이 요란하여 위와 같은 생각을 다해 봤다. 시대적 흐름이 선거는 조직과 홍보 등의 전략이 있다는 것도 이해는 하지만 그렇게 투쟁하여 살고 싶지는 않다. 세상은 순리대로 풀어 가야 한다. 억지로 풀어 가려고 할 때 모순이 생기고 윤리가 마르기 때문이다. 나는 원천적으로 선비 집안에서 태어나 스스로 내가 나를 닿는 것은 어떤 강추위에도 갈 길을 찾아가지만 길이 아니면 가지 않는 선비 기질이 있어 하루 종일 꼼짝 하지 않다가 오후에 아내와 함께 수락산 산책길에 나갔다. 내일은 나가봐야지.

26일 인간에게 회귀 본능이 있다고 한다. 그동안 살아온 습성이 몸에 배어 근질근질하기에 목욕 가방을 챙겨 들고 나왔다. 우리는 얼굴을 쳐다봤다. "가야지", "글쎄 벌써 열흘이 됐어요?" 때가 낀 느낌이 들지 않다는 종채의 말이었다. 나도 그랬다. 하지만 무심코 동의한 우리는 차를 몰고 명지산 준령을 넘어 춘천으로 향했다. 높은 고지였다. 정상에서 잠깐 내려다 봤을 때 아득히 보이는 숙소가 장난감 집 같았다. 꼬불꼬불 산길을 수 없이 돌아 경춘가도로 나왔다. 역시 인간 문명을 구경하는 느낌이 들었다. 질주하는 차. 생존 경쟁을 다투어 달리는 차량. 요 며칠 잠깐 사이에 세상을 보는 눈이 달라지는 느낌이었다. 어느덧 춘천은 대도시가 되고 있었다. 벌판이었던 곳이 새 빌딩으로 즐비했다. 그 중에 사우나를 골라잡아 탕에 들어 갔다. 역시 인간 냄새가 났다. 문신을 한 젊은 이가 혐오감을 주었다. 기분이 나빠 일찍 나왔다. 막국수로 유명한 집을 찾았다. 메밀의 맛은 사라지고 질긴 냉면사리에 가깝다. 다시 가평을 거쳐 돌아오는 길. 오늘 나들이는 중이 속세를 다녀온 느낌이었다.

27일 오전 2시 반, 어김없이 눈이 떠졌다. 밖에 나와 보자 초록빛 별들이 금방 내려앉을 듯 무겁게 보였다. 마치 죄 지은 자를 추적해 오는 듯했다. 자연은 인간을 가장 맑고 깨끗하게 정화해주는 열반적정, 불교에서 말하는 일체의 번뇌를 해탈한 경지로, 모든 모순을 토해낸 고요함과 청정한 경지와 같은 마음을 느꼈다. 마치 허공에 떠 있는 내가 유난히 밝고 싱싱한 초록빛 별빛 속에 스며든 듯

먼지를 모두 쓸어주는 느낌이었다. 나는 오늘 새벽의 청정한 별빛을 잊을 수가 없다. 한참 하늘을 보고 서 있다가 추워지는 추위가 견딜 수 없어 방으로 들어왔다. 비록 좌선은 아니지만 무념의 세계로 면벽을 했다. 방송이 시끄럽게 재잘거렸지만 귀에 닿지 않았다.

31일 송년의 밤

2001년을 마지막 보내는 밤이다. 아내와 함께 조촐하게 앉아서 또 한 살 넘어가는 회포를 풀며 가볍게 마을 안을 돌아봤다. 하염없이 쏟아지는 흰 눈이 대설주의보를 불렀고 거리는 한산했으나 아내와 함께 눈길을 걷는 기분은 어느 때와 같지 않았다. 송구영신(送舊迎新), 젊었을 때 같으면 성숙해가는 자신감이 더해갔겠지만 올해는 저세상으로 가는 길에 한 발 다가선 느낌이 들어 못 다한 일들에 감회가 깊었다. 특히 내년 2월이면 사회적 봉사를 마무리하는 아쉬움을 안고 있고 소속감마저 없어지고 유난히 약해진 자신에 대해서 겸허한 생각이 들어 애달프다. 방한 형이 송일동에 앞서 집을 떠나고 공허하고 허전함이 어둠처럼 밀려온다 생각하면 나에게는 가장 가까운 형들이었는데 나도 저렇게 그리움을 자르고 혼자 갈 수 있는가, 허전허전하다. 나는 지금 선친보다 오래 살고 있다. 그것은 잃었던 형들의 가족을 보고 어떻게 살았는가를 알아보고 가 부모님이 그렇게 알고 싶어 하시던 소식을 전하고 싶어 생을 연장해 나온 나로서 갈수록 허무함을 느낀다. 올해야말로 망년(忘年)이 되어야할 것같다. 지금 막 제야의 종소리가 TV에서 울리며 박종채 씨와 한 마디 송년의 인사를 전화로 나누고 앉아서 2002년 월드컵이 열리는 날을 기다려 본다.

2002년

1월

01일 꿈이 아니고 희망이어라

간밤에 모질게도 길었던 한 해가 어둠 속으로 어둠 속으로 사라져 가고 하는 일 없이 늙마에 또 한 해가 쏜살같이 기우나니 이 가엾은 늙다리가 살아서 무엇하리오. 세상은 날로 멀어지고 늙어감에 갈 길만 바쁘구나. 어느 때 참 세상에 허공에서나마 요순(堯舜) 같은 선경을 꿈도 꿔봤지만 저 지는 해에 실려 보내고 저지른 잘못의 숲속에서 한 줄기 빛을 흘겨 본다. 살아있기에, 더불어 살아왔기에 한숨에 날려 보내며 새 아침을 맞는다. 꿈이 아니고 희망이어라. 힘이어라– 임오년 원단(元旦) 새 아침에.

02일 겨울바다

영하 8도, 체감온도 15도. 눈발이 날리는 겨울바람이 기승을 부리던 날. 움츠리고 움츠려 콩만 해진 꿈과 마음을 안고 수평선이 보이는 바다 앞에 선다. 끝없이 출렁이는 광활한 바다. 흰 거품을 앞세우고 밀려오는 물결 속에 어느새 다 묻히고 만다. 우스스스 찰랑 부서지는 파도의 끝없는 도전을 본다. 파도는 육지와 전쟁을 한다. 때로는 작은 병력으로, 때로는 대군을 몰고. 저 아득한 수평선 너머에서 군사를 몰고 오지만 방파제에 부딪혀 산산히 부서진다. 마치 임진왜란 때 왜적이 부서지는 소리가 지금도 쟁쟁하다. 콩만한 가슴과 광활한 바다의 만남이 이렇게 정다우랴. 자연으로 돌아갈 내일을 위해 소리 없는 대화를 나누는 겨울바다.

03일 귀심(歸心)

사람이 땅에서 왔다가 땅으로 돌아가듯 늙어서 돌아가고 싶은 곳이 바로 고향이다. 고향이란 어머님과 같이 따뜻하고 다정한 곳. 나무 하나, 돌 하나, 맨발로 달리는 두렁길. 흙내음 나는 내 고향이 좋다. 고향은 사람마다 금의환향하기를 기대하지만 이 뜻은 순수한 마음에서 귀향을 막는 자존심일 뿐, 그리움을 막을 수는 없다. 자연이 사계(四季)로 변할 때마다 뚜렷이 눈 앞의 그림처럼 스쳐가는 고향산천. 십 년이 몇 번 지나도 크게 변하지 않은 내 고향이 그립다. 민물에서 나서 바다에 가 자라서 다시 태어난 산천으로 돌아오는 연어는 본시 귀향 습성이 있다지만 사람은 마음이 먼저 돌아간다. 그래서 그런지 늙어가면서 어릴 때 몸에 밴 사투리도 의심치 않고 절로 나올 때마다 고향이 그립다. 뿐만 아니다. 어느 날 날씨가 서늘해지자 사르르 코 앞으로 스쳐가는 청국장 냄새, 집장 내음, 어디서 왜 이런 내음이 나는지 몰라 한참 하던 일을 멈추고 고향을 생각한다. 때로는 어머니 같은 아내를 생각하고 어리광도 서슴지 않아! 나에게 문화가 어디 있으랴. 이런 것 다 벗어버리고 발가벗은 채로 고향에서 살고 싶구나. 고향의 마음도 그대로겠지. (아내에게 시골스럽다고 했다. 존경과 형식을 벗어나 자랄 때 그대로, 뭣이 어때, 왜 그래. 무뚝뚝한 말이지만 향리의 그리운 사람들이 생각난다. 이 뜻을 아내는 오해했을지 모른다.)

04일 제자

은은한 삼경(三更), 바람소리도 들리지 않은 고요한 밤, 늦게까지 방영하는 SBS 심야토론을 보자 놀라지 않을 수 없었다. 장하진. 그는 일제 말 광주역장의 둘째 아들 장충식의 딸, 광주교육대학 영생유치원생이었다. 1960년경 그러니까 지금으로부터 42년 전, 여섯 살 난 하진이가 한국여성개발원장으로 참석하여 2002년 한국의 정치문화를 걱정하는 토론자로 나왔다. 그는 사촌인

장하용, 장하성(고려대 경제학 교수)를 따라 유치원에 다녔다. 이렇게 만나다니 참으로 뜻밖이다. 그동안 나는 무엇을 했던가. 생각할수록 부끄럽기 짝이 없다. 나는 남북으로 갈라진 비운의 한국에 태어나 이산가족이 되어 지금까지 살아남은 것만 해도 감사하지만…. 도저하고 쓸쓸한 세속에 살아왔던 내가 야속하기 짝이 없다. 다만 어려웠던 난을 피해 유치원을 개척하고 있을 때 이들은 이렇게 자랐구나. 만나면 기억조차 못할 일이지만 참으로 반갑기 짝이 없었다. 큰 학문의 제자는 아니지만 당시 나의 교육목표는 "하면 된다"는 신념을 주었다. "나의 아들과 딸에 바라듯이" 이것은 원훈으로 삼고 사랑의 교육을 했던 것만은 틀림없다. 그러나 지금 이 초라한 모습을 어찌하리. 늙었지, 늙었지. 과거는 없는 것이야. 희망도 없고 인생도 없다. 오직 나를 간호해주는 아내가 감사할 뿐이다. 새벽 3시. 컴퓨터에 바이러스 침입. 바이러스 제거 중. 「말하는 이야기 동화」 또 날리다. 이번이 세번째이다. 다행이 본체에 남아 있는 부분을 복원하여 계속 보완해간다.

06일 무소식이 희소식

하루가 지난 석양에 아내가 말한다. 오늘도 전화 한 번 오지 않고 해가 지네요. 누구를 꼭 기다리는 심산은 아닌 것 같았으나 뭔가 허탈한 느낌인 듯했다. 무소식이 희소식 아니요? 반문하자 속셈을 드러낸다. 하기야 급한 일이 없는데 뭣이 아쉽겠어요. 하지만 다른 근심 없는지 궁금해서…. 그래요, 맞는 말이에요. 아들딸, 시집 장가가서 나름대로 살아간다. 하지만 부모가 걱정하고 사는 것 중에 으뜸이 자식 걱정이다. 잘 계시겠지, 하는 생각이 자식이고 보면 고맙기도 하지만 가까이 있으면서 무소식이 한두 달이다. 그래서 전화가 따르릉 오면 소식을 기다리면서도 가슴이 움찔하다. 도리어 러시아에서 온 조카가 멀리 있으면서 "작은 아버지, 안녕하세요" 하고 내가 물어보기도 전에 "저는 건강하고 모두 잘 있었어요, 걱정 마세요" 한다. 동양의 동방예의지국이라고 자랑은 대단하지만 서양에서 온 조카보다 못하다. 섭섭해서가 아니라 그만큼 알고 싶다. 혼자 걱정 한 번 하다가 혼이 난 적도 있다. 그래서 그런지 손자 사랑 한 번 못하게 되었으니 우리의 문화와 전통이 생활 속에서는 전승되지 못하게 됐다. 하기야 구태라고 말하면서 신식으로 살지도 못하면서 아내와 나도 항상 건강한 것도 아닌데, 아내가 배알이로 하루종일 화장실 출입을 하고 밤새 잠 못 이루는 날이었다. 무소식이 희소식이겠지….

12일 산

그동안 눈이 내려서 첩첩히 쌓인 산이 두려워 생각은 있어도 미끄러질 위험 때문에 참아오다가 엊그제부터 영상으로 날씨가 풀려 산행을 했다. 두렵긴 분명 두려웠다. 눈이 녹으면서 얼음이 되어있기에 조금 실수하면 미끄러질 확률이 높았다. 여름보다는 찬 공기가 보다 산답고, 올라가서 뒤돌아보면 깨끗한 시가지가 아침햇살에 아름답게 빛나 보였다. 누가 쓸었는지 산길에 눈이 좌우로 갈리어 흙 내음이 나는 오솔길은 "야! 오기를 잘했다"는 생각을 거듭해주었다. 그러나 겨울 산의 두려움은 여전하였다. 조심조심 걸었지만 땀이 나서 겉옷을 벗어 걸치고 걸었다. 역시 산은 좋았다. 분명히 정상 정복이라는 목적이 있기 때문에 위험을 무릅쓰고 한 발 한 발 전진해 갔다. 그러나 높이 올라갈수록 나 혼자만은 아니었다. 대부분 50대를 넘은 노신사숙녀들이 나타났다. 그들도 같은 생각이었을 것이다. 다행히 통일약수터가 있어 시원한 한 모금의 물을 마실 수 있었다. 이 한 모금의 물은 모든 액운을 씻어내려 간 듯하였다.

13일 가족

날씨가 봄 날씨 가까운 10도 이상의 따뜻한 날이다. 날씨 탓인지 가족들 생각이 들었다. 나로서는 가족 개념이란 나와 내 자식들 관계뿐만 아니라 직손,

외손을 가리지 않고 모두가 나의 가족이다. 우리 민족은 예로부터 친가나 외가가 한 가족의 단위로 여겨 왔기에 세상에 큰 죄를 지으면 삼족을 멸한다는 말이 있다. 즉, 친가 · 외가 · 처가, 이렇게 통치자가 가족관계의 은신처를 없애기 위하여 가족 친족의 범위를 넓혀놓고 한 사람의 책임을 엄청 넓혀 놓은 탓으로 혼인 때도 앞뒤를 모두 가리게 되었고 믿을 만한 집안이 아니면 혼인도 하지 않았다. 그 대신 한 번 이루어진 혼인은 서로 그만큼 책임 있는 내통을 하여 사돈의 입장을 생각하며 상호를 위하고 어렵게 여기까지 왔다. 근래의 친족 관계란 기묘하게 시기 질투의 대상으로 행여 잘 사는 것, 못 사는 것 모두 감추고 산다. 잘 사는 자는 낭비벽이 커서 멀리하고 경제적 입지가 다르면 가난한 친척은 친척으로 치지도 않는다. 이것을 유대 자본주의라고 하는데 돈이 지배하는 세상이 된 것이다. 요사이 미국과 아랍 관계처럼 돈이 있으면 정치 문화 경제 모두를 손에 넣고 자국뿐만 아니라 타국도 마음대로 다루고 따르게 만든다. 이는 글로벌 시대가 낳은 자본주의의 위험한 산물인데 날로 빈부의 차이는 커지고 가진 자만이 권력을 누리는 풍조가 가족도 필요에 따라 존재하는 것으로 만들어 버렸다. 우리 가족도 안부 한 번 없다. 어쩌다 생각나면 전화한다. 이렇게 죽어도 아무도 모를 것이다.

14일 친구

6·25동란이 일어나자 모든 국민이 피난길에 올랐다. 당시는 광주에 있었는데 동란은 피하는 것이라고 목포 누나 댁으로 가 있으라는 말씀을 듣고 자리를 피했다. 내가 간 다음 김의수가 찾아와 같이 피난 가자고 했다는 소식을 듣고 얼마나 감격했는지 모른다. 그리고 1970년경 서울에서 잠깐 얼굴을 스칠 정도로 만났다. "야, 살아 있었구나, 그래 우리 서로 살아있다는 걸 알았으니까 언젠가 다시 만나자." 하고 긴 이야기도 못 나누고 갈렸는데 오늘 우연히 만나게 됐다.

그렇게 반가울 수가 없었다. 무려 30여 년 만에 만났다. 김의수는 그동안 사업가로 동신화학이란 고무제품 생산 업체에서 일하다 일본인들과 교유하여 그들을 통해 음식 쓰레기를 자연 균으로 침식시켜 액화하여 방출하는 기계를 생산 판매한다고 했다. 젊을 때 만난 친구가 이렇게 변해 있는 것을 보고 놀랐다. 친구가 없는 나로서는 몹시 반가웠다. 오익제는 미국으로 이민했다고 들었다. 그 당시 여성운동가로 활약하던 어머니는 작고하시었고 이제야 어머니를 그리워했다. 나는 동상을 세워드리라고 제안했다.

15일 황철익 교수

음악저작권협회에서 6년 만에 이사직을 마감하는 황철익과 나는 같은 입장이 되어 두 사람은 그동안 겪었던 일들을 회고하며 차 한 잔을 놓고 무려 3시간 동안 이야기를 나눴다. 역시 인간이란 대화가 필요했다. 그는 벌써 30년이 넘은 친구이자 열정이 넘치는 작곡가로 2001년 9월 한전아트홀에서 오페라 〈허난설헌의 불꽃 아리랑〉을 작곡한 음악가이다.

그는 오페라 작곡의 꿈을 키워가는 교수로 크고 작은 그리고 어린이로부터 어른에 이르기까지 뮤지컬, 오페레타 등을 시도하고 있다. 마침 나의 꿈과도 일치된 바 있어 이러한 모임을 갖기로 했다. 후원자는 재일교포라고 하는데 꼭 이루어지길 기대한다. 적어도 하나의 창작물이 나오려면 어려운 산고를 겪어야 하는데 그만큼 인내가 필요하다.

내가 KBS에 몸담고 있을 때 이 꿈의 실현을 위하여 최창봉 국장(당시 남산 중앙방송국)과 여러 차례 협의하였고 '모이자 노래하자'를 구성하면서 10분의 뮤지컬을 매회 구성하였다. 그리고 어머니동요합창단, 동요부르기회 등을 지휘하면서 동화와 연극을 연계하여 〈호랑이와 곶감〉, 〈슬기로운 선조들〉, 〈설동이〉 등 수많은 뮤지컬을 발표했다. 본격 뮤지컬 〈사운드 오브 뮤직〉과 〈폭풍

속의 아이들〉 등 TV 사상 최초의 뮤지컬을 창작한 기량을 합하여 새로운 음악 단체를 발족하자고 했다.

10일 KBS 수요기획 〈형제〉

지난해 10월부터 알마티에서 녹화를 마친 촬영 팀이 형님을 모시고 인천공항에 나타났다. PD의 의도에 따라 나는 카메라에 몸을 맡겼다. 애초에 어떤 뜻이 있고 의지가 있는 것이 아닌 듯싶었다. 함께 움직여보면 왜 이런 일을! 무엇 때문에 하는 것인지 이해가 가지 않았다. 결국 70시간을 찍었다는데 특별한 큐시드 하나 없이 현장 즉흥으로 찍는 인상이었다. 그러나 오늘 24시에 방영된 것을 보아 핵심은 애처로운 형제, 고향과 조국을 그리는 그리움, 그리고 애틋한 형제의 정 등이 그려져 보였다. 섭섭했다면, 그래서 하고 던져보는 뒷맛이 조금 서투른 것 같았다. 방영은 12시가 넘어서 되었는데, 광주에서 전주에서 서울에서 인사의 전화가 쇄도했었다. 몰랐던 사람, 알았던 사람, 모두 어떤 생각으로 봤을까. 나는 현 정부에 감사를 드린다. 옛날 같으면! 이만큼 자유로워진 것이다. 형제. 생각하면 무엇인지는 모르지만 강박하게 밀어닥치는, 해결해야 하는데 해결할 수 없는 아이러니. 이것은 인간이기 때문이다. 이것은 나의 오성(悟性)을 실험하는 것 같은 느낌이 든다. 너무 감성적이어도 이성적이어도 안될 일이다. 형이나 나나 이제 얼마남지 않은 인생, 조용히 그리고 깊이 자연과 더불어 살아가야하겠다. (나의 '형제'를 테마로 그린 다큐멘터리. 단순화시키는 데 노력한 흔적이 보인다. 정태일 PD, 김선하 AD, 카메라 최. 모두 수고하였다.)

17일 도봉산

지금 한겨울인데 영상 5도. 산머리는 팔십 노인, 안개구름 속에 감추고 이글이글 타오르는 불산처럼 마치 내가 손오공처럼 그 앞에 서 있다. 야호! 메아리는 산을 부르고 뒤흔들지만 묵묵히 대답 없는 산. 도봉산은 말이 없다. 눈보라가 휘몰아쳐도 뜨거운 햇살이 눈썹을 녹여내려도 가슴 부풀리고 허리만 세우고 멀리 무등산을 내려다본다. 물도 마르고 빛 바랜 노승의 가사를 걸친 그 웅장한 눈빛이 무릎을 꿇게 한다. 산은 내 눈 속에서 영영 사라지지 않는 산. 산은 산이요, 나는 나로구나.

18일 정

일찍이 내가 이 세상에 태어나기도 전에 시집 온 어머니가 계셨네. 산골 마을에 돌 캐는 곡괭이 소리가 메아리치고 한 뼘 한 뼘 황토 땅이 넓어지고 겨우내 굶주린 배를 달래며 아낀 씨앗들을 입춘대길 문 앞에서 붙치고 밖에다 씨 뿌리니 해가 가고 달이 가 황토밭이 누렇게 변했네. 밭에는 목화가 하얗게 솜꽃 피우고 논에는 벼가 물결처럼 황금물결. 지아비와 지어미는 머리에 이고 어깨에 메고 나란히, 나란히 거두어드렸네. 공주도 낳고 옥동자도 낳고 검은머리 파 뿌리 되도록 산다더니 지금은 온데간데없고 자리에 남은 나. 섣달 열흘을 울어도 또 생각나네. 손끝이 간 곳에는 영상처럼 보이고 듣던 말인가 하면 어버이 가르치심이여. 보이지 않은 인연이라지만 끊으려야 끊이지 않는 질긴 노끈이 칭칭 감았네. 정이 흐르네. 정이 흐르네.

19일 왜 불러

북극의 백야처럼, 해가 지는 듯이 어스름하게 남아있는 오후. 누군가가 나를 부르는 듯한 착각에 발을 멈춘다. …… 소리가 들리지만…. 확인할 수 없는… 그런 소리. 그 중에 귀를 의심하는 어떤 소리가. 사방을 둘러보게 한다. 환상! 착각! 미확인…. 뭣인지는 모르지만 그 소리에 매료되어 미치광이처럼 소리를 찾는다. 귓구멍을 벌리고 귓바퀴를 늘리고 귓불을 잡아 당겨 봐도 소리는 그만 종지부를 찍었다. "응, 나야, 왜 불러" 소리쳤지만 환상일 뿐, 나는 나와 입씨름을 벌인다. 아무도 부르지 않았는데 나는 내가 나를 부르는 것을 느낀다. 양심이라는 나.

객관이라는 나, 숨어 있는 나. 모두가 이런 나를 가졌으면 더 이상 착각도 없을 텐데….

20일 영주, 현주

손자라기보다 나의 친구들이다. 그들은 철학자 같다. 이들처럼 남 사정을 잘 이해하는 그런 사람은 없다. "할아버지 울었어요? 왜요? 남자가 왜 울어요?" 아는 대로 배운 대로 말하지만 눈에 보이는 눈물에 왜 나쁜지. 이것은 영원한 숙제다. 그러나 슬플 때는 눈물이 나온다. 이것이 순수한 인간이다. 이들은 이 순수한 인간이 되고 싶은 것이다. "울지 마세요. 재미가 없잖아요." 그 순간 신은 말한다. "인생은 즐거워야지. 슬픈 것은 아니야. 너무 모르는 것에 치우치지 말고, 밝게 살아봐. 그리고 웃어봐, 그러면…."

21일 끊이지 않는 말

말은 말을 만들어내고 발 없는 말은 허공에 뜬다. 사랑하기에 미워하고 외로운 길을 간다. 어설피 말도 없으면 눈을 뜨지 않으련만. 허공에 뜬 말이 네 가슴을 밝힌다. 지금 나는 시베리아의 백야를 맞은 듯 아무것도 보이지 않는다. 불 타버리고 그 화염 속에 조용히, 조용히 말들이 사라진다. 말 말 말. 아무 뜻도 없는 말. 입 속에 살아 움직이는 말. 너는 모습도 없고 빛도 소리도 없는 오직 네 가슴속에 눈과 귀를 피해 숨어 있다.

22일 민기, 희기

"엄마가 보고 싶지?" "아니요." 제법 어른스런 대답이다. 열흘 전 엄마가 네팔에 가 있는 오빠를 찾아 부모를 모시고 간 뒷자리다. 몸집은 제법 어른에 못지않지만 아직 앞뒤를 가릴 줄 모르는 중고생들이다. 나도 다시 돌아올 수 없는 이 한때가 있었다. 전쟁으로 나라가 두 토막이 나고 살기 위해서 목숨을 버리던 잊고 싶은 때가 있었다. 그래서 어느 세대보다도 빨리 성인이 되고 말았다.

"어찌 하오리까", 항상 어떤 대상 앞에서 생각했던 말이다. 지금, 이 두 손자가 이렇게 빨리 젊은 청소년기를 보내서는 안 되지. 보다 자유롭게 보다 많은 경험 세계를 거쳐 부끄럼 없는 사람이 되었으면 한다. 그래서 나는 그들에게 별 말이 없다. 잘한다고…, 그림을 그리고 시를 쓴다. 한 세상의 표피를 만져 보는 것이다. 그리고 세워보는 것이다. 사람들은 무한의 것이라고, ∞라고 한다. 그 중에 무엇이 시작이고 끝인가를 알 때 너희도 할아버지가 될 것이다. 그때는 그냥 늙은이가 된 거야. 얼마만큼 빨리 갈 수 있느냐에 따라 인생이 달라지겠지. 하지만 나는 원하지 않는다. 더 오래 젊게 지내라. 엄마가 자리를 비워도 잘 살고 있구나.

23일 느낌이 있다

마당 식구들 중에 기세가 당당한 한 건 개보다도 키 큰 수탉이다. 큰 개가 무슨 속인지는 몰라도 멋없이 짖어대는 대로 목을 길게 빼고 이리저리 살피며 고자세를 피운다. "꼭 고꼬고" 점잖게 기를 내뿜는다. 칼날 같은 발톱을 들어 올리며 목깃을 우산처럼 펴든다. 불쌍하게도 개집에 꽁꽁 묶인 개가 짖어대기만 하지 닭도 쫓지도 못하고 빙빙 돈다. 아주 점잖게 꾸짖듯이 꼭옥 꼬꼬꼬. 온몸에 잔뜩 힘을 주며 온몸이 한꺼번에 쫀다. 개는 더 날뛴다. 허더니 수탉이 갑자기 머리를 숙이고 급히 마루 밑으로 달려든다. 개는 승리감을 느끼는지 앞발을 든 채 개 줄에 얽매어 서서 짖는다. 비로소 주인이 시끄러! 한 마디에 꼬리를 감고 개 집으로 들어간다. 텅 빈 하늘에는 솔개 한 마리가 마당 위를 한 바퀴 돌더니 그만 멀리 사라져간다. 그제야 강아지들이 응, 그렇구나….

24일 감나무 집

동산에 가면 우리 집이 보인다. 지붕은 뒷집에 가려 안보이지만 나는 우리 집을 찾을 수 있다. 지금 샘가에서 장독에 정화수 떠놓고 손 비비는 어머니. 표주박 대롱대롱 매달린 그늘에 앉아 책장을 넘기는 형. 양지 바른 마루 끝에 앉아 수놓는 구나. 지붕은 초가집이지만 꿈이 많은 우리 집. 붉은 노을에 갈까마귀떼 나는데 불꽃 튀기듯 지붕 위에 뾰조록 빛나는 까치밥이 매달린 감나무 집이 우리 집이다. 밤이면 고요를 깨고 어머니의 독경소리 은은하고 갓방에도 아직 불이 켜져 있다. 이 세상에서 가장 따뜻한 우리 집. 눈이 내리도 하얀 머리 초가집에 김이 무럭무럭 나는 포근한 집. 내 고향의 우리 집이, 우리 집이 그립다. 감나무 집.

25일 타버린 냄비

일찍이 옛 여인의 자화상 같은 거울이 빛나는 이태리 닥터 냄비. 그는 산 사람의 미모뿐만 아니라 뱃속을 기름지게 한 판의 거울을 가진 냄비. 인류가 살려는 오랜 흔적이 감춰진 그릇 중에도 불 위에 얹어 놓을 수 있는 그릇으로 태어나 멀리 문명의 노래를 싣고 찾아온 귀한 손님이다. 보글보글 부글부글. 한시도 그 숨결을 쉬지 않던 냄비. 이제 나는 나를 볼 수 없게 됐다. 그 화려했던 날 웃음은 웃음을 낳고 맛도 냈던 거울처럼 거짓 없는 타버린 냄비. 이제 아내가 돌아오면 뭐라고 말을 하랴.

26일 산마루 가다보니

창가의 서보니 앞산에 산마루가 낮아 보여 오솔길 따라가네. 가도 가도 소나무 밭, 맑은 소나무 향이 누나의 향이던가. 산마루 가는 길에 어머니 같은 누나의 내음이 나무와 나무 사이에서 피어나네. 어느새 중턱에 이르렀고 나보다 늙은 누나가 손짓하네. 길은 소나무길. 어머니와 함께 가던 길. 한겨울에도 파랗게 서있구나. 언제나 내 곁을 떠나지 않는 맑고 깨끗한 청아한 내음. 여기가 어머니의 품이런가. 산마루에 올라가보니 포근하고 따뜻한 햇살이 반겨주네.

27일 줄

이 세상에 제일 작고 귀여운 집. 꽃도 그려지고 지붕도 그려진 앞에 커다란 밥그릇이 있고 문은 없지만 아치형으로 속이 다 보이는 출입문. 마음대로 들락날락하는 문이었다. 그러나 이 집의 주인은 그리움이 솟고 멀리 떠나고만 싶다. 부스럭 소리만 나도 반가워 문짝도 없는 문을 수없이 들락거린다. 밤이면 달을 보고 노래를 한다. 나를 그렇게 사랑한다면 함께 살자고. 이 작은 집도 줄 테니 같이 살자고, 진주로 만든 내 목걸이도 모두 다 줄 터이니 저 말뚝에 묶인 목줄을 풀어다오. 이 가느다란 쇠줄이 나를 이렇게 괴롭히네.

(문득 사나운 개가 가느다란 개 줄에 묶여 줄의 반경만이 자유롭다. 어지간히 인내심도 강하여 그 속에서 살아간다. 반경 속의 자유. 이것이 비단 개 뿐만이 아니다. 이것을 털지 못하는 인생이 있다면 얼마나 구슬픈 일이냐. '반경 인생')

28일 부딪히면

한번 보기보다는 한번 실천함이 낫고 안다는 것이 얼마나 소중한지. 이제 겨우 이십여 리. 싸우고 비틀고 억울하여 빈손을 마주치니 그 소리 크게 울리며 묵은 때를 벗기네. 태열을 가다듬고 다시 한 번 쳐들어가니 문을 열고 반기네. 악은 사라지고 마음과 마음이 하나로 엮이니 부딪혀야 소리가 나고 소리가 나야 문이 열리네. 아는 것이 힘이라 두고두고 거울 삼아 오래오래 간직하리.

29일 마당을 나온 암탉

『마당을 나온 암탉』을 읽었다. 황선미 작가는 충청도 홍성에서 태어나 동구밖 삼거리에서 보릿고개를 연상하는 가난한 사회에서, 살려고 하는 여러 밥벌이가 모여 사는 한낱 거짓 없는 순수한 시골에서 자란, 맑고 깨끗한 느낌이 나는 작가다. 본인은 이렇게 말하고 있다. "나에게 동화는 삶을 표현하는 한 방식이며 아이들과 더불어 나 또한 성장하고자 끊임없이 노력하는 하나의 행위이다." 이렇게 말하고 있듯이 의인화된 양계장의 폐계를 통해서 본 인생역정을 그린 이야기다. 동화는 의인화의 장르를 통해 보다 자유롭게 인간이 별로 관심을 두지 않았던 소중한 것들을 집요하게 적어내 양지에 내놨다. 눈에 보이지 않는 모성애 그것도 닭이 오리를 부화하여 서로 본성이 다른 대로 구태여 모성애로 모든 것을 감싸서 아무도 발휘할 수 없는, 어머니가 아니면 할 수 없는 신성한 힘을 초인적으로 발휘하여 잡히기만 하는 숙적을 물리치는 것은 모성애가 아니면 할 수 없는 그런 지극한 애정표현을 꼭 그랬어야만 하는 걸 그때 보여준다. 그리고 그 숙적이 왜 그렇게 자신들을 노리고 다니는가. 새끼를 난 어미의 모성애로 서로가 이해한다. 동화를 빌렸을 뿐, 성인들에게도 큰 감동을 주는 작품이다. 근래에 보기드문 청아하고 투명하고 아주 섬세하고 사념의 세계를 묘사한 우수작이다. 나는 이 책에서 보수적인 어떤 생각들을 다 털어버린다. 천륜과 인위적인 것은 다르다. 천륜이란 아무도 파괴할 수 없는 것이며 인위적인 사회나 정신세계란 변천할 수밖에 없는 것이다. 작가 황선미에게 찬사를 보낸다.

30일 시작과 끝

시작은 시작이라서 조심스럽게 땅 껍질을 벗기고 세상에 나온다. 한복판에 갈 길도 많은데 하나밖에 안 보인다. 노란 햇살이 눈부신 햇살을 보낸다. 싹문을 열고 잎을 내어 생가해본다. 아침에는 산마루에 있더니 낮에는 저 높은 나뭇가지에 걸려 있고 저녁때가 되면 붉은 노을 속에 숨어버린다. 그리고 밤에는 아주 제 몸을 감춰버린다. 시작과 끝이 같았으면 나도 햇살을 따라 자랄 텐데 시작은 시작이고 끝은 끝이다. 나도 눈을 감는다. 앞이 안 보인다. 안 보이는 꿈속에 수많은 동그라미가 뿌옇고 노랗고 밝게 첩첩이 싸이며 빛을 낸다. 모두가 시작이다. 이지러진 것이 안 보인다. 바로 이곳이 시작하는 곳. 휴식은 내일을 위하여 있을 따름이다. 잡으려 해도 잡히지 않는 노란 햇빛을 보고 힘을 다하자. 어느 날 비가 와서 햇살이 없어도 나는 자리에 서 있다. 높고 튼튼하게 둥글고 끝없이 높은 곳을 향해 자라고 있다. 끝이 보일 때까지.

2월

2002년

01일 세월은 가는데

겨울이 가면 눈이 오듯이 세월이 자꾸만 흘러만 간다. 오늘도 임오년 달력이 넘어갔다. 아직도 마음은 한창인데 세월 따라 몸이 늙어가니 외로움이 더해 가는구나. 사람이 부모 아래 형제가 있고, 있다는 존재만으로도 기쁜 일인데 그나마 뜻대로 만날 수 없으니 이것이 무슨 산다는 기쁨을 누릴 수 있으랴. 이런 생각 저런 생각하다 보니 또 하루가 가는구나. 봄이 가면 또 여름이 오겠지. 세월은 가면서도 돌고 왔다 돌고 가는 계절이 있는데 슬픔을 가져왔다 놓고 갈 수 없으니 나도 자연과 함께 모두 끌고 가야지. 말도 못하고 알면 해치고 어지간히 괴로웠던 시절. 지고 가야지. 말없이 가야지.

02일 새옷

사람마다 새 옷을 좋아한다. 아기도 고운 옷을 입혀주면 울음을 그친다. 화려하고 반짝이는 옷. 그것은 욕망이다. 누나는 새 옷을 맞춰 입고 모든 것을 얻은 듯한 기분이다. 여든 넘은 할머니이건만 소녀의 꿈은 지금도 화려하다. 옷이란 가리는 것뿐만 아니다. 부의 상징이며 바로 인격이라고 알았기에 그 꿈은 떠나지 않는다. 이제야 소녀의 꿈을 이뤘나 보다. 그동안 떨어진 입맛이 살아나고 류마티스도 나아서 걷기도 편해졌다. 옷은 한 순간 인간을 개선하는 능력이 있다. 반드시 화려한 것만은 아니다. 정신적 신체적 치료에도 효과가 있다. 꿈 많은 소녀가 천지를 얻은 듯한 기분. 딸들에게 옷 타령한다고 비난받던 일도 모두 사라지고 이 옷을 정말 입고 나갈 수 있을까. 누나의 마지막 말이었다.

03일 작은 기도

남들은 봄 날씨라고들 합니다. 그러나 나에겐 이렇게 차가울 수가 없습니다. 겨울이기 때문에? 아닙니다. 체감은 38도, 마음은 영하 10도. 추위와 더위의 갈등 속에 움츠리고 앉아서 내일을 걱정합니다. 올 겨울은 왜 이리 추울까요. 이것은 양심이란 것이 있기 때문이지요. 시도 때도 없이 찾아오는 어두운 그림자. 갈 곳 없는 마음의 행로가 아픔을 안고 당신의 용서를 구합니다. 용서하소서. 지금 하나를 용서 받고 또 하나는 내일 빌고 빌어 머리가 희어졌네. 이제 어디로 가자 하시나이까.

04일 입춘대길

깜박 잊고 지나칠 뻔했다. 사실은 우리는 오늘부터 한 해가 시작된다. 24절기의 첫번째 날. 대한(大寒)과 우수(雨水) 사이에 낀 입춘. 자연은 거짓이 없다. 약속된 그날 어김없이 찾아온다. 우리는 그 속에 살면서도 감사할 줄도 모른다. 새 봄은 말한다. 새것을 좋아하는 인간들아, 나를 맞이할 준비가 되었느냐. 찾아오는 것조차 모르고 있는 그런그런 사람들. 불감증의 환자들. 두터운 코트는 벗었어도 소리 없이 찾아오는 계절은.

05일 아내의 품

아내는 어머니의 화신이다. 어쩌면 그렇게 닮았을까. 지금은 거의 사라져가고 있는 옛 음식들. 시래기 국, 청국장, 진간장. 이것이 아니면 고향의 맛을 못 느끼는 짙은 고향의 맛. 나는 요즈음 마음은 고향에 산다. 내가 먹던 어릴 때 그 맛 그대로이다. 고향은 바로 어머니. 나는 어머니 품에서 자랐다. 고향이 그립다. 고향은 나의 꿈을 키워주었다. 죽어도 날개를 달고 고향으로 가야지. 산천초목도, 도랑물도 나를 반기리니. 고향은 내가 쉴 곳이다. 아내의 품에서.

06일 명복을 빌며

살아생전 지아비를 돕다가 어린 자식 하나 얻지 못하고 저 세상으로 떠난 할머니. 자꾸만 가자 하고 모시려 왔다, 빈손으로 돌아갔다 하시더니 이제는 말씀마저 못 듣겠네. 한때는 꼭지를 휘어잡고 불호령을 하시더니 나이가 한이로다. 늙어감을 어찌하리. 단속하고 싸고매고 그렇게도 지키더니. 욕망으로 받아들이니. 손도 없는 마지막 길을 누가 맡아 주리오. 아, 애달프다. 운명의 장난 앞에. 죽음은 소리 없지만 가신 이의 온기는 남아있으려니, 인간세계의 허욕이란 얻고도 못 가져가는 것. 이제 세상만사 다 털어버리고 편하게 가시오소서. (산서 주장 어머니 83세를 일기로 어젯밤 11시에 작고하시다.)

11일 섣달그믐

섣달 큰 애기 바람난다더니 어쩐지 마음이 들썩인다. 또 할일을 못하고 해를 넘긴다. 꼭 가봐야 했는데 해를 넘긴다. 해가 갈수록 할일은 첩첩이 쌓이고 머리만 무겁다. 양력 그믐날, 음력 그믐까지는 기필코 해둬야지 하는 생각이 지금까지도 그대로 남아 있다. 누군가 해 달라는 말도 없는데 스스로 일을 해나간다는 것이 이렇게 어려운 일인가. 인생이 이렇다는 말을 들어왔지만 늙은이의 허무란 이런 것일까. 꼭 있어야할 유(有)에 대한 개념만 있고 실재하지 아니하는 무의미한 무(無)의 의식. 이러한 환상적인 것일까. 아니면 지난 생각을 불러일으키는 환상일까. 늙어가는 것에 대한 무위한 생각일까. 섣달그믐을 맞는 나의 심정은 이렇다. 그래도 뭣인가 하고 싶은 생각은 앞서 가지만 하지도 못하면서 걱정만 늘어트리는 무가치한 늙은이의 망상이겠지. 내일이면 일흔 셋. 죽어야할 쓸모없는 인생이 되어간다. 그러기에 정 때문에 얽힌 일밖에는 아무것도 남지 아니한다. 이것은 사실, 허실을 따져볼 때 허일 뿐, 기가 막힌다. 이렇게 맥없고 힘없기는 처음 느껴보는 심경이다. 하지만 또 허무를 생산해봐야지. 실존하는 쪽으로 노력해봐야지.

18일 오늘로서 음악저작권협회 이사직을 마감했다. 법적으로 오늘 총회가 있어 마무리한 것이다. 아무튼 이사를 하면서 회의비, 연구비 등으로 예산을 세워 용돈을 써왔는데 이제는 꼼짝없이 아내에게 돈을 타서 쓰게 됐다. 그런데 이까지 말썽이니 보통 괴로운 것이 아니다. 황철익과 오페라 모임을 갖기로 했다.

19일 우수(雨水)

하늘은 잠시도 쉬지 않는다. 허공을 메워 주는 공기는 오랜 세월, 생물들의 생명을 지켜주었다. 우수는 24절기의 입춘과 경칩 사이에 있는 절기로 이제 눈은 멈추고 비가 내려 얼었던 땅을 녹이고 겨울잠을 자던 생물들에게 새 생명을 불어 넣는 날이다. 자연은 이러한 질서를 수천 년, 수만 년 전부터 끊임없이 반복해 나온 진리다. 이처럼 자연은 지구상에 사는 모든 생명에게 언제나 새로운 삶을 예고하고 생명을 연장시켜 주었다. 이제 봄이 된단다, 하고 입춘을 예고하고 얼었던 땅을 녹이고 지구를 촉촉하게 물들여 새 생명들이 밖으로 밖으로 나올 시기임을 예고하고 흐린 날을 주어 비를 내린다. 그래서 생물들도 나무껍질을 밀고 땅 껍질을 밀고 해와 별을 향해 꿈틀거린다. 바로 경칩이다. 만물이 소생하는 날이다. 이런 천리를 깨우친 지혜로운 사람들은 자연을 존중하고 함께 살아가는 동반자로 친화적으로 살아온 선조들의 지혜에 놀라지 않을 수 없다(지난해 해넣은 이가 아파서 엑스레이를 찍어 보니 이에 농이 생겨 몹시 아팠다. 이가 아파 연연히 손을 봐야 할 형편이 되어 괴롭다. 모두 일곱 개가 되어 30만원이 든다 하니 이 일을 어찌해야 할지 막막하다.)

22일 오페라 명가회 창립

오페라 명가회라는 모임에 참가하였다. 이 모임은 오페라 뮤지컬 등을 이 땅에 세워보자는 작곡가들의 총의에 의해 창립 기획되었는데 이 자리에는 김달성

황철익 오숙자 임금수 조문향 같은 작곡을 전공하고 현역 교수로 있는 분들이 나왔다. 임금수 교수는 가곡 〈강 건너 봄이 오듯〉과 오페라 〈탁류〉를 작곡한 교수이며 황철익 교수는 〈허난설헌의 불꽃 아리랑〉을 지난달에 발표했으며 오숙자 교수는 〈원술랑〉 〈동방의 가인〉 등을 작곡한 쟁쟁한 현역들이다. 나는 황철익 교수와 음악저작권협회의 이사를 함께 지냈다. 그때 그 어느 날 오페라 이야기가 나와 아마추어 입장에서 어린이를 위한 뮤지컬을 만들어 방송TV에 내보낸 일이 있다고 얘기한 끝에 이런 오페라 모임을 갖자는 얘기가 있었다. 이런 실마리가 작용하여 현재에 이른 것인데 아무리 생각해도 내가 나설 일이 아니다. 전공을 한 사람들과 작은 경험으로 자리를 함께 한다는 것이 양심을 속이는 것 같아서 괴롭기 짝이 없다. 이 문제는 시정을 하고 싶다. 그 옛날 아무도 손 되지 않을 때 대들었던 1970년대 나는 방송을 통해 일하고 있었고 그때는 자발적으로 하는 역군이었지만 지금은 문화의 필요에 의해서 많은 전공자가 나와 반갑다. 한발 뒤로 물러서야겠다.

23일 하루를 보내기가

하루를 집에서 보낸다는 것이 쉽지 않았다. 독서에 취미를 붙여 『괭이부리말 아이들』 『마당을 나온 암탉』을 탐독하고 신세대 젊은 작가들의 생각과 표현 그리고 문학사상 등을 접하긴 했지만 이렇게 집필하기 위해서는 많은 비판과 정밀한 자료의 수집 등 젊은이 못지 않은 노력이 필요했다. 의욕을 있지만 이렇게 할 수 있을까. 생활을 책임지는 가장으로서 시를 쓸 수 없다고 입버릇처럼 말했던 아들의 심정을 이해할 수 있을 것같다. 산다는 것보다도 더 큰 것은 없기 때문에 모든 것은 그 안에 존재하게 되니 자연히 주제는 커지고 생각은 멀어지는 것이 아닐까. 그런데도 하루를 보내기가 어렵다. 종일토록 강의를 하나 만드는데 준비를 마친다. 그리고 지난 시간을 낭비하지 않았는가 하고 가슴 졸이고 일어나서 다시 시작하는데 뜸들이고, 쉽지 않은 시간 보내기 등 뭔가 하루 보내기가 힘들다. 의욕은 많고 마음대로 되지는 않고 전화라도 오면 다른 생각이 든다. 어렵다 내일은 민기와 희기가 와서 점심을 먹기로 약속했다.

26일 봄을 싣고 오는 개나리

안개 낀 산자락에 유난히 빛나는 무엇인가가 끌어당긴다. 아직 찬바람이 산허리를 넘어오지만 산자락에 버티고 서서 바람을 막는다. 지난겨울 그 모진 추위 속에서도 봄을 준비하는 너는 때를 기다리는 용과 같이 잔설이 아직 가시지 않았는데, 꽃망울을 터트리는가. 비록 언덕바지 울타리에 자리 잡고 누구보다도 봄을 즐기는 너. 너에게 향기가 있다면 절세가인일 텐데. 하늘은 너에게 안개 속에도 보이는 강한 노랑색을 주었구나. 너의 이름 개나리야, 봄을 실어오는구나. 엊그제 우수를 지났다 해서 네 소식이 있으니까 기다렸더니 한 치도 다름없이 봄은 찾아왔구나.

3월

2002년

05일 수의(壽衣)

뜻밖의 일이었다. 며칠 전 동대문 시장에 다녀온 다음 슬그머니 방한 형이 2백만 원짜리 수의를 입기로 했다면서 죽을 때도 엄청난 돈이 든다고 아내가 말했다. 자식들에게 큰 부담을 주게 된다면 걱정이라고 했다. 가만히 있을 수 없어 미리 만들어 두는 것도 경제적으로 도움이 될 것 같다고 응답했더니 그래서 말인데 한국 사람이 한국산 수의를 입기도 힘들다고 말한다. 그래서 알아봤더니 비수기 때는 반값밖에 안 된다, 급하게 하면은 몇 배를 받는다 등 여러 가지를 알게 되었다. 막상 죽을 때 입는 옷인데 기분이 묘했다. 살아있는 사람이 죽은 다음을 걱정하다니 기분이 좋지는 않았다. 그래서 용기를 냈다. 사전에 준비를 해두는 것도 인간만이 할 수 있는 기회여서 딱 닥쳐서 당황하는 것보다 우리가 서둘러 해야겠구나 하는 생각이 들어 의견 합일을 봤다. 동대문시장에 나가 봤더니 즐비하게 수의 상이 늘어서 있었다. 무려 열필, 200 자가 든다고 했다. 비수기이니까 백만 원 정도면 된다고 했다. 어이가 없었다. 그러나 언제 죽을지는 모르지만 자식들에게 부담을 주지 않으려면 미리 준비하자는 뜻에서 저 세상을 가는 옷을 마련하였다.

06일 도봉산 동동주

전화가 걸려 왔다. 「말하는 이야기 동화」 기획이 섰으니 만나서 이야기 하잔다. 창동 책 나라로 발길을 돌렸다 그리고 그럭저럭 방법론을 얘기했다. 시간 반 정도 후에 원안대로 실행하기로 했다. 꽤 긴 토론이었지만 많을수록 구할 수 없을 것같다. 4월부터 개강하기로 하고 교재 준비를 하고 다시 만나기로 했다. 그리고 도봉산 아래에 가면 먹거리가 많다고 안내를 받았다. 산행에서 돌아오다 출출할 때 한잔 술을 파는 선술집이 즐비하였다. 옥수수 동동주에 동태찌개를 앞에 놓고 도봉산을 바라보며 한 잔 들이키니 마음속까지 시원했다. 조금 모자란 듯할 때 일어섰다. 서민적이어서 싼 선술집이었다. 모든 것이 진실해야 한다. 그리고 참으로 사랑하는 마음으로 전개해야 할 것이다.

10일 동화강좌 개설

아침 일찍부터 전화가 걸려 왔다. "오늘 쉬는 날인데 우리가 특별히 쉬는 날이 있습니까, 전번에 얘기했던 동화 강좌 오늘 각 유아기관에 안내할 안내장 작업을 합시다." 이영준씨 전화였다. 부지런히 창동 '책나라'로 갔다. 이미 나와서 작업 준비를 하고 있었다. 주소록에 번지와 우편번호를 찾느라 늙마에 무슨 꼴인지 하는 생각도 들었지만 그동안 먹고 살 돈 벌어 놓지 않았으니 이유야 어떻든 할 수밖에 없는 작업이었다. 둘이 다시 얘기하였다. 그동안 공부해 놓은 것이니 어디다 버릴 수는 없고 한 사람이라도 찾아오면 열심히 지도하여 훌륭한 '말하는 이야기 동화가'를 길러 보자는 뜻이었다. 발을 넣을 수 없는 책상 뒤편에 앉아 작업을 했기에 가랑이가 아파왔다. 별로 운동하지 않은 근육이 불평을 하는 모양이다. 늙어서 절로 나온 말이다. 이렇게 됐으니 걱정이다. 할일은 많고 몸과 시간은 허락하지 않는다. 내일은 종채를 찾아 가평에 갈 생각이다.

12일 가평 멀리 아우를 두고

하룻밤이 너무나 짧았다. 종채와 비디오를 보면서 잡다한 이야기가 끊이지 않았다. 잠시 머리를 식히려고 밖으로 나왔더니 밤하늘에 초록별이 유난히 밝았다. 북두칠성 오리온좌 등등이 뚜렷이 밤하늘을 지켰다. 도심에서는 볼 수 없는 대자연의 묵은 별이 마음속을 비치는 것 같았다. 인간이란 별 앞에 아무것도 아닌 존재이지만 보이지 않는 곳에선 향락의 세월을 보내고 이 세상을 품안에 넣으려는 어리석음을 일삼는다. 유난히 밝은 샛별을 바라보며 속삭여왔다. 자식들의 행복을 빌며 서슴지 않고 대문을 열어주었던 어머니 아버지. 그런 뜻도 모르고 생이별을 한 자식들의 소식도 못 전하고 간 형제들의 명복을 빌었다. 그리고 나, 별을 쳐다볼 수 없었다. 지금까지 살아온 것도 장하지만 부모님 영전에 살아있는 추 형을 모셔와 함께 살 수 있는 형편이 부끄러웠다. "꿩 꿩" 산의 적막함을 첩첩이 더 쌓아주는 듯 아무런 생각 없이 초록색으로 변해가는 봄의 여신에게 너무 봄을 잠식하지 말라고 말하고 싶었다. 자연은 나를 끊임없이 유혹하니까.

13일 기억에서 멀어지는 삶

나는 지금 무한한 행복을 누리며 살고 있는 것이 틀림없다. 그러기에 이렇게 편안하게 지내는 것 아닐까. 아무런 걱정도 생기지 않는다. 또 걱정을 할일도 없다. 그만큼 산다는 의미를 찾으려 하지 않기 때문이다. 내가 생각해도 하루 종일 무엇을 하고 사는지 집안에서 서성거린다. 창문을 열면 분명히 봄이 찾아 왔을 텐데 뿌옇게 스모그 현상으로 산도, 도시도 안개 아닌 안개 속에 숨어 버리고, 나의 자연에 대한 감각은 모두 가져가 버렸다. 눈에서 못 느끼면 코로 느껴보려고 하지만 매캐한 냄새는 기침을 몰고 올 뿐, 잠시도 창을 열어 놓지 못하게 한다. 혹 귀로 느껴보려고 하지만 새소리 하나 들리지 않는 도심에 봄은 옛봄의 신선함도 내 기억에서 빼서 가버렸다. 왜 이렇게 대자연이 황폐하게 변했는지 젊음이 사라지고 늙어가는 것조차 의식에서 사라져 간다. 뜻도 없는 가치도 없는 거짓만 살아 움직이는 듯한 도심에 유령이 아니고 무엇이랴. 이쯤 되면 내 자신이 삶에 숭고함과 자연에 감사하는 것조차 잊어버렸으니 산다는 것이 아니다. 그렇다고 내 마음을 움직이는 감동마저도 없어 나날이 내가 도시의 감옥 속에 있는 것이 아닐까.

16일 회상

봄의 향기가 물씬 나는 날이었다. 이른 아침에 수락산 등산로에 올랐다. 마치 세상을 살아가듯이 오르고 내리고 벌써 부지런한 사람들의 발걸음이 앞서고 뒤섰다. 그렇다. 길은 하나인데 앞서고 뒤서고 각각 능력에 따라 혹은 사색에 젖어 쉬어가는 터에서 사색에 젖은 사람도 있었다. 어렵지만 꾸준히 걷는 사람도 있었다. 봄은 아침을 헤치고 걷기에 편했다 야호! 아내가 소리를 내뿜었다. 평소에 버릇처럼 내는 소리지만 유난히 가라앉아 저 깊은 뱃속에서 나온 수련된 소리였다. 아내는 어릴 때 보고 들은 가치관을 실천에 옮긴다. 어떤 일을 하고 나면 "이모할머니께서 자주 말씀하시더니" 하고 회상을 한다. 아버지(장인)께서 없는 사람을 위하여 자기희생적 일을 많이 하셨다고도 했다. 안 쓰는 것이 남는 것이다 등의 말들을 듣고 자랐던 『명심보감』을 실천에 옮긴다. 장인께서 병은 예방의학 앞에 무릎을 꿇는다, 라는 교훈을 말해준 기억도 있다. 산마루 공터에서 야호 하는 소리가 수락산에 메아리로 울린다. 나도 아내처럼 내 늙음을 예방해가야지.

18일 백낙청-고은 이야기

오늘 이 두 문학인들은 21세기의 현실과 미래에 대해서 무척 고민을 하고 있었다. 20세기에 살고 있으면서도 그 다난했던 20세기를 모르고 있다가 겨우 일제부터 해방이 되어 비로소 반일 투쟁이 있었다는 의식에서 20세기 문학의 자리를 의식하고 분단이라는 우리 민족 최대의 과제도 전쟁이라는 아픔을 통해 민족문학의 입지를 찾았으나 우리는 지금 통일이라는 뼈아픈 과제 앞에서 고민을 하고 있다. 결국 우리는 이 아픔이 없이는 결속할 수 없고 물결처럼 넘어오는 수난의 파도를 넘지 아니하면 민족도 통일도 있을 수 없는 것이라고 말하고 있다. 미국이라는 나라는 하나의 세계화를 부르짖고 있지만 결코 이뤄낼 수 없는 것이며 성조기의 작은 별들이 그런 이념 속에 더욱 빛나 보이는 것이 결국 미국내 소수민족들이 보다 강하게 대비적으로 민족의식을 강화하고 있다. 즉, 각 민족이 강한 민족성이 있으면서 세계화라는 21세기의 꿈을 좇는 것이다, 라고 말한다. 그러기에 세계문학이란 별것이 아니고 가장 훌륭한 문학은 자기 언어가 아니고서 어떻게 표현할 수 있겠는가. 자기 언어를 가지고 여러 민족이 내놓고 우리 민족만이 갖는, 다른 민족이 맛볼 수 없는 공통성을 자극하고 찾고 말하고 새로운 언어를 만들어내야 한다는 것이다. 고난과 수난의 역사가 없이는 큰 물결처럼 움직이는 크고 작은 어둠을 의식하지 못하면 시의 세계는 있을 수 없다는 것이었다.

19일 입

입은 밥도 먹지만 말도 한다. 말을 멈출 때면 역사와 문화와 예술을 머금고 사념의 세계로 간다. 말 말 말. 말은 말을 만들고 말은 세상을 엎었다 뒤집는다. 오랜 침묵을 지켜온 입. 눈을 반짝여도 소리는 없는 입. 할 말은 많아도 못하는 말들이 파도처럼 밀려올 때면 다시 담을 수없는 말을 뱉는다. 말은 보이지 않지만 들으면 웃기도 하고 성내기도 한다. 망치로 심장을 두드리듯 가슴이 미어지고 지금까지 겪어보지 못한 아픔을 느낀다. 말 한 마디로 천량 빚을 갚는다고 알알이 뭉친 가슴을 열어준다. 어제의 적이 오늘의 벗이 되고 원수가 동지가 되는 마음을 풀어준다. 말 한마디로 전쟁도 일어난다. 말 한마디로 나라도 팔아먹는다. 말 한마디로 죽어가는 사람도 살려내고 말 한마디로 철천지 한도 푼다. 말은 다이너마이트보다도, 원자탄보다도 강한 것. 이미 입술에는 마음이 새겨져 희로애락이 모두 그려지고 입이 열리면 화산보다 더한 위험이 쏟아진다. 말 말 말. 입을 열면 시끄럽고 닫으면 조용하다. 말이란 내면적인 것이어서 한 번 내놓으면 고삐 풀린 말처럼 마음대로 돌아다닌다. 선비가 어찌 입을 열고 살겠는가. 속으로 삭히고 말뿐이다. 글을 쓰면 그만이지 왜 그리 입을 천하게 하랴. 입을 다물고 달리는 말을 잡아야지.

23일 텅 빈 공간에서

몇 번이고 냉장고를 가리키며 이것은 토란대, 이것은 김, 물만 데워서 잡수시고 점심 저녁 꼭 챙겨 잡수세요. 마치 애기를 달래듯 말하는 아내의 모습이 허공에 떠 보인다. 그렇게도 믿을 수 없어 일일이 설명하는 아내는 먼 길을 잘 갔을까. 기차를 타고 간다 했지. 기적소리에의 옛추억도 담고 차창에 기대어 초라한 모습 그 큰 눈을 깜박이며. 가만히 서재의 문을 열고 "나 다녀올게요." 지금도 부끄러워 반만 보여주는 당신의 얼굴에 수심이 가득하군요. 하기야 가장 사랑해주셨던 어버이도 안 계시는 고향을 찾아가도 누가 반겨주랴. 아마도 그때 그 먼 옛날 손 잡아주시던 그 모습만 공간에 떠오르겠지. 소리 없는 모습, 그 희미한 추억을 간직하며 마음속의 마음을 찾아가는 뒷모습이 지금 창가에 떠오른다오.

25일 봄과 늙은이

자고 나니 이유 없이 발목이 아파서 딱히 다친 일이 없으니 금방 낫겠지, 이런 저런 생각 끝에 한 발을 절뚝이며 약수통 둘러메고 산에 올랐다. 황사가 갠 날, 공기도 좋고 작은 꽃잎이 봄을 불러 향기도 좋고 새들이 부르는 봄은 듣기도 좋아, 가다 쉬고 가다 쉬고, 나무가 부른 봄을 혼자서 바라보니 봄도 짝이 있어야 아름답게 보이는 듯 아픈 발도 사뿐 딛고 절뚝절뚝 절고 가니 늙은 사람사람이 부른 봄은 미완성 봄인가 보다. 바람이 부른 봄은 꽃들이 시샘하며 산에 올라도 땀도 아니 나는구나. 남들은 새 봄을 화사하게 그리는데 발 저는 외로운 늙은이가 봄을 맞이하니 봄도 슬프고 사람도 슬프구나. 이렇게 살아서 무엇하리오. 자식들 걱정 끼치는 것보다 차라리 저승으로 가는 것이 좋고 더 좋을 텐데. 이렇게 살아서 무엇하리오. 봄이여, 뜻대로 조용히 왔다 조용히 가다오.

잠깐 산에 갔다 와보니 아내가 벌써 와 있었다. 어린이 문화에 대한 제언을 썼다. 선구자들이 선각적으로 어린이 문화를 정착시켰으나 아무도 어린이를 생각하는 사람은 하나도 없고 어린이를 상업적 대상으로 여겨 이용만 한다. 새 문화 운동을 제안한다.

27일 혼자서

고통과 아픔 속에 혼자서 태어나니 그 아픔도 모르고 코에 공기가 들어가니 기가 통하여 소리를 지르니 이때부터 혼자이더라. 우주는 생명에게 공기와 물을 보내어 생명을 주고 이를 삭이지 못하면 스스로 자연으로 돌아간다. 365일 도움을 받아 두발로 선다 해도 부모의 도움이 없으면 스스로 살 길이 없어 배고프면 울고, 뜻대로 안되면 울고 오직 울음으로 뜻을 전하니 말을 배우고 행실을 배우지만 스스로 삶을 꾸려가지 못하니 사람은 짐승과 달라 혼자서 살기에는 오랜 세월이 있어야 한다. 문화가 발달 할수록 세상 살기가 어려워 살아가는 기술을 익히고 혼자서 할 수 없이 동반자를 구하여 이때부터 사람답게 살아간다. 그러니 이때까지 길러 주신 부모의 은공이 얼마나 고마운가. 살기 위하여 배우고 배우면 문화를 창조하고 어울려 살아가지만 병들고 힘이 없으면 결국은 혼자가 된다. 혼자란 이미 혼자서 세상에 나왔으니 혼자 이러거니와 혼자가 모여 너와 나의 덕을 쌓아가면 외롭지 아니하고 그도 못하면 영 영 혼자서 혼자로 돌아가리니. 혼자란 애초에 혼자였으니 혼자로 돌아가야지. 혼자서 있자니 외롭기도 하다.

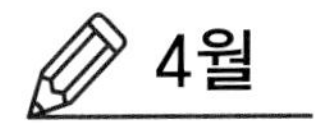

4월

2002년

09일 기다림

아무리 생각해도 소식을 전해줄 만한 사람은 없지만 무엇인가 기다려지는 아침이다. 머릿속이 비어 그리움에 빠진 듯. 그것은 이유 없는 저항이다. 올 것도 같은데 오지 않는 전화통이 민망하다. 따르릉! 내 손이 닫기 전에 벌써 아내가 받는다. 그래, 지금 온다고? 누군지는 몰라도 나의 영감이 불러낸 듯하다. 딸이 온데요. 한 시간 뒤. 사위도 온데요. 무척 반가웠다. 아무리 생각해도 할 말은 없다. 잘 있었니. 별고 없지. 고작 이 말뿐이지만 속이 시원하다. 아마 소리만으로는 충족하지 못하고 눈으로 봐야 하나 보다. 따르릉! 또 왔다. 연속 대문이 열릴 모양이다. 뭐? 차 고장? 어떡하지? 나를 시샘하여 길가에서 고생하는 가보다. 한 시간, 두 시간, 세 시간이 지나도록 아무 일도 못했다. 아마 이것이 기다림이 아닐까. 어디가 고장 났나? 왜 고장 났나? 혹 차 사고를 감춘 건 아닐까. 기다림은 헛된 것이 없다. 모든 예상이 다 틀렸다.

13일 보따리

"보따리 보따리/ 봄 푸른나물들/ 도심의 계단에/ 푸르르 살아있다// 이른 아침 전철 타고 왔슈/ 깨끗한 거유/ 개똥밭에서 캐야/ 맛있는 거요// 새 나물이요, 나물/ 돌미나리 취나물/ 쌉살한 머우 잎/ 모두 새 싹들이요// 보따리 보따리/ 싸들고 앉아서/ 싱싱한 새 봄을/ 파는 아낙네들"

(중부시장에 아내와 함께 다녀왔다. 미역과 멸치를 사왔다.)

15일 아버지

내가 이 세상에 존재하게 된 뿌리는 아버지이다. 나도 자식들의 아버지이고 나도 아버지의 아들이다. 존재의 가치관에 따라 아버지가 얼마나 소중한가. 아버지는 나에게 가장 소중하고 가장 존경받아야할 종의 기원이다.

21일 고향 그리워

1945년 해방 바람이 불더니 비스듬히 누워 버린 느티나무가 지금도 봄이면 잎을 비우고 여름이면 그늘을 주어 고향마을은 그늘에서 고향을 떠난 사람들의 소식이 끊이지 않는다. 그러나 고향을 떠난 사람들은 내 고향을 몇 번이나 생각할까, 몇 번이나 소식을 전할까. 느티나무는 지금 거목이 되어 낡은 가지를 버리는데 고향 사람들은 떠난 사람도 고향 사람이라고 따뜻이 맞이해 준다. 지난해 고향에 갔을 때 버려진 느티나무 한 토막을 주워다가 풍란을 길렀더니 썩은 나무토막에서 새싹이 자랐다. 한 잎, 두 잎, 잎이 피어나더니 지금은 제법 큰 가지가 되었다. 고향은 지금 내 옆에 와있다. 고향의 향내, 고향의 환상이 아른거린다. 고향이 나를 따라왔다. 나는 지금 근심도 불안도 다 가버리고 고향과 함께 있다.

24일 봄이 찾아오는 길

땅속에 묻혀 한겨울을 난 꽃대가 땅껍질을 열고 모두 얼굴을 내민다. 이크,

햇볕은 따사로운데 바람 끝은 아직도 차갑다. 어릴 때 창구멍을 꿇고 밖을 내다 볼 때 쏜살같이 구멍을 타고 들어오는 찬바람에 창밖을 구경도 못하고 눈물만 흘렸던…. 겨울은 봄이 오는 길을 모질게도 막는다. 그러나 설중매는 제일 먼저 점을 친다. 분명 봄이 온다고. 한겨울인데도 꽃을 피우는 매화들은 꽃들에게 힘을 주고 용기를 준다. 매화처럼 급한 성미의 개나리가 잎도 피기 전에 노란 꽃잎을 피운다. 대자연의 노란 개나리가 겨울을 시험한다. 개나리, 목련, 벚꽃, 산수유, 성질이 급한 꽃들이 먼저 핀다. 잎들은 아직도 땅속에 묻혀 있는데 아무리 추워도 꽃을 먼저 보낸 잎들이 서둘러 잎을 피운다. 민들레가, 할미꽃이, 자운영이 잎과 함께 피어오른다. 겨울은 가고 봄은 오는데 아직도 마음속에 잠겨 있는 내 마음에 문을 열자. 봄은 준비된 사람에겐 자신을 먼저 보낸다.

29일 오이도

봄비가 마른 땅을 촉촉히 적시는 날, 친구 따라 전철을 탔다. 경기도 안양을 지나 시흥군 종점 오이도에 내렸다. 우산을 받고 버스정류장으로 향했다. 그 즐거운 마음은 초등학생 같았다. 부슬부슬 내리는 봄비를 뚫고 십여 분, 길고긴 제방이 나왔다. 너무나 조용했다. 비가 내리기에 길가엔 아무도 없었다. 바다 구경이나 해 봅시다. 부두를 찾아 길보다 2미터나 높은 제방에 섰다. 바다는 생물이다. 멀리 가버린 바다는 갯벌이 한없이 넓었다. 지난날 이보다도 몇 배나 넓었던 갯벌을 막아 말썽도 많았던 바로 시화 호였다. 인간의 욕심은 더 많은 육지를 갖고 싶어 갯벌을 막아 육지를 만들었지만 여기에 갇힌 바닷물은 육지에서 흐르는 물과 섞이고 섞여 바다는 갯벌을 잃고 바다의 생태계가 변했다. 자연을 이기려 하지 말고 있는 그대로 잘 보전함으로써 인간의 삶이 보장되리라. (이영준 씨와 함께 비 오는 오이도를 찾아 소중한 하루를 보냈다.)

5월

2002년

01일 五月雨

아직도 날이 밝은데 새벽부터 내린 비가 먼 산의 연초록빛 나뭇잎을 더욱 밝게 씻어준다. 봄비도 비이기에 쪼록쪼록 내리고 싶건만 이제 막 잎이 핀 여린 새 푸른 잎들이 다칠까봐 저렇게도 조용히 잎 위에 내려 앉아보다. 봄비는 어둠을 깨고 내려면 내릴수록 세상이 밝아지고 새 잎에 쌓인 영롱한 빛은 어둠을 쫓고 잎 끝에 맺은 빗방울에 코만 덩실한 내 얼굴을 그린다. 나를 다시한번 밝혀주는 오월의 비다.

02일 너의 혼

어느 마당굿이 끝난 뒤, 혼자 남은 사내가 운동장 스탠드에 앉아 있다. 아무도 이름을 불러 주지 않아 그만큼 외로우면서도 찾지 않았다. 어느덧 나이가 9살이 되어도 으레 그럴 줄 알고 혼자서 사는 혼자만의 길을 찾았다. 단단하고 아무리 아무도 친할 수 없는 나를 찾아간다. 물이 어떤 계곡의 폭포가 되고 골짜기로 흘러가도 맑고 물들지 않는 깨끗함을 보듯이 한 번도 눈물을 보이지 않고 오직 혼자서 낮은 곳을 향해 흘러내렸다. 그것은 오직 영혼이 되어 어떠한 요동도 어떤 외로움도 글로 마음을 녹여 남이 생각하고 느끼지 못한 새로움의 빛을 찾고 어두운 세계를 비추는 나의 혼이 되었구나. 세상이란 무한의 함수인데 하려고 움직이는 곳에는 예지가 흐르고, 찾고 헤매는 곳에는 혼이 살아 있고 영원한 한줄기 빛이 빛나리라.

04일 노인들의 산행

60대 아내, 70대 나, 80대 누나가 일렬로 서서 등산 산책길로 나섰다. 걸음은 여전히 나이대로다. 아내는 앞서 가다 뒤를 돌아본다. 나도 젊었을 때는 잘 걸었어. 주고받는 대답이 재미있다. 옛날에는~ 하고 시작하면 행여 주장이 이해가 안 될까 봐, 가지가지 예를 든다. 그러다 보면 이야기 주제를 벗어나고 이런 말 저런 말 별로 가치도 없는 말이 반복된다. 비밀 아닌 비밀도 많다. "자네에게만 말하니까, 그리 알아." "처음 하는 말이야" 각자 말은 듣는 사람의 해득이 다른 법. 이 이야기, 저 이야기하다보니 벌써 숨이 차고 별로 많이 걷지도 않았는데 쉴 자리를 찾는다. 쉬어갑시다! 두말없이 찬성이다. 나무와 나무 사이에 길에 매어놓은 나무의자에 나란히 앉아 이야기는 그칠 줄 모른다. 결국 말이 산행을 하고 돌아온 셈이다.

06일 신록

오월은 푸르름이 기지개를 켜는 달. 겨울에 추위와 싸우면서 2월에 매화, 3월에 개나리와 버들가지, 4월에 벚꽃, 살구꽃, 복숭아, 목련. 잎보다 먼저 시간을 다퉈 꽃을 피우더니 5월에는 나무껍질을 트고 나뭇잎이 올라온다. 5월의 산은 싱그러운 연초록 물감을 부어놓은 듯, 산이랑 들이 눈부시게 연연히 연둣빛에 물들더니 하루가 멀다 하고 잎이 자라고 초록빛 무성한 나무는 세상을 푸르게 물들인다. 숲에는 향기로운 아카시아 꽃이 눈송이처럼 피어 한여름 매미소리를 기다리게 한다. 푸르름, 그것은 바로 젊음이다. 젊은 무한한 가능성을 보이며 지금 자연은 나를 부른다. 초록빛 숲속으로 빨려 들어간다. 숲은 미로, 황홀한 혼란. 신록은 젊음을 지켜준다.

08일 어버이 날

제 30회 어버이날이다. 365일 중에 하루만이라도 부모를 섬기라는 뜻에서 어버이날을 제정한 지 벌써 30년이 되었다. 이런 날마저 없었다는 어찌하랴, 하는 생각이 든다. 어린이날 그러니까 5월 5일 희기가 카네이션 꽃을 들고 와 고모할머니와 우리 내외에게 꽃을 달아주면서 “어버이날은 학교에서 수학여행을 가게 되어 미리 왔다”고 했다. 고마웠다. 그나마 이런 형식마저 없었다면 어떠했으려나, 하고 생각했다. 오후에 아내와 함께 망월사를 등산했다. 물소리, 새소리가 우리 노부부의 마음을 위로해주었다. 걱정 마세요! 외로울 때면 찾아오세요, 하고 손짓하는 자연과 더불어 늙은이 두 사람, 바위 앉아서 이 세상 모든 것을 잊어버리고 자연 속에 파묻혀 있다가 돌아왔다.

09일 망월사

전철 1호선을 어느 때라도 등산복 차림의 사람들을 만날 수 있다. 대부분 연로한 분들로 머리가 하얀 노인들이 몇몇 짝을 지어 앉아있다. 늙었어도 희망찬 눈빛이 생기를 더해 주는 듯 부지런하고 힘차게 보인다. 전철은 도봉산 역을 지나 어느덧 망월사 역에 닿으면 붉은 조끼에 긴 등산양말을 신은 등산객들이 줄줄이 일어서 역을 빠져나간다. 요사이 2002년 월드컵을 주제로 역전은 색다르게 정리되고 잡상인도 없으며 양옆의 길은 밝은 초록색 페인트로 칠해져 도봉산 입구의 싱그러운 맛을 보인다. 깊은 계곡을 향해 300m 정도 오르면 계곡을 흘러내리는 물소리가 더위를 식혀준다. 산불 조심과 산에 오르는 자세를 깨우쳐주는 산림청 초소를 지나면 본격적인 등산로에 접한다. 숲에서 맞는 아침해는 유난히 밝아 별빛처럼 산 개울 물속에서 빛난다. 하늘로 보면 신록에 잎새를 뚫고 반짝이는 햇빛이 초록빛 별빛과도 같다. 낮인데도 밤하늘의 정취를 느낀다. 산은 오르고 내리는 사람들이 있어 외롭지 않지만 바위와 바위 사이를 흘러내려오는 물소리는 절간의 목탁 소리와 같이 입에 침묵의 쐐기를 박는다. 여기서 박두진의 시 ‘도봉산’을 떠올려 본다. 1949년에 도봉산을 본 시상을 생각해본다. 계곡을 따라 오르면서 집덩이 같은 바위가 즐비하게 자리 잡고 부서져 내린 바위들이 물에 씻겨 둥글게 변한 오랜 세월을 새삼 느낀다. 이 계곡이 서울

근교에 있다는 것만으로도 서울 사람들에게 정서적 안정감을 준다. 망월사 가는 길은 한 폭의 동양화를 연상케 한다. 아니 그보다 더 미묘한 느낌을 주는 산으로 변했다. 이제 한국의 산은 되찾을 것이 아닌가.

28일 **2002 월드컵 전야제**

여름 밤이 시작될 무렵, 5만여 사람들이 모여들었다. 하지만 아직도 곳곳이 비어있는 스타디움. 드디어 태극기가 높이 오르고 힘찬 팡파르가 울려 퍼질 때 온 세계가 이곳 서울에 집중했다. 2002 월드컵이 열리어 이제 세계는 하나다. 힘을 몰아 건전한 놀이를 줌으로써 세계의 축구대전이 시작되었다. 이기도 지기보다는 참여의 뜻을 높이 사고 정정당당하게 대항해야지. 6만여 명의 들어설 수 있는 상암축구장. 이곳에는 환경 스포츠를 외치며, 버려진 쓰레기 더미 위에 덮개를 하고 흙을 그 위에 1미터나 덮어 세계에서 제일가는 축구장을 건설하여 오늘 내일 모레 개최하는 2002년 월드컵의 사전 개막식을 서울 시민에게 공개하였다. 월드컵 전야제에 구경 간 아내가 몹시 고생을 한 것 같았다.

6월

2002년

01일 파란 하늘에 하얀 공이 날아오른다. 오직 희망에 찬 공이 60억 인구가 쳐다보며 내 몸으로 받을 자세를 취한다. 공은 지구의 인력을 못 이겨 쏜살같이 내려온다. 믿음과 소망을 안고 선수들의 머리에 미래의 꿈을 실어다준다. 공은 하나이지만 60억을 하나로 엮는 마술사이다. 한날 한시에 밝은 미소와 희망을 안고 공은 포물선을 그으며 가난과 부를 떨쳐버리고 둥글고 쉬지 않고 넓게.

02일 일요일

세상 사람들은 일요일이 생활의 의식 속에 끊이지 않는다. 종교인은 예배에, 직장인은 모처럼의 휴식에, 학생은 자기를 위한 시간으로 바쁜 일주일의 생활 속에 자주 일요일을 기다리게 된다. 크게는 사람들이 자기 취미활동의 날로, 아빠는 잠자는 날로, 엄마는 가족의 날로 화합을 위해 희생해려 한다. 이렇게 일요일이 만인의 복된 날로 생각하고 기대된다. 하지만 나에게는 일요일이라는 의식이 없다. 그것은 벌써 백수가 되었기에 요일에 대한 의미가 없다. 월화수목금토일 모두가 나에게는 공일이기 때문이다. 그렇게 기다려지고 계획도 많았던 나의 젊었을 때를 생각하면 이미 살아있다는 감각마저 쓸쓸히 사라지는 듯한 느낌이다. 일요일, 그렇지 한 달에 네 번인데 나의 참다운 자유의 날을 선포하고 전국을 돌아보고도 싶지만 그것은 이미 기회를 놓쳤나보다. 움직이기에 힘든 나이가 됐으니 괴로울 수밖에.

05일 이

까치야, 까치야, 헌 이 실 달아줄게. 새 집에 가져가고 새 이 다오, 하면서 흔들리는 이에 실을 묶어 잡아당기면 유치 이가 빠진다. 이것을 지붕에 던지며 하늘에 대고 하는 말이었다. 이렇듯 한국인은 자연을 숭상하고 순리대로 살아왔다. 비록 인간의 생리적 현상으로 어릴 때 난 이가 7, 8살에 영구치로 바뀌는 때도 어른들은 그 아픔을 잊게 하고 순리로서 자연을 받아들이고 무리한 도전을 하지 않았다. 이처럼 인생에 소중한 것도 없을 것이다. 이가 빠지고 없으면 우선 먹는 것이 부실하고 힘을 받쳐줄 바탕이 없어 맥이 빠지고 허우대만 살아가는 것이어서 정신적 건강이 나빠지고 인간적 정이 멀어져 간다. 우리는 애초에 질긴 고기를 먹지 않고 채식을 해온 터라 그리도 다른 동물들과 함께 몸이 늙어갈 때까지 영구치를 잘 유지하여 나왔는데 산업이 발달하고 서양문물이 오면서 채식에서 육식으로 일상의 음식이 바뀌면서 질긴 이를 자주 씀으로써 이가 빨리 닳아지고 부실해지고 영구치가 상하게 되어 급기야는 빠지게 되면 외형으로는 얼굴의 모양이 바뀌고 입이 합죽하여 크게 나이가 들어 보여 새삼 사람을 늙은이로 취급한다. 한두 개 남은 이가 빠지고 이 뿌리까지 하얗게 나와서 동물들의 견치처럼 흉하게 인상이 변한다. 예로부터 이는 오복 중의 하나로 귀인은 이를 잘 타고나 덧니 하나 없이 가지런하고 색깔이 하얘서 방긋 웃는 얼굴에 흰 이는 인간의 매력 중에 으뜸가는 인상인데 이에 반해서 빠진 이는 해묵은 해골에 남은 한두 개 이처럼 보기에 흉하고 소름끼치는 불우한 모습이 된다. 이처럼 이는 사람의 인상과 인격에 큰 영향을 주는 것으로서 나라가 치산치수하여 자연을 잘 다스리면 민심을 얻어 정치가 편하듯이 사람이 자기 몸의 일부인 이를 다스리지 못하면 어찌 건강한 사람이라 하겠는가. 그래서 현대는 치과 기술이 발달하여 충치치료는 물론이고 빠진 이도 보철로 메워주고 치열이 부실한 것도 교정하고 턱도 교정하여 한층 미를 돋보이게 한다. 이처럼 이의 소중함이 치과 기술을 향상시키고 살기에 편하게 한 것은 그동안 선조들이 살아온 경험에 의하여 이의 중요성이 강조되고 이로 하여금 일어났던 가지가지의 일들이 치과 연구의 기본이 되었으리라 믿는다. 이가 튼튼해야 인격이 바로 선다는 것을 명심해야 할 것이다.

10일 두문불출

늙은 징표가 나타난 지 오래다. 허리가 아파 못 걸어 다니는 것도 아니다. 다리가 아파 못 걷는 것도 아니다. 그렇다고 벼슬을 그만 둔 여말의 출신도 아니다. 어느 날 앞니가 흔들리더니 이앓이를 한다. 이런 경험이야 인생을 살면서 한 두 차례가 아니다. 며칠 참으면 낫겠지. 이건 오산이었다. 참는다는 것이 농도가 짙어 이를 빼게 됐다. 이 때문에 처음으로 병원을 찾았다. 치과는 인술이 아니라 공업사였다. 무조건 치료대에 앉으면 드릴을 돌리며 엿장수처럼 이를 갈기 시작한다. 입안을 들여다보고 이것도 저것도 갈고 뽑고 치료를 해야한다고 꾸짖기만 한다. 이렇게 해서 이 하나를 잘못 손질하여 세 개의 충치까지 해서 5개를 또르락 또르락 주물럭 주물럭하더니 의치를 만들어냈다.

17일 꿈을 찾아가는 외로운 길가에서

세상에는 수많은 길이 있다. 처음에는 많은 길이 반짝이더니 갈수록 길은 하나 둘 간데 없고 외로운 길만 남았다. 한 고비 걷고 나면 길은 조금 넓어졌지만 갈수록 벌판이고 길은 보이지 않는다. 해도 달도 없는 가시밭길. 외롭고 고통스런 길, 왜 이 길로? 낮도 없고 달도 해도 없는 길을 꿋꿋하게 오직 마음의 빛을 따라갈 뿐, 무릎이 깨지고 목이 마르는 외로운 길. 아스라이 어스름 빛이 안개 속에 퍼진다. 청탁한 마음의 갈등이 요동하고 아련한 빛이 스스러워 눈을 감고 어둠에 묻혀버렸다. 길은 외로운 길, 가다보면 끊이리라. 오직 사람이기에 면벽하면 벽도 뚫린다는데 안타깝지만 견디어라. 지금 막 부삼수(扶森樹)가 보일 것이다. 끝까지 지성이면 감천이리라.

23일 만물시장

일요일 오후 햇볕이 따가워 모두 숲과 물로 떠난 도심의 조용한 낮. 만물시장은 소리도 높고 사람도 많다. 여기저기 흥정소리는 높아만 가고 신기하고 호기심 가는, 멈춰버린 시간의 산물이 이제는 한국 땅에 외롭지 않게 자리 잡고 있다. 구라파의 투구로부터 인도의 불상, 중국의 호박, 미국의 진주. 없는 것 빼놓고 다 있다. 이것이 호객꾼의 소리 소리. 사람을 홀리는 진실 아닌 진실. 양심을 파는 소리. 모두 제 것이 하나밖에 없는 보물. 십대조 조상까지 파는 만물시장. 나는 진심만을 손에 쥐고 만물시장을 돌아온다. 친구도 상인도 주인도 모두가 사고파는 거간꾼 같았다.

26일 나들이

한국지도를 펴면 마치 호랑이가 지금이라도 뛰어나올 것 같은 형상을 느낀다. 중국이 잠자는 사자라고 한다면 한국은 일찍이 동북아를 지키는 교두보로 제법 지형이 이런 의미를 부여한다. IMF 이후 거의 원시적 교통로에 의해 왕래하였으나 서해안 고속도로가 개설되어 황해를 바라보는 서해안도 이제 일일생활권으로 편성된다. 2002년 봄, 국제 꽃박람회가 열렸던 태안반도 해안국립공원 안면도를 찾아 가벼운 여행을 하였다. 버스로 무려 3시간. 남부터미널을 떠나 남쪽으로 서해안고속도로를 달려 유명한 서해대교를 넘어갔다. 대교는 좌우 4개의 100여 미터의 기둥에 20㎝의 강철 로프로 마치 접는 부채를 펴서 걸어놓은 듯 네 쌍의 부챗살에 그 거대한 다리가 매달려 아산만 포승과 송악을 잇는 길이 무려 1㎞에 이르는 거대한 교량이 우리 힘으로 건설되어 서해안 시대를 열었다. 버스는 서산에서 고속도를 벗어나 태안, 청리, 방포를 거쳐 안면도에 도착하였다. 모처럼 서해안 맑은 공기는 싱싱한 공기를 공급해주어 몸이 가볍고 들어오는 시야가 한 여름의 신록과 더불어 지상의 낙원처럼 보였다. 푸른 바다, 푸른 산. 산에는 그 유명한 적송(赤松)이 한반도 유일하게 이곳에 빽빽이 자라고 있어 적송의 향기 또한 바닷바람과 함께 가슴을 확 틔여준다. 박종채, 최성수 이렇게 허물없는 선후배와 간 여행이기에 최성수의 친구를 만나 우선 점심 겸 바다횟집을 찾아 자연산 횟감을 입에 깨무니 쫄깃한 맛이 일품이며 소주 한잔 곁들이니 비록 바다가 보이는 작은 횟집이지만 속됨을 떠나서 풍치 좋은 바닷가 풍류가 잠시 되살아났다. 꽃박람회 터를 찾아드니 할배바위, 할미바위마다 속이 비어 마치 평생을 마주보며 썰물에는 떨어졌다 밀물에는 다시 만난 듯한 깊은 감회를 준다. 수만 평 넓은 들에 꽃으로 장식한 세계 각국의 희귀한 꽃들이 선을 보였다니 얼마나 사랑스러운가. 한 주에 8만 명의 관람객이 운집하여 이 구석진 섬의 화려한 꽃박람회가 섬사람들의 순박한 마음이 꽃으로 활짝 피었다. 더구나 그 앞에 출렁이는 서해안의 꿈은 멀리 중국 땅이 눈앞에 선하게 밀려온 듯했다. 여름이면 이 넓은 해안가에 수영객이 가득 찬다니 참으로 서해안 개척의 교두보가 된 셈이다.

29일 눈물

애정과 욕망이 어우러지면 나도 모르게 남다른 아집이 생긴다. 사랑하기에, 갖고 싶기에 나의 것이 될 때까지 무한한 공을 들이고 남의 눈을 피한다. 여우가 사냥을 하듯, 수탉이 암탉을 쫓듯 보고도 안본 척, 뜻이 있어도 없는 척, 주변을 빙빙 돌며 눈치를 본다. 지금 어떤 생각을 할까. 내 뜻을 알고 있을까. 나를 관심 갖게 하기 위하여 내 빛깔을 내보여 눈치를 본다. 진심인지 아닌지 알 수 없으면서 혼자서 짝사랑하다 선뜻 때를 맞춰 손을 내밀면 조금도 그 마음 헤아려주지 않고 돌아선다. 두 번, 세 번 손 내밀어도 매정하게 뿌리치면 비록 혼자서 물든 정이지만 가슴 벅차고 숨이 고르지 않아 꽉 막힌 숨통을 눈으로 튼다. 남 몰래 흐르는 눈물. 마음이 눈물로 변해 한 없이 흐른다. 눈물이 난다. 이것은 인연이 겪어야할 소중한 경험이다. 눈물은 내가 나를 아는 최초의 길이다.

7월

2002년

06일 기다림

땅이 벌어진다. 목마른 땅의 소리가 물을 기다린다. 흙먼지가 되고 회오리는 먼지를 실어 하늘을 원망하고 날아오른다. 혀를 내민 개도 그늘에서 꼼짝을 안 한다. 닭도 입을 민 채로 움직이지 않는다. 그리움에 지쳐서 삼라만상이 모두 말조차 잊어버렸다. 한 모금 물을 기다리며 기진맥진한 생명들이 누렇게 뜬 식물들이 비를 기다린다. 이처럼 물을 기억하는 날도 없을 것이다. 아끼지 않고 버리던 물이 이렇게도 아쉬워라.

10일 은한 삼경(三更)

곱게 물든 저녁 놀. 하루의 마지막 빛을 드리우고 지구촌의 무광(無光)의 경지에 입도(入道)한다. 어둠을 헤치고 마음의 문을 열 때면 허공에 뜬 자아의 상(像)이 부끄러워 철퇴를 맞아 혼비백산하여 더욱 암울하고 빛을 잃는다. 심상에 불을 밝힌 은한 삼경. 하늘을 가득 메운 별들의 이야기. 해맑은 미소와 속삭임. 사랑하고 용서하고 포용하는 순결하고 선량한 천차만량(千思萬量)의 도량(度量). 무아도취의 한 영가(靈駕). 시령(詩令) 없는 훈(薰). 영묘한 밤 은한 삼경.

15일 뻐꾸기

임이 그리워 천리 길도 멀다 않고 봄을 안고 날아오네. 뻑뻑꾹 뻑꾹…. 임 계신 곳 어디던가. 뻑뻑꾹 뻑꾹…. 목메어 임은 숨고 아니오네. 뻑뻑꾹 뻑꾹…. 십리 안을 울리건만 입의 뜻이 막히었나 뻐국 소리 잊었느냐. 임 그린 구슬픈 뻐꾹 소리 반겨듣고 흉내 내는 사람이 암을 몰라 울겠지.

24일 장인 없는 향리

산도, 들도, 푸름이 가득한 7월의 오후. 지금도 살아계실 것만 같은 향리를 찾아간다. 웬일이냐. 어서 와. 맞아주시던 문전 뚝 길. 장인께서 서 계신 음영(陰影)이 뚜렷하다. 칼날 같은 성품에 불가능이 없는 의용(儀容). 불의를 질타하시는 모습. 향리들의 교문 앞에서 중고교가 멀어 고향을 떠나니 학교를 세워야지. 물이 없으면 저수지를 만들어야지. 앞장서 땅도 내놓고 앞장서 학교도 짓고 저수를 하신 분. (장인 기일을 맞아 마지막이라 생각하고 길을 떠났다.)

29일 한의원

허리가 고장이 났다. 원인은 분명 누워서 TV를 시청한 까닭이다. 그리고 또 통풍이 생겨 발등에 혹이 생겼다. 부득이 한의원을 찾아갔다. 아버님 생각이 들었다. 오운육기라는 처방을 습득하여 동란 후 살기 힘든 삶의 고비를 넘겼다. 밖에 나가서 활발하게 활동하시던 모든 일을 접어놓고 가족을 위하여 희생하였다. "근아. 오늘도 약을 지어갔구나." 선비의 자존심은 굶어도 이웃에 손을 벌리지 않았다. 그리고 당신의 노력으로 한약방 '서화당'을 하셨다. 사람이 살기 위하여 백 가지 직업이 있다 해도 먹고 살기 위해 머리를 숙이지 않았다. 이것이 유생들의 왕도였다. 아버지는 그 어려운 때 자존심을 지키고 인술로서 자신을 지키셨다. 지금은 현대화되어 진단부터 치료까지 과학화하여 의사는 오직 판단만을 위주로 하는데 무엇이 인술인지 돈만 벌려는 것인지 알 수 없다.

8월

2002년

20일 나 혼자서

아직 해가 지기 전에 산 건너 산, 도봉산이 보이는 창 앞에 앉아 물끄러미 산을 본다. 입추가 지난 군청색 가을 하늘에 울퉁불퉁 산봉우리들이 삶의 행로를 그려주는 듯 오르락내리락 노랫가락 같다. 오르면 내리고 한 숨 쉬었다가 다시 오르고 칠전팔기하는 고비고비가 어찌 내 가슴에 묻힌 삶의 흔적이 아니겠느냐. 해가 산을 넘어가더니 붉게 물든 감잎 빛 노을이 서서히 황혼길을 만든다. 길섶에는 외로운 꽃들이 유난히 빛나 보인다. 아무도 없는 쓸쓸한 길. 빈손으로 왔다 빈손으로 가는 길. 황혼은 빛나건만 그도 암흑에 묻히고 만다.

22일 뮤지컬 〈혹 뗀 이야기〉

4년의 해가 흘렀다. 뮤지컬 〈혹 뗀 이야기〉. 우리 민화로 노래극을 썼는데 이 작품이 인형극단 안데르센에서 인형 아닌 성인극으로 시도되어 독일 공연이 이루어졌다. 배우 십여 명과 함께 프랑크푸르트 근방의 한 손 인형 극단의 집에 본부를 두고 뮌헨, 프랑크푸르트, 라인 강을 따라서 작은 도시를 순방하면서 내 작품이 독일에서 공연되었다. 인간이란 공통된 호기심 때문에 언어는 달라도 극적 행동의 이미지를 통하여 이해가 되었고 새로운 한국문화에 접하는 호기심 때문인지 많은 찬사를 받았다. 욕심 많은 혹부리 영감이 도깨비에게 혹을 두 개나 달게 되어 선과 악의 명분이 도깨비라는 실험을 통하여 인간이 쉽게 붙들릴 수 있는 욕심이 쉽게 악의 씨가 된다는 것을 민화는 이야기하고 있다. 실용주의적 상상이 몸에 밴 독일인은 일하지 않고 얻는 소득을 근본적으로 싫어했다. 나는 독일 공연을 마치고 독일인의 실용주의적 사고와 철저한 기획 가능성을 실현하는 과학적 사고방식 등 하나에서 열까지 그 민족의 우수성을 느꼈다. 그리고 노력하는 자를 인정하고 장려하고 가능성을 함께 토론하고 잘되기를 바라는 민족성이 부러웠다. 우리처럼 사대주의와 무의도식하려는 사고를 빨리 벗어나야 권력을 가진 자들의 횡포와 도심(盜心)이 사라질 것이다. 약 1개월 공연을 마치고 오자 아내가 사슴 한 마리를 남과 합자하여 투자하고 싶다고 했다. 찾아가 보니 이제 뿔이 나기 시작한 아기사슴이었다. 그래서 사슴을 팔아버렸다. 그때 얻은 뿔이 남아 있어 다려먹기로 했다. 다행이 기력이 회복되었으면 좋겠다.

9월

2002년

09일 염(念)

이제 느끼고 생각하고 말을 한다. 남북축구대회가 서울에서 열렸다. 남북의 문이 열렸지만 형님들이 어떻게 사셨는지 그것 하나가 마음에 걸린다. 전에 아버님이 어머님에게 말씀하시기를 "나보다 당신이 오래 살터이니 그 애들이 어떻게 살았는지 듣고 와 얘기나 해주시요" 하시더니 못 보고 돌아가셨다. 지금 나에게도 그 소망 하나 남아있다. 형님들의 소식이나 듣고 가야지. 왜 북으로 가서 무엇을 하다 어떻게 죽었는지. 이 소식을 못 전하면 눈을 감을 수 없다. 불쌍한 어머님 아버님의 숭고한 마음을 헤아릴 길이 없다. 제 세대에 소식을 들을 수 있게 하소서.

13일 가을

그렇게도 모진 비바람이 사람들의 냉가슴을 울리더니 이내 가을로 들어선다. 활짝 피었던 옷차림이, 들녘에 벼들이 고개 숙이고 누렇게 물들어가니 벌써 마음의 옷이 물들어 간다. 태풍 루사로 초토화된 농부들의 마음은 퍼렇게, 고향을 다시 짓는 마음들은 빨갛게 가을과 함께 타오른다. 신의 저주도 어쩔 수 없이 아버지도 자식도 잊어버린 순간들이 이 서늘한 가을을 심는다. 제발 잊게 해주오. 눈을 가려도 떠오르는 고향 사람들. 그 어디에 묻혀 가을을 맞이할지 모르지만 신세계에 찾아오는 가을과 함께 이제 그만 잊어다오. 울 기력마저 없는 사람들의 가을과 함께 멀리 냉담한 가을 하늘로 철새와 더불어 타고 가시라. 그 신세계의 화원으로 지구촌의 가을은 짙게 물들어간다.

19일 달

엊그제만 해도 반달이 제 모습 같더니 어스름 배불뚝이 참회 같은 달이 되었구나. 내일 모래면 황백색 화려한 밝은 달이 되어 인간의 마음을 뚫어지게 내려다 보겠구나. 바로 오늘 아침 노을이 벌겋게 보이더니 50년 지켜온 휴전선을 뚫고 드디어 남북의 대동맥이 하나로 이어지는 해머소리가 5천만 겨레의 가슴을 울리는구나. 철마는 달리고 싶다는 꿈을 이루었다. 이산가족의 가슴을 뚫고 막혔던 배달의 숨통을 뚫고 지구촌의 대동맥으로 콸콸 끓는 우리의 혈관을 싣고 달리자. 통일의 길로, 대륙으로 마음껏 달려보자.

30일 시

아들이 시를 쓰기 때문에 시에 대한 관심이 날로 커진다. 시란 어떤 예술에 비하여 인생의 응축된 인간의 정서와 상상력을 발휘하는 것으로 진솔한 표현이 요구된다. 나는 필요에 따라 동요를 써왔다. 동요는 바로 아이들의 눈으로 보는 세계를 언어의 율격을 어린이의 언어 속에서 찾아 눈에 보이고 소리로 들리는 소리들을 함축적이면서도 감성적으로 표현해왔다. 그래서 노래로 된 동요도 있지만 벌써 성인이 된 이 마당에 성인 시로서 상상과 감동을 표현한다는 것은 무척 어렵다. 요사이는 시의 형태도 여러 가지로, 정형시에 비해 자유시가 많고 산문적인 산문시도 있다. 감성으로 받아들여 감성으로 표출하는 자유자재한 형태들이 많아 쉽지 않다. 이제 나는 공부하는 중이다. 욕심이지만 형태는 자유로운 것이 좋으나 좀 더 시어를 모색하고 다듬어서 노래가 되었으면 한다. 시의 율격은 시가 살아있다고나 할까. 흘러가 버리기 전에 입에 남아 읊조리는 시를 좋아한다. 언제나 이런 시를 쓸 수 있을런지.

10월

2002년

02일 황혼이 짙어간다고 슬퍼하지 말라. 경험은 창조의 어머니다. 아는 것이 힘이다. 노병은 살아있다. 주저앉지 말고 아는 대로 쓰자. 오늘 방송원로작가 모임에서 요약된 말이다.

07일 이제야 생각하니

박종채를 만났다. 모처럼 타향처럼 되어버린 고향 얘기로 꽃을 피웠다. 내 어렸을 때 눈에도 아이들 대장이 있었다. 줄줄이 줄을 세우고 똑같이 달리고 서고. 양림동 순일학교 운동장에 장이 섰다. 말 잘 듣는 애들이 또 왔다고 모두들 손뼉 치며 웃음을 주고받다 선생님은 호각을 불며 애들을 쫓아다녔다. 이제야 알고 보니 고향 소년단. 아무것도 모르고 구경만 했다. 고향 문화사를 연구한 사료를 구해 밤새도록 그때 기억을 살려본다. 이런 아이들이 소년단이었다고. 그들은 13, 14세 소년들. 나는 7살 꼬마가 뭘 봤을까. 말 잘 듣는 사람이 그렇게 좋더니 그들은 모두 나라를 위하여 훌륭한 사람이 되었다.

09일 가을이 익어가니

우수수. 가을바람이 소슬하니 황금빛 가랑잎, 비가 내린다. 아내는 앞서고 나는 뒤따라가는 아카시아 숲속에서 또 한 번 기다리면 멈춰 섰지만 지나친 허과(虛誇). 노란 가랑잎을 밟으며 무거운 발을 끌고 황금 밭을 지나간다. 을씨년스러운 가을 날, 풀리지 않은 나락한 마음속에 참회를 한다. 지금 고향을 떠난 혈족들이 이 가을 속에 고향을 얼마나 그리워할까. 맑고 툭 트인 푸른 하늘을 기러기는 뜻대로 오고 가는데 백발이 성성한 나는 이 황금빛 가랑잎을 밟고 가는고. 그리운 형들이여, 또 이 가을을 보내는구려. 거슴츠레한 나를 보면서 아내는 나를 맞아 기다리는구나.

11일 지하철을 타고

다소 한가로운 오후 1시경. 지하철이 조용히 혜화 역에 들어섰다. 문이 열리자 갑자기 와글와글 10여 명의 어린이들이 지하철에 올랐다. 빈자리를 보고 친구를 부르는 소리. 손잡이 끈을 잡고 재주를 넘는 아이. 마치 시골버스를 처음 탄 아이들 같았다. 승객들이 모두 다 못마땅한 표정이다. 그 중에 안경을 낀 건강한 학생이 지나간다. "몇 학년이니?" "오학년인데요." 대화가 끝나자 맞은 편 빈자리에 앉았다. 다시 눈이 마주쳤다. 어린이는 어색한 듯 인사를 하였다. 아직 뒤숭숭하고 정리가 되지 않은 상황에서 두리번거리다가 또 한 번 고개를 숙이며 바라보았다. 나는 엄지손가락을 세우고 "얌전하라"는 표현을 했다. 가방에서 공책을 꺼내더니 앞으로 다가왔다. "할아버지는 나이가 어떻게 되세요?" 하고 공책을 내밀었다. '73, 정근'이라고 적어주었다. 그러자 급히 친구들을 따라 내렸다. 지하철에서 스스로 인사하는 어린이를 처음 봤다. 광주반달회에서 초청 비행기 표를 보내오던 날이었다.

17일 산행

하루가 다르게 산색이 변하고 있다. 늙은 산이란 생각이 들어 몹시 쓸쓸했다. 봄은 파릇파릇 초록색 옷을 입히더니 한여름에 시달려서 그랬는지 붉게 물들어 가는 단풍이 이렇게 아름다울 수가 없다. 아침마다 가는 산길이지만 내려오는 방법을 달리했다. 길이 없는 산 속을 헤매어 목적지로 내려오는데 피로도 모르고 운동도 잘 된다. 집에 앉아 굳은 근육을 풀어주는 산실이 이렇게 좋을 수가 없다. 눈에 보이는 북한산, 도봉산, 수락산, 불암산은 모두가 바위산이다. 바위에 살짝 덮어 놓은 흙은 거의 나뭇잎이고 바위 사이에 뿌리를 내리며 살아가는 나무의 씩씩한 모습이 활기차 보인다. 며칠 후 포천 명성산의 갈대밭을 찾아갈 생각이다. 산행. 왜 중들이 산으로 들어갔는지 알 것도 같다.

24일 천산산맥

가을이 되면 잊히지 않는 일이 생각난다. 카자흐스탄 알마티에서 타슈켄트로 가는 도중, 키르기스스탄을 통과하는데 더위가 30도를 넘어 볕에 서 있을 수도 없었다. 천산산맥의 빙산에서 불어오는 바람은 그늘에만 서면 시원하게 더위를 식혀주었다. 지루하고 긴 자동차여행이었는데 어느 산모퉁이를 돌자 깜짝하고 놀랐다. 산이 활활 불이 나서 타고 있었다. 앞 유리에 불빛이 확 달려들자 나도 모르게 소리를 질렀다. "불이야!" 그러자 운전수가 깔깔 웃었다. 물론 우리말은 모르지만 감각적으로 느낀 것 같았다. 그래서 자세히 살펴봤더니 연기가 나지 않는다. 온 산이 벌겋다. 천산에서 불어오는 바람에 빨간 양귀비꽃들이 활활활 불처럼 한들거렸다. 차를 멈추고 내려서 봤다. 서너 개의 민둥산 전체가 씨 없는 화초용 양귀비였다. 불타는 산! 너무나 아름다웠다. 신이 아니면 누가 만들었으랴.

27일 광주 반달회 이야기

광주는 내 고향이다. 그러나 내 흔적도 없이 변해버렸다. 명색이 대학에 있다는 교수들의 연구도 나의 흔적을 감쪽같이 없애버리고, 1950~70년대에 흔적도 없었던 그들이 큰 활동이나 한 듯 여기저기 떠벌이고 있다. 1921년 광주에서 일어난 소년학생운동은 내가 살던 양림동에서부터 발기되어 방정환의 소년사랑론을 중심으로 소년지도자협회를 비롯해 광주학생독립운동에 이르는 씨를 뿌렸다. 광주의 소년운동은 급기야 무언의 반일시위를 하게 되었다. 이렇게 발전한 소년반일사상은 일제의 탄압으로 소년들은 단기(團旗)며 장비를 빼앗겼고 지도자는 옥살이를 했다. 그 후 지하로 들어가 해방을 맞게 되었다. 1930년대부터 열렸던 전국동요동화 호남대회가 열려 지도자가 일경에 발각되어 말썽이 될 때부터 소년들은 동화대회 우수상을 받아와 위로했다. 그래서인지 광주사람들의 동화사랑은 유난히 크게 적극적이다. 오늘로써 2회째 대회를 심사하였고 두 번의 강좌를 가졌다. 나는 고향을 스스로 만들어갔다. 이번에는 광주소년운동을 주제로 이야기해야겠다.

28일 역사의 횡포

어젯밤, 늦게까지 어려운 일정을 보내고 늦게 금수장에서 하룻밤 신세를 졌다. 안은영, 김귀례 두 회장들의 일하는 모습은 감히 남들은 따를 수 없는 수완이며 새로운 여성운동의 면모를 보여주었다.

광주가 고향이라서 나에게는 뜻이 있었다. 회고하면 1955년 전쟁이 마무리되기도 전에 38선을 남긴 채 사회 안정을 하고 있을 때 광주방송 어린이노래회를 만들어 북에서 남에서 온 어린이들의 손을 맞잡고 사직동 광주방송국으로 모여들어 노래와 방송극을 방송했다. 당시는 녹음기가 없어서 주로 생방송을 했다. 그리고 이들이 자라서 새로나합창단으로 발전하였고 광주의 합창운동을 주도하였다. 다시 고등학교에 들어간 이들을 중심을 오페라 〈춘향전〉을 했었고 성인합창단을 도와 화려한 발표회와 새로나합창단 발표회는 인산인해를 이뤘다. 아쉽게도 이런 자료들이 하나도 남아 있지 않다. 역사를 말하는 사람들은 역시 편협적이다. 그들이 모르면 지워버리고 자기보다 큰일은 축소하여 버리는 것이 이들의 횡포이다. 광주에서 서울까지 이제는 너무 긴 여행이다.

11월

2002년

01일 잊을 수 없는 달

이 달은 지금으로부터 72년 전 어머니 배 안에서 이 세상에 처음으로 태어난 달이다.

어머니께!

1930년 그 시절은 지금처럼 문화가 개화되지 않아 옷만 입었지 거의 원시적인 봉건 사회에서 특히 여자에 대한 사회적 지위란 일하는 노동력을 하나 얻어 온 것이고, 누구 하나 그 불편함을 이해하고 보살펴 주는 일도 없을 때였지요. 제가 알기에 광주에서는 광주학생운동이 일본의 식민지 정책에 항의하여 여기저기서 사건이 터지고 11월 3일은 학생들의 독립운동으로, 거리마다 만세 소리가 가득하고 어머니께서도 광주농림학교 학생이던 조길용 아저씨에게 깃발을 만들어 주셨다지요. 어머니는 그때 동네에서 유일하게 재봉틀을 가지고 계셔서 천으로 만드는 일은 도맡아 해주셨다지요. 참 좋은 일 많이 하셨습니다. '조선 독립만세!' 이렇게 써가지고 거리를 쏘다녔다니 어머니 마음도 후련하셨겠지요. 하지만 이 혼란기에 아들, 딸 가진 집에서 애태운 일을 생각하면 정말 제가 어머님 뱃속에 있으면서 얼마나 어머니를 괴롭혔는지 모르겠어요. 그러니까 어느 날, 그 무거운 몸으로 복동이 할머니를 데리고 사동 시장에 가서 반찬을 사가지고 오셔서 종일 다듬고 절이고 담아서 준채 형님 친구들과 조길용 아저씨(독립운동가)를 모셔다가 때때로 식사를 대접하셨다지요. 살아계실 때 이렇게 물어보면 "누가 그런 말을 해, 큰일 나려고" 하시면서 말꼬리를 감추셨지요. 하지만 저는 엄마 뱃속에서 잘 듣고 있었답니다. 그리고 낮이면 일꾼들을 논과 밭에 일 시켜놓고 그 무거운 새참을 머리에 이고, “정 참봉댁 귀한 따님께서 막일을 하신다”고 말도 많았지요. 그러나 어머님은 한번도 남의 말에 마음을 기울이지 않으시고 뜻대로 하셨기에 지금 저의 몸에 선비의 피가 흐르고 있습니다. 옛날 어머니께서 시집오실 때 가마타고 하인 대여섯 명 데리고 “시집가면 다시는 집에 오지 말라”고 무명, 모시, 삼베, 명주를 농지기로 이고 지고 오셨으나 집은 하인이 들어설 자리도 없는 가난한 선비 집에 시집오신 것이 한이 된다고 하셨지요. 논마지기도 받아오셨지만 농사를 짓지도 못하는 아버님을 대신하여 논으로 밭으로 다니며 날마다 찾아오는 할아버지 손님맞이 하시랴, 정말 말이 참봉 집 따님이었지, 농노와 같았겠지요. 그러니 어머님께서는 사람을 귀하게 여기시는 인본주의적 뜻을 가지셨기에 당신이 알아야 하고 해야 할일을 한 번도 남에게 시키지 않고 손수 그 먼 곳을 찾아다녔고 거리에서 남자들이 농을 할까봐, 옆은 한 번도 보시지 않고 땅밑 고무신만 보고 걸어 다니셨다는 일화는 친척들이 흉내 내는 좋은 본보기가 되어 있지요. 나는 지금 이렇게 적어가며 가슴에 눈물이 고여 목이 멥니다. 어머니, 그 고생하시며 기르신 사형제 잘 가르쳐 놓고도 행복한 순간 한 번 못 가져 보시고 가셨으니 저도 나이가 들어 어머님, 아버님 생각이 절로 납니다.

06일 73세 생일을 맞아

1930년경오년(庚午年). 일제 강점기에 항일운동이 정상에 이를 때, 길거리에서는 일경의 눈빛이 반짝이고 가정에선 독립운동을 하는 학생들이 비밀결사로 참여하는 시기여서 몹시 사회가 불안하였으며 어디서 항쟁이 벌어질지도 모르는 숨 가쁜 때였다. 어머니께서도 태극기를 만들고 플랫카드를 만드는 재봉틀을 밀어놓고 나를 낳으셨다고 하셨다. 그때 아버지께서는 내 이름을 무궁화 근(槿)자로 지어주셨다. 이러한 때를 맞아 나의 일생은 시작되었다. 양림교회에서 운영하는 양림유치원에 다녔다. 중일전쟁이 일어나고 이때부터 동남아 전쟁이 시작되었고 급기야 제2차 세계대전으로 치닫고 있었다. 이때는 많은 동포들이 학병, 징용, 징병 등으로 전쟁에 내몰렸고 이후 여순반란사건, 지리산 빨치산 소탕, 6·25동란 등 수많은 전쟁을 치렀으며 전쟁으로 인한 이산가족들의 비애와 비통 등 민족적 아픔을 안고 세계의 정치는 변하여 소연방이 종식됨으로써 자유시장경제가 도입되고 자본주의국가로 부상하면서 1988년 서울 올림픽이 개최되고 2002년에는 월드컵을 하나도 손색없이 개최되어 4강이 진출하는 영광을 안았다. 그러나 정치는 날로 구시대적 안목에서 벗어나지 못하고 국민의 정부도 마지막을 고하게 되었다. 그동안 1남 3녀에 손자가 7명, 손자가 하나 손녀가 6명이다. 가족들이 모여 생일 축하를 받았다.

15일 일제 강점기인 1936년 베를린올림픽에 마라톤 선수로 나가 동양인으로는 최초로 우승한 손기정 선수가 90세의 와병으로 0시50분 작고하시다.

19일 소중한 생각

올해로 20년이 된 전자렌지. 그동안 찬과 국을 데워주고 끼니때마다 아내와 함께 부엌살림을 해온 그가 갑자기 운명을 달리했다. 의사를 모셔다가 진단을 했는데 그 답이 "오랫동안 부렸습니다." "그럼 도리가 없나요?" 고개만 끄덕이더니 짐을 싸고 나서 "고치는 것보다 새것이 더 낫겠습니다." 안타까웠다. 더 소중하게 느껴졌다. 의사가 돌아가고 난 뒤 아내가 "정말 큰딸이 시집갈 때 산 것인데 오래 부렸지요. 하나 사야지요. 가뜩이나 경제가 어려운 데." 무려 9만 원을 주고 작은 것을 사왔다. 하얗고 아담한 옛것의 아기처럼 생긴…. 아내는 "이것은 대를 물리겠어요." 비록 말 못할 기계이지만 누가 이런 안타까움을 알까.

23일 영화제(준채 형을 생각하며)

영화에 대한 관심은 어릴 때부터였다. 큰형님이 1930년대 일본으로 유학하여 일본대학 예술학부 영화과를 졸업하고 당당한 영화인이 되어 일본영화사 인턴을 마치고 '문화영화' 등을 촬영하고 있을 때 태평양전쟁이 터졌다. 나는 겨우 중학교 1학년이었으나 형이 공부 하던 수많은 영화 책들이 집으로 옮겨왔기 때문에 관심이 많았다. 그러나 형은 마지막 불리한 전쟁을 치르는 일제가 젊은 한국인은 누구나 전장으로 끌고 가기에 전쟁을 피하고자 잠시 고향에 와서 숨어있었다. 1945년 해방을 맞이하여 형의 영화에 대한 열기는 대단하여 서울에 '서울키노'를 창립하고 영화인을 결속하고 새로운 민족영화 제작을 시도하였다. 그러나 지금이나 그때나 영화란 제작비가 많이 들기에 감히 꿈을 이루기가 힘들어 고심 중에 있었으나 동지들이 모은 돈으로 카메라를 구하고 우선 놓칠 수 없는 남북의 정부 수립에 대한 현황을 먼저 촬영에 두자는 차원에서 나라가 남북으로 갈리고, 좌파 우파로 갈린 국민들의 정치 일정을 기록하려고 앞장서 먼저 이북 현지로의 로케를 위해 북으로 떠났다. 남한의 젊은 영화인들은 거의 움직일 수 없는 때였다. 그런 실정을 이해하고 북으로 갈다고 한다. 지금에 와서 생각하면 시대적 함정이 됐지만 형은 평양 현지에 가서 영화에 대한 관심을 불러일으키고 정치지도자를 설득하여 평양국립영화촬영소를 창립하기에 이르렀다. 형은 제작부를 책임지게 되고 1950년대 말까지 영화 제작에 온 힘을 다 쏟았다고 한다. 그 중에 〈사도 성의 이야기〉는 최승희의 무대 무용을 총천연색으로 영화화하여 체코슬로바키아 카를로비바리 영화제에서 감독상을 받아 러시아영화사전에도 실려 있다. 그러나 둘째 추 형의 반 김일성 운동(당시 모스크바 차이콥스키음악원 재학)으로 큰형이 숙청되었다고 한다. 이렇게 영화산업을 싹틔워 어려운 현실 속에서 이끌어온 큰형이 북한영화사의 초기 작품들을 제작하고 희생의 제물이 되었다니 참으로 안타깝다.

25일 참봉집 부들댁

눈을 감으면 아련히 어머니의 생각이 납니다. 부엌에 누룽지가 먹고 싶어 슬그머니

뒷걸음으로 문턱을 넘었더니 부지갱이로 엉덩이를 쿡. 아! 하고 돌아보니 벌써 누룽지는 손에 들고 눈에 초점을 흐리며 내미시는 누룽지. 지금 그 누룽지 생각이 납니다. 놀장놀장 잘 익은 누룽지. 지금이라도 한 입에 다 넣고 싶은 누룽지. 두 손에 받아 들고 깔깔 웃어대니 “쉬! 형, 뛰어올라!” 머리가 송긋하고, 올빼미 눈알처럼 커진 눈망울. 어머니는 부엌문 사이로 무엇인가 뚫어지게 찾아본다. 가슴이 뜨끔한 나는 어머니 행주치마 속에 숨었어요. 이번에는 어머니가 웃음을 참다못해 하하하하…. “엄마, 형이 오면 나 없다고 그래“ “아니야, 고양인가!” “생쥔가 봐” 오래 전 부엌을 잘 뒤진다고 어머니가 붙어주신 내 별명이다. 그제서야 바삭 사그락 사그락. 누룽지를 깨물며 밖으로 나온다. 이렇게 귀여워 하시던 부들댁. 나는 한 번도 부르지 못했지만 우리 집을 찾아오신 손님들은 모두다 부들댁이라고 부른다. 저 시골 부들로 시집 갔다고, 외갓집 사람들은 부들댁, 부들사람들은 광주댁. “광주댁? 왜 광주댁이지?” 그래서 나는 부들과 광주가 내 고향이다. 어머니가 살아 계신 부들. 어머니는 ‘참봉집 부들댁’이 이름이다.

12월

2002년

03일 동치미 맛

소금물에 통무를 담근 무 김치를 동치미라고 한다. 글로 쓰기에는 퍽 쉬운 말이기는 하지만 아무나 담글 수 없는 독특한 맛이 난다. 동치미가 익으면 혀가 얼큰하게 톡 쏘며 시원한 김치 국물에 냉면사리를 넣고 한 대접 먹고 나면 겨울철 입맛이 난다. 적당하게 무를 절여 24 시간 쯤 시간이 흐른 다음 적당한 소금물을 붓고 흙을 파고 묻어두면 혼자서 발효한다. 무, 소금, 온도 3요소가 잘 어우러지면 상급의 동치미가 된다. 이 맛은 아무도 따를 길이 없다. 아내의 솜씨는 남달리 쏘는 맛이 특징이 있어 맛을 아는 사람은 모두가 동치미를 원한다. 올해는 포천 사돈에게 담아 드리고 또 딸들에게 아들에게 며느리 친구에게 동치미 기술자가 되었다. 이웃사촌이라니, 이렇게 있는 능력을 나누어 쓰면 평화가 올 것이다. 욕심을 버리고 적절하게 나누고 살면 이것이 정이고 이웃사촌이다. 나누고 살아 보자.

05일 철새

북녘 하늘에 점 하나, 둘. 보일 듯이 어느 샌가 떼 지어 철새가 날아든다. 봄이 되면서 꿈을 안고 그 길로 가더니 시베리아의 설원에 무엇을 펴두었느냐. 이제 강추위 몰아치고 눈 덮인 벌판에 해가 지니 따뜻한 한국이 그립더냐. 창문 열고 그리움에 젖은 눈동자. 너를 기다릴 테니 또 한밤의 이야기를 듣자구나. 왔다 갔다 하는 철새야. 너는 아기처럼 멋몰라 오고 가지만 때가 되면 날아가는 인간 철새는 무슨 꿈이 있으랴. 빈대처럼 피나 빨아 먹는 인간 철새야. (선거 때만 되면 자리를 옮기는 얄미운 위정자들. 지조가 없다.)

19일 노무현 후보가 당선되다.

28일 조용한 산행

영하 8도. 고기압에 밀려 구름은 가고 겨울의 푸른 하늘은 잔잔한 호수보다 맑다. 창문을 열자 산이 부른다. 하늘과 땅 사이에 숨 쉬는 것들의 축제가 보인다. 나무는 검고 땅은 하얗게 물든 눈밭에 지구를 밟으며 산에 오른다. 자작나무 숲을 연상하며 나는 외롭지 않았다. 예와 지금이 한데 어울리는 그런 땅, 그런 숲, 그런 하늘 아래 고개 들고 찬바람을 마신다. 아롱거리는 준, 추, 권의 얼굴들. 모두가 한 가슴. 입은 다물고 발은 산을 오른다. (아들 방문. 산행 중 못 만났다. 우연히도 나, 너를 생각했는데)

2003년

1월

01일 해야, 솟아라

해야, 솟아라. 이글이글 어둠을 먹고 타오르는 해야. 뒤안길에서 칠흑 같은 어둠을 불사르고 밝은 해야, 솟아라. 구석구석 어둡던 세월을 밝게 비추어라. 가난에 시달리고 어둠 속에 묻혀 가는 어둠을 삼키고 밝고 너그러운 해야, 솟아라. 속죄하는 자에게 마음에 불을 밝혀 주어라. 희망찬 내일을 밝혀주는 해야. 해야, 솟아라. 헐벗고 병든 사람들에게 따뜻한 빛을. 삶을 접고 어둠을 찾아가는 길목에 밝은 빛을. 온 세상이 투명하게 빛을 쏘아라. 그리고 기도하는 사람에게 당신과 같이 부드럽고 밝은 웃음을. 오직 따뜻함과 밝음과 화목의 빛을 보내어라. 해야, 솟아라 이 민족의 새날을 밝혀라 2003년의 해야, 솟아라.

02일 단두대

신은 왜 인간에게 단두대를 주셨는가, 이제야 알 것만 같다. 때로는 권력의 상징으로 그 위력을 휘두르게 하고 때로는 인간의 양심을 돌이키는 위력으로, 피보다 지난 눈물을 쏟아지게 하고 때로는 없는 자와 있는 자 사이에 서서 조리개처럼 좁아지는 칼날 사이로 서로를 응시하는 눈썹을 잘라 버리는 힘의 상징으로 있었다. 욕망이라는 황금을 칼날 앞에 놔두자. 서슴없이 그 두 칼날 사이에 손을 뻗어 황금을 잡으려 한다. 쏜살같이 내려오는 소리에 뒤를 돌아본다. 3초 남은 생의 마지막 순간에도 발목을 잡는다. 쨍~뚝! 굴러 떨어지면서 서로가 응시한다. 한이 맺혀 눈 뜬 채로 간다. 눈은 구원의 소리를 들었다. 끝내 가지고 갈

업보. 들고 가지도 못하면서 왜 그렇게 힘을 냈을까. 신은 이제야 한마디 전한다. 불쌍한 것들….

03일 유아용 책 창업을 축하하면서

유아는 영유아기의 3분의 2가 성숙하는 시기라고 한다. 신체 각 부위의 발육 성장과 언어, 사물 인지, 정서 발달과 오감의 발달 등 인성교육의 대부분이 유아기에 형성된다. 이 중요한 시기에 교육은 주로 가정의 영향을 받으며 부모의 영향은 성격 형성에 중대한 영향을 미친다. 중요한 시기에 유아에게 주어지는 각종 도서는 직접 정서적 발달에 영향을 미치기 때문에 책의 선택은 대단히 중요하다. 학자에 따라서는 한 권의 책이 일생을 좌우한다고까지 말한다. 오늘 '토토북'이라는 유아 및 소년소녀를 위한 도서출판업으로, 일어판 유아용 책을 두 권 번역 해달라는 의뢰를 받았다. 회사는 아담하고 여직원 하나 데리고 사장 이재일 씨와 이세은 대리가 큰 꿈을 키우고 있었다. 나는 그동안 유아를 위한 연구를 해 나오면서 출판업 부러움은 이루 말할 수 없는 부러움 중에 하나였다. 나는 감히 상상도 못하는 젊은이의 창업을 축하하면서 성의껏 협조해 줄 생각이 떠올랐다.

04일 외롭지 않다.

사람은 애초에 혼자서 태어나 사람들 사이에서 살아가는 것. 서로 서로 도와가며 함께 사는데 어찌하여 나 혼자만 외롭다고 하는가. 외로움은 내가 쌓은 벽 속에 숨어 벽을 허물어달라고 생각하는 것. 내가 먼저 벽을 허물고 손을 잡아야지. 내가 먼저 베풀고 남을 위할 때 남도 나를 따라 찾아올 거야. 외로움이 있다면 굳은 의지로 바꿔 참고 이기고 노력하면 반드시 밝은 미래의 꿈이 이루어질 거야. 그때는 혼자서 있어도 외롭지 않아. 이미 우리는 사람 속에 태어났기에 사람은 사람을 반겨 주리라. 의지가 있으면 결코 외롭지 않을 것이니 계획한

2003년의 꿈을 반드시 이뤄내어라. 벽에 부딪히고 참기 어려운 고독이 치밀어 와도 결코 지지 않으리라. 굳세어라. 세월아, 힘을 내어라. 꿈은 이루어진다. 참고 뚫고 나가면 구원의 손길이 밀려올 것이다. 용기를 가져라. 인간은 할 수 있다. 내가 먼저 희망의 불빛을 밝혀 보아라.

05일 폭설

겨울날씨가 어두워지면서 갑작스럽게 달리는 차들이 라이트를 켜고 달린다. 마치 현실이면서도 영화의 한 장면을 보는 것 같은 착각을 일으켰다.

이때가 오후 3시경 시변이 일어난 듯한 착각을 일으켰다. 잠시 적막이 흐르더니 눈이 내린다. 근래에 보기 드문 눈이라 새로운 감회도 있었지만 몇 겹이나 싸인 구름이 햇빛을 가리고 흰 눈이 내리는 것이 마치 음침한 마술사의 실수처럼 불안이 솟구쳤다. 눈은 순식간에 세상을 하얗게 덮고 차곡차곡 쌓인 눈은 20㎝가 넘었다. 옛날 단독주택에 살았을 때는 버릇처럼 비를 들고 나가 집앞을 쓸었지만 눈 속에 묻힌 자동차를 내려다보는 환경의 변화로 새롭게 인생 유전의 한 단면을 느낀다. 어렸을 때 고향 개울길을 가로지른 경사 15도 정도의 비탈길에 눈이 내리면 가보기도 전에 대밭에서 대나무 하나를 베어 50㎝ 정도 길이로 토막을 내어 앞에 10㎝ 정도를 잘라서 화로에 구워 약간 굽혀 올리고 또 하나를 똑같이 휘어서 준비하고 토끼털 귀마개를 한 다음, 대 조각 스키를 들고 집을 나섰다. "미끄럼 타러 가나." 동네 사람들이 벌써 다 알고 말을 건넨다. "네, 안녕하세요." "응, 모두 나와 타더라. 조심해. 길 가는 사람이 얼마나 불편한지 몰라." "네." 지금 타고 있다는 말을 듣고 발걸음은 더 빨라졌다. 그러다 눈밭에 한 바퀴 구르고 나면 제법 눈 오는 날의 정취를 느꼈다. 엉덩이를 털며 비탈길로 가자 "왔냐" 반갑게 맞아주는 친구는 대 조각이 없어 한번 빌려타고 싶은 눈치다. "여기보다 좀 더 위로 올라가면 스키 길이 덜 났지만 애들이 없어 타기 좋아…

그리로 가자." 대 조각 하나만 들고 있어도 비탈길 상황이 귀에 속속 들어온다.

나는 별로 잘 타지 못하지만 후원자가 많다는 점에서 마음이 든든하다. 비탈길로 올라가 대 조각을 내려다 보면 금방 날 것만 같다. "야, 간다. 빨리 내려가." 작은 대 조각으로 천천히 내려가는 아이들에게 경고를 먼저한다. 그러면 이웃친구들이 소리친다. "야, 꼬마야, 빨리 내려가 다친다." 하는 소리를 들으면 꽤 잘 탄 아이처럼 남들이 멈춰고 서서 본다. 왈 대나무 스키에 조심스럽게 발을 올리자 마자 나를 도와준다고 뒤에서 확 밀어버리면 두말 할 것 없이 스키는 스키대로 나는 나대로 큰 대자로 누우면서 3, 4m밀려 내려간다.

가슴이 콩만 해지며 자연히 멈추기를 기대하지만 이제는 조금 경사가 아래보다 심해서 눈덩이 구르듯 한다. 엉덩이에 불이 나지만 이것이 제일 먼저 찾아든 선물 아니었는가. 대 조각은 어디로 가버렸는지 알 수도 없지만 그런데 주워서 도망친 아이는 없고 친구들이 찾아 들고 올라온다.

스키를 주워다 준 친구가 괜히 미워진다. 그것은 그럴 이유가 있다. 대 조각이 바로 제것처럼 다른 아이가 주워도 "야, 내 것이냐, 이리 내." 마치 자기 것처럼 챙겨들고 와서 "야, 나 한번 타보자" 하면서 대 조각을 눈길에 놓는다. 그런 얌체는 지금도 있다. 사람 사는 곳에는 으레 있는 것 아닌가 싶다. 된다, 안된다, 한참 입씨름이 오고가면 "그래, 그럼 이번에 네가 한 번 타고 나면 내가 두 번만 타자" 하고 제안한다. 더 이상 인심 잃을 것 없다, 생각하고 "그래, 내가 타고 나면 타." 하고 앞으로 내려간다. 마치 개선장군 같은 느낌이다. 밀대로 없고 대 조각 스키가 신에 묶여있는 것도 아니고 남들이 눈 위에 길을 내놓은 얼음장 같이 미끄런 골을 타고 내려가는 것이다. "야, 비켜라, 비켜." 엉거주춤하게 서서 대 조각 스키에 몸을 얹고 비탈길을 내려가는 자연의 순리에 따라 가슴 졸이며 눈길을 즐기던 생각이 난다.

08일 영유아에게 민속적 운율을

요사이 젊은이의 언어 리듬을 보면 경상도식 악센트가 유행하더니 일본식 악센트가 혼용되어 첫 음소에 악센트를 주고 어미를 뚝 빼는 새로운 언어 리듬을 갖고 있다. 특히 여성의 사회진출이 많아지고 남자와 같이 각종 직종에 봉사하게 되어 사회활동이 활발해지자 여성들이 거칠 것 없이 자기 주장이 커지고 활동범위가 넓어지면서 작은 집단으로 여성의 작은 군집성이 나타나 2, 30명 또는 5, 6명이 몰려다니며 행동이나 언어가 활발해진 것만은 사실이다. 이런 측면에서 유행이란 재빨리 의식하게 되는데 유순하고 교양미를 갖춘 옛 할머니들의 언어미란 온데 간데 없고, 이런 말 저런 말 심지어 외국 말의 리듬, 악센트까지 말하기 좋아하고 의사를 분명히 하고 강조하는 말씨는 모두 따라하는 듯하다.

단, 음운이 가는 것은 어떻게 일본 젊은이와 말투가 그렇게 유사하여 가는 건지 의문스럽다. 언어가 다소 따지고 꼬박꼬박 강요하고 강조하는 듯한 악센트는 과거에는 없었던 일이다. 특히 이러한 언행이 유아기로부터 경험하게 되어 때로는 좌중에 어린이 말로 웃기는 일도 많이 생긴다. 아무리 지식이 많아도 시골 사투리를 쓰면 교양이 없어 보이며 유행어를 쓰면 건달처럼 보이는 어감은 분명히 우리 말의 언어 계통이나 언격(言格), 언어의 기세 등이 분명한 흐름이 있어 어색하게 들리는 것이다. 언사(言辭)는 환경에 따라 관습화되고 음성은 유형을 따라 차별을 가져오는데 유감스러운 것은 행동을 전수하겠다는 예지원 등이 생기지만 언어의 리듬이 없어 심히 걱정이 된다. 이러다가는 우리들의 언어미가 사라져버리겠다.

09일 성당

도심의 작은 언덕 위에 사랑 팔방 어디서나 보이는 십자가. 볼수록 마음에 평화를 가져온다. 천당 가는 길이 멀어서 그런지 유난히 높고 뾰족한 십자가. 누구나

의식하여 보면 시공의 3차원 세계를 눈 감으면 보여준다. 쉽게 몸에 배어 있는 눈의 문을 열고 파랗고 빨간 불들이 오고 가는 사이에 진정 성스런 공간이 앉아 기도를 한다. 주여, 우주를 뒤집는 원자의 구름을 걷어 주시옵고…. 절실한 평화란 왔다 돌아가는 중에 핀 꽃들. 평화를 지키는 용사들. 그들은 왜 나를 당겨 비정한 몸을 앞세우고 줄줄이 평화를 찾으러 가네.

14일 아메리칸드림

어제가 한국 사람들이 처음으로 아메리칸드림을 가지고 미국령 하와이로 이민을 떠난 100주년이 되는 날이다. 102명이 하와이 사탕수수밭에 하루 임금 70센트를 믿고 찾아갔구나. 40도가 넘는 한더위에 수수밭을 거둬들이고 또 씨를 뿌리는 과정에서 매질을 당하고 아프리카에서 온 흑인 같은 대접을 받았다 한다. 그러나 지금은 2세, 3세가 살아남아 한국의 거리를 만들고 일제 강점기의 독립운동에 본산이 되기도 하였다. 이것이 미국과 우리 민족이 인연을 맺은 최초의 일이 되어 미국에서도 크게 평가하며 그 인내와 지구력은 지금 정치 문화 경제, 각 방향에 진출하여 훌륭한 가업을 만들었고 옛 수수밭은 지금은 파인애플 밭이 되고 체리 밭이 되어 대농가로 탈바꿈되었다. 경화가 하서방 대학원 졸업을 기념하여 지윤이를 데리고 11일 하와이로 여행을 떠났다. 좋은 경험이 되리라. 더구나 요사이 한국교육이 초등학교부터 턱없는 유학의 꿈이 아니라 실제로 어떤 수단으로 무엇을 하고 있는지 다녀오면 뭔가 달라진 모습을 보일 것같다.

15일 눈 오는 날

흰 눈이 녹을 것을 알고 이 강산을 하얗게 덮었다면 얼마나 쓸쓸할까. 그 하얗던 흰 눈이 햇빛이 닿으면 녹아내리는데 얼마나 지저분한가. 만남과 갈림길에서서 눈처럼 우러러 맞이했던 님이 이지러진 한구석에 녹아내리니 빨리 봄을 부르고 싶다. 눈물이 땅에 젖어 스며드니 새 봄에는 겹겹이 입술처럼 곱게 피어

오르겠지. 나는 그때 다시 너에게 입 맞추며 보내주지 아니하리다. 눈처럼 녹지 않는 아름다운 꽃으로.

18일 쑥국

마흔이 넘은 아들며느리가 찾아왔다. 갑자기 집안이 밝아졌다. 예나 지금이나 "별고 없느냐." "네." "너, 쑥국 좋아하지?" "한겨울인데 쑥이 있어요?" "그럼, 쑥국으로 점심 먹자."

아직도 그 정겨움이 안아주고 싶은 듯 손을 잡고 놓질 않는다. 오랜만에 쑥국에 밥 말아 온통 고향의 맛에 취한다. 국물 조금 더…. 짙어가는 정, 생각나는 어머니, 고향의 맛이 살아난다.

20일 길

길은 가까이 있으면서도 먼 길이요. 너무 먼 길에서부터 시작했기 때문이요. 엄마 새 소리 지절대는 저 높은 하늘 아래 내 소리는 풀밭에 우는 벌레소리 들으며 길은 몰라도 나는 가오. 엄마가 가시는 길을 따라 가는 길. 그건 아니야. 나는 내 발로 걸어갔소. 매양 길은 멀어도 따라만 갔소. 내 소리가 향기로이 들리고 새소리가 들릴 때 나는 그만 길을 잃었소. 어머니 길은 햇볕이 되었소. 나는 이제 겨우 숲을 벗어나 아직도 길을 헤매고 있소.

22일 아내여 건강하라.

내 옆에는 아내뿐이다. 아내만이 나의 마음과 몸을 가장 잘 이해하고 나 또한 아내를 이해한다. 요사이 요통을 호소한다. 우리는 젊었을 때 몸의 건강을 믿고 혹사해 나왔다. 부자로 살면서 비록 문화적으로는 개화되지 못했어도 부모 슬하에서 크게 부족함이 없이 살아온 아내가 요통을 호소한다. 아내가 입버릇처럼 말했던 연탄 가스 얘기가 생각난다. 온돌방에 굴뚝에서 역풍하여 부엌이 온통 연탄 가스로 가득한데 이를 개조하지 못하고 부엌일을 계속 했으니 때로는 쓰러지기도 했고 안색이 좋지 못하여 항상 걱정만 했었다. 아무도 이 사실을 발견하지 못했었다. 얼마만큼 세월이 흐르고 집을 이사한 다음, 건강이 회복되자 원인을 찾게 되었다. 무척 미련한 삶을 살았다. 그러나 보약 한번 먹을 여유가 없었던 우리 서민 생활에 "사람은 바로 그런 것이다"라는 지론으로 자기 변명으로 만족했던 것같다. 오늘은 몸의 열기가 부족하여 찜질방을 찾아갔다. 항상 몸이 차고 혈액순환이 좋지 않은 것을 알고 나름 처방해 본 것이다. 무사히 잘 다녀왔으나 이렇게 몸이 편치 않은 아내를 생각하면 가슴이 아프다. 자식들도 알고 있지만 모른 척할 따름이다. 도리어 아프다는 말이 사이만 어렵게 만든다. 나에게는 소중한 아내인데 원하는 돌 침대를 하나 사줬으면 좋겠다. 노력은 해봐야지. 여보, 힘내요, 우리 건강합시다.

24일 겨울을 보내는 밤

음력 세모가 가까워지는데 겨울을 가득 실은 동장군이 아직 머물고 있다. 추위가 이렇게 무섭단 말인가. 일흔 고개를 넘어 세 고개나 더 넘어서니 추위를 타는 듯싶다. 아직도 젊음이 남아있는데 내 가슴속에 추위를 가득 채운단 말인가. 마음은 눈길로 맨발로 마구 달릴 것 같은데 겨울바람의 바람 주머니가 찢어버릴 것 같은데 겨울 밤 별을 헤며 용솟음 쳐본다. 사랑의 따뜻함과 추억을 머금고 겨울의 쓸쓸함과 추위를 이겨본다. 겨울이 지나고 봄이 오면 내 노닐던 언덕 위에서 따뜻한 햇볕을 받아보리다.

25일 어머니

찬바람이 스쳐갑니다. 유택에 노란 잔디가 부르르 떨고 있습니다. 그래도 어머님, 편안하신지요. 두 손으로 내 손을 잡고 후후 불어주시더니 지금은 오록굴 세 평 땅에 누워 무엇을 바라보고 계신지요. 세 평 하늘에 만에 하나, 큰 형과 형수가 지나가거든 불러 세우세요. 그리고 못 듣고 가신 분단의 쓰라림과 다하지 못한 효도를 받으세요. 지금 바람 끝이 찹니다.

옆에 계신 아버님의 손을 꼭 잡으세요. 봄이 되면 맨 먼저 따뜻한 햇볕이 파란 잔디를 깨워줄 것입니다. 봄과 함께 다시 깨어나 못 다한 이세의 한을 풀어봐 주세요.

26일 아버지

아버님 쓰시던 문갑을 열면 손 때 찌들은 구수한 냄새가 납니다. 그 어느 한 길가에서 놀다가 선 듯 그림자 속에 알듯알듯한 느낌에 끌려 코를 들고 돌아보니 아버님 향기였습니다. 흙 묻은 손으로 아버지 손을 움켜잡고 보무도 당당하게 한 길을 걸었습니다. 아버님 냄새는 집안 곳곳에서 납니다. 사랑방 횃대 자리에서는 아버지 체취가, 문방사우에서는 먹 냄새보다 손 냄새가, 은은하게 생전의 모습이 함께 떠오릅니다. 그 자비롭고 자유로운 마음의 종소리도 들립니다. 큰아들, 둘째 아들, 셋째 아들 키워만 놓으시고 떳떳하게 성장한 모습 한 번 못 보시고 돌아가신 아버님의 한스런 냄새가 앞을 가립니다.

27일 말

새처럼 아름다워라. 비삐족삐삐 쪼르르 조로롱. 알아듣지는 못 해도 매양 지저귀는 그 소리. 차라리 모르는 말소리라면 곱게 들리겠지. 짹 짹짹 짹짹. 말을 한다고 반만 말하면 반밖에 못 산말. 오라, 가라, 마라. 어찌 나이대로 다 살면서 말은 반만 말하고 사나. 그랬어? 저랬어? 그 말버릇. 송아지 소리보다 못하네. 멍멍 개소리보다 못 하네.

28일 기쁨

말이 코를 벌렁거리며 하늘을 향해 입술을 열고 하얀 이를 내보였습니다. 환희에 가득찬 기쁨을 대자연에 감사드리는 모습입니다. 이것은 말 못하는 짐승이 하늘의 대하여 최상의 경배를 들리는 몸짓입니다 그리고 앞발을 들고 기쁨을 소리로 내며 앙탈을 합니다. 장닭이 싸워 이기면 높은 지붕에 올라가 기고만장하여 날개를 치고 기승을 부립니다. 상대편 장닭만으로는 모자라 온 동네 장닭에게 고하는 몸짓을 합니다. 같은 짐승이지만 기쁨을 나누는 모습이 다릅니다. 말은 그 큰 몸을 가볍고 보다 날쌔게 발을 듭니다. 닭은 높은 곳에서 모이를 지붕위에 던지라고 꼬꼬댁 거립니다. 말은 주인 말을 더 잘 듣습니다. 언덕이든 자갈밭이든 짐을 싣고 가볍게 달려갑니다. 높은 곳에서 날개 치며 오래 머물다가 솔개가 채가 버립니다. 사람도 기쁨이 있습니다. 기쁘거나 슬프거나 변함 없는 선비는 두고두고 기쁨을 나누어 줍니다. 이것이 우리들이 물려받은 기쁨입니다.

30일 훈

너는 우리 집의 종손인데, 너 어릴 적, 할머니 할아버지가 그렇게나 반겨주었는데 끝내 너는 돌아오지 않은 다리를 건너고 말았구나. 너는 누구보다도 행복하게 아름다운 삶을 살아야 하는데 하늘이 막고 말았구나. 그 자상한 아버지와 인자하고 활기 찬 어머니 사이에서 태어난 할아버지 할머니의 손자인데. 철훈이 너를 기다리고 있을 것이다. 훈, 태양, 대하, 현순, 현, 철. 나는 너희들을 반겨 맞을 것이다.

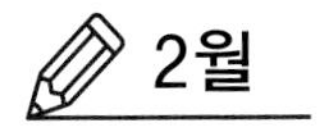

2월

2003년

06일 자연은 우리의 생명

도봉산 가는 길에 돌다리 건너다 발걸음 멈추니 얼음장 밑으로 흐르는 개울 물소리. 잠자는 움들을 깨우는구나. 사람은 거짓을 할지라도 자연은 거짓 없이 때를 찾는다. 아무도 그릴 수 없는 대자연을 해마다 재창조하는 창조주의 위대함이요,

비록 하잘 것 없는 풀잎이라도 꼭 필요한 곳에 꼭 필요로 할 때, 말없이 피어나는 영적 초목들. 올해도 제자리에 피어나는구나. 어김없는 시간. 허공에 생명의 줄기가 꽃을 피우니 이제 그만 인간은 자연을 해치지 말라. 자연은 바로 우리들의 생명이니까.

07일 안개

밤새 가는 길비가 내리더니 짙은 안개가 끼어 길가는 사람마다 환상 속에 나타나는 파노라마처럼 보인다. 안개란 참 신비할 따름이다. 아무것도 안 보인다 싶더니 머리까지 푹 눌러 쓴 여인이 마치 허공을 날듯 나타난다. 검은 그림자가 낭창낭창 안개 속을 휘젔더니 물밀듯이 빠져 나오는 검은 우산 쓴 사람. 그대도 날 보고 우두커니 섰겠지. 조심스레 안개 속을 빠져나온다. 입춘이 엊그제인데 자연이 이리도 변했을까. 따뜻한 땅기운이 지상에 몰리니 달걀 속처럼 암흑을 만들어 하나둘씩 새로 태어나게 하는구나.

10일 아내의 소망

아내는 아침부터 부지런했다. 어느 날과는 달리 농 속 정리부터 시작 하였다. 작은 물건 하나라도 애지중지하던 아내가 "버려야지, 이것도 저것도, 오래 있었구나," 하면서 하나둘씩 내놓는 것들이 쌓였다. 가슴깊이 무엇인가 마음의 정리를 하는 듯했다. 그 중 찌그러진 여름모자 하나를 놓고 "써보지도 않고 찌그러지고 말았네." 하면서 선물한 친구의 마음을 되새기고 있었다. 정말 감사할 줄 아는 아내가 대견스러웠다. 나는 그 마음을 샀다. 그래서 모자에 틀을 만들어 소중하게 간직할 수 있도록 장치하여 주었다. 초인종 소리가 들렸다. "돌 침대, 왔어요." 아내는 몹시 행복해 보였다. 어이쿠, 하는 소리가 앞서고 무겁게 몸을 일으킨 아내가 벌떡 일어나서 문을 열었다. 아내의 취향대로 통나무로 된 돌 침대가 들어왔다. 아내의 꿈과 희망이 굴러들어 오는 듯싶었다. 아내는 벌써부터 몸이 가벼워졌다. 고달픈 마음이 다 물러서고 밝은 표정이 감돌았다. 참으로 원하던 돌 침대를 소망대로 기도하더니 집안에 밝은 빛이 들어왔다.

14일 정기 검진

수십 명이 노인들이 운집해 있다. 잠깐 발걸음을 머문 그때 스피커에서 누군가 이름을 부른다. 80대 고령으로 보이는 할머니가 서둘러 사람들을 뚫고 나온다. 윗옷은 반쯤 벗어 어깨에 걸고 금방이라도 떠날 것 같은 버스에 타려는 모습이다. 무엇을, 왜 서두르나. 이웃 노인들은 당연한 것을 보는 것처럼 고개를 돌린다. 너무나 쓸쓸한 정경이다. 마치 지옥문으로 가는 막차를 향해 가는 듯 온몸을 좌우로 흔들며 발을 질질 끌며 안개 속으로 달려가는 그런 모습에 강한 금속성 트럼펫의 계면조 C음을 울려줬으면…. 얼마나 아프면 죽을 때 죽더라도 아픔을 못 참고, 저승사자가 이미 혼을 빼갔는데 몸만 움직이는 것 같았다. 저 할머니가 저 할머니가 아니고 바로 나 일거야. 쓰러질 것만 같은 현기증이 감돌았다. 이미 없어져야 할 사람이 서 있는 무념에 세계에서.

19일 장

"보따리, 보따리 손에, 손에 들고서/ 산 넘어 김 서방 강 건너 박 서방/ 새벽길 따라서 장으로 달린다/ 돌다리 건너서 윗마을 어른에게/ 반가운 인사 정답게 나누면/ 마음과 마음이 활짝 열리네/ 아랫마을 총각도 옆 마을 처녀도/ 만나면 절로 절로 마음의 문을 여네."

이렇듯 정답던 옛 시장. 서울의 약령시장과 함께 농수산물 유통시장으로 유일하게 남아있는 경동시장에 갔다. 많이 변했다. 이제는 없는 것 없는 만물상이 된 경동시장. 중국산, 베트남산, 대만산. 이제는 국외까지 과일, 채소가 시장을 메운다. 이 풍요롭고 정다운 오일장, 윗마을 아랫마을, 동서남북의 모든 정보가 한꺼번에 모이고 정다운 인심이 오고 가는 옛 시장의 모습이 이제는 정도에누리도 다 사라지고 돈 돈 돈. "손대지 말아요. 내가 담아드릴게." 무정한 장사꾼의 시장이 되고 말았다.

20일 못 오시나요

흘러간 세월 반세기, 아들을 기다리다 눈감고 말았네. 차라리 말 못하는 짐승이었다면 삼팔선 넘어가 만나나 보고 가실 것을. 속절없이 북녘 하늘만 쳐다보고 손만 비볐네. 아! 안타까운 세월이 흘러 이제야 길이 뚫렸다니 먼저 가신님만 아쉽구려. 어찌 자식들이 찾아오지 애끓는 부모 맘도 모르고 왜 못 오셨나요. 기다리다, 기다리다 지쳐서, 허공에 자식들 그림자 그리며 시도 때도 없이 나다니다가 헛웃음만 늘었지. 이 아픔 몰라서 못 오셨나요. 차라리 쉬었다 지금이라도 일어나 금강산 가는 길에 이름이나 불러보실 것을. 왜 먼저 가셨나요. 오늘 처음으로 길 터져 갔는데.

21일 무로 돌아가리니(창가에 서서)

맑은 유리창에 입김이 서린다. 금방 보이던 북한산 인수봉이 그림자처럼 흐리더니 세상에 새들이 날다 부딪혀도 모르겠다. 산영을 따라 금을 그으니 멋진 산수화, 외로운 산 물방울 맺어 허물어 내리고 내가 달래보아도 노구(老軀)는 이젠 갈 때가 되었나 보다. 쭉지에 날개라도 있으면 저 멀리 날아나 갈 것을. 은한삼경 별빛마저 가리우니 무로 돌아가리니.

(기침이 심하여 병원을 찾았다. 진단은 기계에 의존하고 CT촬영에 20만원. 의사는 입원을 강요한다. 달갑지 않아 망설여진다. 발에 힘이 빠지고 눈이 흐려져 간다. 더 이상 아프지 않아야 할 터인데.)

22일 할머니와 손녀

할머니도 흰 머리가 나셨네. 할머니이니까 났지. 그래도 우리 할머니는 예뻐. 뭐가 예뻐? 하하하. 할미꽃이니까. 정말 할미꽃은 할머니 닮았어요. 아니, 나를 닮아! 젊을 때나 늙어서나 수줍어서 고개를 숙이고 있잖아요. 응, 그렇구나.

언제부터인가 할머니와 손녀는 친구처럼 이야기를 한다. 날마다 얘기하는 듯 보이지만 날마다 다른 이야기다. 할머니, 왜 늙으셨어요, 가만히 계셨으면 좋았을 텐데. 어이쿠 고맙구나, 네 엄마 기르느라 늙었지. 엄마가 많이 속상하게 만들었나요. 그런 일도 있고 저런 일도 있고, 살다 보면 한없는 대화가 저녁에도 또 계속된다.

할머니 뭐 좋아하세요. 응, 청국장. 야, 맛있겠다. 할머니, 우리 청국장 끓여 먹어요. 참 좋지, 우리 것이 좋은 거야.

24일 인간이란

지구의 오랜 역사 속에 인간은 지구를 지배하였다. 꿈처럼 자신의 힘만 믿고 제왕이 되어 신을 거부하며 자연을 감히 저항하고 어여삐 여겨 삶을 계시(啓示)하여도 어둠을 끌고 와 군림하는 소심한 한 마리 군계일학처럼 인간이란 아아(我我) 황제라. 한 마리 벌에 굴심굴복(屈心屈伏)하니 인간(人間)의 종말(終末). 무(無)에서 무(無)로 초로(初露)와 같구나.

25일 입원을 했다. 상기도가 막혔다. 숨쉬기가 답답하고 아침이면 기침을 했다. 애초에 감기가 들었는데 기관지로 간 것같다. 원인 규명을 위해 백병원에 갔더니 중환자로 다루고 X-ray 3차례, 심전도, CT 촬영. 별로 납득이 안가는 1109호에 입원했다. 진단을 해야 결론이 나겠지만 상식밖이다. 아내는 속으로 무척 놀란 기색이다. 겉으로 태연하지만 얼마나 당황했을까. 오늘 16대 노무현 대통령이 취임한 날이다. 이 나라 국민이 나라 걱정 안하는 사람은 없겠지만 해방 후 가장 혼미스러운 이 시대를 잘 다스려 주기를 바란다. 후손에게 물려줄 이 나라를 참으로 바르고 정직하게 사는 사람이 잘 수 있는 나라로, 그리고 민족의 염원인 남북통일을 이룩할 바탕을 잘 닦아 올리기를 소망한다.

26일 오늘도 아침부터 흉부 X-ray를 찍으라고 한다. 아직도 미심쩍은가 보다. 오후 들어 핵 의학실에 가서 정밀단층촬영을 했다. 주치의는 겁나는 말을 한다. 수술 아니면 레이저 치료와 약물. 이렇게 말하는데 기가 죽을 수밖에. 조용한 연못에 개구리 한 마리가 뛰어들어 몹시 괴롭다. 오늘도 지윤이가 와서 카드놀이를 배웠다. 역시 이렇게 해보고 처음 카드를 만져봤다. 순간순간 잊어지는 것 같았으나 속으로 몹시 걱정스럽다. 불과 한 달 사이에 이렇게 발병하다니. 죽어 마땅한 것 아닌가. 여보 미안하오.

27일 봄과 북한산

먼 산 북한산. 눈 녹은 산. 돌돌돌 얼음장 밑으로 봄이 흐른다. 도시의 11층 높은 곳에 푸른 바람을 타고 새 봄의 향기가 날아든다. 실버들 가지가 촉촉한 노랑 빛으로 흔들리는 새 아침. 버드나무 사이로 오고가는 봄빛이 봄을 싣고 오나 보다. 봄의 감촉에 기지개를 편다. 봄은 소리 없이 나를 찾아들고 보이지 않게 색깔이 변한다. 가만히 귀대고 들어보면 땅껍질 벗기고 나오는 새싹들의 소리, 귓전에 흐르는데 산은 지금 어디 만큼 오는 고.

(X-ray촬영, 핵검사실)

28일 집으로 가는 신파극

병원 나흘째가 되어도 말이 없네. 무엇을? 왜? 갈기갈기 째고 헤치려고 숨 막히는 순간들. 가족들이 모이고 상상의 나래를 벗어나 집을 돌아가기로 정한다. 보따리, 보따리 손에 들고 산지옥과 같은 얼음장처럼 찬 한 줄기의 빛을 따라 나오고 만다. 보금자리로 보금자리로. 산고의 고해를 넘기고 새로운 생명을 얻은 듯 벗어난다.

(도망치듯 병원을 벗어났다. 병원이 안식처가 아니라 두려운 존재가 되었다. 왜 의사는 옛날 권위주의적 사고로 해석없는 문제를 제기하는 걸까. 억지로

환자를 만들어 복종하게 만든다. 그런 시대는 넘어갔다. 환자에게도 알 권리를 주어야지. 인질로 삼지 말고 "당신의 병은" 이런 논문을 보여주어야지! 핵 검사실 촬영, 급히 퇴원 오후 6시.)

3월

2003년

01일 어제 퇴원을 하고 오늘도 가족이 모여 위로를 받았다. 참으로 내가 암을 앓고 있는 환자인지 의심스럽다. 의사의 권위주의적 진단이 환자를 위축시키고 의료기에 의존하여 증명하려 한다. 의사란 인술이 먼저인데 환자를 위로하여 바른 판단을 갖게 하기 보다는 어려운 의학용어로 의문을 만든다. 건강한 사람도 의사를 만나면 모두 환자가 된다. 권위주의가 인술이 아니다. 지금쯤 나는 완전한 환자가 되어 있다. 마치 죽을 날을 받아놓은 사람처럼 삶에 자신을 잃었다. 죽을 날만 기다리는 환자가 되었다.

02일 꺼려온 삶

사람이 살아가는데 편한 날이 없다. 해가 뜨면 해가 지고 달이 뜨면 달이 지듯이, 하루라는 시간의 끊임없는 변화는 우주만물이 모두 다 같은 운명의 뒤안길에서 자잘한 물길도 비가 오면 넓어지고 가물면 좁아지고 물의 흐름도 자주 변하듯이 변함이 없는 것이 도리어 어설프다. 이처럼 변함이 자연스러운 것 아니겠는가. 인생은 살아서 빛나고 죽음으로서 삶을 마감하느니, 살아움직여야 보람을 다 하는데 멈춰서듯 조금 아프다고 의기소침하여 기를 상실하니 이미 죽은 목숨이라 삶에 가치가 없는 것 아닌가. 삶이 어떻든 생동감이 있어야 자연스러운데, 손발 들고 전시장에 서 있는 미라처럼 인생을 기록하고 있으니 살고 죽은 목숨이라 별로 살고 싶은 생각이 없구나.

(아픔에 휴식을 가졌다. 내일이면 또 지병과 싸워야 한다. 이처럼 괴로운 날이 없다. 얼마나 오래산다고 이런 아픔을 자식들에게까지 물려주랴. 오늘 의사와 상담하여 둘 중 하나를 택할 생각이다.)

03일 분노

네가 지은 죄가 얼마인데 살기를 원하느냐. 글쎄요? 아직도 모른단 말이냐. 어떤 죄를 지었는데요? 벌을 받아 마땅하거늘 살기를 원하는가. 네! 아무리 생각해도 죄 지은 일이 없는데 설마 살기 위하여 먹은! 대자연의 섭리보다도 진한 아니 질긴 이 목숨을 그렇게도 원하십니까? 그러지요. 그렇게 해서 당신의 욕망을 채운다면. 왜요? 왜 웃어요? 이렇게까지 당신은 이미 사슬을 내려 보내놓고 이 무지한 놈의 목숨을 바라는 거요? 싸늘하고 자운이 가득한 운해 저쪽에서 나는 부르시나이까? (철훈이 3월 5일 서울대 병원의 문을 열어주었다. 효보다도 더 강한 형이상학적 소신을 얘기하다.)

05일 알고 보니(투병기)

나는 지금 어머니 영전 앞에 있다. 어느 날 어린 손주가 와서 물었다. "여기 할머니는 누구예요?" "할아버지의 어머님이란다." "와! 할아버지도 엄마가 계셨어요?" "그렇단다. 사람은 누구나 어머니로부터 태어난단다." "그런데 왜 책상 위에 놔두셔요?" "응! 할아버지도 할아버지의 어머니 생각이 난단다." 꼬치꼬치 물어보는 질문이었지만 나는 내 어머니를 참 좋아한다. 나에게 삶의 영지를 주셨고 기쁠 때나 슬플 때나 나보다는 남을 생각하게 하는 믿음을 주셨다. '내 뭐꼬?' 이것은 우리 어머니의 숭고한 철학이다. 자신을 생각하는 마음이란 행동 이전에 구슬이 굴러가듯이 어떻게 굴러갈 것인가를 깊이 생각하라는 금옥 같은 말씀이었다. 나는 어머니의 이런 교훈 때문에 기쁘거나 슬픈 일을 마음 속으로 삭히고 거의 겉으로 내보이지 않았다. 한번 생각해 본다는 것은 인생을 무난하게… 그리고 최선을 다하라. 이것은 바로 나의 예술을 낳고 모나지 않고 보통사람으로 사는 지혜였다. 어머니는 손이 커서 떡을 해도 많이 하셨다. 나보다는 서운한 이웃들에게 나눔을 먼저 생각한 것이었을 것이다.

아들 삼형제를 불모의 땅에 보내놓고 한숨 한번 내쉬지 않으셨다. 그러면서 하나 남은 이 자식을 얼마나 아끼고 사랑하셨겠는가. 다른 부모들은 "차조심해라. 술 조심해라"가 아침인사라는데 한번도 그런 말씀은 없으시고 밤이면 조용히 물으신다. "세상이 어떻게 되어간다더냐? 혹 남북통일의 기운이 있느냐?" 그럼 자식들을 만날 수 있겠지, 하는 소망이었을 것이다.

'어머니!' 이 아들은 혼자의 힘으로는 어찌할 수 없는 일이기에 대답을 못드려 죄송합니다. 그동안 소련으로 망명했던 둘째 아들이 찾아와 몇 차례 인사를 드렸는데, 조금이라도 위로가 되셨나요? 저는 얼마 안 있으면 어머니 옆으로 갈 것입니다. 그때가 되면 혹 희망을 갖고 갈지도 모르겠지만 일제는 36년간 지배하였지만 미국은 50년을 지켜주고 있다면서 남북의 길을 갈수록 어렵게만 만들어가고 있어요. 뿌리는 이 동북아의 발판으로 만들겠지요. 아마 철훈이는 이 세상에서 훈이를 만나 할머니와 그 서러운 그동안의 이야기를 들려줄 것입니다. 저는 어쩌다 이렇게 병의 기습을 받아 전문의의 판정을 기다리고 있답니다. 무엇을 잘못하였기에 이렇게 혹독한 시련을 주시는지 알 수가 없어요.

5월

2003년

13일 누나

지금 83세가 된 누나. 하얗게 센 머리카락 하나 하나에 첩첩이 쌓인 고된 삶의 이야기가 그려져 있다. 일찍이 누나는 외동 딸로 태어나 무척 활발한 성격에 그 시대에 유행하던 일본 유학생의 여동생으로 하이컬러 화장품에, 영화연출을 전공하는 오빠의 여동생답게 세계 유명 영화배우며, 파리의 유행이며 모든 것의 소식통이었고 항상 친구들과 어울려 다니는 소위 삼총사로 개화기 한국의 신여성이었다. 그도 그렇듯이 독일 베를린 대학 성악과에 유학중인 외숙, 미국에 유학 간 이층 외숙. 주변을 돌아봐도 모두가 유학파 외숙들이 즐비하고 그 기세가 특별했다. 게다가 첨단 과학이라고 할 수 있는 당시 영화는 1920년대, 신비한 사진 기술로 사람들이 살아 있는 그대로 움직이고 연사가 말을 대변하는 괴상망측한 활동 사진은 한국 사람들의 혼을 다 빼앗았는데 그때 누나는 영화를 전공하는 보기 드문 유학파 여동생으로서 어디를 가나 화장을 하고, 혼자서 인기를 독차지하였다. 거기다 개화한 아버지께서는 새 문화를 받아들인 멋쟁이 문화인이었기에 양림 딸의 활달한 모습은 눈 감아준 상태에서 더욱 활기 찬 모습은 남들이 부러워했다. 누나는 부잣집 양반 딸들이 모두 친구이고 그중에서도 의제 허백련 선생과 연진회를 함께 하신 조 씨 가문의 조옥봉 누나와 장안의 부자로 이름난 규수였던 금옥이 누나와 의형제를 맺어 하나가 둘이고 셋이고, 집집이 돌아다니며 새 노래, 새 화제를 듣고 다녔으니 오빠 동생 할 것 없이 더불어 하늘의 별처럼 반짝였다. 거기다가 시집을 보내면 잠잠해질까 했더니, 시집 가자 식구가 하나씩 늘어 이제 하나가 둘이 되고 넷이 되고 여섯이 되어,

모이면 여섯 아기에 동생을 하나씩 거느리면 금방 10명 내외, 모두가 재주꾼들이라 윷놀이, 장기자랑 등 재미는 날로 더해갔다.

지금 생각하면 그 시대, 이렇게 맛있게 산 사람도 드물 것이다. 자형은 당대 수재만 다닌다는 목포상고 출신으로 고향은 선대에서 유배되어, 고금도에 자리 잡은 경주 김씨. 비록 섬이 고향이라지만 개화기 금융의 꽃인 은행원으로 지방 호족들의 인기 속에 신학문인 금융을 업으로 하고 있었기에 핸섬하고 사교계 달인으로서 남성들의 인기를 독차지한 모던보이였다.

뿐만 아니라 어떤 일에도 서슴지 않고 달려 들어 끝장을 보는 성품으로 소위 말하는 해결사 역할을 했기 때문에 농장을 하고 있는 외가와 밀접한 관계가 있었고 외할아버지가 금융에 관심이 커서 사위도 일본 고베 고상(高商)에 보내 유학시킨 뒤 손자 사위를 얻을 만큼 관심이 많아서 자형은 외숙들의 금융 자문이기도 했다. 이러다보니까 집안에 인기를 독차지하고 하얀 스포츠 복에 흰 운동화를 신고 라켓을 든 신세대의 인기는 사교계의 인기를 다 차지하였다. 여기에 인기까지 하나 더 플러스하였으니 아버님도 사위가 자랑스러웠다.

이런 세월이 흘러 일제 강점기가 세계 제 2차대전의 종말로 치닫던 때 젊은 사람은 누구나 할 것 없이 징용으로 끌려가고 전쟁 막바지에는 여자도 정신대로 끌려가는 어려운 시대를 맞이하였다. 당시는 직업을 불문하고 징병에 징용으로 끌려갔으나 행정상 문제로 지방 면사무소의 면 서기는 면제가 되었다. 그것은 일제가 발악을 하느라고 말단까지 행정력이 미치도록 면서기만은 징병을 면제시켰다. 그들은 농산물 공출, 소나무 관솔 등을 모아 송진을 수집하고 이것을 화학적으로 처리하여 휘발유를 생산하였다. 그리고 한국인의 겨울철 식기인 놋쇠를 강제 수집하여 총알을 만드는데 이용하기 위해서는 일선에 면서기가 있어야 했기 때문에 당시 면서기는 징용이 면제되었다.

이 방안을 그대로 넘길 수 없어 아버님이 면장을 하시던 오산면서기로 자형이 오게 되었다. 당시는 면서기라고 하면 하늘의 별 따기였고 세상 사람들의 이목을 끄는 일이었기에 아버지는 미리 우수인력 확보라는 명목 아래 자리를 만들어 자형을 면서기로 임명하였다.

그렇지만 젊은 누나 가족은 광주에서 큰딸 아미를 안고 부들로 와 방 한 칸 시골 방에서 일제의 종말을 기다렸다. 그 사이에 조훈이가 탄생하여 다행히 김씨 집안 대를 잇게 되었으니 기쁨이 이만저만이 아니었다. 아버님은 아미는 왕기를 띠고 나서 정경부인이 되겠다고 했고 조훈이는 오지봉 필봉의 정기를 타고나 큰 선비가 되리라고 예언하셨다. 우리는 36년 만에 독립국이 됐고 강대국에 의하여 다시 남북으로 갈리는 또 하나의 시련을 겪게 되었다.

이렇게 세상이 격변하는 사이 해방을 맞은 젊은이는 제자리를 찾게 되었다. 자형도 패주하는 일본인이 경영하던 동양척식회사를 인수받아 농장장으로 순천, 곡성 등의 땅을 운영하게 되었다. 생각하면 일본인 소유의 농장이었기에 주인도 없었으나 이것을 자형은 아무 사심 없이 지키고 개발하여 농장으로 정착시키는 사이에 도시는 적산가옥이나 토지를 처분하여 한국인 개인들이 강점하여 사유화해 나갔다.

이런 혼란 속에 남의 땅만 지키는데 몰두했던 자형은 비록 올바른 태도였으나 당시의 동지들은 땅을 소유하는 시기에 동참하지 못하고 다시 새 출발할 수밖에 없었다. 이러는 사이에 무척 어려운 생활을 살았고 아이들도 철없이 어려운 시기를 넘기며 성장하였다. 누나는 세상을 대처하는 기지가 있었고 지적 감정이 뛰어났다. 지금도 그 소녀시대의 순박하고 따뜻한 감성이 그대로 살아있다.

집에 가면 당신에 방을 소개한다. 모두가 소꿉장난처럼 손아귀에 든 작은 물건들이다. 이것들은 모두 누가 어디를 다녀오면서 선물로 준 것이다. 그 정겨움을 그때 느낀 그대로 간직하고 있다. "더 많았겠지만 필요한 사람들에게 나눠주고 그중의 하나를 지금 남겨둔 거야." 하시며 그 옛날 그 추억 속에 살아있는 누나는 마음만은 늙지 않았다. 날마다 이 소장품들과 이야기를 나누며 살아간다.

25일 동요를 정리하며

6·25 동족상잔의 전쟁을 겪으면서 수많은 고아들이 생겨났다. 나는 전쟁을 야기한 사람들의 원망스러웠다. 굶주리고 질병에 시달리고 그러나 그들을 돌봐줄 시설이 부족하여 미국 군인인 한스 대령이 보다 못해 미국으로 고아들의 수송 작전을 펼쳤다. 나는 한국인으로 부끄러움과 2세들에 대한 은근한 책임감을 느꼈다. 지금은 어둡지만 밝은 내일을 위하여 광주방송어린이합창단을 만들어 동요 보급을 시작하면서 그때는 주로 전선 동요가 주역을 하였으나 유아를 위한 노래가 거의 없었다. 일제 때 듣던 노래가 전부였다. 신생 보육학교에 있으면서 학생들과 동요를 쓴 것이 계기가 되어 내가 유치원을 하면서 필요에 따라 작곡한 것이 방송을 타고 유치원 방송, 어린이 노래회에서 불리어 동요집에도 실리고 〈유치원 천곡집(千曲集)〉도 엮고 〈봄, 여름, 가을, 겨울〉 새 유치원 노래 등을 만들어 꽤 많아졌다. 폐암을 수술 받고 나서 거의 나의 미래가 한정된 느낌이 들던 차에 철훈이 동요를 정리해보자고 힘을 주어서 용기를 얻었다. 내가 쓴 동요에 내가 작곡한 것. 내가 쓴 가사에 남이 작곡한 것, 여기에 남이 쓴 동시에 내가 작곡한 것을 다 합치면 두서너 권의 CD와 책이 필요하다.

26일 어릴 때 놀던 못 치기 생각을 더듬어서

나는 어릴 때 못치기를 좋아했다. 촉촉한 진흙에 못 머리를 잡고 진흙에 후려치면 꼿꼿하게 꽂혔다. 이런 연습이 끝나면 남의 못이 꽂혀있는 못의 몸체를 X자로 맞춰 꽂으면 남의 못이 기울어진다. 그리고 내 것이 꽂히면 상대방 못을 빼서 더 세게 꽂으면서 내 것을 기울게 한다. 이렇게 반복하는 사이에 누군가의 것이 맞아서 벌렁 눕게 되면 이기게 된다. 또 못이 박힌 자리에서 다르게 박힌 곳까지 금을 그어 상대방의 진로를 막는다. 그러면 마치 거미줄을 치듯 각 진 원형의 모양이 생기게 되는데, 이렇게 상대방의 방해를 받아 직선으로 진출할 곳이 없으면 갇히게 된다. 이 못치기는 상대방의 진로를 막으면서 내 진로를 직선으로 나가야 하기 때문에 상당한 지혜가 있어야 하며 너무 자기중심으로 움직이다가는 자신의 꾀에 자신이 갇히게 되는 지적인 놀이였다. 오성 이항복 대감의 일화에도 동네 대장간 주인이 오성이 오는 것을 기다렸다가 숨어서 상황을 살피었고, 못을 곱게 쳐놨다가 이것을 화로에 넣고 뜨겁게 달궈 집어가기 좋은 곳에 놔두면 오성이 지나가다 슬쩍 집어 가랑이에 끼워 손을 털고 나갔다. 하루는 어찌나 뜨겁던지 혼이 나고 이 보복으로 살구에 개똥을 넣어 자랑하자 맛있게 생긴 것을 달라고 놀리자 눈을 감고 입을 벌리면 준다고 하여서 대장간 주인이 크게 입을 벌렸다. 오성은 약속대로 입에 예쁜 살구를 넣어주었다. 대장장이는 살구 맛이 어땠을까.

27일 인간 교육의 뿌리는

하늘은 많은 생물 중에서 생각을 통해서 살 수 있는 지혜를 인간에게 주었다. 다른 동물들 중에는 예민한 감각을 주어 초음파를 발생하여 사물을 존재를 감득하는 박쥐, 돌고래와 같은 동물, 큰 몸짓과 힘을 주어 살아가는 고래와 맹수, 밤에도 볼 수 있는 특별한 감각기관을 박쥐에게 주었다. 그러나 인간은 동물처럼 낳자마자 일어서서 활동하는 것이 아니라 태아에서 10개월, 태어나서 1년을 지나야 감각기관의 실험을 통해 체득하고 생각을 통해 삶에 필요한 감각을 연마하여 간다. 그 수련 기간을 어떻게 했는냐의 결과에 따라서 인성, 취향, 기능 등이 달라진다. 생후 1년을 태의 생활이라고 말하는 학자도 있는데, 태의 생활을 잘 충전시키면 초능력을 발휘할 수도 있다. 다만 이 영아기는 티 없이 맑고 백지장 같은 깨끗한 자연 그대로의 감정을 갖고 있기 때문에 어떤 인간의 도구로 활용되서는 안 된다. 다만 자기 보호를 위한 방어적 호기심을 풀어가는 인지적 탐구력과 비교 탐색 능력 등을 훈련시킴으로써 초능력을 얻게 할 수도 있을 것이다. 인간의 본능은 불가능이 없다. 일조일석에 능력이 생기는 것은 아니지만 연령에 따라 달라지는 관심과 호기심과 탐구력 등이 어떻게 배열되고 자연생활과 어떻게 작용하는냐에 따라서 인지도가 높아질 것이다. 이 발달에 기초적 역할은 리듬이다. 리듬의 시간적 관계는 사람마다 다르며 사람에 따라 리듬이 터득되면 모든 지적, 인지적 발달이 빨라지고 호기심의 초점을 어떻게 인식하고 있는냐에 따라서 시간적 소모량이 다르게 된다. 소년기를 거친 승려가 벽만 보고 앉아서 좌선을 하면 세상의 모든 것을 터득한 노승이 된다는데 어찌 인간의 가장 청순한 어릴 때부터 좋은 환경과 좋은 생각을 갖게 하면 불가능이 있으리오. 둘째는 고질화된 사고가 아니라 다양한 사색에 의하여 원천적인 이해를 함으로써 사물에 대한 바른 이해와 다른 것과의 비교를 할 수 있을 것이다. 어떤 철학적 사고 이전에 긍정을 기저로 한 가능성에 대한 비교적 사고를 가지면 모든 문제점을 해결할 수 있을 것이다. 이 모든 것에 가장 기저가 되는 것은 인간으로서의 도덕성과 인성이 바탕이 되어야 한다. 이것은 인간에게 가장 기초가 되는 것으로, 도리는 지키는데 있는 것이며, 지킴으로써 평등 평화를 유지하는 것이다. 이러한 모든 것이 학습에 의하지 않고, 생각하고 사고 개념이 따라 인식되고 터득되어야 할 것이다.

30일 나 혼자서

멀리 해가 떠오른다. 어제와 다름없는 햇살이 세상을 밝히지만 날로 노구가 되어가는데 몸도 마음도 헐어가는구나. 나 혼자서 집을 보는데 기억도 흐려지고, 인내도 풀어져, 사람 구실도 못하는구나. 산다는 것이 누구를 위한 것은 아니건만, 결국 나는 나와의 싸움에서 완패를 하는 것이다. 결국 혼자는 혼자, 더불어 가지 못하는 건 인생의 종말. 말없이 조용히 끝을 맺으리라.

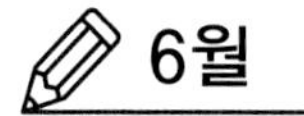

6월

2003년

01일 정

내가 이 세상에 태어나기 전에 나를 알고, 자신을 희생하여 정을 주는 형제, 그 속에서 태어나 평생을 사모하느니 이것은 피를 나눈 정. 전혀 알 수 없는 세계에서 살다보니 인연이 되어 혼인을 하고 더불어 살아가는 부부의 정, 하나도 되고 영도 되는 정. 눈빛으로 주고받는 사랑과 정. 정은 사랑과 그리움을 느낌만으로 주는 것. 사랑은 가지려는 욕망. 정은 많이 주고받는 것. 유월의 보석 같은 정을 베풀어라.

02일 동심

이 세상에 이보다 더 솔직한 마음이 또 어디 있으랴. 티 없이 맑고 깨끗한 거울 앞에 선 동심은 아무것도 보이지 않는다. 더럽힐 줄 알아야 흔적이 남지. 거짓말을 할 줄 알아야 색깔이 나오지. 해칠 줄 알아야 찌그러진 모습이 보이지. 고사리 같은 두 손에 쥐어 봐야 콩 한 조각. 욕심이란 배고프면 젖 달라고 눈물 흘리고 배부르면 놀고 자고 혼자서 자란다. 그 깨끗하고 탐욕이 없는 맑고 순박함. 청렴하고 결백한 순백의 마음. 세상에 가장 연약하고 순한 마음을 물들이지 마라. 하늘을 거역하고 가르치지 말라.

03일 안경

5월 25일, 이날을 나는 나의 건망증에 날이라고 부르고 싶다. 안경은 나의 몸의 일부. 언제나 내 옆에 있어야지. 산책을 갔다가 잠깐 자리에 벗어놓고 그대로 돌아온 건망증. 이러다 자식들 얼굴도 잊어버리겠다. 어머니, 아버지 기일도 잊어버리겠다. 아내 생일도 잊어버리겠다. 다시 새 안경을 맞춰 왔다. 이제는 내 몸에 심어야겠다. 안경은 나의 눈. 안경은 나의 몸.

16일 누나

누나가 오셨다. 누나를 보면 어머니 생각이 난다. 구부정한 허리에 옷매무새까지 어쩌면 그렇게도 닮았을까. 어머니는 그때나 지금이나 모든 한을 삭히시어 흔적도 보이지 않으셨지. 누나는 한이 많아 행복했던 어린 시절을 기억하며, 뜻도 많고 말도 많은 소녀와 같다. 아직도 젊음을 잊지 않은 누나. 청춘 잃어버리지 않은 소녀와 같은 우리 누나.

20일 하지

"모든 것이 열려있는 여름은 낮도, 내 가슴도 열려/ 리듬이 없는 소리, 매케하고 매콤한 내음, 집을 떠나고 싶은 충동이다/ 오늘이 이 도심에서 가장 오래 견뎌야 하는 하지, 짧은 밤에 고요가 이처럼 반갑다/ 소리는 없지만 피부에 전해주는 시원한 바람, 반짝이는 큰별, 작은 별/ 밝음의 기다림 속에서 밤을 그리는 하지의 맛은/ 하지 감자의 맛, 어진 자연의 숨결"

21일 아기의 눈

"나는 티 없이 맑고 순박한 아이들이 좋다/ 거짓 없이 본 대로 느낀 대로/ 그러기에 삶에 왕성하고 감동 속에 살아간다/ 진실은 아이들 눈 속에 들어있다/ 아는 대로 본대로/ 엄마는 그리는 대로/ 눈물도 많고/ 모르는 것은 다 싫다/ 아는 것만 보이는 아기의 눈"

22일 고독

밤이면 이웃집 새 강아지가 그렇게도 슬피 운다. 그리움인가. 벌써 사흘째다.

그 몸부림치는 그리움에 소리는 점점 멀어져 간다. 어느새 그 소리는 아무것도 보이지 않은 칠흑 같은 공간에 나를 던져 버렸다. 어둠속에 수많은 기억이 휘몰아치고 지푸라기 하나 없는 허공에서 나를 시험한다. 인간은 상대적 범상을 간직한 채 고독을 말한다. 고독은 고독일 뿐. 어린 강아지는 울음을 그쳤다.

23일 동요

아이들이 말을 한다. 하나도 거짓이 없는 말. 본 대로 들은 대로. 말 속에 마음을 그린다. 임금님 귀는 당나귀 귀라고. 말을 타고 가는 임금님이 벌거숭이라고. 꽃씨 대신 쇳가루를 주면서 꽃을 피워 오라했더니, 언니 오빠 삼촌 아저씨들은 예쁜 꽃을 피워왔는데 녹슨 화분을 들고 문 앞에 울고 있는 아이는 가슴이 얼마나 무너져 내렸을까. 무쇠는 꽃을 피우지 못하니까, 이 순박하고 맑고 깨끗한 마음을 노래하자. 아이가 아는 만큼, 아이가 생각하는 만큼. 이것이 동요다.

7월

2003년

01일 고향을 부르며

내 고향 광주는 노령산맥이 머무는 그곳. 무등산 아래 태를 묻었다. 덩치가 너무 커서 무등, 그 이름으로 예나 지금이나 한 치도 밀리지 않고 봄이면 진달래, 여름에는 탱자 꽃이 순백 향을 머금고, 가을이면 억새풀들이 산머리를 하얗게 가리는 곳. 무진주의 가을 하늘은 자운을 걷고 중머리 재에서 밝은 미소를 보내는 아침으로부터 빛고을이라 이름붙인 곳. 더럽힌 인정의 원한을 수억 리 먼 곳에서 찾아와 달래주는 곳. 무등의 좌청룡 우백호가 알아주리니. 다시 광주천에 물을 담아 흘리고 고달픈 마음들을 씻어내어 옛 그리운 광주로 다시 태어나리.

05일 어머님

마음은 지금도 가까이 있는데 너무나 먼 곳에 계십니다. 그렇게도 불러보던 이름들은 별처럼 아득히 빛나고 뜨거운 가슴에 열이 안개처럼 이름을 덮어버립니다. 그렇게도 염주알처럼 불러본 이름들을 찾아 보셨겠지요. 그러기에 이처럼 조용하고 그리움에 지쳐 새 봄에 염주알에서 새싹이 돋아나기를 기대해 봅니다. 어머님은 너무나 먼 곳에 계십니다. 지금 가까이 계셔도 될 텐데.

06일 여름밤

밤도 깊은데 어둠을 뚫고 가는 소리, 나뭇잎 사이로 퍼져 오르는 소리, 눈을 감고 귓전에 붉은 신호등을 드리우니. 물거품처럼 잊으라, 잊으리. 지난날의 추억들이 멈춰서는 곳. 거기 머물러, 추억만으로 거기 있으라.

07일 추상

백발이 성성하여 고개를 돌린다면 뜻대로 하시옵소서. 하나는 하나이지 둘이 아니건만 어찌하여 둘이라 말하겠소. 밤하늘에 별은 하나하나가 빛나건만 아름답지 않다고 누가 말하겠소. 조각이 되어 지구를 한 바퀴 돈다한들 원앙새처럼 포근한 짝을 찾기 어려울 거요. 백발이 싫어 뜻을 돌린다면 검은 물을 드려 볼 테니 다시 보소서. 겉만 다르다고 속마저 다르리오.

09일 아버님

아버지 살아계실 때 그토록 행복을 나눠주시더니 허정무위(虛靜無爲)하시고 선경(仙境)에 입문하시어 수많은 시를 쓰고 읊으시던 시율(詩律)이 지금도 귓가에 울려옵니다. 아, 애달퍼라. 아버님의 그 얼굴. 살을 에는 부자의 정을 물리치고 뜬구름처럼 선(禪) 위를 오가시며 시음(詩吟)으로 삶을 거두시었네. 산다는 것이 뭣 이길래, 그 두터운 인연의 뒤안길에서 하늘을 보고 애처로워라. 이제 고이 눈 감으소서. 십자가를 지고 한을 푸소서.

11일 윤회

병원이란 환상의 세계다. 아무도 그 진의를 깨닫지 못하고 있다. 생로병사의 희노애락이 함께 어우러진 곳. 인간이기에 조금이라도 공간을 공유하고 시간을 함께 보내고자 하는 욕망에서 죽어가는 사람들을 치료하고 죽을 사람은 간호하여 긴 생명을 유지하려하는데 이것은 자연을 거역하는 것. 자연의 모든 생명은 자연스러워야 하는 것. 죽고 싶어서, 이런 대답은 없다. 살고 싶어서 죽어간다. 이 세상을 경험하고 더 좋은 세상으로 윤회하고파.

12일 아들과 나

너는 나의 그때 모습을 답습하고 있나 싶구나. 하는 일은 청개구리 설화처럼 하기는 하는데 길이 달랐다. 학교도 싫고 대화도 싫어 사람을 피해가고 필요에 따라 하나씩 둘씩 스스로 챙겨가더니 그것이 바로 너의 지름길이었다. 역시 실현은 중요한 것이야. 뜻이 있는 곳에 길이 있겠지. 지금 내 2세가 답습을 하는구나. 내가 생각하는 것이 전부가 아닐 테니 그리 슬퍼말고 하는 대로 두고 보라. 어느 곳이나 스스로 문을 두드리게 하라. 필요에 의해 자각을 해야 눈을 뜨나니.

13일 삶

언제부턴가는 모르지만 이 자리에는 한 싹이 돋아나 겨우 푸른 하늘을 하늘답게 꿈과 함께 낭만이 커 가는데 구름은 햇빛을 가리고 장마를 쏟아 부어 산중에 난 새싹이 물에 잠기고 개울이 생겨 뿌리를 드러내고 황폐한 주변 환경에서도 그 질긴 생명이라는 인자는 눈에 덮이고 얼고 녹고 가는 목숨이 햇볕으로 치유되니 그 모진 바람을 물리치고 나 홀로 나이테를 감으니 벌써 70성상, 삶의 터전은 더 넓어지고 벼락도 떨어지고 큰 바람, 화마도 지나가고 마치 네 얼굴이 만신창이 되었구나. 자연의 동식물은 시련을 받아 자라고 인간은 고민을 해야 자란다.

14일 장인어른

땅은 열리고 인적이 드문 어느 날 먼 들판을 가다오다 목말라 멈춰 섰던 곳. 그곳에 바로 살집을 자리 잡고, 오고 가는 이 자전거를 손보고 한 푼 두 푼 모아서 논 사고 밭 사서 굶주렸던 배를 채우고 그때서야 살 것만 같더라. 내 어찌 그날을 꿈엔들 잊히리야. 아들딸 낳고 흙에서 자란 마음. 내 어릴 적 생각하네. 지나가는 사람, 이웃 사람들에게 아기 등에 업고 이삭 주워 햅쌀밥 익혀 나눠 먹이시더니 이제는 흙으로 돌아가시어 그들과 노니나니 작은 불빛 아래 오래 오래 이야기하는 곳. 지금 무슨 말로 위로하랴. 그곳이 옛날같이 흘러간들 어찌 잊으리오.

15일 적막

폭풍이 불어오는 전날 밤처럼 바람 한 점 없는 고요 속에 여름밤이 흘러가고 있다. 지금 한겨레, 한 핏줄하며 동고동락을 주장하면서 등 뒤에는 핵폭탄을 차고 위협을 가하는 괴물들. 모든 감각이 무디어 체감마저 잊어버린 밤. 밤은 깊어 그림자마저 길게 누워 적막을 그린다. 생명을 잃은 밤처럼, 한 조상의 뜻을 섬기고 서로가 뜨거운 피를 내세우면서 흉가의 마루에 앉아 여름밤을 지새우는 듯하다.

16일 뚝방

애초에 뚝방 길을 걸을 것을. 강이 좋아서 강 옆으로 걸었더니 한강이라는 물고기 비늘이 반짝임에 물고기가 통째로 입맛을 다시는 어떤 맛을, 어떤 내음을 피우며 지금 한강으로 몸짓을 돌린다. 정말 차갑고 예리한 견지와 꼬리가 한강을 박차고 뛰어든다. 불과 5m 미만의 뚝방이 왜 그렇게 높은지 뛰어도, 뛰어도 그 자리. 열정을 다하는 열풍이 스며든다. 뚝방으로 갔더라면 멀리 북한강 하구가 보이는 그 잔잔한 은빛 물결이 어리광을 부리듯이 옆으로 누워 꼬리를 치며 제 몸을 불사르며 뚝방 길 위에서 초복을 맞는다.

17일 꿈

꿈은 어릴 때부터 많이 꿔왔다. 어릴 때는 꿈이 많았다. 꿈의 바다, 망망대해를 겁 없이 헤엄쳐 나간다. 파랑 꿈, 노랑 꿈, 초록 꿈. 제각기 꿈은 다르지만 헤엄치는 모습도 다르다. 잔뜩 피곤해서인지 체면도 없이 코를 고는 소리와 함께 현실 속에서 영영 멀리 사라지고 만다. 육종학을 해 보겠다고, 공예가가 되어보겠다고. 수많은 꿈의 바다를 헤어봤지만 꿈은 꿈이다. 속절없는 것. 달콤한 병 속의 꿈. 마음만 썩힐 뿐, 말이 없다.

18일 가난 했어도

지금은 폐허로 서 있는 담장. 허물어진 담장을 타고 보잘 것 없는 호박이 햇볕을 반기며 누렇게 익어간다. 그래도 그 원형이 눈에 보이기에 지나칠 수 없어 두 그루 감나무를 살핀다. 벌써 아름드리가 된 감나무. 하나는 허물어진 담장에 묻혀 반은 썩어가고 또 하나는 베어간 뿌리만 의자처럼 남아있다. 지금은 흉하게 마당 한가운데 남은 썩은 고목이지만 나에게는 친구보다도 더 반가운 나무다. 봄에 감꽃이 떨어지면 실에 끼워 목에 걸고 감이 열리기 전부터 몇 차례 담을 딛고 올라가고 붉게 해 지면 몇 개 남았는지 수까지 알고 있다. 배고픈 까치가 남겨둔 홍시도 살피러 날아와 깍깍 울면 새 복 소식 달고 왔나 손가락을 짚어본다. 향수란 생각만 해도 그 당시 스민 향이 코앞을 스친다. 떫은 감 하나 들고 긴 사연을 읊으면서 현실에서 환상의 세계까지 얘기하면 이야기는 상상대로 꾸며 나간다. 거짓인지 알면서도 서로 수긍하며 무릎을 치고 귀신 봤다느니, 도깨비가 따준 감을 사랑하는 사람에게. 실마리는 어색하지만 모두들 보완해서 좋은 전설로 꾸민다.

19일 젊어서

흘러들어 왔다가도 흔적도 없이 가버린다. 무엇이 그렇게 바쁘기에 남김없이 가버린 너. 크건 작건, 간다는 소식조차 남기지 않고 분홍빛 물을 뿌리다가 일어서서 가까이 가면 멀리 떠나고 초록빛 청정한 바람을 일으키다가 돌아서 보면 벌써 꼬리를 불사른다. 산도 타오르고 구름도 타는 땅. 모두가 노을 속에 묻히더니 가슴을 벌려 간직하니 벌써 얼어 온 세상을 하얗게 덮더니, 손을 잡고 감사노래 부르자. 세월은 가고 아니 오누나.

20일 안개

며칠째 구름도 없는 안개 속에 아침을 맞는다. 뿌옇고 어스름한 분위기는 노인들의 관절을 압박하고 심리적 중압감이 생겨 매사가 개운치 않다. 자신의 마음의 벽이 두꺼워짐에 감각이 둔해지고 어떤 범죄에 쉽게 접근하게 된다. 바로 환경이 범죄를 불러일으킨다. 세상이 연일 자살 성폭행 등의 기사를 싣고 청소년에게 동기를 부여한다. 이성도, 지성도 없는 학생들은 폭행을 모르기에 무지하고 호기심이 앞서기 때문에 범행을 쉽게 저지른다. 모든 것이 한국인의 유교적 성분이 희소해졌다.

22일 혼돈

수술을 받은 뒤 돌연히 통증이 있어 행여 좋아질까봐, 통증클리닉과를 찾아갔다. 주사 한대 맞고 "한숨 주무시고 나면 좋아질 것입니다." 주사를 맞고 잠이 들었다. 그 사이에 아내가 찾아오고 경화가 쫓아왔어도 잠이 깨지 않아 비몽사몽간에 집으로 실려 왔다. 다음날 아침, 깨어나 나는 잠시 자고 일어났는데 왜 집에 있는지 혼란이 왔다. 의식이란 직전에 의식이 잠재하여 현실에 착란을 준다. 하루 종일, 혼돈 속에 날을 보냈다.

23일 지옥문

홍수로 떠내려 온 한 통나무 위에 서 있다. 나무가 통째로 물에 잠기고 물 위에 노출된 부분은 하얗게 변했다. 크고 작은 이런 나무들이 하상을 메웠고 나는 무작위로 흐르는 물속에 빠지고 다시 일어나 나무들을 건너 겨우 강가에 닿았다. 지옥문이 쉬운 줄 알았더니 이제부터라고 한다. 정글과 같은 가시나무 밭을 뚫고 피투성이가 되어 겨우 산의 정상에 오르고 보니, 그 너머는 절벽이었다. 방향을 바꿔 전란으로 쓰러진 집 더미를 치우며 길이 막혀 벽돌 장벽을 뚫고 나가 보니 그것은 해안가 집 더미만한 파도가 제방을 넘어 깨진다. 꿈속에서도 한탄을 했다. 무슨 죄를 이렇게 많이 갚아야 하는지, 겨우 한 골목길을 수많은 사람이 올라가기에 뒤따랐다. 갈수록 추워지고 땅은 얼어 사람의 열로 녹이며 마치 종유석을 세워놓은 듯한 언 발, 언 손을 들고 정상에 닿으니 자운이 가득한 미지의 세계가 보였다.

24일 몽상도

의식을 잠재워 조용히 쉬는 한 몸체 생시엔 상상도 못한 흉몽이 가랑비처럼 조용히 내렸나보다. 내 의식 속에 그렇게도 무서운 현상의 경험이 있었던가. 나는 6·25동란에도 죽은 사람 하나 구경 못했다. 모두들 명당 자손이라고 했다. 가시 찔리고 얼음에 손 베이고 내 죄상을 비유할 때도 무고했다. 나는 조용한 양떼처럼 모나지 않고 내미는 손은 다 잡아 주었는데 하늘도 무심하시지 왜 이런 연옥을 보여주었는지. 죄야 보는 사람에 따라 경중함이 다 다르지만 자연인으로 돌아간 나는 더불어 사는 신비를 터득했다. 남에게 피해를 주지 않고 나만의 수양이 되어야 할 터인데.

25일 살아보자고

삶에 대한 욕망이란 이미 선천적이며 살기 위해서 원시적인 활동을 한다. 편견일지 모르지만 산다는 것은 노동에서 비롯된다. 부지런하고 적극적인 사람은 잘 산다. 공부를 해도 적성에 맞게, 사업을 해도 지식이 있음으로써 나를 비롯해 사회를 발전시킨다. 공룡시대처럼 자연생태도 풀이나 나뭇잎을 먹고,

없으면 굶고 오랫동안 비가 안 오면 삶에 터전을 이동하고 그래도 모자랄 때는 동족상잔이라는 마지막 먹이를 찾아 그대로 죽어 갔다. 예나 지금이나 다름이 없다. 현대는 살기 위한 수단을 잘 알아 두어야 한다. 있을 때 아끼고 없을 때 늘려 먹는 수난을 이겨내야 한다.

26일 전신 마취 후유증

3월 27일 오후 3시 흉곽 폐암 수술. 소설 같은 서두다. 수술실로 들어 가자 몹시 대우가 좋았다. 임시로라도 탈지면으로 전신을 씻어주고 주물러 주는 사이 잠이 들었다. 유난히 선명한 녹색의 초원. 비가 온 뒤와 같은 이 초원은 좋은 때가 되면 잘 만나는 미지의 장소이다. 풀잎 하나도 서로 피해를 주지 않아 뚜렷한 독립체로 서 있고 노랗게 시든 잎 하나 보이지 않았다. 이렇게 파란 잎에 가끔 이슬이 맺혀 있는 전경이다. 햇볕도 따뜻하고 사방의 풀잎들이 모두 다 알고 싶은 정이 흘렀다. 그러다 코에 이상한 냄새가 나서 사방을 둘러보니, 가만히 눈을 떠 보니 중환자실이었다. 의사의 설명이 있었다. 성공적으로 수술이 잘 되었다고, 며칠 있는 사이에 치료를 하라고 했다. 당시는 몰랐으나 퇴원 후에 가끔 살을 에는 듯한 느낌이 치밀어 올라 몹시 괴로웠다. 3일 이상 통증이 계속되어 마취통증의학과 클리닉을 받았다. 통증을 약화시키고 마취로 인해 생긴 질환들을 스스로 찾아 없애준다고 했다. 하루 걸러 3번을 받고 보니 몸의 중심이 깨뜨러져서 옆으로 쏠리고 기억력이 소멸되고 우둔해진 듯했다.

27일 숯

인적이 드문 숲속에 한줄기 연기가 조용한 숲에 내려앉는다. 아침은 또 다시 회색의 빛으로 새날을 맞는다. 아득한 옛날, 지구가 화염에 싸여 모든 생명이 불타고 익어 세상은 악취로 진동했다. 지구는 천기의 변화로 바람이 불고, 비가 오고 땅이 흔들리는 또 하나의 악몽에 시달렸다. 그때 모든 것은 사라지고 눈보라가 몰아쳐도 잿더미 속의 불덩이는 인간에게 힘을 주었다. 그 위대한 검은 숯은 모든 역경을 몰아내고 얼어붙은 마음들을 열어 신세계를 건설하였다. 이 원시적이고 변함이 없는 자연의 섭리는 인간과 더불어 함께한 가장 오래된 친구. 제 몸을 태워 공기를 정화하고 뿐만 아니라 자기 주변을 언제나 깨끗이 하기 때문에 숯은 인간의 머리를 정화시키는 심령이다.

28일 지조

일어서서 자리를 옮길 때는 무엇인가 생각하고 나를 자극했던 것이다. 그러나 가보면 눈에 보이는 현상만 비정상적으로 보여 치우고 바르게 놓고 나면 왜 왔는지를 모른다. 허무하고 어이가 없어 빈손으로 돌아오다 생각이 났다. 목이 말랐다. 그랬으면 물을 뜨러 가는 것이지, 다시 가서 물 한 모금 먹고 나니 안심이 된다. 이렇게 변하랴. 이것이 여생이라면 빨리 죽고 싶다. 실수는 없어야지. 이것이 나의 인생의 지조였는데.

8월

2003년

04일 새벽의 매미소리

시도 때도 없는 매미소리가 들린다. 오늘이 칠석. 견우와 직녀가 눈물을 흘리니 매미도 함께 우나 보다. 그동안 장마로 태어나기도 힘들었겠지. 그러니 짝짓기가 쉬우랴. 허공에 네 안타까운 울음을 날리지만 네 애타는 정을 누가 알랴. 울지 말고 더 듣기 좋은 소리로 곱게 다듬어 햇빛 좋은 날, 날 받아 노래해 봐라. 도심의 그늘에서 아무리 운들 너를 누가 기다리니. 아마도 네 그럴싸한 날이 열릴 듯싶구나. 어서 네 한 정을 다하고 어서 네 갈 길로 가거라.

06일 우울한 하루

우울한 장마가 계속된다. 날씨는 하루에 기분을 좌우하는데 이렇게 우울해서야 견디겠는가. 이럴 때는 누군가 찾아와서 수다라도 떨었으면 하던 차에 아내가 전을 부쳐 왔다. 먹는 것도 우울증을 푸는 열쇠가 되었다. 한 장을 다 먹고 또 한 장을 손대려고 할 때 엄마, 뭐 하세요, 우리 저녁이나 같이 해요 하는 전화다. 외식이란 지난해 차를 없애고 누나에게 영계백숙 하나 대접했던 것뿐인데, 따라 나섰다. 감자탕이 이색적이었다. 옛날 같으면 서민들이나 먹던 음식인데 고기 중에서 제일 값싼 돼지 뼈에 감자를 삶은 것인데 제법 큰 집에 A급 시설을 갖춰 내놓은 감자탕. 고기는 보이지 않게 깻잎으로 감추고 듬직한 냄비에 먹음직스러웠다. 가족 손님이 많았고 커다란 50년생 송판 탁자에 어울리게 만들어 객을 부르고 있었다.

07일 추 형

나의 하나밖에 없는 혈육, 피를 나눠가진 형이 오랜만에 조국 땅을 찾아온다. 분단국의 서러운 현실에서 외국인이 되고만 형은 이제 어쩔 수 없는 이방인. 손을 잡고 어릴 때 함께 살던 고향, 공통된 분모는 진실이 가득하지만 52년 떨어져 살다 보니 생각도 행동도 다르구나. 자기 자신은 희생자라고 말하지만 연좌제니 월북 가족이니 그 탈은 누가 벗기랴. 세상이 바뀌어 조국애로 변신해 보상도 받았지만 동생은 축하하고 감축합니다. 그러나 날이 갈수록 살기 힘든 지금, 한 사람도 위해주는 사람이 없으니 우리의 운명은 이로써 모든 것을 맺을 때 죽음은 조용히 혼자 갈 수밖에. 불운한 한국 땅에 태어난 운명이겠지요.

08일 인천국제공항

형님이 오랜만에 오신다 하기에 마중을 나갔다. 보통 복잡한 길이 아니다. 고속도로가 바다 위로 왕복 8차선. 영종도 섬 하나를 비행장으로 꾸몄다. 동남아 중심국가로 육해공의 물류 중심지로 발전시키기 위하여 세계 4대 공항으로 발전시킨 최신식 항공설비가 들어선 것이다. 키는 160센티미터 정도에 백발의 대머리 할아버지. 두꺼운 안경을 쓰고 공항에 나타났다. 가슴이 찡하게 와 닫는 것이 혈육이라는 것이 가슴에 크게 와닿았다. 둘이는 껴안고 한참을 서 있었다. 다시 말문이 열려 그 무거운 여행 가방을 끌고 집으로 왔다. 아내와 나는 먼저 집으로 돌아오고 형은 친구를 방문하고 한 시간 후에 도착하셨다. 살아있어서 만나보니까 얼마나 좋은가. 지난 3월, 암으로 눈을 감았더라면 영 영 보지 못할 사람들인데 새롭고 반가웠다.

09일 회오

역시 만나 보니 반갑구나. 일 년여 못 봤다고 얼굴마저 잊었으랴. 생각해 보니 내가 잘못이구나. 그렇게도 그리움이 가슴에 묻혔으랴. 45년 전 헤어졌던 정이 그리움에 젖어 그렇게도 울었구나. 섭섭하기도 하고 밉기도 했던 세월이 한 방울이 눈물로 다시 씻어 내리다니. 형제의 정이 이렇게도 짙다니, 끊으려 해도 끊을 수 없구나. 그리움이 미움으로 변했을 뿐, 만나보니 메어진 가슴이 툭 트이는 구나. 이제 어찌 하리. 이대로 모시고 길게, 길게 살고 싶구나. 9천만리 이국으로 간다하니 또 다시 한스럽구나. 천산의 선경(仙境)으로 가신다니 오래오래 사소서.

10일 욕망이라는 씨

밤새고 이야기하던 밤. 잠을 나누고 나눠도 한이 없구나. 어릴 때 꿈이 그렇게도 단단하구나. 이제 여든 고개에 그 바람이 무엇이랴. 나라 사랑, 굳은 씨를 안고 타국으로 떠나더니 지금도 어린 꿈이 살아있구나. 회오리바람처럼 일어서면 하늘이 낮다고 소리치더니 백발이 성성해도 잊지도 않았네. 고목에 핀 꽃이 언제나 열매를 맺으리. 살 날도 오래지 않은데 편히 쉬다가소서.

11일 삼남매 한자리에

두 사나이 옆에 하나밖에 안 계신 누님은 어머니 같다. 마음의 고향이 향토라면 나는 어머니가 마음의 고향이다. 어머니 보고 싶을 때 나는 누님을 본다. 하는 짓, 말 한마디 어머니를 닮았기에. 나의 어릴 때의 거울을 누님에게서 본다. 누님과 나 사이에는 일찍이 조국의 광복을 위에 떠났던 형이 냉장고보다 서늘한 알마티에서 왔다. 둘이는 밤을 새워 옛 이야기처럼 어릴 때 얘기를 했다. 누님은 거울을 보여줬다. 개구쟁이고 고집쟁이 그러기에 그 얼음 땅에 망명하여 이렇게 이렇게 살아남아 손을 잡는다. 환상처럼 그리던 소망들이 때를 만나지 못해 산산이 부서진 꿈들. 80 노인이 된 형의 정열이 팔팔 끓는다. 삼형제의 꿈은 따뜻했다. 그렇게도 밉더니 피는 따뜻했다. 살고 싶은 마음이야 같다만 얼마나 오래 살랴.

12일 당신

유난히 검은 속눈썹에 큰 눈. 야들야들 미소 짓는 얼굴에 당신 손끝에 핀 봉숭아꽃이 아름답더니 어느새 당신의 머리에도 잔서리가 내렸구려. 백지장 같은 살결에 주름살이 엿보이고 허리를 두드리며 아이고, 소리에 가슴이 메는구려. 열아홉 소녀가 정씨 집에 시집 와 시집살이 다섯 해 그동안 손잡고 마실 한번 못 가고 세월이 이렇게 빨랐던 말인가. 나보다 아홉 해나 어린 당신에게 가정사를 맡기고 이제야 철들어 다시 보니 지나간 삶이 잃어버린 보석 같구려. 얼마 남지 않은 인생이지만 마음이라도 편하게 손잡고 살아봅시다. 지금이라도 손잡고 살아갑시다. 여보, 사랑하오.

9월

2003년

01일 9월

입추가 지나더니 말복이 찾아드니 처서가 지나면 백로가 찾아와 가을은 갈수록 깊어만 간다. 세월은 잘라 흘러만 가는데 꼭 돌아와야 할 형들은 왜 아니 오시는고. 벼가 누렇게 익어 물결치고 무등산 눈앞에 가까이 보이던 날, 책을 옆구리에 끼고 맑은 하늘을 쳐다보며 수피아 언덕길을 내려오던 형. 9월이 되면 그 모습들이 떠나지 않아 가슴에 손을 얹고 푸른 하늘을 보고 물어본다오. 형, 무엇이 그렇게 부끄러워 문턱을 못 넘어 오시나요. 이제 백로가 지나면 추석이 찾아올 것이요. 형도 돌아오시오. 어서 오시오. 추석 날 우리 함께 고향에 가 그렇게 기다리다 못해 눈을 뜨고 가신 어버이 산소에 나란히 성묘 드립시다.

02일 레오 들리브

나한테 형들이 사놓은 음반을 들으며 생각했다오. 맏형은 영화감독, 둘째 형은 음악가, 그렇다면 나는 무엇이 될까. 뼈가 굳은 20대에 발레를 했지요. 무용가, 그렇지요. 무용은 내 꿈이었으니까요. 셋째 형은 문학과 외국어를 했으니까요. 어때요, 셋째 형이 대본을 쓰고 둘째 형이 작곡을 하면 나는 무용을 하고 맏형은 영화를 찍고, 어때요. 무지개처럼 색색이 잘 어울리지 않나요. 나는 코펠리아 레오 들리브의 노래를 들을 때마다 수백 번 환상의 발레를 안무했다오. 보이시나요. 백조들이 물 위에 떼 지어 내려가면 큰 물결을 넘어가고 큰 바람이 불어와 긴 목을 늘이고 물을 차고 날아가는 백조의 모습. 눈을 감을 때마다 떠올린 이 발레가 어렵게 됐군요. 빨리 소식 전해주세요. 금년 겨울에 겨울바람에 실려 동장군에게 부탁해 보세요. 둘째 형도 왔으니까 꼭 꼭 살아 돌아오세요. 레오 들리브에 안무한 발레를 구경 오세요.

23일 우뚝 솟은 도봉

구름이 오고 가는 산허리에 덩실 자리 잡은 산. 창조의 조화가 그 큰 바위를 둘로 내밀어 외롭지 않다. 아침 햇살에 씻긴 맑고 환한 얼굴을 허공에 내밀어 어머니의 품처럼 풍만한 아침을 드리우니 따뜻한 사랑의 숨소리가 메아리친다. 그 무엇보다도 하나로 크고 높은 만장봉, 아스라이 옛날을 그리는 자운봉의 신비.

26일 가을

여름철 무성했던 집 푸른 잎들이 햇살이 뜨거워, 하나, 둘 붉게 물들어 가고 가을바람이 소슬하니 열렸던 옷을 여미매 헛것은 버리고 소중함을 찾아 호주머니에 챙긴다. 가을은 갈수록 익어 가는데 내 그동안 사랑했던 말들은 얼마나 익어 갔을까. 가을은 어김없이 찾아오는데 늙어 허무한 빈터에 서서 염이 없는 나를 허공에 띄워 본다. 아직도 노을빛 짙게 물 들어오는데 이대로 눈감으랴.

27일 토요일

네모난 창문들이 가로로 긴 직사각형 틀에 실려 높은 교각 위에 불을 밝히고 달려가면 붉고 파랗고 노란 불빛들이 밤을 밝히면 얽히고 뒤섞이어 어지럽고 수선스런 토요일 밤, 도심은 어수선해진다. 어수선한 불빛이 깜빡이면 뒤숭숭하고 산란하여 조용히 눈을 감고 마음을사리면 어둠은 혼란과 혼잡의 연속으로 새로운 정감을 느낀다. 얼키설키 불빛에 걸린 밤은 창조의 힘을 낳고 토요일만은 조용히 신의 침묵 속에 오늘을 생각하리.

10월

2003년

01일 시작

시작은 존재의 관념. 시간은 발전을 그린다. 먼 별빛이 시작하여 지구에 오기까지는 100광년. 지금 그 별이 없어졌다면 100광년 지나서야 알겠지. 시작이 있으면 끝이 있다고 하지만 봄 여름 가을 겨울은 한없이 그러기에 사랑이 시작되면 사계절처럼 따뜻하고 뜨겁고 차고, 그런 시각에 참 모습을 발견하겠지. 사랑은 평온하고 달콤한 것이 아니지. 맵고 쓰리고 뜨겁고 시리고 질투하며 한 공간에 존재했던 무형의 것이지. 참되고 은은한, 따뜻하고 아늑한 사랑이 꼬여 시간과 함께 흐르겠지. 변함이 없는 어머니의 사랑처럼, 욕망에 앞서 주는 사랑의 실마리를 소리 없이 풀어줘야지. 사랑은 끝이 없어라.

07일 사랑은

사랑은 주는 것. 사랑은 받는 것. 사랑은 나누는 것. 사랑은 찾는 것. 사랑은 이기는 것. 사랑은 받드는 것. 사랑은 따뜻한 것. 사랑은 부드러운 것. 사랑은 강한 것. 사랑은 희생하는 것. 사랑은 거룩한 것.

19일 가을밤

한 잎, 두 잎 물든 가랑잎이 떨어지는 밤입니다. 누님이 오랜만에 오셔서 주무시는 밤. 잠 못 이루고 어머니 생각. 그 모습과 저렇게 닮았을까. 옛 이야기 속에 잠드신 누나. 세상 잊어버리고 편히 쉬소서. 밤사이 고향이라도 다녀오소서. 어머니 같은 누나. 아들이랑 손자랑 다 잊어버리고 이 밤을 편히 쉬소서.

21일 바람은

바람은 보이지 않아, 나타났다 다시 쓰러지며 사랑도 정도 안고 산다. 불어오면

포장마차에 앉아 밤을 새우며 갈릴 줄을 모르지만 바람이 불면 어디론가 사라져 정을 안고 간다. 연초록, 초록빛으로 빛은 숲에도 바람이 불면 붉게 물들어 가랑잎을 안고 간다. 가버린 것이 종말이 아니듯이, 바람은 다시 불어온다.

22일 당신

당신이 태어나 나를 만난 날이 마흔다섯 해가 되었소. 그 순박하고 아름답던 당신이 있었기에 나는 지금 당신 옆에 있소. 그동안 많은 삶을 지켜봤지만 지금도 그때와 다름이 없소. 말도 없이 할일을 다했소. 쉬고 있는 시간, 도마소리에 끌려, 나와 봤더니 벌써 내일을 준비하는 그 모습이 잊히지 않소. 지금 세상을 다스린다는 위정자들이 당신의 솜씨를 배웠더라면 훌륭한 나라가 되었을 것을.

31일 시월을 보내며

한해가 이렇게도 쉽게 넘어가는 걸까. 오늘이 벌써 10월 31일. 연말을 뜸 들이는 11월이 내일이다. 그동안 봄은 봄대로 시작을 날리고, 여름은 편하게 지나다 보니까 훌쩍 넘어가고 무거웠던 가을이 사념의 세계에서 어설펐던 날이 가랑비 떨어지듯 지고 말더니. 벌써 10월 말이라니. 한 해가 어둠에 가려 앓고 신음하고 나니 세월이 지나가고 마누나. 가슴이 저릿저릿하여 황혼의 조바심이 이는구나.

11월

2003년

12일 이기주의

사실 나는 형과의 사이에 권 형이 있기 때문에 7세나 차이가 난다. 말이 7세 차이라지만 어릴 때 7세 차이면 축에도 못 드는 차이로 같이 놀아본 기억도 없다. "이런 일, 저런 일, 너도 들어 알고 있지?" 나는 "뭘요?"라고 반문했지만 지난 사실은 어렴풋이 기억할 뿐이지 확실하게 하는 것도 아니다. 다만 형이 내 인상에 남아있는 건 큰 형이 형의 옷을 벗긴 뒤 크게 야단을 치고 옷에 불을 붙여 태우던 가냘픈 기억인데 종합해서 누님과 같이 이야기하니까 누님은 벌써 그 당시 연애편지 사건이라고 한다. 못 말리는 사람이다.

큰 형의 생각에 어린 것이 벌써부터 여자를 알고 책을 놓아버린다면 장래가 까맣게 보였을 것이다. 누님 말씀을 듣자면 누님 친구들이 찾아오면 맞아드려서 짜장면을 시키고 상대를 하며 남녀관계를 파내어 문제를 삼고 말썽을 일으켜 누님 친구들 사이에 조숙했다는 별명이었다고 한다.

큰 형님이 귀이염으로 입원 중, 보성 임씨 댁에 혼인 말이 있어 양가의 동의를 받아 보성으로 사주를 보내려고 했을 때, "집안에 젊은이가 너밖에 없으니 네가 전하고 오라"고 했다는 것이다. 그러자 무슨 생각인지 사주를 그 집에 전달하지 않았다고 한다. 그것은 결혼을 파혼하는 것과 같은 큰 사건인데, 임씨 집안의 임산원이라는 할아버지께서 손서(孫壻)가 될 준채 형을 좀 봐야겠다고 찾아오셨다고 한다. 그런데 형과 어떻게 한자리에 앉게 되어 이야기를 나눴는데 그때 할아버지께서 "요사이 젊은이답지 않게 깊은 뜻을 가졌구나, 진즉 알았으면 네가 손서감인데 아쉽구나" 했다는 것이다. 직접 들어보지 못하여 누가 증명할 사람은 없으나 이를 계기로 해서 형수가 될 사람을 차지해보려는 음모를 조작하여 보성에서 "왜 사성을 보내지 않았느냐"는 질문이 왔다. 그때서야 사실을 알고 형에게 알아봤더니 그때는 일제 말이어서 임씨 집안이 모두 고향으로 피난을 갔을 거라는 생각에 그 집으로 보냈다는 것이다. 형의 말이 사실일까. 아니면 무슨 음모가 있었던 것일까. 이 얼마나 창피한 일이며 가정내 불상사라 말도 못하고 기가 막힌 사연이었다. 46년만에 찾아와서 큰 형님의 생사는 함구하면서 무엇 때문에 보성 사돈댁에 찾아가 임산원 할아버지의 안부를 묻고 큰 형수님의 동생들을 만난 뒤

형수도 큰 형님도 돌아가셨다고 전했는지 도무지 모를 일이다. 그 어머님께서 아흔이 넘도록 둘째 딸 소식만 기다리고 살고 계셨다는데, 이렇게 남의 속도 모르고 휘젓고 다니니 할 말이 없다. 그리고 또 하나, 누나와 혼인 말이 있던 이웃사람이 있었는데 어떻게 집안 간의 비밀을 알아내어 신랑감이 재직하고 있는 학교에 찾아가 소문을 내겠다고 협박을 하여 혼사가 깨지고 말았다. 이것을 얄궂다고 말을 해야 하나, 조금 모자란다고 해야 하나. 정말 말할 수 없는 이기주의자이다.

근래 SF소설과 관련하여 옛날 이야기책처럼 추종을 하더니 이것을 사실로 믿고 UFO가 다른 천체에서 온 것이라고 믿고 이 외계인을 만난 스위스인을 경배하며 원전(原典) 번역을 러시아어와 한국어로 하겠다고 하며 자신은 300살까지 산다고 촐랑이는 게 음악가인지 SF 소설가인지 알 수가 없다. 그것도 초기 신앙처럼 신비함을 내세우고 "믿으면 알게 된다"는 식의 포교자이다. 조금 위험한 생각을 하고 있다. 지금 작곡이라고 내놓은 것이 카자흐 지방의 고려인들에게 남아 있는 가요를 40년 전에 수집하여 어느 한국인 작곡가(김보희)에게 내주었고 이를 계기로 자기가 작곡한 노래 4곡을 김 선생이 재직하고 있는 한양대 음악클럽에 의해 교내 발표하게 되어 한국에 나오게 되고 김 선생네 집에서 숙식을 하게 되었다. 아마도 이기적인 사심이 발로하였는지, 왜 그 김이라는 사람이 나에게 수모를 가하는가, 보통 짜증이 나는 게 아니다. 처음에는 최대의 존대어를 쓰더니 어느 날은 형님과 일본인을 초대해 점심을 먹으려고 집으로 모셔왔다면서 "집으로 찾아오세요. 택시비 7, 8천 원이면 올 수 있으니까"라고 전한다. 그것도 나와 형님과 사전에 약속이 있었는데, 자기가 왜 마음대로 일정을 자기 편한 대로 바꿔놓고 신경질 조의 생색을 내는가. 이것은 나에 대한 모독이며 그동안 형에 대한 불만이 내재된 여성 특유의 신경질이었다. 그런 감정을 읽지도 못하면서 형이 나에게 전화 한 번 하지 않고 내가 화가 나서 가지 않았는데, 전화를 걸어왔을 때 나는 말 한 자리도 못하게 당하고 말았다. 더 이상 속내를 알 수 없다. 북한을 실지 회복하면 그 땅에 들어가 임정(臨政)을 세우고 인민들의 동의를 얻어 통일을 하겠다니. 세상에 "손 놓고 아웅"이지 자기 희생적으로 북한 정권을 쓰러뜨리면 들어가서 주인 노릇을 하겠다는 사고는 말로 안 되는 이기적 수법이다. 이런 말에 현혹되어 가족의 명예를 더럽히고 3년 전에는 SF작가를 만나러 간다 하더니 이제는 실천도 못하면서 내년에 스위스를 가겠다고 독일어 공부 중이라고 한다. 자신의 나이도 잊어버렸다. 얼마나 사실런지, 까마득한 신선의 생각으로 지식만 담아놓고 써보지도 못하는 현대인의 옹고집. 이것으로 마친다.

분명히 12일 일본인 야스다라는 분이 온다 하기에 처음 오는 분이면 마중을 나가세요, 하고 권했다. 호텔도 정하지 않았다고 하기에 연고지도 없이 무조건 인천공항에서 찾아올 수는 없을 것이라고 말했다. 그리고 명지대에서 1시에 강의를 하면 2시 반에는 끝이 난다고 하였다. 그럼 4시 도착이니까 입국 수속을 하면 약 한 시간은 걸리니까. 마중 갈 시간은 충분하다고 설명을 해주었다. 그런데 12일 2시경 전화가 와서 내가 "왜 공항에 마중을 안 나갔느냐"고 하자 "인사동 근처에 모텔을 잡아놓고 기다리고 있으니 야스다에게서 전화가 오면 내가 전화를 해달라"고 했다. 4시경 야스다에게서 전화가 왔다. 아무도 안 나와서 당황스럽다고 했다. 그래서 형이 있는 곳의 전화 번호를 알려 주었다. 이때도 공항버스를 타고 가면 충분히 만날 수 있는 시간이 있었다. 다시 5시경, 형에게서 전화가 걸려왔다. 지금 인천공항으로 마중을 가는 중이니 혹 전화가 오면 출국 게이트에서 기다려 달라고 전해 달라고 했다. 전화를 받은 뒤 야스다에게서 전화가 걸려와 그 말을 전했다. 그날 11시 넘어 형으로부터 전화가 왔다. 중간에 전화를 중계해주어 고생이 많았다며 13일 1~2시 사이에 우리 집을 방문

하겠다고 했다.

외국인과 함께 오신다고 하기에 아침에 아내가 점심 때 와서 이야기가 길어지면 저녁을 먹게 되겠으니 손님 맞을 준비를 하겠다고 창동시장에 갔다. 나는 집안 청소를 하고 손님맞이 준비를 했다. 11시 반쯤, 준비가 끝났고 형의 전화를 기다렸다. 2시가 넘었는데도 아무 소식이 없었다. 2시 20분경, 전화가 왔다. 김 선생이었다. "지금 두 사람을 밥 먹여서 우리 집으로 갈 것이니 일본인을 만나보려면 우리 집으로 오세요. 60평 아파트니까 넓어요. 택시비 7, 8천원이면 올 수 있어요." 언동이 신경질적이며 감히 내 인격을 무시한 언사로 인해 수모를 당한 듯, 기분이 매우 좋지 않았다. 그래서 내가 꼭 만나야할 사람이 아니기에 안 가고 말았다. 14일 12시쯤, 형으로부터 전화가 왔다. 아내가 받아서 바꿔주기에 기분이 안 좋은 말을 전했다. 대답은 "알겠는데, 잘 참는 것은 나보다 네가 잘 참으니까. 참으라"고 했다. 나는 떠나는 형님이 안 되긴 했지만 따져 말했다. "그건 다음에 얘기하자"라고 하며 일본인이 책을 갖고 왔는데 나를 위해 남겨놓고 가니 김 선생에게서 찾아와 보라고 했다. 나는 김 선생을 다시는 만나지 않겠다고 말했다. 누구를 시켜서라도 찾아가라고 했지만 나는 그럴 생각이 전혀 없다고 분명하게 대답을 했다.

(형은 14일 오후 4시 KAL편으로 알마티로 돌아가셨다. 일본인 毎田 이라는 사람이 찾아왔다. 나는 상면을 거절했다. 毎田도 KAL편으로 일본으로 돌아갔다.)

18일 절망

저 멀리 북풍이 천산의 얼음을 안고 달려온다. 어머니께서 너는 하마와 같은 여신과 같이 삶의 고해를 건너도 된다고 한 입에 위증을 하고 부자이면서 스스로 자청한 욕망을 꿈꾸면서 가난한 척, 자기 것이 아닌 남에게 받은 척, 자신을 부정한다. 나만 알고 이웃을 배려하지 못하는 것은 평생의 빚이다. 남을 허위로

속이는 것은 삶을 매도하는 것과 같다. 당한 사람들의 분노를 샘물처럼 터져 나온다. 왜 광주는 안 갔을까. 반겨줄 사람이 없으니까. 선비가 남의 것만 넘겨다 보면서 젯밥에만 눈을 뜨고 경(經)을 읽지 못한다 하더니 모든 것을 혼자서 우물우물. 생각할수록 분노에 찬다. 갈수록 태산이다. 이곳 사람들이 그렇게 어수룩하게 보이든가. 우리는 이땅에 왜적이 들어와도 살아남은 사람들이다. 욕심 때문에 부모형제도 버린 무서운 사람. 그는 지금 지구를 탈출할 계획을 꾸미고 있다. 이방 종교를 들여와 심고 탈출하려든다.

19일 그리워

그리워 그리워서 대답을 할까. 어머니 그리움에 다시 또 한 번. 살아서 만나본들 뭐가 그리워. 우수수 가랑잎에 그린 어머니. 못다 핀 꽃들의 노래가 때늦게 피다 말고 우는 두견새. 고향이 이곳인데 어디로 가나.

21일 나무는 서있다.

나무는 낙엽들을 떼어버리고 가랑잎이 덮은 지열을 기다린다. 반드시 오고야 말, 한겨울을 생각하면서 인간을 비웃는다. 바람이 불면 옷깃을 여미고 추위가 오면 두터운 옷깃을 여미고 눈이 오는 눈밭에 뒹군다. 나무는 바람이 불어 가지가 휘어져도 눈이 쌓여 가지가 부러져도 자연이 주는 행복을 누린다. 나무는 오늘도 말이 없다. 바람이 불어도, 눈이 와도 말없이 서 있다.

22일 김장

가랑잎이 날리는데 초록색 배추가 쌓인다. 온 가족이 한 아름씩 배추를 안아 옮긴다. 올겨울, 맛있는 김치를 생각했겠지. 소금에 절인 배추가 조각난 배추가 되어 찬물에 씻겨 다시 태어난다. 무채에 젓갈 넣고 고춧가루와 버무려 절인 배추에 속을 넣어서 김치를 담근다. 추운지도 모르고 신나는 모양. 겨울에 싱싱한 채소는 비타민 C를 얻게 하는 선조들의 지혜.

23일 거대한 지하도시

수백 평의 지하에 두더지처럼 수많은 사람이 오고 간다. 입에 문 빵조각, 손에는 짐 들고 이층 삼층으로 바쁘게, 바쁘게 걸어 다닌다. 꿈에 본 지하도시. 코엑스, 호텔 셋, 현대백화점, 지하가 하나로 뚫린 커다란 상가. 사람은 꿈에 그린 희망을 꼭 실현하고 만다. 그래서 사람을 만물의 영장이라고 하나.

24일 내 고향

내 고향 부들은 산 좋고 물 좋은 고장. 봄이면 씀바귀, 민들레가 손짓하는 향긋한 향토. 해방 바람에 쓰러진 느티나무 비스듬히 크게 자라서 마을에 그늘 드리우고 풀피리 불며 한자리에 모여 옛이야기 구수한 선대들 이야기. 일찍이 개화되어 무당도 없는 외로운 한 살림을 살아 왔지만 우애하고 예의 바른 즐거운 마을. 하늘을 종이 삼아 글을 쓰더니 오지봉 뾰쪽 산이 앞산에 앉아 그 옛날 뚝방에 새해 보러 가던 농사일 바쁜 고장, 우리들의 고향.

27일 어머니

오늘은 유난히 맑고 차가운 기류가 가득 차 있는 날입니다. 나는 푸근한 옷에 추위도 모르는 척, 잎이 없는 숲길을 가고 있습니다. 어느 한 나무에 어쩌다 잎 하나가 남아 떨고 있습니다. 윗옷을 벗어 바람을 막아 주고 싶습니다. 찬 공기는 내 살갗에도 스밉니다. 어머니는 멀리 고향 땅에 누워 계십니다. 찬 공기는 북에서 내려옵니다. 무엇이 그렇게 한이 되어 철없는 찬바람을 실어 광란의 소리를 보내는지. 시베리아 천산의 칼날 같은 소리가 더 요란합니다. 어머니, 또 이 매서운 바람들이 지나가면 무덤 위에 파란 잔디가 피어날 것입니다. 젖을 보채는 아기는 늙어서도 우는 소리가 그치지 않는 부끄러운 이름이, 지금도 참고 어머니처럼 묵묵히 이 길을 가고 있습니다. 봄이 오면 새싹이 날 것이니까요.

29일 멀리서

산 넘고 물 건너 먼 먼 곳에. 살면서도 눈으로 보고 있다. 다 듣고 있다. 하늘에 구름이 떠다니며 소식을 전하나보다. 에미는 자식을 서로 끊을 수 없기에 염으로, 정으로 맞이한다. 사랑의 힘은 멀고 가까운 것이 없다.

30일 지친 밤

차가운 겨울 하늘에 총총히 박힌 초록 별들. 너는 보고 있겠지. 평생을 뒷받침하다 내 자리로 돌아갈 것을. 하지만 인간보다도 더 위대한 씨들이 찾아들었다. 말도 다른, 억울한 영들이, 삶에 지친 억울한 나에게 웃음의 껍질을 던진다. 지친 밤.

12월

2003년

02일 매화

쌀쌀한 꽃샘바람이 살을 에는 데 어둔 세상을 밝히려는 한 송이 꽃봉오리가 억척스럽게 추위를 이겨내고 꽃봉오리 맺히더니 동장군 밀어내고 꽃망울 트는구나. 그 이름, 매화. 벌 나비 오기 전에 님 그려 피었구나. 네 어찌 사람인데 반기지 아니하랴.

03일 아무도 모르리

싸락눈이 창문을 두드리는군요. 호롱불이 타고 있었으면 더 좋았을 텐데. 때가 오면 때가 오는 대로 생각이 짙어집니다. 오손도손 입가에 숯검정을 칠하며 고구마를 구워 먹던 고향이 눈앞을 스치는 밤. 부모 형제 버리고 떠나가더니 눈도 못 감고 그리던 아들, 허공에 남겨두고 운명하시던 날. 말문이 막히고 눈물도 말라버렸지. 한 순간도 못 잊어 하시더니 이 어두운 긴긴밤을 어떻게 참으시며 염주를 헤고 계셨는지. 이럴 줄 알았으면 나도 멀리 떠날 것을. 당신은 굶으시고 아랫목에 따뜻한 밥 묻어놓고 이 불효자식만 기다리셨는지요. 세월은 지난 일 잊게 한다는데 가슴에 맺힌 염이 잊히지 않는구려.

06일 눈

입동이 넘어서도 소식이 없더니, 온다는 예고도 없이 소리 없이 눈이 내린다. 하얀 눈 그 맑고 환한 깨끗한 눈. 햇볕을 가린 먹구름 속에 이처럼 흰 빛의 눈이 내리는구나. 세상은 구름처럼 어두워만 가는데 하얀 눈이 세상을 덮는구나. 검은빛 어둡다 하지만 흰 빛이 있어 어두우니 세상에 정의는 어둠 속에서 피어나는구나.

08일 겨울밤

문풍지 소리에 창문을 열어본다. 밤은 깊어가는데 부모님 모신 곳은 얼마나 추울까. 싸락싸락 시래기에 내리는 싸락눈 소리. 잠 못 이루는 밤. 유택에 눈은 쌓이리. 고향집 처마에 고드름이 자라리. 부엉부엉 새소리에 겨울밤은 깊어만 간다.

17일 물방울

전선줄에 줄줄이 은구슬이 나란히 가랑가랑 가랑 비 내리더니 둘이 하나가 되어 또롱 연못에 떨어진다. 이번에는 전선줄을 타고 내려오더니 둘, 셋이 모여서 쪽 연못물에 뛰어내린다. 쪽쪽쪽, 가랑비 가고 또롱, 이따금 소리가 아름답다.
(소리란 어떤 물질과 물질이 접촉하여 물체가 진동하면서 나는 것이다 낙숫물이 연못에 떨어지는 소리, 물방울들이 연못에 떨어지며 홈이 파이듯 연못물이 밀렸다가 다시 제 자리를 찾을 때 물의 양력으로 모여든 물이 다시 물방울과 어울려 튀어 나오지 못하고 물로 덮어 버릴 때는 '쪽'하고 단순한 소리가 난다.)

19일 내가 어렸을 때

일제가 목 졸려 마지막 기승을 부릴 때 많이도 굶었지. 쑥 한 바구니에 쌀 한 주먹 넣고 곡기를 했으니 끼니나 때우자고. 지금 같으면 굶어버릴 것을. 어머니

묽은 그나마 보이지 않고 냄새를 맡은 뱃속에선 쪼르륵, 할 수 없이 입에 넣는다. 쑥을 깨물고 물만 넘기고 쏟아지는 눈물을 흘렸다. 어머니는 벌써부터 저녁을 준비하신다. 물에 담궈 놓은 생끼를 절구에 찧는다. 내가 어렸을 때는 너무나 가난했다. 아니야, 마지막 다 가져가고 나무와 풀만 있었다.

21일 흔들이 의자

1 흔들흔들/ 흔들리는 흔들의자/ 할아버지 흔들흔들/ 앉아 계시다/ 흔들흔들 자장가로/ 잠이 드신다

2 흔들흔들 의자에/ 낮잠 주무시는/ 우리 할아버지/ 드르렁 소리 무서워/ 곁눈으로 살짝 내다봤더니/ 입은 벌리고 숨이 멈춰버렸다

3 온 식구 모여들어/ 지켜봤더니/ 푸우, 하고 내쉬는 증기차 소리/ 그제서야 모두들/ 입을 막고 웃음보따리/ 할아버지 낮잠은 드르렁이다

22일 동지 팥죽

엄마는 새벽부터 팥을 삶으신다/ 이불속에서 생각한다/ 오늘이 무슨 날이지/ 일년 중에 밤이/ 제일 길다는 동짓날이야/ 밤이 길면 도깨비들이/ 나와서 사람을 놀려대는데/ 어떻게 하지/ 그래서 팥죽을 먹어야지/ 아니, 왜 팥죽을 먹어?/ 도깨비가 붉은색 팥죽을 무서워하니까/ 알았다, 알았다/ 팥죽을 먹으면 도깨비가 못 달려드니까/ 어머니는 우리들을 사랑하신다/ 동지 죽 먹고 힘내야지

23일 눈 오는 날

사뿐/ 하얀 눈이 내렸다/ 동그란 발자국은/ 말이 지나갔나?/ 두 갈래 발자국은/ 소가 지나갔다/ 세 갈래 발자국은/ 꿩이 지나갔다/ 네 갈래 발자국은/ 고양이가 지나갔다/ 모두들 가는 곳은 따로 따로/ 새벽부터 어디를 갔을까/ 눈 오는 날/ 산속의 아침

24일 성탄 목

사철/ 푸른 나무에/ 별빛이 반짝인다/ 싸우지 말고/ 서로 서로/ 사랑하자고/

반짝이는 성탄 목/ 우리보다/ 못 사는/ 사람들에게/ 사랑을 나누자고/ 성탄 목처럼/ 항상 푸르게/ 성탄 노래 부르면/ 마음과 마음이 반짝입니다

27일 겨울밤

메밀묵 사려/ 찹쌀떡 사려/ 겨울밤은 심심치 않다/ 할아버지 이야기/ 그 옛날 소리/ 들어 보려고/ 밤새도록 귀 기울여 봐도/ 유리창 달리는 소리/ 겨울밤은 추운 밤이다

28일 기도

일요일은/ 따뜻하라고/ 일요일은/ 눈 내려 주시라고/ 기도드리다가/ 우리 아빠 쉬는 날일까/ 아빠 달력보고/ 기도드립니다/ 이번 일요일/ 우리 아빠 쉬게 해 주세요/ 꼭 부탁드려요/ 하나님

29일 내일

내일을 생각하면/ 어제 그제 엊그제/ 한없이 지난날이 생각난다/ 오늘 숙제를 못 해 가서/ 선생님께 꾸중 듣고/ 친구들 쳐다보기가 힘들었다/ 내일은 잘해야지/ 어제는 장난치다/ 못에 걸려 옷이 찢어졌다/ 엉덩이가 다 나오는데 창피했다/ 내일은 잘해야지/ 엊그제는 늦잠자다/ 아침도 못 먹고 학교에 갔다/ 점심때까지 쪼르르 배가 고팠다/ 내일은 잘해야지/ 내일은 희망의 날이다

30일 소리

저 아웅다웅, 하는 소리가/ 들리시나요/ 아이들이 떠드는 소리/ 뻥, 공을 차는 소리/ 들리시나요/ 갑자기 조용해진 교실 문을 여는 소리/ 땡땡땡 땡 3교시 알리는 스피커 소리/ 들리시나요/ 졸음이 오는 피아노 소리/ 짜증내는 소리/ 들리시나요/ 졸졸졸 시냇물 소리/ 참새가 뛰는 소리/ 들리시나요/ 한 해가 넘어 가는 소리/ 제야의 종소리

2004년

1월

01일 새해 새 아침

아름드리 붉은 해가 지난해를 살라먹고 바다를 뚫고 힘차게, 힘차게 떠오른다. 지난해의 악몽과 부실했던 마음들을 하나로 뭉치고 둥글고 크게 어울려 새날의 갑신년 공간에 오직 희망만을 싣고 솟아오른다. 저 붉은 태양, 마음 속 깊이 밝게 비쳐라. 가난은 물러가고 복된 내일을 밝힌다.

02일 민기야

너는 새 세대를 너의 자유로운 발판으로 삼아 훌륭한 지도자가 되어야지. 주어진 시간은 너의 것. 무엇을 꿈꾸며 생각하며 저 무수한 장벽을 돌파하려나. 네가 지금 경험하고 있듯이 내 생각대로 되지 않는다. 세상에는 공통된 단계가 있다. 이 싸움에서 물러서면 헤어날 길이 없단다. 힘차게 도전해 보라. 오직 굳건한 정신과 슬기를 모아 하나로 장벽을 돌파하라. 너에게는 무한한 가능성이 너를 기다리고 있다. 너는 꼭 해낼 것이다.

03일 창가에 서서

너무나 조용하네요. 들 고양이가 달리는 소리가 사뿐 귓가에 스쳐가는 그런, 그런 밤이었어요. 유난히 반짝이는 차가운 초록별이 꾸짖는 소리가 와 닿는군요. 이 밤에 잠 못 이루는, 뒤집어쓰고 추위에 떠는 사람들. 창가에 입김이 서리네요. 문틈에서 선뜻한 찬바람이 내 가슴을 얼어 부치네요. 멀리서 은한 삼경, 언 입으로 군밤이요, 말끝을 흐리네요. 겨울밤은 식어만 가는데 편하지 않은 밤이구려.

04일 산행

겨울이면서 가을빛 따뜻한 일요일. 구름 한 점 없는 코발트 색 하늘은 집에 있는 사람을 들과 산으로 불러낸다. 아내가 서둘러 앞서 가는 산행은 매화꽃의 부푼 ㄱ, ㄴ자 가지를 정겹게 쳐다볼 사이도 없이 부지런히, 부지런히 산을 오른다. 그 푸르던 나뭇잎은 간 데 없고 뼈만 남은 나목(裸木)들, 엉성하고 쓸쓸함이 겨울 산의 얼굴이런가. 사색의 산길로 갈수록 늦어만 간다.

05일 우정을 그리며

우정도 한때였어라. 하루가 멀다 하고 물바가지 차고 불암산 솔밭 사이 걸으며 그 옛날 젊은 날의 이야기, 영혼을 달래며 외롭지 않았네. 이사하고 세월을 건너뛰어 지난 세월 혼자서 지냈던가. 황혼에 물든 우리들의 우정이 그렇게 몰랐던가. 우리 처음부터 다시 시작해 보세나. 언제나 새롭게 老心을 달래보세나.

06일 아내

해가 짧은 겨울을 등지고 그리움에 젖는다. 수락산 오솔길 거닐며 앞서가는 아내의 뒷모습을 보며 젊은 날의 아름다운 모습을 아침햇살에 비쳐 본다. 굳고 빛나는 검은 눈동자, 입에 묻고 미소로 응답하던 소녀. 우리는 하나 되어 황혼을 바라보니 더욱 사랑스런 당신. 지금도 다름없어라. 아름다운 당신. 사랑의 눈빛이 다름없어라.

07일 친구여

평양 가는 파발마가 달리던 길. 뒤돌아보면 말굽소리 요란한 옛날이 그리워라. 녹번은 서울에 자리 잡은 제2의 고향. 지금은 차들이 달리는 도심이 되었구려. 그 옛날 황톳길 운치가 있는 숲속을 걷는다. 옛은 크게 보이고 지금은 작아 보이네. 아직도 살아있는 말과 마음. 그대. 친구여, 건강하게 살아 보세나.

08일 친구

친구는 나의 재산이 아니런가. 친구란 하루 이틀에 이루어지지 않는 것. 어느덧 그 인성의 뿌리까지 알고 부모 형제까지도 공경하고 내 부모 형제처럼 서로 섬기며 어려운 일, 괴로운 일 함께 나누는 사이. 나의 모든 것을 줘도 아깝지 아니하고 서로가 몸 바쳐 아끼며 삶을 같이 하는 친구. 마음과 마음으로 서로 사랑하는 사이. 믿음과 믿음으로 아낌없는 의로운 사이. 의리가 살아있는 희생할 줄 아는 사이여라. 때로는 죽음보다도 더한 허물을 덮어주고 애를 꺾는 고난도 흔쾌히 함께 나누는 사이. 생사를 같이 하고 우정을 으뜸으로 아는 사이. 서로 돕고 서로 협력하는 아름다움이 깃든 사이. 다른 곳에서는 찾아 볼 수 없는 덕망 가득한 친구. 세상이 그렇듯이 욕망이라는 인간의 욕구를 어찌 잊으리. 친구를 이용하여 사복을 채우는 어리석음과 은혜와 의리를 잊어버리는 야성적 인품은 친구를 물어 헤치는 탈을 쓴 인간 말종. 그런, 그런 친구가 친구였을까, 이리였을까.

09일 아버지

나의 기억에는 친구와 같은 아버지. 추운 겨울날 언 손을 입김으로 녹여 주시던 당신의 사랑이 가슴 뭉클하군요. 철이 안든 어린 나에게 대동아 전쟁이 일어났다, 우리나라가 다시 태어날 거야, 하시던 안경 쓴 아버지 모습이 얼마나 씩씩한 마음 건네주셨지요. 생각납니다. 항상 정좌하시고 무릎을 치며 장단을 맞추고 정중하게 읊으시던 시조가락. 바쁜 걸음으로 앞만 보고 걸으시던 부지런하고 정의로운 아버지. 오남매 기르시어 세 아들, 뜻대로 보내고 그렇게도 보고 싶어 하시던 아버지. 얼마나 남몰래 눈물을 흘리셨습니까. 시조를 읊다말고 안경을 벗고 눈물을 닦으시던 외로운 아버지. 창 넘어서 지켜보다 나도 울었어요. 그 가슴의 상처를 어찌하시고 철든 자식 이제야 그 뜻을 깨닫습니다.

10일 비쳐주세요

어둡고 답답한 가슴을 환하게 비쳐주세요. 황금을 배에 채운 자들은 눈이 부셔서 밀어낼 거예요. 비쳐주세요. 어둡고 절망한 사람들은 그 빛을 보고 일어날 거예요. 비쳐주세요. 지금 쓰러져가는 영혼들이 허리를 펴고 일어설 거예요.

11일 아침마다

무슨 꿈을 꾸길래, 소리도 없이 빠져나가 멀리 달려가오. 간밤에 꿈에 무엇이 보였길래, 새의 다리 같은 당신이 끝이 어디 길래 달려가오. 어서 돌아오오. 청신한 맑은 공기 듬뿍 마시고 당신의 발로 뛰어 땀으로 만든 꿈을 함께 하겠소. 나는 당신을 그리며 아랫목에 따뜻하게 묻어둔 햅쌀 현미밥을 아이들의 웃음과 함께 내놓겠소.

12일 잊히지 않는 자장가

자장가를 듣고 있으면 아스라이 어머님의 사랑의 향기가 깊숙한 참회를 끌어올립니다. 어머니의 등에 귀를 내고 자장가를 들으며 새근새근 잠을 청할 때면 소리는 어디 가고 등에서 울려오는 따뜻한 어머니의 울림이 그렇게 포근하고 안도감이 있어 꿈속에서 엄마의 환상을 그리던 산 경험은 다른 어떤 사람보다도 뿌리 깊은 사랑의 초석이 되었습니다. 예나 지금이나 특별한 일이 아니고서는 엄마와 떨어질 수 없는 아이들은 엄마의 노래 속에 민속의 정기를 익히고 노랫말 속에 도덕성을 익히고 꿈을 먹고 사는 아이들의 삶의 기초가 닦여지는 순간들입니다. 서지도 앉지도 못하는 갓난이 때부터 우리는 수없이 많은 자장가를 들어왔습니다. 누워있을 때는 포대기에 싸인 채 어머니의 앞가슴에 안겨 이마를 맞대고 엄마의 뽀뽀를 감미롭게 받으며 때로는 답답한 포대기를 풀어 다리를 주물러 주시며 “쭈까, 쭈까” 하시며 관절을 힘있게 주물러 주실 때는 온몸이 쑥쑥 자라나는 생동감을 느꼈습니다. 때로는 손바닥 위에 세워주시며 “꼬노,

꼬노" 하시며 높은 공간에 올려주실 때면 담력과 공간 지각을 익히며 마치 세상을 내려다보는 기마(騎馬)의 기개를 느끼게 해주셨습니다. "잠잠잠, 찌개찌개찌개" 손가락을 폈다 굽혔다 하고 손가락에 미세한 감각의 성장을 돕는 운동을 시켜주실 때도 "달강, 달강" 손을 잡고 앞뒤로 몸을 움직여 주실 때도 전통적인 노래를 잊지 않으셨습니다. "도리, 도리" 하시며 유연한 목 운동을, "곤지, 곤지"하며 공간 지각으로 물건을 잡는 지각 발달에 큰 도움이 되었습니다. 이러한 영아기 몸의 활성을 위하여 시켜주신 활동은 놀랄만한 과학적 근거를 갖고 있다고 합니다. 특히 이럴 때마다 들려주셨던 5음계의 노래는 음악 쪽으로는 영아 음악놀이로 분류되어 있으나 유아기 어린이의 정서적 안정을 도와 아기에게 안정감을 주어 편안하게 쉬게 하는 자장가의 전주곡이라 할 수 있습니다. 엄마와 아기의 인간적 소통과 선대로부터 내려온 전통적 정서가 스며있는 자장가는 유아가 성장하는 가운데 자연스럽게 한민족의 습성을 익히며 한 핏줄의 영원한 정신적 기초로 바꿔주신 위대한 선물이었습니다.

눈

눈이 내린다. 굵은 소나기 빗줄기를 고속촬영해 놓은 듯이 겨울 공간을 하염없이 자꾸 내린다. 눈빛처럼 밝고 깨끗한 것이 어디 있으랴. 참새 발자국, 강아지 발자국, 서슴없이 찍히는 하얀 눈. 저 눈처럼 하얀 마음들이 모여 살고, 살아간다면 깨끗한 하얀 세상이 될 터인데, 대도(大盜)의 발자국들이 찍혀 있다니….
가슴 아픈 이야기다. 빈손으로 왔다가 빈손으로 간다는데 욕망이라는 무지가 새 봄에는 녹아내리겠지. 하얀 눈밭에 아름다운 발자국, 눈에 그린 잔상을 앓고 겨울잠을 잔다.

13일 어머니

내 마음이 불편할 때는 자장가를 입버릇처럼 노래해 봅니다. 나는 이 노래를 통하여 어머니를 찾아뵙니다. 어머니의 등에 업혀 자장가를 들을 때면 나의 불만과 욕구를 다 접어버리고 따뜻한 어머니에 체온이 감도는 등에 머리를 묻고 잠이 들었으니까요. 어머니, 지금도 자장가를 들을 때면 아스라이 어머니의 사랑의 향취를 느끼며 깊숙한 감회를 끌어올립니다. 꿈같은 어머니의 환상을 그리는 살아있는 체험은 다른 어떤 경험보다 더 뿌리 깊은 삶의 초석이 되었습니다. 자장가. 지금에 와서 생각하면 이 짧은 노래 속에는 헤아릴 수 없는 사랑을 값지게 느끼게 합니다. 그리고 먼 나라에 갔을 때 우리 자장가는 민족정기를 가슴 뜨겁게 새삼 느끼게 합니다.

14일 어머니

"할매 집에 가자, 할매 집에 가자. 질라라비 훨 훨 질라라비 훨훨" 하며 등에 업힌 나를 좌우로 뒤흔들던 것이 생각나시나요. "곤지곤지 곤지야" "잼잼잼" "도리도리" "짝짜꿍, 짝짝꿍" "이 다리 저 다리 각다리" "둥개, 둥개, 둥개야" "달강, 달강" 이런 노래들은 지금도 정신적 정서적 안도감을 감지하게 합니다. 어머니의 사랑을 바탕으로 하는 본향이 우리의 향취로 남아 있어 외로울 때나 안정이 안 되는 때는 자장가 속에 어머니를 찾아뵙니다. 이럴 때마다 더욱 선조들의 예지를 실감하고 있습니다. 꿈을 먹고 사는 아이들의 삶에 기반을 다져준 어머니의 자장가는 삶의 초석이 되었습니다. 아기들의 정서적 안정을 도와주었던 자장가. 지금 생각하면 전쟁 중에도 자장가를 들으며 웃음을 잊지 않았던 아이들의 모습이 참으로 어머니의 사랑이 무한하고 사랑스럽고 따뜻함을 더욱 깊이 느끼게 해줍니다. 어머니!

15일 꿈

가을만 해도 당신은 숲의 정령들이 떠올린 작은 얀처럼 바람을 타고 미련 없이 나뭇가지를 떠나 숲 사이를 떠돌아다니더니 연일 발에 밟혀 산산조각이 나 전쟁터 참호처럼 가을비에 실려 내렸네. 짙어가는 노을 길에 몸은 무겁고 마음은 낙엽처럼 외로운 것. 지금 당신의 화려했던 꿈을 꿀 수 있다면 지난날의 그리움을 꿈속에 안고 조용히 떠나가리.

16일 돌아오지 않는 넋

고향 길은 열려있건만 돌아오지 못한 영혼이 북녘 땅에 씨 뿌리고 이제는 마음도, 몸도 그곳에 묻혀버렸나요. 마파람에도, 뒤바람에도 소리 한 점 없구려. 우리 길러 주신 어머니, 아버지 말 못하고 눈뜬 채 가시고 이것이 한 많은 이산가족. 우리는 이제 황천길에 신의 땅에서나 만나봅시다.

17일 너와나

그대 있음에 힘들이다. 너와 나 있음에 힘이 솟는다. 너 있음에 힘내고 나 있음에 힘 닿는다. 우리 있음에 힘들이다. 사람이 있음에 힘세다. 참이 있음에 힘쓴다.

21일 섣달그믐

나이 한 살 더 먹기가 이처럼 부끄러우랴. 신구(新舊)를 비껴가려 했지만 구정을 앞둔 그믐날, 앞이 꽉 막혔으니, 한 살 더 안 먹고 어찌하랴. 할일은 많았어도 새 역사를 꾸미지 못했으니 헛된 날들, 세월에 실어 보내 부끄럽구나. 지난 일은 잊으려 해도 이 마저 뜻 없이 보내면 그나마 남은 여생, 무슨 깨우침이 있으랴. 옛날을 알아야 내일을 안다고 그믐날은 무심코 어찌 새날을 맞을 고.

27일 형

형이 보고파 눈동자가 눈물에 잠기고 어느덧 희미해진 형의 모습이 환상처럼 떠오른다. 깜박 흐르는 눈물에 슬픔은 사라지고 그 의연하고 후련한 젊은 날의 기상이 드높이 떠오른다. 눈은 지난날을 보는 작은 창문. 애틋한 아우가 환희의 귀환을 꿈꾸며 무등의 높은 자락에 형의 모습을 그려본다.
(애석하게도 권 형은 한국전쟁의 희생자가 된 듯싶다. 이렇게도 애처롭게 불러보아도 굳게 닫힌 휴전선은 소식을 감추고 우매한 아우의 애끓는 소리만 바람에 날릴 뿐이다.)

30일 먹물의 정

한 방울의 먹물이 지구의 중심을 향해 흰 백지 위에 떨어진다. 허공에 방황하던 물의 화신이 힘껏 떨어지면 그 힘과 기는 수맥을 따라 번지고 자운에 싸인 신비의 세계로 펼쳐진다. 둘도 없는 하나로 형상화되고 자연을 그린다.

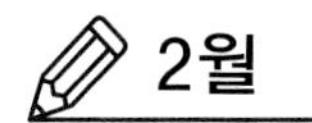

2월

2004년

01일 눈 속의 꽃

매화나무에 눈보라치면 날은 추워도 춘정을 느낀다. 나뭇가지가 앙상하여 늙은 용의 발가락 마디마디. 입춘을 앞두고 새 생명이 되살아나 회춘한 젊은 기운이 감돈다. 꽃봉오리가 솟아오르면 삶의 의욕과 희망을 되찾아주는 그 산뜻하고 의젓한 겨울 속의 꽃은 절제와 사랑의 으뜸이어라.
(매화가 봄을 알리는 화신으로, 찬 겨울 꽃이지만 따스한 정을 느낀다. 그것은 뜨거운 절개가 온유하고 만물이 추위에 떨고 있을 때 봄소식을 먼저 알리며 삶의 의욕과 희망을 되찾아주는 사랑스런 꽃이다.)

02일 겨울

봄은 부활의 계절이다. 겨울은 저 세상처럼 어둡고 조용하다. 신도 겨울이

미웠는지 모른다. 허나 겨울은 봄의 생명을 불어넣는 봄의 재생을 잉태시킨다. 하얗게 덮인 그 암흑 속에서 겨울은 휴식과 침묵의 계절이다. 모든 것의 새로운 활동을 위해서 오직 충분한 에너지를 저장할 뿐이다. 겨울은 준비하는 계절이다. 준비는 모든 것의 시발이다. 겨울은 하얀 백지장과도 같다.

03일 하얀 눈

간밤에 눈이 내리더니 세상이 하얗게 변했구나. 저 눈이 녹기 전에 벌떡 눈밭에 누워 몸 도장도 찍고 눈을 뭉쳐 눈사람도 만들어 보고 싶구나. 우리들 모두 저 하얀 눈처럼 하얗게 살자꾸나.

04일 봄의 그림

수락산 오르다 말고 움돋는 나무에 눈이 홀려서 한참 동안 발을 멈춘다. 한겨울 찬바람 이겨내고 봄을 그리는 나무들이 봄이 그리워 새 움을 돋는다. 머리를 풀어헤친 버드나무는 머리카락 같은 나뭇가지에 연두색, 색을 칠한다. 진달래 가지마다 꽃망울 밀어내고 연분홍 물감을 뿌려놓는다. 뿌리도 가지도 없는 우리들 마음은 무슨 색일까. 파란 마음, 노란색으로 그려주어요.

05일 고향 그리워

봄꽃이 따뜻하니 아지랑이 높이 아롱이네. 따뜻한 양지 쪽에 서서 고향 그리워라. 논두렁 까뭇까뭇 쥐불에 찬 자욱. 어릴 때 놀던 때가 그리워라. 내 고향, 코흘리개 친구는 면장, 넙죽이 끝례 할머니, 옛 이야기 들으며 잠자던 때가 엊그제 같은 데 고향에 심은 나무, 한아름 재목 되고 어버이 묻혀 계신 내 고향 언제나 가보려나.

06일 살다보면

살다보면 어머니 그리워 집안 곳곳에 어머니 향기. 걷다 보면 어머니 생각, 길 조심 하라 어머니 말씀. 산에 오르다 보면 어머니 모습, 위험한 것을 멀리하라,

어머니 근심. 물에 가보면 어머니 얼굴, 급히 뛰어들지 마라, 어머니 생각. 살다 보면 가는 곳마다 금은보석보다 소중한 어머니 말씀.

07일 감사합니다

사람의 마음은 몇 개나 될까. 그건 왜? 만약에 두 개라면 하나는 놀자 하고 하나는 싫다 하고 서로 싸움질밖에 할 수 없겠지. 그러면 두 마음이 서로 불편하게 되겠지. 물론이지, 맨날 불평에 싸여 싸움만 할 테지. 그건 불편하겠지. 그러니까 사람 마음이란 하나뿐이야. 뭐라고? 세상에는 좋은 아빠 좋은 엄마뿐이란다. 엄마 아빠는 싫어도 참고 미워도 참지. 어머나, 왜 그러지? 온 식구가 즐겁게 살자는 마음은 하나니까. 정말, 어머니 아버지, 감사 합니다.

11일 형님

손목잡고 떠날 때 아련한 어머님 그리움 안고 실오라기 같은 주름에 묻혀 우리 추석날 만나도 모르겠소. 그동안 못 본 것이 무엇이 죄가 되리오. 분발재기하고 올 여름 꼭 돌아오시오. 우리 함께 탁주라도 한 잔 나누며 한 장단 춤춰 봅시다. 누가 뭐라 해도 형제가 제일이요. 이때는 식구끼리 고향에라도 함께 가봅시다.

12일 자화상

추운 겨울도, 찬바람도 한때였어라. 삶에 묻혀 손가락이 썩어가도 옛날이 그리울 뿐, 황혼에 물든 낙엽처럼 우수수 지나가는 바람에 지고 마는 것을. 지금이라도 다시 시작하리. 사랑해야지. 때로는 험상궂은 노숙자처럼, 인생에 밟히어 삶에 지쳐 미소도 잊어버린 불쌍한 말뚝일 뿐.

13일 욕망이라는 것

한여름 그늘을 베풀고 비바람 모진 날에도 늘 푸름을 자랑하더니 욕망이라는 큰 가지를 뻗고 뿌리보다 더 푸르려 하니 잎은 시들고 가지를 떠난다. 자연은 욕심을 바라지 않는구나. 하늘을 거역한 자는 거역한 대로 욕망을 돋지 않는다.

용서하지 않는 자연. 자연처럼 거짓 없이 베풀고 살면 영원한 삶을 얻을 터인데. 욕망이란 公도 삶도 다 잃는구나.

14일 하루가 끝나는 시간

아직도 살아있는 듯이 붉은 태양이 창가에 머문다. 아이들이 놀다간 빈 공간에 아직도 그네 줄이 흔들리고 있다. 저 그네 줄이 멈출 때면 긴긴 밤이 찾아들겠지. 소리 없이 하루가 끝나는 순간, 오늘밤 꿈이 무섭다. 시간에 무너지는 꿈을 안고, 창 너머 하루를 지고 가는 벗이 어둠을 부르며 조용히 사라져간다. 하염없이 내 눈시울을 적신다.

15일 사랑

사랑은 아득한 태고의 노래. 하나가 되는 정열의 열정. 그 순간을 영원히 간직하리. 꽃도 사랑도 그 한순간의 행복. 시간의 흐름과 같이 허공의 불빛 속에 사라져 아름다움에 그칠 뿐. 헛되고 헛되니 부질없는 것. 권세도 명예도 다 버리고 아름다움을 간직할 뿐. 사랑은 죽음과 같이 영원한 것.

16일 해동(解凍)

산머리 흰 눈 밑으로 바위를 적시며 녹아내리는 봄의 기운을 바라본다. 꽃샘추위라고 모질게도 동장군이 뺨을 후리더니 아침햇살에 저렇게 쉽게 잔설을 녹이다니. 봄의 기운은 어느새 마음도 녹여주는구나. 굳어 있는 모든 것을 녹여 내려다오.

17일 이방인 아닌 이방인

고향을 등지고 꿈을 찾아 동토의 대륙으로 괴나리 봇짐 하나 지고 발걸음을 옮겼다. 세상은 순탄하지 않았다. 전쟁이라는 소용돌이 속에 발걸음은 바빠졌다. 형도 형수도 조카들도 아우성을 멀리하고 국경을 넘었다. 고향과는 반대편의 아주 먼 시베리아 철의 장막. 영원히 돌아올 수 없는 이방인이 되었다. 쓸쓸한 바람이 눈앞에 날리고 무서운 한기는 뼈까지 스몄다. 얼마나 힘든 여로였던가. 넓은 세상의 고독을 씹으며 삶의 현장에 들어섰다. 뜻대로 풍악을 손잡고 눈이 트이고 귀가 트였다. 북쪽보다는 훨씬 좋은 소식에 인간답게 살고 싶었다. 망명의 길을 택했다. 먹구름이 뒤덮고 번개가 몰아치는 이방에서 손을 들고 선서했다. 조국을 함성 속에 빛내 보이겠다고 살길을 찾아 알마티에 머물렀다. 이방인과 짝이 되어 아이도 둘 생겼다. 생전의 어머니 말씀이 너는 이방인과 짝이 되어도 된다 했다고 자랑하더니 그들에게 쫓겨났다. 고향도 버리고 살던 땅도 버렸으니 갈 곳 없는 형님, 어찌 어찌합니까. 이방인 아닌 이방인. 몸이라도 건강하셨으면.

18일 기다리는 마음

형이 구름을 타고 마음만이라도 걷어잡아 돌아오기를 기다리겠소. 그 많은 책은 머리에 담고 백두의 천산까지 머리에 이고 어서 오시오. 기왕 땅속에 함께 묻히지 못할 것, 털어버리고 마음만 가져 오시오. 정이란 떨어져 있어 봐야 그리운 것 아니겠소. 그래도 태자리가 탈 없는 고향이라오.

19일 시작

땅 밖으로 갓 나온 청개구리. 눈부신 햇살에도 뛰어오른다. 첫걸음이라 지금 숨은 헐떡이지만 삶의 길은 이제 막 시작이다. 세상이 시끄럽다고 멈춘들 무엇하리. 앞서가는 개구리가 나무에 오르리라. 쉬지 말고 뛰어라. 눈앞에 정상이 있으니.

(민기가 대학에 입학했다. 이제 시작이다. 첫 발은 인생을 기록한다. 힘내라!)

20일 태어남

따뜻한 어머니의 포옹. 어머니는 창조의 주. 생명의 고동. 태초에 대기 속에 수증기가 모여 나뭇잎에 엉기어 한 방울 떨어지는 소리. 또롱~ 뚝…. 생명이 시작되는 천지개벽의 소리. 두굴두굴두굴 절절절 두 조각이 내는 하늘의 놀라운 소리. 소곤소곤 양지쪽에 웅크리고 속삭이는 소리, 소리, 소리. 적막을 깨뜨리고 메아리치는 생명의 소리. 만물이 소생하는 소리. 시작의 혼과 기가 부딪히는 음과 양의 대지를 흔드는 소리. 신생의 아픔으로, 창조의 섭리로.

22일 봄소식

간밤에 사뿐 비가 내리더니 연초록 기운이 감돈다. 하늘은 아직 운무에 싸여 지열이 상승하는데 샛노란 개나리가 견디다 못해 꽃망울을 터트리는구나. 기지개를 펴고서야 아! 봄이런가. 둔하게도 봄소식을 접한다. 봄은 말없이 오는데 핫바지를 입고 어찌 봄을 맞이하려는가.

23일 새봄

목하는 외손녀가 기르는 사냥개이다. 산이 좋아서 언덕에 오르자 킁킁거리며 바람을 읽는다. 소근 소근 바람이 싣고 온 봄의 이야기. 산은 멀고 가물거리는 아지랑이. 또 보고 읊는다. 긴 소리로 서당 개가 짖듯이 봄을 노래한다. 새 봄의 노래. 혼자보다는 너와 함께 봄을 맞는구나.

25일 새봄마중

높은 산봉우리 눈 꼭지 가시고 겨울 물소리에 얼음 녹아내리고 버들강아지 눈 떴다. 얼었던 마음, 훈훈한 바람. 매화꽃 지고 개나리 피면 잎 먼저 피는 진달래 꽃. 봄 그린 나비 번데기 벗고 억새밭고랑 꿩 울음소리.

27일 무제

잔설이 남아 아직도 냉기가 남아 으쓱 어깨를 올리고 아침 해를 맞는데 설익은 딸기가 봄을 기다리다 못해 앞서 나왔구나. 때 잃은 딸기 볼이 빨갛구나. 딸기라면 늦은 봄 산비탈 딸기밭에 앉아서 봄을 듬뿍 만끽하는 제철에 먹어야 맛인데. 하뿔사, 한겨울에 딸기라니. 계절도 맛도 다 잊어가는 구나. 차라리 박물관에 놔두지. 봄철 아닌 딸기 맛이 맛이런가.

3월

2004년

05일 인간, 그 동물일 뿐

밤이 길어 밝은 아침을 생각하며 밤새 이마를 짚고 사유해본다. 좁고 험난한 길목에 서서 DNA가 같은 허상을 만났다. 노국 사람이 되어버린 오직 나밖에 모르는 유아독존. 선진 현대문명 속에 살면서도 게으르고 이기적이며…. 인간이란 먹고 사는 동물일 뿐, 이웃도 모르고 체면도 없고 먹이를 찾아 가족도 자식도 삶의 도구. 선조를 떠받으며 귀속(歸俗)을 찾고 앉아서 말로 사는 허상. 밤은 길기만 하다. 변하지 않은 맑은 해를 보고 싶은데 어두움은 열리지 않는 밤. 바늘구멍만 있어도 밝은 세상이 보일 터인데.

07일 기다림

기다려도, 기다려도 하염없는 것. 밤은 깊어도 기별이 없네. 기다리고 기다리다 문 앞에 쪼그리고 잠드신 어머니, 생각이 나네.

08일 나무

뿌리 깊은 나무는 기쁘나 슬프나 한 자리에서 평생을 보낸다. 땅에 스며든 물을 마시며 푸르게, 푸르게 자란다. 태어난 자리에 맑은 공기 나누어주고 그늘을 주어 함께 살아간다. 새, 벌레, 동물과 사람들에게 아름다운 집도 주고 먹이도 나눠준다. 나무는, 나무는 더불어 살아가는 평화주의자, 생명의 나무.

10일 새봄 그 아름다움

겨울이 돌아가는 뒷모습이 애처롭다 했더니 모진 주위를 남기고 떠난다. 봄은 보다 강한 눈 속에서 꽃망울을 터트리며 화사한 꿈을 그린다. 옷깃을 움켜잡고 쌀쌀한 바람에 날리는 검은 머리를 움켜잡고 봄과 여인이 어울려 빨간 장미는 먼 산 겨울을 벗긴다.

18일 형님

형님 얼굴에 꽃이 피더니 후천이 좋다는 사주만 믿더니만 해외동포상 타시고 교수 초빙 받아 한도 없이 천복을 받아 기쁘시겠소. 엊그제만 해도 준채 형님의 죽음이 숙청이었다고 하더니 공산당이 좋아서 죽었다고요? 아, 정말 슬픈 일입니다. 큰 형 때문에 눈뜨고 큰 형 그늘에서 공부하고 큰 형 힘으로 세상 구경하고 큰 형이 아버지처럼 돌봐주시고 진로를 주어 지금에 이르고도, 큰 형을 매도하다니 죽은 혼백이 울겠소. 러시아 놈들의 사이비 국민성이 형을 이토록 만들었으니 참으로 비참한 얘기이군요.

20일 무도(無道)

길은 숲에도 길이 있다. 작은 짐승이 다니는 길. 나무 위에도 길은 있다. 다람쥐가 달리는 길. 하늘에도 길은 있다. 철새가 다니는 길. 길은 길이라도 인간이 갈 수 없는 길. 인간의 길은 지켜 가는 길이다. 인간은 도리를 지켜야 한다. 인간은 인간답게 살아야 한다.

22일 서른두 평

서른두 평 공간에 서서 밝은 낮인데도 어둠이 깔린다. 부엌 식탁 마루, 아내가 일하는 환상이 그려진다. 딱딱 무를 썰던 소리. 매콤한 마늘냄새가 바람에 날리는 커튼 속으로 숨는다. 차고도 강한 우박이 때리듯 섬뜩한 혼미 속에 땡그랑 땡그랑. 시간의 장난일까. 초인종 소리에 문이 열린다. “나요.” 검은 비닐봉지를 들고 아내가 뜻밖에 미소를 지으며 밖에 나가면 저녁 걱정에 이것저것 사가지고 들어선다. 반가웠다. 기다렸던가. 입은 막혔어도 눈빛이 살아났다. 오늘 나의 역할은 가물가물 커튼 뒤로 사라져간다.

23일 컴퓨터

방에는 컴퓨터가 기억력을 자랑하면서 상좌를 차지하고 있다. 주변 책들의 유구무언이 웃음소리 함께 들린다. 멍청한 녀석, 하나하고 둘밖에 모르는 녀석. 컴퓨터란 요물은 인간의 비밀을 주워 먹는다. 구혼, 애환, 자살. 하나도 둘도 모르는 녀석이다. 구혼을 하면 어떡하려고. 사람의 마음을 어떡하려고. 죽고 싶으면 혼자 가지, 왜? 인간이 더 한심스럽다. 편리한 이기라고 만들어놓고 스스로 말려든다. 이렇게 단순한 기기에 한 치 앞을 못 보는 컴퓨터. 너도 인간과 같아지면 인간을 욕하리니.

24일 낡은 책 하나

방 한구석에 초라한 책 한 권. 손때 묻은 책장에 세월이 엿보인다. 말은 없어도 은은한 속엣말. 앞이 보이는가. 뒤가 보이는가. 마치 내가 나를 보는 듯이 절로 나온다. 고맙구려, 오래 오래 간직하겠네.

25일 아침에 날아온 전화

형님과 통화하는 전선줄을 휘감아 천산산맥을 넘어오는 얼음장 같은 북풍이 창문을 굳게 막아버린 방안에서 뭣을 하시는지, 궁금하구려. 러시아 딸들, 손녀는 할아버지 나랏말 한다고 "아녀하시오" 하는 말이 반갑기만 하구려. 오늘 전화국에서 "카자흐스탄에서 정근 씨에게 온 전화인데 받으시겠습니까. 받으시면 전화요금을 내셔야 합니다." 시베리아 바람만큼이나 차갑고 썰렁한 말이다. 지금 막 문고리가 얼어붙는 유난히 찬 겨울 눈구름을 몰아내고 겨우 봄볕이 반가운데 전선줄에 시베리아 바람을 먼저 보내다니요.

26일 헛바퀴 도는 삶

검은 철마가 새하얀 증기를 내뿜으며 기적을 울린다. "뿌액" 젊은 날의 꿈을 잊지 않고 있는 힘을 다해 토해 보지만 제자리에서 헛바퀴만 돌린다. 아직도 젊은 꿈만 앙상한 파발마. 북으로 가는 길목에서 철마는 달리고 싶다, 외쳐보지만 길은 이미 끊기고 용을 써봤자 제자리다. 칠순 고비를 수증기처럼 허공에 꿈을 피우면서 발버둥치지만 뒤로 물러설 뿐이다. 이것이 인생이다.

4월

2004년

01일 한 사람 가도

한 사람 가고 또 한 사람, 세월보다 먼저 가네. 시계는 자꾸 매달리는데 종소리는 들리지 않고 한 사람 오고 또 한 사람. 시계는 자꾸만 가는데 가는 세월의 꽃이 피고 꽃이 머물고 멈춰 설 줄 모르네. 똑딱똑딱 밀려오는 소리가 가슴을 조이네.

06일 싸락눈이 내리던 겨울밤

싸락싸락 고요를 깨고 잠결에 소리가 찾아든다. 들렸다 안 들렸다. 사락사락. 따끈한 아랫목에 푹 파묻힌 채 손만 내밀어 문을 연다. 확 퍼져나가는 불빛. 시래기 같은 눈발이 소리를 부른다. 싸락싸락, 사락사락 사랑채 처마 밑에 걸린 시래기에 싸락눈 들치는 소리. 외양간 황소, 되새김 소, 닭장을 찾아온 족제비에 놀란 장닭 소리. 겨울밤의 교향악이 울려퍼졌다. 콜록, 기침소리에 "감기 들라, 문 닫아라." 어머니의 사랑의 말씀. 그 시골은 그대로 있겠지.

07일 죄

얼마나 죄를 많이 지었으면 편히 죽기를 원한다. 죽어보지도 않았으면서 죽음의 아픔을 사유한다. 혼자 죽기 무서우면 모닥불에 이것저것 함께 죽을 것이지. 아이고, 다리야, 아이고, 허리야, 아이고, 머리야. 죽기도 전에 아픔만 외치는 것은 무엇일까. 불쌍히 여기라는 건가. 예수는 십자가를 메고 그 처참한

매를 맞으며 돈 몇 푼에 자신을 매도한 제자를 사랑으로 용서를 빌었다. 뜻이 있는 삶의 가치가 같은 사람이면서 가장 평범하면서 보다 넓고 깊게 감동을 주면서…. 침묵으로 죄를 닦아야지.

09일 동심

동심이 따로 있는 것은 아니다. 동심은 동심 속에 있다. 속세에 물들지 않은, 태어난 그대로 보고 듣고 느끼는, 순박하고 순결한 마음. 거짓을 모르는 마음. 꾸밈없이 순박하고 때 묻지 않은 순진무구하고 깨끗한 마음. 동심은 어떻게 생겼을까. 동심은 깊이 묻혀 있다. 어른을 깨우쳐주는 동심. 어른의 양심보다 맑고 잔잔한 호수.

16일 기분

인간의 기분이라는 것. 이것은 법에 속하는 것일까. 기분이라는 것이 변덕을 부린다. 좋을 때는 제멋대로다. 안 좋을 때는 곰이 동면하듯 꼼짝을 안 한다. 기분이 뭐 길래, 인간이 그렇게 복종하는 걸까. 기분이 나쁘다. 움직이기도 싫다. 세상이 밝아야 기분이 좋지. 투표나 하러 가야지. 주권은 국민에게 있으니. 한 표 소중하게 기분 좋게 찍어야지.

17일 정적

바람도 자고 나무도 잔다. 조금도 움직이지 않는다. 저 멀리 도봉산 인수봉도 조용하다. 내 시야에는 움직임이 없다. 멈춰버렸다. 관속에 누워 있는 듯 정막한 귀. 숨소리도 안 들린다.

21일 삼천포

가도 가도 끝없는 삼천세계가 있다더니 삼천포 가는 길이 멀기도 하다. 절기가 붓을 들어 연초록 물감으로 칠하지 아니 하였다면 어찌하였으랴. 그 긴긴 여행길. 삼천포 다다르니 회 한 점, 안주삼아 탁주 한 잔 마시니 피로는 어디 가고 출렁이는 바다가 아름답구나. 삼천포. 내 생전에 언제 다시 보겠는고.

22일 남해 기행

세상이 좋기도 하지. 배로 가던 남해, 다리로 건너가고 물살이 세어 바로 못 간다는 섬마을. 이제는 걸어서 바다를 넘네. 반달 같은 얼기 넷에 빗살처럼 걸린 다리. 나는 빗살다리라 부르고 싶다, 빗살다리 건너서 굽이굽이 돌아서면 출렁이는 파도도 잠재우네. 멀리 일본 땅 바라보며 왜적을 물리치던 그 아우성 소리 들리는구나. 아름다운 섬나라, 얼키설키 엮여져 이제는 육지가 되었네.

23일 아버지의 사랑

고향의 산과 같은 산모퉁이를 돌아올 때 손을 잡아 이끌어 주신 아버지의 사랑이 이제 와 가슴 저리네. 우리 집 대문이 세상에서 제일 큰 대문이라고 생각하던 그 시절. 아버지의 청명한 시조 소리가 귓전을 스쳐갑니다. "나무도 바윗돌도 없는~" 하고 읊으시던 시조 소리. 녹음기가 없었던 때라 그 생생하고 청아한 소리가 기억에 남을 뿐입니다. 추운 겨울에도 멀리 떨어져 있는 해우소에 불을 밝히고 밖에서 기다리시던 아버지. 사랑이 무엇인지 몸소 보여 주셨습니다. 사남매 잘 기르시어 삼형제는 이 나라 미래에 바치시고 얼마나 외롭고 쓸쓸하여 시조를 부르셨습니까. 지금 같았으면 위로의 말씀이라도 드렸을 것을. 생각하면 메마른 눈물이 가슴을 뜨겁게 합니다. 지금 돌아온 산모퉁이가 고향 산천과 같아 길 걷는 아버지의 존영이 아른거립니다. 세계대전이 일어났다고 하시며 "나는 살 수 있다고 항상 생각하라"고 용기를 내어 집안을 지키라고 하시며 형들을 걱정하시더니 시조 소리 속에 눈물을 감춰 부르시며 쓸쓸함을 달래시더니 한을 안고 돌아가셨습니다. 아버지 뜻대로 지금 저는 살아 있습니다. 자주 이렇게 아버지 생각하며 외로움을 달래봅니다. 아버지의 사랑이 아버지의 그리움으로 남아 있습니다.

24일 자운영 꽃밭

남해 한 고비 굽이돌 때 그 부드럽고 연한 자운영 꽃밭에 달빛이 강물에 살랑이듯 이곳이 내 고향인 듯 마음속에 자운영 꽃의 향기를 피우네. 어릴 때 자운영 꽃밭에 뒹굴며 사랑 노래 부르던 속삭임을 자운영 꽃은 들었겠지. 네 그 부드러운 꽃처럼 아름다워지고 싶던 그 시절의 아름다움이 담긴 자운영 꽃밭. (1950년대 남해를 순회할 때 보고 무려 50년 만에 마주본 내 고향 꽃 같은 자운영 꽃밭. 수십 년 만에 고향을 찾아온 소년같이 꽃의 빛깔이, 그 부드러움이 나를 소년 시대로 돌려 보내주네. 자운영 꽃처럼 아름다운 소년 때가 생각나는 꽃밭이어라.)

27일 작은 미소

봄이 되면 작은 미소들이 놀라움을 준다. 녹색이 짙은 숲에서 이제 막 알에서 깨어난 자벌레가 하늘을 향해 온몸을 360도 휘돌린다. 세상이 넓다 해도 "내 이 한 발 옮길 곳이 없구나." 길은 멀어도 이 한 발이 얼마나 소중한지 아느냐. 이렇듯 불과 3㎜도 안 되는 자벌레의 큰 뜻은 순식간에 푸른 숲에 숱한 구멍을 뚫었다. 햇볕이 이 구멍으로 내달리어 새로운 생명들에게 희망을 준다. 참으로 위대한 대자연의 지휘자여. 부처님에 입가에 떠오르는 미소다.

29일 용천의 난

내 여기 있어도 평안남도 용천에 울린 소리 들었네. 남의 집 불구경 좋아하는 아이들이 활활 타오르는 철마 타는 쇳덩이를 그때 보다 더 큰 눈으로 보았네. 천지가 개벽하는 폭음과 함께 용천에서 백 톤의 폭약 위력으로 질소가 터졌다. 그 위력은 눈과 귀와 코를 폭풍으로 끊어버렸다. 머리에 있는 모든 구멍을 순식간에 무너트리고 원자탄처럼 버섯구름이 솟았다. 내 아들, 딸, 손자 같은 동포들이 어른들의 잘못으로 열풍 속에 죽어갔다. 하늘이 무너지고 화염이 뒤덮여 용천의 어린이는 눈이 상하고 귀가 터졌다. 파편은 얼굴을 찢고 화상을 입어 움직일 수도 없네. 어쩌다 이렇게 순박하고 순결한 아이들이 어른의 제물이 되어야 하는가. 아! 이 슬픔 어찌하리. 아! 이 고통을 어떻게 나누리. 잠을 깨어라. 우리의 미래가 쓰러져 가고 있다. 한시라도 빨리 어린이를 구출하여라.

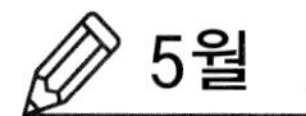

5월

2004년

02일 호박모종

파릇파릇한 모종들이 누구를 기다리는지 길가에 모여 있다. 그중에서도 잎이 둥글고 한 줄기 뻗어 보려고 촉각을 세운 호박 모종의 눈에 띈다. 꽃은 노랗게 피겠지. 세상 사람이 미운 꽃이라는 호박꽃. 하지만 호박은 여러 가지 의미를 준다. 호박하면 맛있는 애호박, 늙은 호박, 믿음이 가는 기품 있는 식품. 그래도 좋다고 호박은 자란다. 늙음과 젊음이 주는 인간의 교사스런 생각을 호박은 이 모종을 두고 바라보고 있다.

06일 동요

동요의 발상이 80년이나 된다. 전래 동요 속에는 옛 어른들의 향취가 숨어 있다. 지금처럼 누가 노랫말 쓰고 누가 노래를 지었는지 모르지만 새 세대를 염려한 수많은 이야기들이 갈고 닦아야 주옥 같은 예지가 상을 차리고 꿈을 그려냈다. 무한한 가능성을 그려놓은 선조들의 말씀, 긴긴 세월 노래하던 전래 동요. 어린이의 희망과 꿈을 담은 이야기. 자연과 동식물 이야기. 바빠지는 발걸음 맞춰 어린이와 함께 노래하고 생각하는 새 동요 80년. 전쟁 때는 전시 동요, 언제나 밝고 씩씩한 이야기. 어느새 동요가 이상한 날개 돋쳐 날아가고 말았네.

TV에서 흘러나온 젊은이의 노래가 아이들의 마음을 사로잡았네. 어린이는 어린이다워야지. 모두 어른들의 죄다.

07일 아카시야

동이 틀 무렵 안개처럼 산길에서 내려오니 눈들은 나무 위에 있고 코는 크게 열어 쏟아지는 향기를 바라본다. 시름도 애달픔도 아카시아 향기에 취해 하염없다. 햇볕에 꽃잎이 방긋이 열려 오월의 향기를 내뿜는다. 임의 향기보다 더 짙은 오월의 향기.

08일 어머니

어머니 계실 때 그 은혜 모르고 어머니 안 계시니 눈에 보이는 곳마다 어머니 그림자. 길거리마다 서 계시네. 칠십 여생 살고 보니 이제야 어머니 마음 아는 듯 모릅니다. 어디서 그렇게 강한 힘이 솟아나셨는지 말없이 강하셨지요. 나의 어머니.

12일 절망

삐끗 몸이 한쪽으로 기울어 진땅에 쓰러져 안간힘을 쓴다. 아픔을 못 견디어 모든 신경의 의식이 몽롱한 채 한 여인의 손이 안겨 일어섰다. 겨우 두 다리를 뻗고 섰지만 중심이 쏠려 여인의 어깨에 쓰러졌다. 숨을 들이키면서 왜 넘어졌는가를 사색한다. 살아 있으면서 삶을 부정한다. 감각도, 감정도 멈추고 시계도 멈추었다. 맥은 조용히 동맥을 지나간다.

13일 길

숲에는 겨울 동안 동물들이 다니던 길이 있다 오월이 숲은 무성하여 숲의 치마속을 들어선 것같다. 잘 다려진 숲속에 한 가닥 뱀이 혀를 날름거리며 둔덕 사잇길로 빠져나간다. 동물의 자연에 대한 감각이다. 인간이 영장이라 하지만 어찌 자연의 섭리를 읽을 수 있으랴. 자연에는 무수한 길이 있다. 인간이란 마음의 길이 있을 뿐.

19일 누님

누님 옛 얘기를 지금은 전화로 들을 수 있다. 그 부드럽고 조심스럽게 아는 듯 모르는 듯, 말 하나, 말 둘, 이런 뜻, 저런 뜻 다 가려가며 긴긴 얘기를 듣고 나면 한나절이 번쩍 지나가고 만다. 어쩌면 그렇게도 자세하게 하루 종일 말을 해도 못 다한 말 아쉬워, 아니 벌써? 점심 먹고 또 전화할 게 못내 아쉬워한다. 그 긴 이야기 속에는 여름밤의 별들처럼 하나 둘 셋, 밑도 끝도 없다. 차라리 다 들을 수 없는 이야기 그만 자랑하다 덮어 버리시지. 그래도 모자라면 별 하나의 꼬리표 달아 밀려왔다 돌아가는 파도에 실어 보내시지. 그래도 모자라면 꿈속에서나 그러시지. 그래도 모자라면 지난날을 아무도 모르게 혼자 눈물 흘리며 달 보고 이야기하듯 저 달을 보고 이야기해 보시라.

22일 꽃향기 전령

오월의 꽃이 피기도 전에 꿀벌들이 찾아왔다. 아침햇살이 아직 옆으로 누운 숲속에 드높이 솟아오른 꿀벌을 뒤쫓아 눈이 따라간다. 어제만 해도 방울방울 작은 요령처럼 매달린 꽃망울이 잎을 열고 꿀벌을 맞는다. 오월의 향기가 그때서야 숲속을 가득히 메운다. 꿀벌은 꽃향기의 전령이다.

30일 뜨거운 감자

별로 긴 인생도 아닌데 전쟁이라는 특별한 세상을 살면서 뜨거운 감자를 잊을 수 없다. 역사의 아이러니라고나 할까. 적대국도 아닌 내 동족과 총을 겨누고 싸우는 고비를 겪었다. 전쟁이란 총칼보다도 무서운 것이 배고픔이다. 며칠을 굶고 피난가던 길에 들판에서 사람들이 몇이 모여 웅성대고 있는데, 제트기가 기총소사를 하면서 머리 위를 몇 번이고 지나갔다. 들판의 사람들은 군인들이었다. 얼마나 빠른지 제트기가 한 번 지나가면 논 두서넛 마지기 멀리 산속으로 도망쳤다. 제트기가 가버린 뒤 아무도 들판에 내려오지 않았다. 사람들이 있다가 가버린 자리가 몹시 궁금하여 피난 가는 길이나 무거운 다리를 끌고 들판으로 나왔다. 그곳에는 시커멓게 그을린 동그란 숯덩이가 흩어져 있었다. 직감에 감자 같았다. 얼마나 배가 고팠던지 달려가 집어 들었다. 그 순간 얼마나 뜨거운지 손을 댈 뻔했다. 그들 역시 배고픈 군인들로 감자를 구워먹다 팽개치고 간 것이다. 뜨거운 것을 알지만 후룩 불어가면 감자를 들고 얼굴이 시커멓도록 껍질을 벗기며 먹으며 그 손으로 눈을 비비고 먹었다. 그 와중에 함께 갔던 피난민들이 큰 소리로 나를 보고 웃었다. 뜨거운 감자를 먹고 환쟁이가 된 것이다.

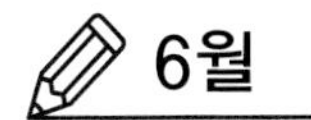

6월

2004년

04일 어린이는 지금

몸은 작아도 마음은 할머니. 모르는 것 빼놓고는 너무 알아서 걱정이다. 지식이 많아서 어른이 된 것은 아니지. 어린이는 귀엽고 참신해야지. 아는 듯 모르는 듯 입만 살아 있으니. 더불어 살아가야지, 어린이는 어린이다워야지. 그 엄마 누구이기에 어린이를 어른처럼 키워 왔는지. 어린이는 어린이답게 살아야지. 어린이 수업을 제대로 해야 훌륭한 어른이 될 거야.

07일 문 앞에 서서

형, 얼마나 외롭고 애끓는 전쟁이었소. 소문에 의하면 형은 고향을 지척에 두고 총을 겨눈 인민군과 함께 조국해방이라는 이념에 속아 고향 인근까지 내려왔다지요. 근린에 오면 선영의 무덤을 향해 재배한다는데 깜박 잊으셨군요. 동생의 가슴에 텔레파시가 닿았을 텐데. 그때는 어머님도 아버님도 형을 기다리며 눈을 뜨고 살아계셨는데 지금이라도 피안(彼岸)의 세계로 달려가 보시지요. 어머님은 눈만 뜨면 형의 환상을 그리며 길을 헤매다 넘어져 피를 흘리며 허공에 손을 저었다지요. 형의 혼령이라도 허공을 내젓는 어머니의 손을 잡아드렸다면 편하게 누워계실 것을. 이제 어찌할 도리가 없군요. 듣기에는 허공을 날아다닌다는데 한 발 앞서 가 거룩한 어머님의 손을 먼저 잡아드리시오.

11일 아카시아 꽃이 질 때면

분명 낙하할 때를 알고 있었다. 포도송이보다 아름다운 하얀 꽃. 오월의 향기를 가슴에 안고 몸부림치더니 백설처럼 땅에 내려앉아 젊음을 불사른다. 이별이란 그런 것일까.

7월

2004년

08일 셋째 형

셋째 형이 지리산에 숨은 뒤 두 달이 다 되어 가는데 아버지께서 급히 오셔서 조용히 말문을 열었다. 소문에 의하면 일본이 항복한다는구나. 항복이 뭔데요. 쉿, 조용! 일본이 졌다고 손 든 거야. 조심해. 이야기는 형들의 걱정으로 벌어졌다 어머니는 "원자탄이 떨어졌다는데 무사할까, 셋째는 일경이 가만 두겠니." 아버지도 대답을 못하시며 "글쎄, 무사해야 할 텐데, 생지옥이 따로 없다. 쉬쉬 말을 하면서도 입을 막는다. 이날은 모두 뜬 눈으로 밤을 샜다. 다음날 여기저기서 만세 소리가 울려퍼졌다. 조선 독립 만세!

20일 자화상

거울은 말을 잃었다. 보이지도 않는다고. 조용한 호수다. 겉만 움직이는 그림자.

거울은 웃는다. 입을 크게 벌려 본다. 속이 보이냐고. 역시 거울은 못 본다. 겉만 보는 거울. 빛이 없으면 안 보이는 거울 속의 나.

8월

2004년

08일 문풍지

여름이 기울어가는 아침, 문풍지가 운다. 더위가 식어가는 조석으로 문 안과 문 밖을 이어준 문풍지가 소리를 낸다. 고요 속의 적막을 깨뜨린다. 부우~부우~. 밖에서 안으로 들어오는 좁은 문. 안에서 밖으로 통하는 숨통 문. 비록 창호지를 뚫어 낸 종이 문이지만 안과 밖을 소통하는 좁은 문. 문은 나에게서 먼먼 외계로 뻗어가는 세계로 가는 길. 내외로 통하는 혈맥이다. 종이 한 장의 통용문. 문풍지, 너와 나를 이어주는 문. 우리를 통하는 문.

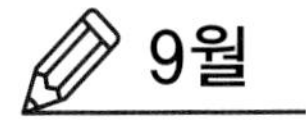

9월

2004년

06일 어린이 예찬

어린이. 그는 인간 이전에 신의 아이로 태어났다. 백지처럼 때 묻지 아니한 신선, 그대로 깨끗하고 순수한 맑은 수정처럼 무한한 가능성을 가지고 현실을 찾는다. 울고 웃고 두 가지의 반응을 언어로 삶의 진실을 찾는다. 그들은 경험을 통해 인지하고 필요한 만큼만 누적하고 여유 있는 삶을 출발한다. 한 번 믿으면 변하지 않는 정의로 인식하고, 믿고 사랑하고 경험을 통해 터득한다. 어린이는 거짓이 없다. 믿으면 불에도 뛰어든다. 이 순수하고 순박한 어린이는 어릴 때부터 차별된다. 오직 부모가 주는 환경 속에서 아무도 구속해서는 안 된다. 자유분방하게 자라야 한다. 어린이, 이 순간의 인지는 일생을 좌우한다. 스스로 터득하고 스스로 노력하는 아이가 되어야 한다.

10월

2004년

06일 하고 싶은 말

입은 무겁고 생각은 많아, 갈수록 무거워지네. 오감을 통해 느끼는 감정들은 말 못하니 고인 말이 썩어만 가네. 참고 참은 말. 기왕 참았으니 내 속에서 삭히고 삭혀 둥근 달에게 속삭여 버리자. 시원스럽게 달님에게 말하자.

08일 고향

안개가 짙은 고향 길. 산도, 들도 뿌옇게 흐린 세상 속으로 자꾸만 어제를 걷는다. 냇가 바위 위에서 퉁벙 빠지면 모래도 일어나고 굵은 모래무지가 바위틈에서 머리를 처박고 제 몸을 다 감춘 듯 허파로 숨을 쉰다. 시냇가를 걸으며 안개 속에서 과거를 만난다. 타임머신을 타고 있나. 고향 길에 거짓 없는 나를 생각하고 있다.

17일 조용한 낮

가을 햇볕이 이 뜨거운 데도 앞뜰의 나무가 가만히 서 있다. 이파리 하나 흔들리지 않는 조용한 한낮이다. 아침까지만 해도 떠들썩하게 손자들이 떠들더니 어느새 모든 것이 정지해 버린 한낮의 고요 속에 있다. 환상의 세계에 온 착각을 일으킨다. 어제는 옛날 갔고 오늘은 조용하다. 지상의 공간보다는 지하의 공간처럼 말이다. 누가 찾아온다 해도 나는 대답을 안 할 것이다. 이미 고요 속에 들어선 삶에 마감을 예고 받은 것이기에. 혼자 왔다 혼자 가는 신의 계시를 느껴 본다. 절망보다는 스스로 적막 속에 흔적 없이 조용히 나의 세계로 떠가고 싶다.

26일 왜 이다지도

왜 이다지도 슬픈지 모르겠다. 왜 이다지도 가치가 없어졌는지. 왜 이다지도 삶이 분한지. 왜 이다지도 부끄러운지. 산다는 것이 광대 같기에. 스스로 웃음이 차오른다. 왜 이다지도 싫은지 모르겠다.

31일 고향 길

어릴 때 함께 자란 나무들이 벌써 고목이 돼 어깨를 펴고 서 있다. 수많은 이야기를 안고 그 자리에서 물러서지 않는다. 고향을 지킨 나무들. 그 지난 세월이 어떠했는고. 여순반란사건, 백아산 빨치산 사건 모를 리 없겠지만 입을 닫은 채 물끄러미 나에게 묻는다. 글쎄, 그때 못 다한 이야기, 전쟁 이야기. 그 밖에는 할 말이 없구려. 세상에 6·25동란까지 무참히 동족의 가슴에 못을 박고 지금도 가족을 찾는 비극이 끝나지 않았군요. 기쁜 이야기 하나도 없이 우리 슬픈 일만 기억을 살려주는군!

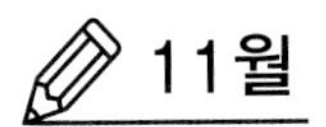

11월

2004년

17일 억새

한여름에 그토록 빳빳하고 날카롭던 억새. 미풍이 지나가도 그렇게 흔들거리더니 백발이 되었구나. 멀쩡하게 큰 키에 너 흔들리는 몸짓을 보니 너의 번민이 무엇이기에 잠시도 멈추지 못하느냐. 인생도 너와 같이 흔들흔들 떨고 사는 것이리라.

21일 겨울밤은 깊어만 가는데

오늘밤, 찬바람은 그치지 않고 대살 문창호지에 싸락눈 내리는 소리. 싸락싸락 밤도 깊어 간다. 지금은 아무도 없는 고향집. 빈 마루에 싸락눈 쌓이리. 어머니 기다리며 마루 끝에 앉은 아버지 모습 눈에 선한 고향집. 바람아, 이제 그만 고향집의 열을 식히지 말라. 아직도 따뜻한 어머니 품 같은 고향이 내 그리움 속에 남아 있으니 매몰차게 이 밤을 식히지 마오.

25일 아침을 가두는 비

불규칙한 리듬이 다닥다다닥 새벽잠을 깨운다. 창문을 열고 보니 수많은 바늘들이 가로등에 내린다. 방향은 직선에 가깝고 수없이 많은 바늘들이 이 가슴을 찌른다. 심장에도, 허파에도, 간에도 무작위로 날카로운 끝은 세우고 겨울 앞에 선 그 차갑고 따가운 바늘의 적막이 가두어버린다. 손을 내밀자 무수한 바늘이 고슴도치처럼 찌른다. 어제를 살아온 심장이 터져 그림자처럼 흘러내린다. 나는 지금 꼼짝도 못한다. 그림자보다 짙은 까만 바늘이 살 속에 깊이 묻힌다.

26일 첫눈

겨울이 사뿐 나뭇가지에 내려앉았다. 어두운 세상을 밝게 빛낸다. 내일이면 또 변할 것이다. 녹아내린 눈. 밝았던 세상이 다시 어두워지겠지. 세상은 춥고 밝고 어둡고 사라지고. 첫눈이 그린 화폭에 어두운 그림자가 생긴다. 길바닥에서 먼동을 보라. 따뜻한 어머니의 품을.

12월

2004년

04일 들국화는 어디 가고

여름이 쓸고 간 들판에 홀로 핀 들국화. 산이나 들이 가랑잎으로 뒤덮이고 나뭇가지의 이파리도 다 떨어졌는데. 산그늘에 숨어 있던 들국화 한 송이 아무도 모르게 활짝 피었네. 활짝 피었네. 그 향기 못다 전한 국화꽃들이 마지막 보내준 들국화. 아직도 가을 냄새가 살아있다. 꽃은 작아도 너의 향기는 온 세상을 감싼다. 아름다운 너, 들국화야. 혼자 남았기에 촛불보다 밝구나.

09일 아픔

발목을 삐었다. 12월 5일 인천 가다가. 아픔이란 자신의 것이다. 모든 기억이 사라지고 오직 아픔을 극복하려는 의식이 간간히 날 뿐, 너무나도 아팠다. 아픔이란 자기밖에 모른다. 스스로 아픔을 선택할 사람이 있겠는가. 가슴이 터질 것만 같다. 할 수 없이 병원을 찾았다. 아픈 사람을 물건 보듯이 한다. 하지만 의사를 대신하는 의사는 따로 있었다. 아픔을 함께 느껴 주었다. 가슴 싸한 마음에 다 나은 것 같았다. 아내의 사랑을 잊지 못한다.

19일 겨울도 아니고

겨울도 아니고 가을도 아니고. 아무것도 아닌 계절이 달력의 날짜처럼 한 장 뜯어내고 하염없이 지나간다. 찬 겨울바람에 익어 한겨울 톡 쏘는 동치미 국물에 국수 말아 먹자는데. 국물은 초가 되어가고 춥지도 않고 덥지도 않은, 고양이 발자국처럼 세월은 흐르는데. 이러다간 올 한 해도 달력의 날짜처럼 가고 말겠네.

21일 해는 저물어 가는데

아무리 시간 속에 사는 인간이라고 하지만 세월이 이렇게 빨라서야 정신 차리겠느냐. 오늘도 6시도 안 되었는데 어둠이 깔리고 해를 잡아 삼키는 물귀신이 입을 벌리고 있다. 정말 오래 살았다. 75년, 앞을 생각하면 까마득한데 엊그제 같더니 저물어 가는 한 해를 누가 달래랴. 젊은이는 어서 가라고 종소리 울리며 떠들썩한데 은근히 죽음을 기다리며 이 한세상 어서 가라고 큰 소리 쳐본다.

22일 한 줄기 빛

잔뜩 찌푸린 겨울하늘, 금방이라도 화살이 날아들 것만 같다. 몸이나 마음이 성한 곳 없는 물귀신 같은 자신이 다른 사람까지 끌고 들어갈 것만 같은 생각이 든다. 이게 모두 남의 탓이라고 보는 햇빛에 나온 지렁이처럼 꿈틀거리다 밟히거나 말라붙어 삶을 마감하는 망상이다. 겨울하늘에 두터운 구름을 열고 삐끗 구름 틈새에 차가운 별 하나 보인다. 모든 것이 흘러내리고 겨울과 함께 묻혀 가려나 보다.

2005년

1월

16일 15년 만에 대접

차라리 혼자였으면 멋대로 살아볼 것을. 막내로 태어나 막내도 아니고 종가도 아닌 애매매호한 삶. 60이 되어서야 형을 만나 있는 힘, 없는 힘 다하여 없애버린 호적도 형은 다시 찾고 한국인으로 손색없이 모든 걸 다 해결해 놓고. 형에게 대접 한 번 받아봤으면. 세월이 허망하게 상봉 이후 15년이 지나는 사이 형은 조금 다닌 광주서중에서 명예 졸업장도 타고 겁쟁이 형이 제2 광주학생운동의 주동자라고 독립투사도 되고 국위선양을 했다고 상도 타고 연구한 목록으로 돈도 벌고 큰 형이 죽기 전에 건네준 최옥삼 가야금 악보로 장성군에서 횡재도 하여 돈이 생기니 "할아버지 문집 번역하자, 사당도 세우자" 말할 뿐. 돈을 감추고 남보고 쓰라고 한다. 15년 만에 오늘 저녁 한 끼 먹자고 하네.

21일 조용히 기다립니다

당신은 종손의 뜻과 당신의 꿈을 실현하기 위하여 멀리 길을 떠났습니다. 그 길이 결코 쉬운 길은 아니었습니다. 길은 바로 내 발 밑에 있어도 넘어갈 수 없는 금단의 한이 싸인 우리들의 땅이면서도 가장 먼 땅. 당신은 가장 먼 땅으로 갔습니다. 세월은 부모 형제의 인연도 다 끊어버렸습니다. 잠깐 다녀온다고 길을 떠났습니다. 벌써 60년. 육십갑자가 넘었습니다. 아직도 소식을 모릅니다. 생사도 모릅니다. 영혼을 달랠 길도 없습니다. 그러나 조용히 기다리고 있습니다.

26일 슬픈 이야기

노량진 어시장에 들어선 시간은 새벽 6시 10분. 좌판대에 누워있는 생선들이 한 눈을 가리고 원망스럽게 쳐다본다. 아! 커다란 대구! 입도 크고 눈도 크지만 굳게 다문 입속에서 하는 말. "나도 조금 전까지 살아있었다." 마지막 입을 벌린다. 한 뼘이나 되는 커다란 입을 벌린 채 눈을 감고 있었다. 이렇게 대구의 말을 감지하자 등이 오싹하였다. 먹고 먹히는 생존 경쟁에서 인간을 비웃을 말이 잇따랐다. "너희는 너희들 행복밖에 모르는 이기주의자! 남의 행복을 빼앗는 살인자!" 커다란 눈이 살아 움직인다. 파란 눈빛이 살아나고 어시장 안이 대구의 입으로 변했다. 이런 환상 속에 발이 멈췄다.

대구 창자 속에는 이름 모를 작은 고기들이, 그리고 새우들이 말한다. "대구가 죽었어요. 신선한 물을 끊어버려 우리는 영영 돌아올 수 없는 암흑의 세계로 간다오." 그러자 작은 생선 토막이 커다란 낚시를 들고 말한다. 대구가 이 낚시를 모른 척 지나갔더라면 좋았을 것을. 욕심껏 꿀꺽 삼키더니 그만 물위로 올라오고 말았지. 생선들 깔깔깔. 그러게 말이야. 욕심이 죽음의 길이야. 나눠 잡수세요. 이웃과 나눠 먹어요." 큰 교훈을 얻었다.

30일 겨울이 왜 이래

간만에 먹구름이 그렇게도 모여들더니 장독 깨는 날이 될 줄이야 누가 알았겠어. 말없이 머리를 맞대고 어둠속에서 행여 햇볕이 샐까, 물 끓듯이 뒤섞이더니 눈을 구웠구려. 겨울이 노망하여 덥다가 춥다고 하더니. 마고할미 오줌 싸듯 비가 왔다, 해가 떴다, 날씨가 하도 변덕을 부려 겨울이 아닌가 싶더니 흰 눈이 내렸구나. 모처럼 겨울에 눈을 보니 반갑더니 구름 보내고 해 뜨더니 눈마저 녹인 겨울 날씨여.

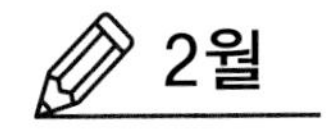 2월

2005년

01일 어머니 생각

차가운 바람소리 귓가의 스치네. 고향집 장독대, 정화수 떠놓고 찬물에 머리감고 소복 하고 멀리 간 자식들 무사하라고 손 비비시던 어머니. 정화수 얼까봐 걱정하시겠다. 어머니 생각에 잠 못 이루던 날. 처마에 고드름 줄줄이 매달리고 언 손 비비며 물 항아리 얼음 깨고 새벽밥 지으시던 어머니. 흰 눈이 쌓이던 날, 고향 집 안방에 불 밝으리.

05일 눈

밤사이 눈이 눈부시게 내렸다. 내가 즐겨 다니는 숲길에 은세계를 만들었다. 자연 세계가 이처럼 포근할 수가 없다. 반짝이는 보석의 방에 앉아 있는 듯 화려하다. 눈 그 하얀 빛은 인간의 마음을 순백으로 바꿔 놓는다. 언제 어디서나 다시 출발하는 원동력을 선사 받는다. 이 세상은 이면 있는 음양으로 가득 차 있다. 하지만 눈은 밝고 하얀, 하나만을 고집하는 순백의 세계다. 역시 아름다운 자연이다. 보여주고는 인간의 발자국을 피해 사라져간다.

06일 아이들

집안에 아이들은 웃음꽃이다. 아이들은 사람을 가리지 않는다. 아이들은 본대로 들은대로 티 없이 맑게 비쳐지는 거울. 인간의 본성은 선한 것이다. 아이들은 이면이 없다. 느낀 그대로 말하고 산다. 아이들은 자기 위주다. 늘 자신을 생각한다. 이러한 경험은 남을 생각하는 정을 느낀다. 아이들은 경험이 없는 것을 먼저 거부한다. 아무리 배가 고파도 먹어보지 않은 것은 먹지 않는다. 하늘은 자신을 지키는 보호본능을 주었다. 이것을 어기는 아이에게는 엄벌을 내린다.

12일 어제를 걸으면서

세월은 흘러도 마음은 동심 속에 있었다. 아무도 돌아보는 이 없는 한적한 네 노인이 모여 코 흘리고 손등이 틀 때 맨발로 뛰놀던 어제를 그리면서 추억의 노래 소리 높이며 못 다한 말, 바람결에 되새기며 오! 지금은 자취를 감춘 그 얼굴들의 화상을 떠올리며 그래도 옛 것이 더 좋을 새라 뗄 수 없는 정이 흐르고 무소부지라.

13일 봄을 기다리며

날씨 추워 문 밖의 화분을 들여놨다. 사나흘 지나자 가지에 싹이 돋았다. 봄을 기다렸나 보다. 봄은 새 생명의 산파이다. 온 천하가 푸르게 뒤덮이는 개혁의 산파다. 겨우내 답답했던 가슴이 활짝 내려야지 살맛이 나겠지. 모든 것이 변한다. 새 봄에는 희망도 피겠지. 너무나 지독한 겨울. 눈도 모양만 보여주고 춥지도 않은 겨울. 어서 봄이여, 오라.

18일 봄소식

입춘이 지나 보름 만에 우수를 맞으니 바람 끝이 시원해졌다. 해마다 자연은 거짓이 없다. 오늘도 강원도에는 넉 자가 넘는 눈이 와 대설주의보가 내렸는데도 눈은 벌써 기세를 읽고 봄의 섭리에 녹아내린다고 한다. 눈이 비로 바뀐다는 우수다. 땅속이 촉촉하여 땅 껍질을 벗기기 쉬어 풀들이 움트기 시작한다. 봄은 모든 것의 시작이다. 서민도 살기 좋은 계절. 여수 오동도 동백꽃이 꽃망울을 터트렸다. 봄은 이미 와 있었다. 새로운 마음으로 기쁘게 출발하자.

27일 추 형 송별

추 형이 한양대 초빙교수로 지난해 9월부터 올 2월까지 6개월간 용무를 마치고 내일 카자흐스탄으로 돌아간다. 그동안 중앙아시아 한국민요 수집의 공로로, 국사편찬위에 원고를 남기고 KBS 해외동포상을 보상받고 최옥삼 가야금

친필본을 그의 출생지인 장성군에 기증하고 여러 가지 일을 하고 돌아간다. 어머니, 아버지께 감사 드려야지. 형이 떠난다니 섭섭하다. 오 남매 중에 삼 남매가 남았는데 또 낯선 고장으로 떠난다니, 마음 쓸쓸하다.

3월

2005년

01일 민기가 왔다

지구의 지붕, 히말라야 산속을 멀리 바라보고 싶은 욕망을 안고 네팔을 찾아간 기백. 젊음이란 참으로 불가능이 없구나. 애초에 공수래한 것이니 어디인들 빈손으로, 빈손으로 내일의 꿈을 안고 지붕 위에 올라섰다. 때마침 네팔에서는 정권 탈취를 위한 계엄령이 내려 문밖 구경도 못하고 일주일 만에 태국으로 빠져나와 값비싼 전시 하의 경험을 얻었다. 그리고 자전거를 타고 태국을 돌며 풍물을 관광하다니 훌륭하다. 무엇인가 할 수 있으리. 목표를 세워라.

02일 희기 입학을 축하한다

사람이 밥만 먹으면 산다 해도 보다 궁금한 것은 밥보다 지적 빈곤이다. 안다는 것은 삶의 지혜며 힘이다. 그러나 실천하지 않은 지식이란 사문화다. 인간의 지적 활동은 끊임없이 계속되어야, 자기 것이 되고 창작이 가능하다. 일정한 수준에 오지 않으면 경험 없는 사유만으로 창작은 불가하다. 꾸준히 사색하고 사고의 초점을 전과 미래, 그 환경과 과정, 행동에 따라 빚어지는 결과들을 예측할 수 있다. 건강한 내일을 위하여 혼신을 다하라. 축하한다.

11일 수락산 소나무

봄꽃이 따뜻하네. 수락산에 올랐더니 꽃샘추위에 뿌렸던 눈이 아직도 응달에 남아있다. 떡갈나무 숲속에 가을에 쭉 뻗은 소나무 한 그루, 혼자서 푸릇푸릇 푸름을 자랑한다. 한여름 철에는 떡갈나무에 가려 겨우 햇볕에 머리만 내보이더니 이른 봄 봄볕에 자랑이라도 하듯 가느다란 서너 질 키에 얄강얄강 겨우 선 소나무, 머리 빠진 엉성한 이파리에 봄볕이 유난히 반짝이며 서 있다. 바삭바삭 아직도 이파리를 떨어내지 못한 떡갈나무가 바람에 소리 지르며 파란 잎을 자랑하며 우뚝 솟은 소나무.

14일 자연과 나

자연의 순리는 조금도 변하지 않았다. 그동안 이상 기온으로 철은 봄인데 눈이 오는가 하면 비가 내리고 몹시 곤란했다. 그러나 오늘 기온이 영하 7도인데 무릎 관절이 시고 발목이 뚝딱거린다. 내 몸도 자연의 제 2차 세계다. 봄의 감각이 틀림이 없다. 돌아오는 전철 속에서는 푸른 영산홍 꽃이 망울망울 맺었는데 봄을 기대하는 사람들의 마음이 아름답게 보였다. 반갑기는 했지만 내년 봄에는 얼마나 더 늙었을까 하고 상상을 해본다.

15일 맹꽁이 고향

지금 서울에서 고향땅 논두렁 생각에 젖는다. 다름 아닌 어릴 때 남녀 구분 없이 논두렁에서 뒹굴던 가까운 친척들이 모였기 때문이다. 졸졸 논고랑에 물이 흐르면 봄은 연두색으로 깨어나고 개구리가 찾아든다. 맹꽁이가 암컷이 '맹'하면 숫컷이 '꽁'하고 운다. 하나도 어김없는 봄을 부르는 소리다. 논두렁 쫓아다니면서 냉이, 쑥, 돌미나리 캐며 떼지어 다니던 식구들이다. 나는 촌수가 높아 연령은 젊어도 아재, 당숙이라는 호칭으로, 나이가 들면서 몸조심도 했다. 맹꽁이 치정을 주고받으며 모두가 한 가족. 날마다 경사가 생기기를 기다렸다. 그런 인심을 다시 살려 보고 싶다.

18일 우리 핏속에 흐르는 소리를 들으라

눈을 감고 조용히 귀를 기울여 보라. 사람이 잠들어 몸이 쉬는 듯 보이지만 우리의 심장이 끊임없이 움직이듯, 강이 흐르듯, 우리의 소리는 무한한 소리를 내고 있다. 한 소리가 고막을 울릴 때면 그 소리가 증폭되고 엮어지며 수많은 소리를 만들어내매 점점 커졌다 점점 작아져 신묘한 소리의 움직임을 듣는다. 그 소리는 그 소리로 무한히 살아남는다. 외양간 처마 밑에 마른 시래기에 싸락눈이 들이치는 소리는 황소가 콧김을 내뿜으며 여물 깨무는 듬직한 삶의 현장이 함께 들리며 때로 어머니에게 기침소리가 슬프고 애잔한 우리 가슴을 울린다. 소리 속에 소리가 함께 하는 우리의 소리.

19일 침묵 속에서

침묵. 말이 없다. 너무나도 오랜 세월이 흔적이 얼마나 많이 생각했기에 대화를 단절한 것이다. 수많은 생각을, 수많은 경험을 통해 침묵이라는 그 이상도 이하도 없다. 생과 사의 엄숙한 사이에 서서 무한한 자유를 원한다. 자연처럼 한없이 움직이면서도 말이 없다. 그러나 우리 오감을 통해 말을 알아듣는다. 자연은 말이 없어도 침묵 속에 모든 것을 예고해준다. 그 소리가 들려준다.

23일 새싹

지난 가을에 양지쪽에 부엽토 흙 속에 묻힌 도토리가 봄의 따뜻하고 밝은 햇볕을 받고 연초록 뾰족한 싹 날로 땅껍질을 뚫고 세상에 나왔다. 나는 산책길 양지 쪽에서 걸음을 멈추고 해가 중천에 떠오르도록 무아지경에서 새싹을 바라본다. 이렇게 연약한 생명이 이렇게 단단한 지구의 표면을 뚫고 당당하게 지상의 대열에 함께 서다니. 살아있는 생명이란 참으로 위대하다. 인간이 저지른 이 공간이 무엇이 그리워서 죽음을 무릅쓰고 나왔는지. 새싹은 몸을 불리고 기를 세우고 나를 비웃고 일어섰다.

29일 봄 김장

지난해 동짓달 꽤 많은 김치를 담아 김치 냉장고와 저장고에 저장했다. 지난해 김치는 5개월간 우리 입맛을 돌봐주었다. 김치는 양념이 중요하다. 양념에 따라 달고 짜고 사근사근하여 맛있다. 김치는 일찍이 우리 선조들의 경험으로 개발되어 겨울철 비타민C를 섭취하게 하고 김치 항균으로 질병을 예방하며 입맛을 돋아 건강을 유지하는 우리 민족 특유의 찬거리다. 모든 채소가 한해살이 식물로, 봄에 심어 10월이면 자연히 생명을 다한다. 시간을 지켜 김장을 하여 겨울 내내 채소 맛을 본다. 그러니 2, 3월이면 김장김치 떨어져 그해 난 배추 있을 때 봄 김장을 한다.

31일 만춘

오늘로 을유년 3월이 촌시에 지나가고 만다. 그렇게 기다리는 봄소식은 간 데 없고 이제야 겨우 봄비를 뿌려준다니. 올해는 봄도 없이 여름이 먼저 오려나 보다. 일년 중에 가장 명쾌한 계절을 주신 자연이 계절을 늦춰 주는 듯 이렇게 답답하고 음울한 봄을 주시나보다. 나라도 그렇지. 천륜을 저버린 자식들에게 봄을 선사한들 무엇 하리. 홍수나 대설, 지진을 주어 하늘이 무섭다는 것을 보여줘야지. 늦게 온 봄, 할 말도 많다.

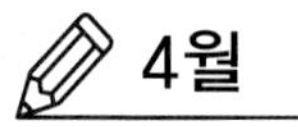

4월

2005년

02일 쫓겨 가는 겨울 꽁무니

아무리 세상 사람들이 기상이변이라 말하지만 봄은 쉬지 않고 찾아왔다. 간밤에 살짝 내린 봄비에 벼락 끝은 둔한 칼날 같았지만 나무들이 연한 연두색을 뿌려 놓은 듯 밝고 싱싱한 봄 색을 선 보였다. 4월이 다 되었지만 봄바람에 실려온 봄볕이 낯간지러웠다. 조물주는 한 번도 잊어버리지 않고 새 봄을 어김없이 돌려주었다. 먼 남산 타워와 63빌딩이, 북한산이 환하게 보이는 4월 첫 토요일. 쫓겨 가는 겨울 꽁무니가 보였다.

03일 성 요한 바오로 2세, 별이 지다

가톨릭의 성자이며 영원의 지도자 요한 바오로 2세는 4시 37분 그 간발의 순간에 숨을 거뒀다. 그는 평화로왔다. 그는 자신보다도 살아있는 지상의 모든 생명들에게 평화와 자유의 소중함을 알려주고 서거하셨다. 위대한 종교 지도자로, 신이 다른 종교와 평화를 나누며 가셨다.

06일 꽃

꽃은 불 속에서 나왔다. 가슴에 타오르는 정열의 화신일까. 보면 볼수록 그 구조가 자연스러우면서도 기기묘묘한 구성으로 감동을 준다. 뿐만 아니라 꽃은 무색으로부터 검고 붉고 차차 엷은 색으로 노랗고 파랗고 아름다움을 자랑한다. 보고 있으면 그 신비로움에 감동하고 정열을 아끼지 않았던 여인에 비유하기도 한다. 장미꽃처럼 첩첩이 싸인 정감. 하나를 벗기면 또 하나가 가슴을 조인다. 이슬을 머금고 있는 꽃. 꽃, 마음이 들여다보이는 맑고 깨끗한 사랑의 화신이여.

08일 누가 봄을

누가 오는 봄을 가로막았던가. 예년 같으면 미풍에도 떨리는 나뭇가지도 힘껏 물을 빨아 올려 봄을 맞이했는데 그 후한 인심도 따뜻한 애정은 어디 가고 사시나무 떨듯 나무들은 추위에 꼼짝 못하고 땅속에 새싹들도 얇은 땅 껍질을 뚫지 못하는 등 언 땅을 어찌 어린애 손끝으로 뚫고 나오겠느냐. 바람. 햇볕. 그 조화가 너희를 봄에 창가로 잊어버린 거다. 조금 더 참아보아라.

10일 광화문에서 청계천, 일요일 정경

비가 내린 뒤 햇볕은 아직 구름 속에 잠겼지만 걷기에 마침 좋은 날이다. 친구와 함께 일요일에 서울을 걷는다. 교보에서 나와 광화문 네거리를 바라보니 지나가는 차도 한가롭다. 바라다보이는 빌딩숲이 사람보다 많았다. 옛날 서울을 도읍으로 잡을 때 우리 조상은 사람과 산수를 한 생명체로 보고 삼각산에서 남산을 주산으로, 북한산 도봉산으로 배수진을 쳤다. 쓸모없는 것은 청계천에 흘러내리고 서울의 기가 500년이라더니 자연도 이제 그 자동차 매연으로 썩어가고 있다.

15일 길가에 서서

잊어버리고 싶은 길을 가다가 발을 멈춘다. 맑은 공기를 헤치고 봄을 그리는 향기. 살며시 눈 감는데 크락션 소리, 노래 소리, 스쳐가는 과거를 걷는다. 가슴 깊이 머물러 있던 꽃잎이 비바람에 날리고 뜨거운 수레바퀴 속에 나를 묻는다. 날리는 하늬바람에 행여 꽃비가 올까. 마음 끌리며 집으로 돌아간다.

18일 봄을 그리며

텅 빈 집 겨우내 자란 꽃들이 집을 지킨다. 먼 산에 아지랑이 아른거리는 지붕 위로 진달래의 꿈을 펴본다. 개나리 노란 꽃이 눈에는 강하게 빛나지만 마음은 진달래꽃을 찾는다. 여린 꽃잎이 솔바람에도 팔랑이는 꽃. 진달래는 여린 꽃이지만 남자의 마음인양 아름답고 여린 동정이 봄을 일으킨다. 한 세월이 지나 잊을 듯했지만 여름의 아름다움을 봄에 찾는다.

19일 하늘 노 하던 날

그젯밤, 세 시경 무엇 때문에 하늘이 그렇게 화가 났을까. 창문이 떨리고 어둠을 몰아내는 용의 눈빛과 포효하는 날카로운 울음소리. 삶에 정에 두려워서 다시 이불을 둘러쓰고 내가 무엇을 잘못했지. 이런 생각이 머리를 가득 채웠다.

26일 수락산

산은 돌산. 봄비 내린 뒤 수락산. 골짜기에 피는 안개구름 타고 멀리 사라지는 노루 한 마리. 수락산 백산. 비 내린 뒤 검은 바위산. 줄줄이 소나기 내려도 물은 간 데 없고 이름 모를 산꽃이 피어오른다.

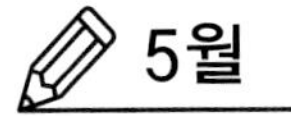

5월

2005년

05일 어린이날

해마다 어린이의 설날. 83년 전, 미래의 꽃들을 위하여 민족에 씨알을 꿈꾸고 닦고 고이 길러 이 나라 새 일꾼이 되라, 선구자의 뜻이 어린 83회. 거듭나 선열을 생각하고 내 손으로 내 나라 간직하라. 복된 어린이들, 날로 번성하여 더 크게 자라라.

6월

2005년

01일 만년의 적막

음력은 아직 4월 25일인데 양력은 벌써 2005년이 기울어가네. 창가에는 붉은 노을이 머물고 방안에는 붉은 빛이 가득하네. 수백 마리 철새가 지나간 뒤처럼 적막이 흐르고 책장의 먼지가 저녁 빛에 잠겨 한해의 고비를 넘어 가네. 부질없는 젊은 날의 꿈들. 저 멀리 창문 너머 숲속에 어른거리며 한 해가 기울어 가는 탁류의 소리와 함께 귓전에 울려오네. 잠시 발길을 멈추고 구름을 헤치고 넘어 가는 마지막 햇살이 힘없이 사라져가는 만년의 적막이여.

05일 임 그리워

유월 하늘은 밝기도 하다. 들에는 오색 꽃, 새들의 노래 소리 곱기도 하다. 뻐꾹 뻑뻐꾹 뻐꾹. 임 그리는 뻐꾸기 소리. 푸른 숲은 더 짙어지고 산 노루, 다람쥐도 뛰노는 숲속. 혼자서 보기 아까워 임 그리며 숲을 거닐며 뻐꾹뻐꾹 뻐꾹. 뻐꾸기도 임 그리워 우네. 유월의 숲속은 초록별 나라. 바람이 불 때면 잎에서 반짝이는 초록빛 별들. 반짝 반짝 반짝반짝 깜빡이는 초록별이지. 초록별은 더 반짝이며 숲에서 임 그리네. 초록별 숲속. 임이여, 어서 와 봐요. 임 그리며 숲을 거니네. 반짝 반짝 반짝반짝, 초록별도 임을 그리네.

16일 소나기

비는 소나기. 장대 같은 비. 어린 초록빛, 흙탕물에 머리 감고 억센 물줄기 타고 각시붕어 피라미 물속인 줄 알고 며칠 동안 먹구름 궂더니 우박 몰고 소나기 내리네. 뒤뜰에 상추밭. 호박잎에 구멍 뚫고 빗소리에 깬 누나. 창문에 턱 바치고 누굴 생각하는고.

29일 가냘픔이여

비가 오다 말다 후텁지근한 여름밤이 몹시 질기다. 이렇게 나약해지는 것일까. 아내의 치맛자락을 잡고 하루를 보낸다. 칼날 같은 세상. 어디로 가도 산산이 찢겨 피투성이가 될 것만 같다. 아무런 기대도 되지 않은 먹구름은 며칠째 허공을 두텁게 덮고, 입이 입을 찢고 코가 코를 문지르는 사투를 계속한다. 모든 보도를 끊어버리고 아내의 치마 속에 연명하는 가냘픔이여.

7월

2005년

03일 무고한 날

오후 2시. 해는 짙은 구름 속에 얼굴을 가리고 우울한 낮이다. 지옥문 앞에 당황하듯 불안한 구루미 선데이. 내 기분을 거슬린다. 삶에 지친 추레한 노숙자처럼 음침한 날씨가 몹시 압박을 한다. 구름 속에 묻힌 해는 밝아 오겠지. 번쩍이는 번개, 하늘이 무너질 듯한 천둥소리. 전화 한마디 없는 우울한 낮. 자신을 잃어버린 무고한 날이다.

13일 우리 어머니 1

장마철입니다. 온 삭신이 쑤시고 나른합니다. 어머니께서는 이런 말씀 비치지도 않으셨지요. 비가 오고 날씨가 눅눅할 때면 다리를 주무르시며 스스로 팔 다리를 내리치시다가 내가 보면 뚝 그치셨지요. 이제야 그 마음과 아픔을 알 것 같습니다. 이 못난 자식이 알까봐 한 번도 아이구 다리야, 팔이야. 제 귀에 들려주지 않으셨지요. 이제야 겨우 느끼고 눈물 짓습니다. 어떤 아픔도 속으로 삭히시던 어머니! 이제야 그 속마음 짐작하고 어머니, 불러봅니다.

14일 우리 어머니 2

어머니, 이 세상 끝까지 불러보고 싶은 이름이요. 아직 어머니가 주신 오장(五臟)이 살아 움직이는데. 어느 날 자식들 이름을 불러보면서 나는 오장육부가 다 타버렸구나. 그래도 살고 있어 이 모진 것, 죄 많은 것, 자식을 낳아 재 뿌리듯 바람에 날려버렸구나. 입버릇처럼 혀를 차던 어머니. 희수를 앞둔 자식 하나가 그 아픔을 이제야 감읍(感泣)하옵니다.

15일 우리 어머니 3

한참 대문을 바라보고 계시던 아흔 살 노인이 갑자기 대문에 눈을 떼지 않고 구름을 타고 가듯이 나간다. “어디 가세요. 어머니.” 뒤따라 가면서 물었다. 문 앞의 골목길을 좌우로 살펴보시면서 금방 준채가 와서 부르더니 어디 갔나? 두리번거리며 밖으로 나가 나비를 쫓듯 날아간다. “어머니, 어머니”, 외쳐 봐도 아랑 곳 없이 두 손으로 하늘을 받들 듯이 먼 하늘을 보고 달린다. “어머니!” 소리쳐 외치자 앞으로 쓰러지듯이 넘어진다. 눈물이 고이고 뛰는 가슴을 안고 “어머니, 뭐가 보이세요?” “준채가 오라 하드니…” 손을 떠는 어머니. 이날 이후 혼자만의 영적인 세계에서 살아가셨다.

16일 우리 어머니 4

어머니께서 손에 책을 들면 묻는 말에도 책에서 눈을 떼지 않고 대답만 하셨지요. 밤사이 책 보시고 이튿날 할머니, 할아버지께 이야기를 해드렸지요. 그날은 온 집안이 명랑하고 즐거웠습니다. 길을 걸어가실 때도 땅만 보고 가셨습니다. 손잡고 가실 때에는 한음과 오성 이야기를 들려주셨지요. 어머니, 이야기 속에는 슬기와 용맹 그리고 효를, 세상사는 지혜를 담아주셨지요.

17일 우리 어머니 5

아들 딸 4남 1여. 친척들 사이에도 시기할 만큼 아들 넷, 딸 하나. 미래를 촉망받았지요. 한 사람도 어려운데 둘씩이나 일본 유학 보내고 날로 장성하니 남부럽지 않았지요. 조선 독립을 위하여 온 국민이 열광에 차 있을 때 갈고 닦아온 능력을 펴 새 학문을 따라 집을 떠나 제 멋대로 외지에 자리 잡더니 끝내 불 속으로 뛰어들어 기른 공도 없이 헤어졌습니다. 나라 위해 애써 일하고 소리 없이 지고 말았습니다. 이 비운을 한 마디 말씀도 하지 않고 당신의 신념을 지키셨습니다.

18일 우리 어머니 6

어머니께서는 말이 없으셨습니다. 생로병사에 시달려도 천리(天理)에 귀화하시고 애달프고 기쁘고 분노할 일도 속으로 삭이시고 겉에 보이지 않으셨습니다. 자식을 길러 가르치시고 성인이 되어 나가도 자연의 당연한 이치로 여기시어 염력(念力)으로 무념으로 삭이셨습니다. 믿고 기쁨으로 환생(幻生)하시고 오직 묵도(黙禱)하셨습니다.

19일 우리 어머니 7

그때 조금만 욕심을 참으셨더라면 온 백성이 골고루 보다 훌륭하게 착하게 아름답게 자랐을 것인데 그 봉투에 욕심을 담아 순진한 훈장에게 주어 어머니처럼 내 자식만 잘 가르쳐 달라고 욕망이라는 봉투를 주었기 때문에 안타깝게도 학교가, 문교부가 썩어 넘어지니 죄는 백배천배 늘어났어요.

20일 우리 어머니 8

어머니 생각에 잠 못 이루는 밤. 고향 길 외양간 처마 밑에 걸린 마른 시래기에 눈이 내린다. 사락사락 눈이 쌓인 채 뭐라 뭐라, 소여물에 피어오르는 수증기에 어머니 얼굴. 밤이나 낮이나 자식 생각에 잠 못 이루는 어머니 생각.

26일 우리 어머니 9

문풍지 소리에 잠에서 깨어보니 어머니 자리가 비어 있다. 어쩐지 섬뜩하여 마당으로 나가봤다. 달은 서편에 기울고 찬바람 소리에 어깨가 으쓱한데 가볍게 내린 눈 위에 뒤 안으로 가는 발자국. 눈을 비비고 가만가만 뒤를 밟아 보니 정화수 떠놓고 조왕님께 비는 어머니. 목욕재계하시고 두 손을 비비며 기원하신다. 자식들 이름 부르며 간곡히 비나이다. 비나이다. 어린 몸들, 잘 지켜 주소서.

27일 우리 어머니 10

고기 맛 본 지 오래다. 그러나 고기보다 즐기는 산나물무침. 맛은 어머니 손맛이다.

학교에서 돌아오면 바가지에 이름 모를 산나물을 주물럭거리며 오늘은 산나물 무침에 찬 물에 밥 말아 먹으렴. 허기를 면할 거야. 뜻밖의 어머니 말씀. 시장한 터에 생밥이라니. 네, 대답하기 바쁘게 상에 앉는다. 밥은 어느새 비빔밥이 되어 양푼에 가득 수저를 꽂아 나타난다. "애, 혼자 먹니?" 누나, 형, 동생 모두 숟가락 하나씩 들고 온다. 양푼째 들고 이 방으로 주방으로 그때 그 웃음 띤 어머니의 모습이 우리 어머니.

28일 우리 어머니 11

대문 문턱을 넘나들며 "어머니" 하고 외친다. 어머니는 얼마나 놀랬을까. 춘궁기에 전쟁이 멈춘 바로 그때 그 무렵. 논밭에도 곡식은 없었다. 곡식 한 주먹 확돌에 갈아 쑥 한 바구니 다듬어 솥에 찐 쑥갯떡 들고 체하면 약도 없으니 천천히 꼭꼭 씹어 먹어라. 쑥갯떡 한 잎, 물 한 모금. 먹고 싶어도 어머니는 참고 또 참아 아껴뒀다가 내주신 어머니는 얼마나, 얼마나 배가 고프셨나요. 어머니, 어머니 사랑은 하늘과 같아 참고 또 참으며 아들 딸 위하여 산과 들, 헤매며 먹을 거 찾으러 다니며 발을 끌고 다니신 우리 어머니.

29일 우리 어머니 12

우리 어머니 어디 계실까. 거울 앞에 넌지시 어머니 생각. 계실 제 하신 말씀 들려옵니다. 날마다 그리운 어머님 생각. 비 오는 날이면 학교 문 앞에 우산 들고 계시던 어머니 생각. 천둥소리 요란하면 안아 주시던 어머니, 우리 어머니. 언젠가 어머니와 함께 거닐던 숲속에 가면 어느새 어머님과 함께 걷고 있어요. 어머님의 따뜻한 온기가 감돌아요. 바람이 불어 올 때면 어머니 말씀이 들려옵니다. 어머니, 그 좋아하시던 신식 노래 한 구절, 들려옵니다.

30일 우리 어머니 13

어머니, 장마가 오기 전에 오신다더니 장마가 비를 긋고 하늘은 어두워지는데

철 모르는 아이들은 물장구 치고 비를 이고 뛰어다니는데. 장마가 오기 전에 오신다더니, 그리운 어머니 보이지 않네. 천둥소리처럼 불의에 호령하시던 어머니, 그리워라. 비 오시기 전에, 이마의 번개처럼 회초리 들고 오세요. 세상의 잘잘못을 가려주세요.

31일 우리 어머니 14

어머니의 그늘은 하늘과 같습니다. 더울 때는 뜨거운 햇볕 가려주시고 추울 때는 온몸으로 따뜻하게 감싸 주셨습니다. 외로울 때는 쓰다듬어 주시며 아플 때는 안아 주셨습니다. 1년 사시사철 헤아려 주셨습니다. 하지만 자식들은 어머님이 늙어 병들어도 부모의 심정을 헤아리지 못하는 불효자들입니다.

8월

2005년

01일 우리 어머니 15

자식들은 부모를 두고 멀리 떠나지만 부모는 자식의 일거일동을 잊지 못한다. 배가 아파 낳은 어머니는 자신의 살의 일부라고 착각할 만큼 아프고 쓰리고 체험한다. 정이란 짙은 것. 자다가도 일어나 자식 생각에 잠 못 이룬다. 어머니의 느낌은 거의 실제와 같은 느낌을 텔레파시와 같이 감각한다. 죽지 못해 누워서도 자식의 아픔을 함께 한다. 부모의 아픔을 느끼는 자식이 얼마나 있을까.

02일 우리 어머니 16

할머니, 할아버지 모시고 어려운 살림을 꾸려 가시면도 밖에서 아버지 돌아오실 때, 우리들 학교에서 돌아올 때 한 번도 미소를 잊어버리지 않으셨습니다. 그래서 우리 집은 항상 밝고 명랑하고 웃음이 가득한 즐거운 집이었습니다.

그렇게 바쁜 중에도 할일을 다 하셨습니다. 지지고 볶고 맛들이고 담고 시장할 때면 어쩌면 그렇게 시간도 잘 맞춰 다과를 내주셨습니다. 그리고 방긋 방긋 웃으셨습니다.

03일 우리 어머니 17

어머니, 어른이 되고서야 어머니의 깊은 사랑을 알 것 같습니다. 나는 남과 함께 있으므로 나보다는 남을 먼저 생각하라고, 수없이 말씀하실 때 듣기 싫어했습니다. 이제 생각하면 귀가 아프게 듣던 어머니 말씀이 지금 나에게 인생의 큰 힘이 되었습니다. 자식을 키워 가면서 절절이 어머님 마음이 생각납니다. 어머니께서는 남몰래 사랑의 눈물을 흘리셨겠지요. 그 인내와 의지를 지켜 나가겠습니다.

04일 우리 어머니 18

손이 시려울 때 호호 불어 주시던 따뜻한 마음. 넘어졌을 때 울고만 있는 나를 홀로서기, 지켜보는 사랑하는 마음. 안 되는 것은 안 되는 거야. 보다 더 생각하는 마음. 따라 하기 전에 앞서 생각하라. 애쓰는 마음. 혼자보다는 함께 하는 사이에 앞서가는 마음. 어머니 마음. 놀이를 꾸민 듯 즐겁게 하라. 즐거운 마음.

05일 우리 어머니 19

어머니는 한증막처럼 뜨거운 여름 어떻게 여름을 나셨나요. 더우면 등물해 주시고 샘 속에 담가뒀던 수박 내다 썰어 주시며 한 입, 입에도 대지 않으시고 부채 부쳐주시며 수박 조각 들고 기다렸지요. 나만 더운 줄 알았어요. 이제 아무도 나를 위하여 먹고 싶은 것도 참고 당신도 더우면서 부채를 부쳐줄 이가 없네요. 얼마나 더우셨어요. 생각만 해도 부끄럽습니다. 어머니.

06일 우리 어머니 20

어머니 손자가 준채 형, 형수 뼈를 묻은 평양 땅을 밟고 천추의 한이 된 이산가족의 아픔을 한 하늘 아래 어머님의 애절한 사랑의 말씀을 전하고 왔답니다.

행여나 돌아올까 날이면 날마다 문 앞에서 서성거리던 간절한 사랑의 노래는 지금도 귓전에 스칩니다. “나 먼저 갈 테니 그동안 어떻게 살아왔나 자세히 듣고 오시오.” 마지막 남기신 아버지 한 맺힌 말씀은 통일로 이어지는 날, 꼭 두 분께 전해 드리올 테니 이승에서와 같이 기다려 주세요.

07일 우리 어머니 21

무엇이 그리 바쁘셨습니까. 생로병사가 자연스런 인간사인데 우리 땅, 우리 하늘 아래 살면서 살아있는지 죽었는지 알 길 없는 험한 세상. 살고 죽은 불효자식들 기다리다 지쳐서 헛것을 쫓아 얘기 나누며 기다림에 혀를 치셨지요. 갈 길이 급하셨나요. 그리도 못 잊어 하신 또 하나의 자식 생각에 둥둥 허공에 마음 띄우고 산인지 강인지 손짓하는 마음을 따라 가실 길이 멀어서 눈 가리고 귀 막고 먼저 가셨나요.

08일 우리 어머니 22

책상머리에 앉음이 오롯이 몇 해가 지났어도 그 미소 변함없네. 내 마음 속에는 어머니의 마음이 그때그때 어루만져 주시니 아, 거룩하신 어머니 마음. 무엇보다 아름답게 허공에 떠오르니 그 뜻을 어기면 두렵고 지키면 기쁩니다. 살아생전 호강 한 번 안겨 드리지 못 하여 수문(水紋)을 일게 하니 어머님 그리움에 애달프구나.

09일 우리 어머니 23

무더운 여름에는 부채를 부치며 말없이 사랑의 바람을 시원하게 부쳐주셨지. 겨울이면 목도리를 풀어 목에 감아주며 어머니의 따뜻한 체온으로 감싸주셨지. 슬프고 쓸쓸한 때는 가슴을 열고 품에 안아 주시며 용기를 북돋아 주셨지. 걸음마를 배울 때는 두 손을 잡고 끌어주셨지. 이젠 혼자서 걷게 되었지만 발은 제멋대로 달리고 있어. 어머니 잊은 날 한 번도 없다 하지만 좋을 땐 잊어버리고 나쁠 때만 생각나는 어머니.

10일 우리 어머니 24

이제 기억나는 군요. 어머니 마음처럼 평생을 하얀 빛, 무색 치마저고리 감빛노을처럼 고운 빛 천으로는 맵시 좋은 솜씨로 우리들 옷 해 입히시고 고운 천, 한 번 어깨에 걸어 소녀 같은 꿈 한 번 그려보지 않고 다소곳이 옷고름 길게 달아 옷자락에 날리며 우리 누나 호사시키던 우리 어머니. 고운 옷 입고 싶은 충동을 어찌 참아내셨나요. 소복의 여인상을 지키신 우리 한국의 어머니.

11일 우리 어머니 25

우리 어머니는 꿀 먹은 벙어리. 겨우 입가에 미소 띠우며 듣기만 하시지. 남의 말 좋아하는 사람들이 모여 와 광주리에 하나 가득 흉보고 헐뜯고 하루 종일 지껄여도 눈빛 한번 주지 않고 우리 집은 남의 집 소문, 끝맺음 하는 집. 듣고도 나 몰라 꿀 먹은 벙어리. 좋고 나쁜 말 옮기지 않는 꿀 먹은 벙어리, 우리 어머니.

12일 우리 어머니 26

공들여 길러주시고 가르쳐 왔더니 간다는 말 한마디 없이 바람처럼 사라진 자식들, 얼마나 그립고 행여 소식이라도 전해 올까 먼 산 바라보며 한평생. 날이면 날마다 목욕재계하시고 정화수 떠놓고 삼신 상제님께 빌며, 아기를 점지해 주신 삼신께 손 비비며 상신상제님 집을 떠난 자식들, 버리지 마시고 일거일동 돌보아 주세요, 손이 발이 되도록 빌고 북받치는 설움을 참으시며 자식들의 잘못을 대신하며 살신 기도드리던 어머니.

13일 우리 어머니 27

세상에 위협이 닥치면 서로 먼저 피하려 들지만 위험을 알면 위험 속으로 파묻어가는 모성애가 있다. 누가 가르치거나 배운 것은 아니지만 자식을 사랑하는 어머니는 불 속도, 물속도 두렵지 않다. 자식은 부모를 버리고 떠난다 하지만 어머니는 자기를 희생하며 자식을 구한다. 어머니의 자기희생은 거룩한 어머니의 사랑이며 어머니가 아니고서는 가질 수 없는 마음의 등불이다. 어머니만이 가지는 위대한 모성애다. 아끼고 위하여 정성 다하는 어머니의 힘은 참된 사랑이다.

14일 우리 어머니 28

자식은 부모를 멀리 떠나가도 어머니는 자식 곁을 떠나지 않는다. 오직 나서부터 죽을 때까지 어머니는 자식을 떠나지 아니하고 어머니는 하루도 잊지 않으시며 자식들을 따뜻히 돌봐주시는데 자식은 부모의 슬하를 떠나 갈 길을 간다.

15일 우리 어머니 29

어머니께서는 항상 정심(正心)을 먹으라고. 살다보니 틀림없는 말씀. 남을 사귈 때도, 일을 판단할 때도, 결혼생활에도, 좋고 싫을 때도. 바로 나의 경우를 생각하면 어쩔 수가 없다. 어머니는 위대한 기운을 주셨다. 나는 나를 발견했다. 어머니는 몸소 실천하셨다. 바른 일이 아니면 행하지 않고 꼭 해야 할일이라면 묻지 않고 하셨다. 광주학생운동 때 구호를 쓴 플랫카드를 밤새워 만들어 주셨다. 두렵지 않냐, 고 물었을 때 두렵기는 당연히 해야 할일을 하는데!

16일 우리 어머니 30

어머니는 남의 아픔을 내 몸과 같이 아껴 주시고 행여 소문날까, 보살펴주시니 찾아 오는 분도 많이 있었지. 그리고 항상 남의 일도 내 몸처럼 아끼라고 하셨다. 봄의 춘궁기에 인심을 잃으면 영원히 이웃과 남이라는 것이라, 말버릇처럼 읊어주시고 몸소 보여주셨기에 마을 인심 한 몸에 안고 나들이 발길 조심 명심보감 삼으셨다.

17일 우리 어머니 31

살랑 바람에도 흔들리는 나뭇가지와 함께 바싹 피고 지는 벚꽃, 아쉬움을 남긴다.

바람이 불어도 때가 되어도 변함없는 어머니. 조용하고 묵직한 품위. 우리 어머니의 표상. 바람을 안 일으키고 몇 번을 들어도 새어나오지 않고 속으로 소화시키고 견디어 내시는 품성. 우리 어머니는 참으로 우리 한국의 어머니. 더불어 살아가는 삶의 아름다움. 다툼이 없는 평화. 자기희생. 위대한 어머니의 상이로다.

18일 우리 어머니 32

어머니는 옛 얘기를 잘해 주셨지요. 옛 이야기 속에는 조국을 창건한 이야기, 미련한 농부 이야기. 쌀 한 톨로 소를 사온 이야기. 가난해도 정직한 사람 이야기. 수많은 이야기를 들려 주셨지. 우리 선조들의 삶의 지혜. 미련한 것 같지만 전란을 피한 위대한 이야기. 수많은 이야기를 들려 주셨지. 지금 생각하면 황금 같은 이야기였지. 옛 사람들의 지혜와 용기. 자연을 사랑하고 하나를 빌려 쓰면 하나를 심어 갚아주고 맑은 날은 어두운 날을 위하여 일하고 아름다운 봄에는 씨앗을 뿌리고 더운 여름에는 논밭을 가꾸고 푸른 가을에는 곡식을 거둬들이고 추운 겨울에는 튼튼한 몸을 만드는 선조들의 경험과 지혜를 얘기해 주셨지.

19일 우리 어머니 33

이 세상에 어머니의 미소는 내 마음의 미소. 생각만 해도 절로, 절로 가슴이 달아오르는 사랑의 묘약. 모든 것을 용서하시고 두 손을 잡아주시는 어머니. 눈물이 나도록 꾸중하시고 두 볼을 쓰다듬어 이마를 대고 조용히 내 이름을 불러 주던 어머니. 가슴 속에서 솟구쳐 오르는 감동을 어이할 길 없어 내 가슴을 조여 잡고 어머니를 불러 봅니다. 어머니, 어머니.

20일 우리 어머니 34

세월이 가면 산도 변하고 세상도 변한다. 그중에 변하지 않는 것이 있다. 도시에 살아도 산골에 살아도 자식걱정 하루도 잊지 않는 어머니 마음. 살아계실 때는 몰랐던 어머니 사랑. 아파서 누워 있으니 뼈저리게 느낀다. 언제나 변함없는 어머니 마음. 아들딸은 잊어버려도 어머니 마음은 꿈속에도 찾아든다. 어머니의 사랑은 영원한 사랑. 옆에 안 계셔도 훈훈한 입김이 항상 감돈다.

21일 우리 어머니 35

어머니 사랑은 엄하셨다. 안 되는 일은 엄하시고 되는 일은 꼼꼼하셨다. 한 번 안 되는 일은 끝내 말리셨다. 이로써 우리는 좋고 궂은 분별이 생기고 미래가 보이는 일은 끝내 함께 해 주셨다. 세상 사람이 안 된다 하여도 어머니는 된다고 밀어주셨다. 우리 어머니는 될 일은 힘을 아끼지 않으셨다.

22일 우리 어머니 36

어머니는 참으로 쉬는 일을 못 봤다. 새벽 네 시면 일어나 거울 앞에서 그날 할 일을 생각하신다. 그리고 밥을 짓고 식구들 즐겨 먹는 반찬을 만드신다. 상을 차려 놓으시면 아버지, 누나, 형들이 모두 먹고 집을 떠난다. 어머니는 아침을 잡수셨는지 아무도 모른다. 빨래하고 시장가고 언제 먹고 쉬는지 아무도 모른다.

23일 우리 어머니 37

높이 뜬 새가 멀리 본다고 어머니에 꿈은 얼마나 높으셨는지. 1930년대 유학을 보내시고 논 몇 마지기 농사지어 어떻게 사셨는지요. 이웃사람들이 뭐라 해도 더 높은 곳을 향하여 논 팔고 밭 팔아서 한 달이 멀다 하고 자식들 학업 중단할까봐 돈 만들어 보내셨으니 얼마나 배가 고프셨나요. 그래도 보리밥 한 술 입에 넣고 밭에 나가 하루 종일 밭 매시고 돌아오실 때는 수, 옥수수 따서 돌아오시면 찌고 삶아서 당신은 안 잡수시고 남은 자식 먹이시니, 참으로 거룩하신 우리 어머니.

24일 우리 어머니 38

강변에 아직 둑이 생기기 전에 수많은 자갈돌들이 제멋대로 누워있는 사이에 지름길 하나. 반들반들 묻힌 돌들이 오늘도 어머니 오시기만 기다린다. 붉은 노을을 그리며 가을 햇빛 뉘엿뉘엿 서산으로 넘어 갈 무렵, 강변에 앉아 어머니를 기다린다. 저만치 새벽에 밭 매러 가신 어머니가 바구니를 이고 오신다. 반가워 내민 바위 올라 허기를 달래며 기다린다. 크게 어머니를 부르고 싶지만 반가운 장난기가 발동하여 숨을 죽이고 잠시 있으려니, 수염이 까만 옥수수 한 바구니 이고 종종걸음으로 내 앞을 지나가신다. 앞만 보고 가시는 우리 엄마.

25일 우리 어머니 39

발소리가 나지 않게 사뿐사뿐 뒤를 따라가며 킥킥거려도 한 번도 뒤돌아보지 않고 곧장 집으로 가신다. 무엇이 그렇게 바쁜지 나를 떼어놓고 걸음은 더 빨라진다. 엄마, 소리쳐 봐도 못 들은 척. 제멋대로 섭섭해져 고무신을 벗어 들고 옆으로 갔다, 앞으로 갔다 달리고 뛰고 해도 모른 척 가신다. 섭섭한 마음으로 "엄마" 하고 울어버렸다. "아니, 네가!" 그때서야 안아주던 어머니. "네가 기다릴까봐 서둘러 가느라고 못 봤지." "너 주려고, 옥수수 좀 봐." 눈물겹게 반기던 어머니.

26일 우리 어머니 40

유난히 햇살이 따가운 날입니다. 요사이 장마가 기상이변이라고, 한도 끝도 없이 먹구름이 하늘을 가리고, 가리고 모처럼 하늘에 문이 열리니 눈부신 햇살에 눈을 피하다 문뜩 냇가에서 놀다 고무신 한 짝을 잊어버리고 어머니 앞에 서서 마음 졸이던 그때 그 일. 왼쪽 발에는 까만 고무신 신고, 오른쪽 발은 맨발로 대문 소리 안 나게 가만히 집 안으로 들어와 살피고 마당을 달리다 그만 "어험!" 어머니 목소리. 등이 오싹 조이고 어수룩 그때 그 어머니 눈동자. 한 마디 없으시고 서 있었다. 오늘 본 햇살과 같은 어머니 눈빛.

27일 우리 어머니 41

처서를 지나 초승달 달빛이 하늘을 다 차지하는 은한삼경. 밤중에 울음 내깔리는 소리에 귀를 기울이며 창문을 연다. 제법 차가운 밤기운이 스친다. 장독대

금줄이 유난히 밝아 보인다. 자세히 넘겨다보니 소복으로 갈아입은 어머니. 정성을 다해 기도드리는 모습. 목욕재계하시고 벌써 자식들을 위하여 삼매경에 자리 하신다. 자아를 접어버리고. 생각만 해도 행복합니다. 잊히지 않는 그 모습. 달빛에 비친 어머니 모습.

28일 우리 어머니 42

어머니, 자리에 계실 때는 미처 몰랐습니다. 흰옷을 내 주실 적마다 더렵혀지는 것이 싫었습니다. 하지만 발가벗고 다닐 수는 없어 몸에 걸치고 조심스러웠습니다. 나도 모르게 반점이 생기고 어두운 그림자도 보였습니다. 때로는 작지만 지울 수 없는 스쳐간 흔적도 싫었습니다. 흰빛의 옷이 좋아졌습니다. 어머니와의 약속을 뼈저리게 느끼옵니다. 울긋불긋한 옷 속에 숨은 사연을 알 것 같습니다.

29일 우리 어머니 43

어릴 때 배꼽을 내놓으면 사르르 배가 잘 아팠다. 어머니가 보고 싶어서 여닫이 문 뒤에 앉아서 훌쩍훌쩍 울었다. 찬바람이 불며 귀촉도 소리가 외로워 눈물이 절로 나왔다. 그러다 잠이 들고 어머니를 꿈속에 부르고 어둠이 내린다. 나를 부르는 소리, 헛되이 돌아올 뿐. 문 뒤에 잠든 나 찾아 안고 외로웠던 가슴을 쓰다듬던 어머니 손은 약손. 기쁨과 슬픔이 어울려 한마디. 엄마….

30일 우리 어머니 44

어머니, 어머니는 잠시도 쉬지 않으셨습니다. 아무리 추운 날도 얼음물에 손을 넣으시고 손이 붉게 부어올랐습니다. 새벽부터 밤까지 일감이 손에서 벗어나지 못했습니다. 자다가 일어나 보면 형들의 도시락 반찬 준비를 하고 계셨습니다. 우리는 밥을 먹을 때도 어머니께서는 끊임없이 국 떠오시고 숭늉을 떠오시고 그리고 빨래를 밟고 계셨습니다. 어머니는 잠깐도 쉬지 않으셨습니다.

31일 우리 어머니 45

어머니는 언제나 고향에 높은 산, 뾰족산을 가리키며 산이 높다하되 못 오를리 없거늘 사람은 올라 보지도 않고 산만 높다 하더라. 거리낌 없는 큰 뜻을 가지고 삶을 헤쳐 올라가 보아라. 아이를 데리고 위험을 모르고 산에 오르라고 시켰다고 꾸중을 들었다고 하던 산. 높은 산도 오르고 보면 발아래 있으니. 뜻만 있으면 언제든지 못 오를 리 없겠지. 어머니 말이 깊이 생각납니다.

9월

2005년

01일 우리 어머니 46

며칠째 빛을 가린 보랏빛 세상. 안개 속에 속삭이는 산새들 노래. 빛은 한없이 그립고 이보다 더 어두운 저승에 계신 우리 어머니. 마음의 빛을 밝혀 걸어오소서.

02일 우리 어머니 47

찬바람에도 흔들리는 대(竹). 약하다 하지만 어머니는 아버지 대(竹)보다 강한 대 조각. 어릴 때 넘어져도 혼자 일어서라고 보고만 계시던 어머니. 울음 뚝 그치고 일어서면 칭찬하셨지. 엄마 닮아서 나도 그러지. 손자들은 씩씩하다. 이제야 알겠습니다. 어머니 사랑.

03일 우리 어머니 48

텃밭 평상에 앉아 보리밥 고봉으로 점심 차려 주시던 어머니 생각에 상추쌈 먹다 여름은 간다. 양푼에 고사리 무쳐 고추장 넣고 주물럭주물럭. 보리밥, 고추장, 손으로 비빈. 어머니가 비벼야 손맛이지. 어머니 생각.

04일 우리 어머니 49

바람은 불어도 소리도 없고 어머니 빈자리에 사진만 홀로. 해는 서산에 감빛 노을이 갈수록 길어지는데 어머니 말씀 귓가에 쟁쟁한데 보이지 않고. 별 하나 별 둘 나타나더니, 그날 그때 어머니 팔베개하고 별을 헤던 어머니 그리워.

05일 우리 어머니 50

여름도 마지막, 해 기울 무렵. 땅속에서 다섯 해 하루 살려 태어나 구름 떠가고 가을 햇빛 비추니 가을 숲에서 여기저기 매미가 소리 높여 울어대니. 시끄러워 소리치니 임 그리워우는 매미. 시끄럽다 꾸짖지 마라. 사는 것은 귀한 것이니. 어머니 얼굴이 생각납니다.

06일 우리 어머니 51

춥고 배고픈 보릿고개. 보리밥 한 그릇이면 사대가 한 숟갈씩. 물 한모금도 서로가 나눠 먹고 손에 손을 잡고 강강술래하네. 도리어 있을때 보다 더 다정했던 살만 나는 때. 어머니는 흩어진 쌀 모아서 남도 한 식구처럼 돕던 어머니, 생각납니다.

07일 우리 어머니 52

비록 뒤뜰에서 외로이 피어오르는 봉숭아. 어머니 그리는 곳. 어머니 몸 안에 잉태하여 10개월 아픔을 드리우고 피와 얼 받아 태어났으니. 나는 어머니의 분신. 봉숭아물 곱게 들여 어머니 마음 간직하고 손끝의 봉숭아를 보며 어머니 그리움 달래네.

08일 우리 어머니 53

하늘이 높아지는 것이 벌써 가을인가 봅니다. 기러기 나르는 달밤. 짝을 찾기 전에 먼저 사람이어라. 가을이 되니 어머니 말씀이 생각납니다. 사랑이란 사랑하는 것. 갈수록 보다 깊은 정을. 이것이 행복을 가져다준다고. 나는 갈수록 어머니 생각에 사랑이 깊어만 갑니다.

09일 우리 어머니 54

산봉우리는 오지봉. 붓을 거꾸로 세운 산. 들녘은 무르익은 벼의 물결. 길가는 나그네 홑바지 걷어 올리고 벼를 벤다. 잠자던 너구리 놀래 뛰어나오고, 참밥 머리에 이고 바쁜 걸음으로 둑방길 서둘러 온다. 참밥보다 많은 나그네. 양푼에 부어놓고 주물럭주물럭. 보다 더 입맛 나는 어머니 손맛.

10일 우리 어머니 55

어머니는 말씀도 조용조용. 다소곳이 앉아 바느질하다 밤은 깊어 가는데. 해진 양말 속에 전구 넣고 양말 기우기. 밤이고 낮이고 쉴 수 없는 우리 어머니. 은한 삼경 잠드시면 사경에 일어나 부엌 일 시작하면 쌀 씻는 소리, 그릇 소리 하나 없이 밥 짓는 솜씨.

11일 우리 어머니 56

포플러 나무가 서 있는 시냇가. 빨래를 이고 가는 여인. 고향을 말하는 사람들은 낭만적 풍경이지만. 4남 1여, 아버지와 어머니의 빨래는 두서너 짐. 봄여름 가을 어머니 손 쉴 새 없어라. 방망이질 수천 번. 냇가에 펴 말리고 새참 먹을 새도 없이 물에 손 넣고 빨래질 한 없이 이웃집 아내와 빨래 잡고 짜기. 이틀이 멀다하고 또닥또닥.

12일 우리 어머니 57

멀리 떠나 보고서야 어머니에 따뜻한 손맛을 느낄 수 있다. 역시 가을이라야?! 구수한 청국장 맛이 입가에 스쳐갑니다. 짭쪼름하면서도 코를 찌르는 콩의 발효된 내음이 톡 쏘는 독특한 특유의 향. 다른 음식에 비해 가을 맛이 맛깔스럽다. 어머니 계신 방에 들어가면 그윽이 피어오르는 엷은 청국장 맛. 정직하게 말하자면 처음엔 고릿하고 톡 쏘는 덤덤한 청국장 맛이란 그렇게 살뜰하지는 않지만 슬슬 입맛을 당긴다. 이렇게 며칠 훈련을 하고 나면 청국장 맛에 조금씩 식욕이 왕성해진다. 이렇게 맛들인 청국장이 상 위에 오르면 식구들이 싫은 듯 즐겨 찾으며 고춧가루 한 수저 넣고 휘저으면 사방에서 숟가락이 청국장으로 모인다. "야, 입맛 만납니다, 어머니." 저절로 나는 소리에 코를 막고 들어온 조카도 슬그머니 맛을 보고는 "할머니 나, 따로 줘." 그럴 수밖에. 삼촌들이 빼앗길까봐 모두 퍼다 밥을 비비고 묵은 동치미 채 썰어 놓은 무채를 넣고 고추장 발라 먼저 비비면 숟가락이 모두 모인다. "야. 이거 우리 어머니 맛이야." 밖에 심부름 온 박 서방 댁, 청국장 끓었어요? 소리친다. 어느새 동네가 청국장 맛으로 가득 찬다. 우리 어머니 맛이 퍼진다.

14일 우리 어머니 58

아기가 할머니와 얘기하다가 마음이 어디 있어요. 어머니는 손끝에 있단다. 아프겠다. 아기는 그래서 할머니가 만든 음식이 맛있구나. 어머니가 만드신 음식은 무엇이든 맛이 있었다. 어머니, 냄새가 났어요. 왜 그렇게 맛이 있었나요. 어머니는 항상 웃으시며 "네 마음"이지 하신다.

15일 우리 어머니 59

비 오는 날, 어머니 생각. 모두 우산 쓰고 간 뒤에 혼자남아 처음으로 단념하는 것을 생각하고 교문 앞에 나서자 비를 맞고 교문 앞 서성거리던 어머니. 학생들 공부하는 학교인데 어머니는 서당에도 못 다녀 어깨 너머로 글 배웠다고. 어머니와 우산 속에서 하던 말씀. "하면 되는 거야." 생각난다. 비만 오면 어머니 생각 잊지 못해요.

16일 우리 어머니 60

옛날 옛날에 개똥밭에 도깨비가 나타날 때 눈을 꼭 감고 어머니 손을 잡았지. 왜 그랬을까. 할아버지가 밭농사를 잘 짓자 화가 나서 물어 봤지. "이 세상에 제일 무서운 것이 뭐예요." "나는 개똥이 제일 무서워." 도깨비는 그 말을 듣고 날마다 온 동네를 뒤져 할아버지 밭에 던졌지. 껄껄껄 얘기도 끝나기 전에 잠이 들었지. 할머니는 어머니께, 어머니는 나에게, 가슴 졸이는 옛날이야기.

17일 우리 어머니 61

어머니, 우박처럼 강한 화가 치밀어 와도 한 번 입을 다물면 지조를 꼭 지키셨지요. 사람이 화를 이기지 못하면 재앙을 불러 온다고 항상 말하셨습니다. 아무리 화가 나도 부엌에서 소리 하나 나지 않았습니다. 길을 가실 때도 발자국 소리가 나지 않으셨어요. 어머니는 그 억울한 시집살이도 소리 없이 곱게 하셨다지요.

18일 우리 어머니 62

오늘밤 해거름이 유난히 밝고 크게 비쳤습니다. 추우나 더우나 달님께 소망을 빌어 주셨습니다. 어둠을 밝혀 주는 해님, 달님처럼 밝고 편안하게 그늘 속에 묻힌 사람들의 손을 잡아 주셨습니다. 어머니 얼굴처럼 밝은 해거름이 났습니다. 구름 사이에 얼굴을 보여 주셨습니다. 반가워 가슴이 벅찼습니다.

19일 우리 어머니 63

어머니 재봉틀은 싱거, 한 살짜리 혼숫감. 1800년대 미국 재봉틀. 지금은 박물관. 달달 달 잠결에 일어나보면 혼자서 재봉을 하다 오른손으로 돌리면 바늘이 들락날락 재봉을 한다. 온 식구 잠잘 때 옷을 만든다. 달달달달달달 쪽진 머리에 낭자를 하고 어여쁜 옷을 만들어주시던 우리 어머니.

20일 우리 어머니 64

피마자 기름 발라 곱게곱게 빗은 머리 붉은 댕기 곁들여 낭자머리를 하고 긴 비녀 꽂고 낭자 속에 붉은 댕기. 산호보다 어여쁘다. 우리 어머니 나들이할 때 머리에 난바위 쓰고 늘씬한 두루마기 오이씨 같은 버선, 치마폭에 보일락 말락

파도를 넘는 돛단배 마냥 사그락 사그락 갓신 신 닿는 소리. 새 신발 신고 나들이 하는 귀한 마님, 우리 어머니.

21일 우리 어머니 65

어머니는 말씀을 해도 선악의 분별이 분명하셨죠. 착한 일을 하면 뜨겁게, 칭찬보다는 은연중에 치하하시고 못된 일을 바로 즉석에서 잘못을 따지기 전에 몇 번이고 무엇이 왜 잘못을. 깨닫게 도와주셨지. 그 눈동자가 총총 빛나시어 숨이 막힐 듯 말없이 뒤따르시더니 "잘못 했어요." 스스로 깨닫게 해주신 어머니.

22일 우리 어머니 66

어머니는 잘못이 있으면 벽을 보고 앉혀 놓으셨다. 아무것도 없는 막막한 벽. 무릎 꿇고 앉아 있으면 졸려서 머리를 부딪치고 놀라서 정신이 바짝 들었다. 다시 앉으면 영상처럼 나의 행동이 다 보였다. 찬장을 하루에 세 번 너머 열려면 가슴이 두근거렸다. 하루에 세 번, 더 열고 싶어요. 약속을 지켜라. 우리 어머니.

23일 우리 어머니 67

감사합니다. 어젯밤 꿈속에 어머니 얼굴이 그렇게도 환하게 곱게 피어오르더니 밝은 미소로 세속의 일들을 영롱한 눈빛으로 모든 걸 용서 하시고 가슴을 열어 주셨습니다. 빛이 되어라. 잘잘못을 버려라. 웅장한 폭포의 줄기. 그 속에 묻어 용서하라.

24일 우리 어머니 68

세상은 나쁜 일만이 아니라 좋은 일도 있습니다. 어리석은 사람에게는 도우미가 있어요. 약간 자에게는 받침대처럼 버티어 주는 이가. 날뛰는 사람에게도 그물이 뒤따릅니다. 그러나 세상은 이 모두가 공평하지 않습니다. 오직 어머님보다 버팀목이 되어 주는 사람은 없습니다.

25일 우리 어머니 69

반짝이는 한여름, 숲속 소나무보다도 늦은 가을에 초록빛이 더 짙어 갑니다. 겉으로 보는 세계. 그 이전에 초록보다 더 짙은 꿈을 도사리며 가을을 기다렸나 봅니다. 어머니, 분명 어머니 꿈은 낙락장송처럼 키 크고 푸릇푸릇한 장목을 기대하셨을 텐데 모두가 길 밖에서 헤매는 자연의 퇴물로 슬하를 떠나 빛을 잃으니 지금쯤 그때 그 말씀들이 이제야 가슴을 뚫고 지나갑니다.

26일 우리 어머니 70

어머니는 우리에게 강요하지 않았습니다. 실수를 하여도 크게 꾸중하지 않고 두고두고 교훈삼아 웃으며 일러줬습니다. 그때마다 무척 가슴이 쓰렸습니다. 두 번 다시 그런 일이 없어야 한다고 마음에 다짐했습니다. 어머니를 업어 드리고 싶었습니다. 어머니 치마폭에 매달려 징징거릴 때가 가장 행복했습니다.

27일 우리 어머니 71

어머니의 손은 쉬지 않았다. 헌 쉐타를 풀어 변형하여 다시 짜고 조각조각 천을 대서 밥상보를 만들고 남달리 보기 좋게 잘 만드셨다. 사람마다 뜨개질 조각들을, 손을 부지런히 일을 시켰다. 집집마다 아이들도 뜨개질 한다. 언제나 새롭게 창안하시는 명수였다.

28일 우리 어머니 72

초저녁 동산 해거름 깨끗한 장독대에 몸을 가리고 겨울에도 소리 줄여 물을 끼얹어 머리감고 목욕재계하고 삼신에게 손을 닳도록 빌며 큰 애는 몸이 약하니 튼튼하게 해 주세요. 둘째는, 셋째는 재앙과 액운을 막아주시고 천지신명께 비는 모성애로 주름이 생기셨다.

29일 우리 어머니 73

어머니는 역사의 덩어리. 중국, 일본, 남북한이 모두 한국의 역사다. 언제나 이렇게 얘기해주셨다. 연개소문은 중국 요동으로 가 안시성에서 적을 무찌르니 지금의 중국 땅이 우리 땅이다. 이런 이야기를 자주 들려 주셨다. 어릴 때 들은 역사 이야기. 오래도록 잊히지 않는다. 어머니는 참으로 나라 사랑을 어릴 때부터 얘기해주셨다.

30일 우리 어머니 74

멀리서 궁궁 딱딱, 북치고 장구 치며 동네잔치 벌어졌지만 모두들 구경 가고 없지만 진돗개 한 마리와 어머니는 일하던 그대로 바쁜 손놀림으로 집 안에 있다. 굿치는 소리가 안 들리나요, 어머니, 나 구경 가요. 여쭙고는 나가버린 빈집에 혼자 집을 보시는 우리 어머니, 정말 미안해요.

10월

2005년

01일 우리 어머니 75

먼 산 설악산 단풍 물들어 저무는 을유년. 자연은 아름다워라. 어머님, 그리움이 한없어 지금도 어머님 생각. 꾸짖지 않으시고 깨닫게 도우시며 나보다 먼저 남을 생각하라. 어머니 말씀은 금과옥조. 소중하여라.

02일 우리 어머니 76

어머니, 효라는 의의가 언어에 불과하고 그리움과 정, 곤경과 사랑. 옛 이야기랍니다. 부모를 공경한다는 것은 새 시대는 있을 수 없다네요. 갈수록 동물의 세계로 달려가는데 입을 벌리고 있을 수밖에. 이것은 원시적 반항입니다. 자기의 죽음을 책임지고 마무리하라고.

03일 우리 어머니 77

어머니, 뿌리 깊은 나무는 시들거나 쓰러지지 않고 봄에 싹 틔워 여름은 푸르게, 가을에 열매 맺히며 한겨울에도 숨죽이지 않고 참고 견디어 다시 봄이 되면 잎과 꽃을 피워 씨를 퍼뜨립니다. 좋은 나무는 푸르고 단단한 씨를 만들어 세상에 바칩니다. 어머니는 바로 뿌리 깊은 나무입니다.

04일 우리 어머니 78

나를 낳아주시고 나를 길러주시고 나를 가르쳐 주신 어머니. 내가 잘못하면 어머니를 욕하고 내가 잘하면 나를 칭찬하지만 이것은 잘못입니다. 잘한 일도 어머니가 뿌리가 되어 크게 자랐으니 어머니 은혜는 영원합니다. 어머니는 생명의 원천이며 어머니는 태교로부터 자랄 때까지 사람 되라, 받쳐주셨습니다.

05일 우리 어머니 79

바람은 빈틈만 있으면 손짓하지 않아도 찾아 듭니다. 바늘 하나 들어갈 사이 없이 단단한 몸가짐에도 스며듭니다. 바람은 어느 곳이든 지나가면 모든 것을 흩어버립니다. 하지만 어머니는 어떠한 풍파도 이겨내셨습니다. 그 단단한 모습이 바로 어머니였습니다. 힘들고 모진 일은 스스로 삼키고 참으며 어머니의 도리를 다하셨습니다.

06일 우리 어머니 80

어머니는 종손은 아니지만 제사 차림이나 제례를 잘 전수하셨다. 외가가 종가이어서 어릴 때부터 몸에 배어 있어 솜씨가 좋으셨다. 그 근엄하고 영과 육이 일체가 되어 겸손하고 영적인 행위로 가만가만 소리 없이 영의 세계에서 정성을 다하는 인간의 가장 훌륭한 모습을 남기셨습니다.

07일 우리 어머니 81

어머니를 세간 사람들은 아름답다고만 말들 하였지만 어머니는 한 번도 화장하지 않았습니다. 그런데도 미인이라고, 아름답다고 존경받았습니다. 어머니는 남이 일어나기 전, 얼굴을 비비고 세수하고 곱게 머리를 빗었습니다. 남에게 자고난 얼굴은 안 보여 주셨습니다. 그리고 다소곳이 미소와 눈빛으로 말했습니다.

08일 우리 어머니 82

어머니는 틈이 생기면 호미를 들고 텃밭을 가꾸셨어요. 텃밭가에는 귀여운 채송화, 색시 같은 백일홍, 맨드라미, 분꽃, 봉숭아를 함께 심었습니다. 채송화는 손수건에 물들이고 백일홍은 머리에 꽂고 봉숭아는 손톱에 물들이고 몸에도 꽃을 가꾸셨어요. 자연은 우리들 마음을 순하고 아름답게 합니다. 꽃과 나무를 사랑하라. 식물은 선한 마음을 주고 아름다움을 일깨워 줍니다.

09일 우리 어머니 83

어머니는 외할머니의 긴긴 편지들을 써 내려갔다. 붓을 잡고 책을 한 권 받혀 무릎에 얹고 써내려갔다. 편지 중에 제일 어렵다는 사돈서. 예의를 갖추고 가문의 명예를 건 중요한 편지다. 서체는 궁서라고 첫 줄부터 한 문장이 끝날 때까지 이어지는 글씨다. 할머니의 의견을 들어가며 하루 종일 써 내려갔다.

10일 우리 어머니 84

어머니 생각납니다. 가을에 접어들면서 커다란 바가지를 들고 한손으로 주물럭 주물럭 하고 나오시더니 이것이 가을 맛에는 제일이야 하시면서 큰 접시에 옮겨 주신 생게 무침, 게 살을 빨아 먹을 땐 달콤한 바다 냄새, 가을바람이 불어오다 짭짤한 바다 바람이 되어 이웃집까지 안고 가 돌담 위로 내다보며 "뭐가 그렇게 맛있는 냄새 나니," "건너와, 우리 함께 먹자." 어머니 손맛을 지금도 이웃집 깨복장이 친구가 맛있었다고 말한다.

11일 우리 어머니 85

3500페이지 불경 해설집을 돋보기를 대고 날마다 읽으셨다. 참으로 그 인내심과

학구열이 대단하여 날마다 몇 장씩 읽어 내려가셨다. 달마대사가 9년간 면벽해 깨달았다. 눈앞의 벽 밖에는 아무것도 없는 벽을. 참으로 내 삶을 바꾸어내는 하늘은 푸르고. 그러기에 책만 보고 깨달음이 있으셨다.

12일 우리 어머니 86

어머니, 하신 말씀 또 하고 또 하셔서 귀찮게 여겼더니 이제와 생각하니 황금보다 귀한 말씀. 손자 녀석 흙손으로 돌아가매 손 씻어라, 공부해라. 어린 손자 녀석, 대뜸 할아버지 미워. 잔소리 뚝. 꾸중을 듣고 나니 어머니 생각 절로 생각난다. 언제나 나를 돌아보라. 잊어버리지 않는 말씀.

13일 우리 어머니 87

조용조용. 말도 조용. 걸음도 조용. 상의 그릇을 놀 때도 조용. 문을 열고 닫을 때도 조용.조용조용조용. 모든 움직임을 조용조용. 양가집 따님으로 모든 것을 조용조용 처리하시는 어머니. 조용 속에는 예와 지가 있다. 조용조용은 어머니의 표상.

14일 우리 어머니 88

어머니, 산에는 단풍이 물들고 나뭇잎 하나에 붉고 노란 수많은 색깔이 조화롭게 물들어 높고 푸른 산들이 모르는 사이에 변신하니. 무척 아름답습니다. 자연은 어머니의 품과 같이. 안온한 가을입니다.

15일 우리 어머니 89

팽이도 중심축이 균형을 잡아 서 있어야 넘어지지 않듯, 가정의 중심은 언제나 여자라고 하셨다. 부부간에도 여자가 중심에 있어야 가정이 흔들리지 않는다. 남자가 바람을 피워도 아내로서의 도리를 다하면 남자는 반드시 돌아온다고 믿으셨다. 인간이란 동물의 원형을 쉽게 벗어날 수 없지만 사회적인 체면에는 어쩔 수 없는 것이라고.

16일 우리 어머니 90

누구나 색다른 이야기가 있으면 비밀스레 이야기하기 마련이지만 어머니는 남의 말을 옮기지 않으신다. 사실을 눈으로 봐도 이렇다 저렇다 말하기 힘든데, 제멋대로 얘기하면 전하고 전하는 사이에 눈덩이처럼 부풀어 오른다고. 옛날에는 잘못 전하여 전쟁도 있었다고. 어머니는 남의 말을 옮기지 않아야 이웃과 잘 사는 길이라고.

17일 우리 어머니 91

힘이 없을 때는 무조건 죽은 척 말하지 않으면 휴식을 거쳐 네가 너를 알 것이다. 이제야 그 뜻을 알았습니다. 왜? 자문자답 하다가 깨우쳐 정의는 말하지 않아도 스스로 알게 된다.

18일 우리 어머니 92

가을이었습니다. 마당에 벼를 널고 새가 몇 마리 날아오나, 보라고 하셨습니다. 홍시 감 먹으며 가만히 앉아 참새를 기다리며. 새 한 마리, 새 두 마리, 세 열 마리, 세었습니다. 새들은 시끄럽게 지저귀다가 내가 쳐다보면 뚝 그치고 죽은 듯이 조용해졌습니다. 빨랫줄에, 돌담 위에서 내 눈치만 봅니다. 참새와 친해졌습니다. 아무리 내려오라고 해도 떼를 지어 이리 날고 저리 날고. 텃밭에서 열무를 솎아들고 나오신 어머니가 "새들이 뭐라고 했지?" 처음엔 답답했지만 나는 말했어요. 내가 한눈을 팔면 내려와 벼를 쪼아 먹고 고개만 돌려도 날아갔지요. "오, 그러니까 새들이 너를 보고 꼼짝 못했구나." 벌써 그 사이에 내려와 벼를 쪼아 먹었습니다. 내가 손을 들자 도망쳤습니다. "참새는 너를 샌님이라고 하는구나." 어머니는 자연을 사랑하셨습니다. 지금도 나는 자연을 사랑합니다.

20일 우리 어머니 93

잠결에 싹싹싹 마당 쓰는 소리. 눈을 비비고 밖을 내다보니 첫눈이 하얗다.

싹싹싹 장독대 눈을 호! 손을 덥히어 쓴다. 어머니 그만, 하얀 세상, 쓸지 마세요. 창문을 열고 나가 봤더니 달도 떠 있다. 행여 미끄러질까, 눈 먼저 쓰신다. 우리 어머니.

21일 우리 어머니 94

두 뺨이 붉게 물든 추운 날이었지. 올 들어 첫 번째 추위. 손도 발도 유난히 춥다, 춥다. 바람소리보다 큰 소리. 어깨도 으쓱. 손은 겨드랑이 끼고 걷는데. 어머니는 숄을 벗어 감싸주신다. 나를 희생하며 보호해 주시는 어머니 사랑.

22일 우리 어머니 95

검은 머리 피마자 기름 발라 참빗으로 곱게 빗고 새로 갈아 단 동정이 유난히 흰 빛 띄우는 흰 두루마기를 입고 눈 아래로 뜨고 치마폭 앞으로 차며 다소곳이 걷는 모습. 눈감고도 선하게 보이는 우리 어머니. 어질고 순한 선비와 같은 우리 어머니.

23일 우리 어머니 96

날씨가 춥고 바람이 부는 날이면 할머니 생각. 짙은 가지색 공단으로 만든 조바위, 머리에 쓰고 나오신다. 할머니가 주신 선물이라서 아끼고 아끼신다. 할머니가 시집올 때 가져온 할머니 마음의 선물이다. 아얌과 비슷한 겨울 나들이할 때 쓰는 지금의 방한모와 같다. 위는 터졌지만 제법 볼가가 커서 귀와 볼기를 가리는 방한모.

24일 우리 어머니 97

밤중에 불빛이 어리어 눈뜨고 살펴보니 책상 위에 작은 불 켜고 어머니는 앉아 계셨습니다. 눈에는 돋보기, 손에는 바늘 실. 헤어진 옷가지 들고 꾸미고 계셨습니다. 새벽 밥 지어 형들, 학교 보내고 설거지하고 마당 쓸고 손발이 쉴 새 없이 큰아들, 둘째아들, 큰딸, 셋째아들, 주렁주렁 달린 자식들 챙기시고 단잠

한 번 못 주무시고 자식들 뒤치닥거리. 한 세상 보내셨으니 편안하소서 우리 어머니.

25일 우리 어머니 98

바람이 부는 추운 날, 방안에는 밤 굽는 냄새. 온 마을이 군밤 냄새. 군밤 냄새 찾는 눈빛. 군밤 향기에 가벼운 미소로 추위를 달랜다. 밖에 인기척이 있어 어머니가 나가시더니 다시 들어와 옷가지 챙겨 나가시다니. 보따리 들고 나가는 여인의 모습은 전쟁의 후유증. 성급하게 화로에 묻은 생밤이 터진다. 어머니의 겉옷은 벌써 겨울 여인의 등을 덥혀 나갔다.

26일 우리 어머니 99

어머니, 오늘 동쪽 하늘에 샛별이 유난히 반짝입니다. 희수를 앞둔 나이지만 어머님에 대한 그리움은 어릴 때나 지금이나 그 따뜻한 품이 많이 그립습니다. 손자가 벌써 군대 가서 늠름한 사나이가 되어 구릿빛 얼굴에 의지의 눈동자가 씩씩해 보였습니다. 얼마나 속이 상하셨나요. 전쟁 중에 소집되어, "다녀오겠습니다" 하고 군에 입대할 때. 내 손에 생명을 쥐어주시며 눈물 한 방울 보이지 않으시며 위기를 슬기롭게 하시며 보여 주신 눈빛이, 바로 오늘 새벽에 본 샛별이, 어머니의 눈입니다. 반가웠습니다.

27일 우리 어머니 100

결코 하얗지는 않은 연분홍도 아닌 초록이 엷어진 그런 허공에, 인삼 뿌리 같이 잘고 수많은 뿌리와 뿌리가 지구를 향하는 곳에, 한줄기의 빛이 아래에서 위로 치솟는 향연. 어머니는 지켜보고 계신다. 아마도 영원히 죽지 않는 영혼으로.

28일 우리 어머니 101

소리도 없이 미소의 그림자가 움직이지 않은 수억의 빛들이 모인 무소부재의

점보다 작은 아니, 너무 커서 보이지 않는 무한의 염(念)의 세계에 계시는 우리 어머니. 사람이라는 붉은 피가 뜨겁게 달구어져 심장이 맥박질을 할 때마다 함께 계시는 우리 어머니.

29일 우리 어머니 102

하늘은 무심하지 않았습니다. 모든 액운을 다 안고 가셨나 봐요. 어머님 말씀대로, 있는 그대로, 사는 그대로, 욕심 부리지 않고 묵묵히 살아올 제 고향이 아닌 타향에서. 어버이 주신 슬기로 열심히 살다 보니 남에게 쓰일 수 있어, 아들 딸 여우고 큰 걱정 없이 살다 보니 나보다는 남을 위하는 일을 하여 아껴주고 사랑받아 즐겁게 살아남았습니다.

30일 우리 어머니 103

어머니는 잘못을 알아도 눈빛으로만 눈치를 주실 뿐. 한 번도 꼬집어 말하지 않으셨다. 잘못을 몸소 느끼게 하셨다. 알고 나면 먼저 나보다 남을 의식하고, 둘째 공덕심을 가지고, 셋째 밝고 즐거움을 가져라. 어머니는 잘못을 깨닫고 용서를 빌 때면 얘기해주셨다. 배워도 할 수 없는 사람의 도리를 자연스럽게 스스로 느끼게 해주신 우리 어머니.

31일 우리 어머니 104

엄마가 새옷을 사오시던 날, 자다가 일어나서 몇 번 입어보고 벗었다가 또 입어보고, 벗고 하다가 날이 샜다. 그때 그곳 빨간 티에 까만 바지. 지금 생각난다. 어머니는 설날에도 앞치마만 입는다. 나들이할 때면 앞치마만 벗고 평생 새옷이 없었다.

11월

2005년

01일 우리 어머니 105

나 어릴 때 어머니 손잡고 외가에 갈 때 어머니 손을 의지하고 강아지처럼 뛰어갔다. 손을 꽉 잡고…. 어머니, 아버지는 나의 별. 어디에 가나 꼭 따라온다. 슬플 때 함께 울어 주시고 기쁠 때는 쓰다듬어 주시고 구름이 낀 날은 걷어주시더니 어느 날 별 하나 지고 슬픔을 안겨주더니, 또 하나 별이 졌다. 아름다운 나라에 계시겠지. 지금도 보고 계시겠지. 내 위에 항상 함께 해 주시겠지.

02일 우리 어머니 106

세상은 끊임없이 변한다. 새것과 낡은 것은 한순간에. 시간은 창조와 고물을 함께 생산한다. 어머니는 창조와 육성을, 타고난 모성을 베풀어 어김없이 사랑을 나누고 가신 우리 어머니.

03일 우리 어머니 107

짐승은 자식을 낳으면 성장 후에는 돌보지 않는다. 부모는 자식이 열이라도 하나같이 돌본다. 자식은 열이라도 한 어머니를 모시지 못한다. 날이 갈수록 낳아주신 어머니를 돌아보지 않는다. 동양은 부모를 모시는 비상한 윤리 국가라고 자랑하는 나라. 지금은 열 자식이 편모를 못 모시다니 가슴 아프다.

04일 우리 어머니 108

어머님이 주신 몸, 보전 하지 못하여 늙고 쇠약해져 불경스럽기 한이 없습니다. 이제야 내 몸의 소중함을, 어머님 말씀에서 찾아봅니다. 건강해야 건강한 정신을 가질 수 있다고 소리 듣던 그 말씀 지켰더라면. 슬픈 이야기입니다.

05일 우리 어머니 109

삼백 날 긴긴 날을 태 안에 안으시고 한걸음 걸을 때마다 태아 생각 그칠 새 없으시며 온갖 괴로움, 이겨 내시며 근심걱정 잊을 날 없이, 좋은 것 가려보시고, 천하고 그릇된 일 눈 감으시고, 자신보다 태아 걱정 그 숭고하신 마음으로 생명과 몸을 주셨으니 거룩한 마음, 어이 잊으리오. 여리고 애달픈 몸, 내 몸보다 아껴 기르시며 한 시도 쉴 수 없이 숨소리 고른가, 살피시고 하루가 멀다 하고 손발 씻어주시고, 나들이한 옷은 털어 햇볕 쬐어 넣으시며 과일 채소에 밥 잘 먹고, 맑고 깨끗한 젖 물리시어 사랑하는 마음과 마음, 품안에 깊이 묻으시니. 자비로운 어머니 얼굴, 눈만 뜨면 떠오르네. 제 발로 걸을 때면 발등에 세워 걸음마, 한마디 말 배울 때면 바른 말 고운 말 가려 주시어 사람의 기쁨을 알게 하셨으니, 그 큰 은혜, 하늘과 같아라.

07일 우리 어머니 110

참아라. 어떤 굴욕을 당해도 옳은 일에는 참아라. 평소 어머니의 말씀은 동네 아이와 싸움 참으면서 웃음이 솟는다. 언제나 남을 먼저 생각하라 하면 더욱 친숙하리. 참아라. 그리고 생각하라. 그러면 더 강해지리니. 어머니는 참고 이겨내고 침묵 속에 삶을 주셨으니 세상을 보다 아름답게, 그리고 슬기롭고 강한 힘을 주셨다.

08일 우리 어머니 111

다치지도 않은 두 다리가 아프다. 마치 꾀병을 앓는 듯, 아이고 소리가 절로 난다. 아픈 곳이 보여야 적절한 치료를 하지. 전생에 죄를 많이 지어서 벌을 받는가 싶다. 겨우 손을 짚고 일어서 허리를 펴고 한 발 내밀면 벼락이나 떨어진 듯 정신이 화끈거리게 아프다. 어이쿠, 염치고 체면이고 없다. 숨이 막히고 엉덩방아에 온몸이 나뒹군다. 어금니를 꽉 물고 눈에 불을 켜고 참는다. 등에 땀이 솟고 아픔과의 전쟁이 시작된다. 어머니 생각이 난다.

09일 〈우리 어머니〉 연작을 마치며

1913년 미국 필라델피아 한 교회에서 어머니를 찬미하고 존경하고 추모 감사하는 행사가 시작되어 그 의미와 뜻이 온 세계인의 가슴에도 감동을 주어 확산된 어머니날은 5월 둘째 일요일을 우리나라에선 5월 8일로 제정하였습니다. 어머니는 무엇이 생겨난 근본으로 신 다음에 생명을 창조하고 생명을 가진 어린 것을 사랑으로 길러 가르쳐 세상에 내보내는 인간의 가장 숭고한 일을 하는 어머니시다. 우리는 어머니를 존경하고 낳아주신 은혜를 보답하여 여생을 편안하게 맞이하도록 서로 노력해야 한다.

12일 가을에 문턱에 서서

산이 이제 붉게 타오른다. 매미소리를 귀 기울여 봐도 벌써 시계추를 달고 멀리 가버린 뒤다. 웅장한 3백 명의 정열적 오케스트라 소리가 멀리 들려온다. 하늘은 높고 청명하기에 그 묵직한 팀파니 소리에. 가을이 걸어오는 오보에 소리. 하늘을 가로질러 달려오는 칼날 같은 피콜로 소리. 이제 가는 시간을 어찌 잡으랴. 어울리는 피아노 소리가 겨울을 예고한다.

16일 새벽

달은 보름달. 대낮같이 밝은 달. 구름 한 점 없는 가을 하늘 가득 안고 서산으로 간다. 멀리 새벽닭이 하루를 여는데 산영이 뚜렷해진다. 해와 달이 함께 가을 하늘을 메운다. 붉게 타오르는 밝은 해가 흰 빛으로. 백발의 달을 따라서 지고 붉은 해가 하루를 시작한다.

19일 꿈을 먹고 사는 귀염둥이

며칠 전 경북 경산 어린이집 아기들이 마고할미는 정말 있었나요, 어떻게 재미있는 이야기를 쓰나요, 선생님은 여자 친구가 있나요, 책을 본 7세 어린이들의 편지다. 유아기 아이들이지만 눈으로 보면 생각을 한다. 유아들도 느낌 뒤에는 열렬한 꿈을 창조한다. 귀가 달까지 닫는 사람. 바지를 걷고 바다를 건너는 사람. 지구가 작아 밟힐까 걱정하고, 마음대로 날아보고 싶은 생각. 한 없는 꿈을 자극하고, 꿈은 바로 실천되는 상상력. 꿈을 먹고 사는 귀염둥이다.

31일 무료한 11월이 간다

눈발이 내리던 11월. 내가 세상에 태어난 달. 해마다 잊히지 않는다. 어릴 때 남쪽 땅에서 이불을 둘러쓰고 생일 떡 먹던 날. 어, 추워, 절로 나는 소리. 집으로 돌아온 형들. 지금은 어디 가고 나 홀로 남아 아직도 따스한 11월을 보낸다. 그렇게도 춥던 11월이 눈 한 번 내리지 않고 이상기온 속으로 사라져 간다. 겨울은 추워야 맛인데. 형제는 함께 있어야 형제지. 나 홀로 지난 세월 탓하지 못하리.

12월

2005년

03일 사람

인간이란 말을 한다. 아이나 어른이나 하루 종일 말을 한다. 자기변명을 늘어놓는다. 가난한 자는 불행한 얘기를, 부자는 잘 먹고 잘 사는 얘기를. 잘못은 남을 얘기하고 물러선다. 땅속으로.

08일 겨울밤

어디선지 고소한 군밤 냄새. 바람에 실려 코끝에 닿는다. 그 옛날, 사랑방 군불 땔 때 생밤 밑을 칼자국 내어 아궁이에 묻어 군밤 냄새 맡고 꺼내먹던 옛 이야기. 고향 친구 만나면 밤새도록 해야 할 맛이다. 솥뚜껑에 콩 볶아 먹고 고구마

구워 먹던 시절. 그리워라, 오늘도. 무심한 겨울밤은 지나간다.

28일 높다는 것

어릴 때 어른들이 하늘 높이 들어 올려줄 때 가슴 끔찍했던 순간의 느낌을 기억할 수는 없지만 처음으로 말을 탔던 때 세상을 얻은 것 같은 황홀한 대망은 내 기억 속에 잊을 수가 없다. 서울타워에 오르니 눈도 가슴도 가득 커졌다. 그 꿈이 어디로 사라졌을까.

2006년

1월

03일 새 빛

구름 사이에 강한 햇살이 집안을 가득 채운다. 병술년 새해, 새 빛인데 무슨 의미가 있을까. 음지보다는 양지가 좋듯이 음지보다 강렬한 빛을 주소서. 밝은 양지에는 기만도, 복수도 없다. 지금 세상에는 천신의 노래에 취하고 폭설이 내리고 교통이 마비되고 화산이 솟고 해일이 일어나 가난한 사람들이 희생이 커지고 있다. 인간이 살아온 뒤 가장 큰 자연의 재해이다. 인간이 자연을 거부하고 일으킨 문명이 쓰러져 버린 이집트, 잉카, 폼페이 등 대자연 앞에 무릎을 꿇는다. 2006년을 싣고 온 새 빛이여. 아직 남아있는 생명들이 한 가닥 빛줄기에 희망을 걸고 있어 통일을, 화합을, 가진 능력대로 인간답게 살 수 있는 힘을 주소서.

04일 이대로 죽어간다고 생각해 보니

억울하기 짝이 없다. 이 한 목숨 허물어지면 그만이지만 나는 체제의 의한 압박으로 인해, 사람이면서 사람답게 살지 못한 한이 영영 잊히지 않는다. 나뿐만 아니라 나와 같은 사람도 많이 있었겠지만 유난히 피해를 본 것 같은 느낌이 든다. 해방 후 단란한 가정에 형들의 해외 유학으로 세상 사람들의 선망을 받고 기대가 이만저만이 아니었다. 부를 누린 외가의 시샘이나 고모 댁의 철저한 경계 등 내부적 갈등 속에서도 극복하여 성공하려는 꿈을 키워가고 있었다. 해방이 되자 갈망하던 조선 독립의 꿈은 모스크바 삼상회의에 의해 일본 식민에서 벗어나 임시정부의 형태로 있을 때 들끓는 젊은이들의 행방은 묘연했다.

먼저 나라가 38선이라는, 꿈에도 예기치 못한 국토 분단의 결정에 따라 국민들은 이념적 대립과 국외에서 조국 광복을 위하여 결사투쟁해온 애국지사들의 의지를후원해 오던 각국의 야심에 묻혀 혼돈이 일어났고, 선택의 여지가 없었다. 두 갈래가 된 젊은이들은 각기 미래를 점치고 서울과 평양으로 발판을 옮길 때 형들은 평양을 선택하게 되었다. 평양은 사회주의 집단으로 당시 젊은이들의 이상향으로, 현장이라도 일차 가보고 싶은 욕망에 차 있어서 아무도 말릴 수 없었다. 정부 수립도 되기 전에 젊은이들은 북으로, 북으로 발길을 돌렸다.

큰형은 영화를 전공하고 일본영화사에 입사하였으나 2차 대전 후 일본이 조선인의 징병령을 내려 부득이 고향으로 귀환하여 이웃 면에서 면서기로 있었으며 둘째 형은 징집되어 오사카에서 일본 패전을 맞이했다. 셋째 형은 기혼자는 징집을 면제해 준다는 사례가 있어 살아남기 위한 수단으로 시골 여인과 결혼하여 전주에서 신혼 생활을 시작하였으나 징집영장이 나왔기에 절간에 가 있다가 3개월 만에 해방을 맞이했다. 해방은 우리 민족의 국권을 회복하고 식민정책의 틀에서 벗어나 자유를 얻었다. 민족사의 새로운 의미를 부여 받는 등 민족주권의 큰 힘을 얻게 된 것이다. 연이나 조선시대 후기 외국의 근접을 단절시킨 쇄국정책으로 백성을 맹인으로 만들었다. 농사지대본을 내세워 백성을 일종의 농노로 전락시키고 양반은 세금도 안 물고 서민들의 노동력을 착취하고 그들만의 행복 추구에 혈안이 되어 당파싸움에 몰두하고 왕족에 아부하는 등 양극화 현상이 일어났다. 지정학적으로 일본과 중국 대륙과의 교두보가 되어온 한국은 중국과 일본 심지어는 바다가 없는 소련도 한반도를 타격해 호시탐탐 3국의 마수를 이 나라에 뻗어 대혼란 속에 역적 이완용이 일본에 나라를 팔아넘긴 결과에서 보았듯이 악마적 혈류로 남게 되었다. 해방을 맞이해서 좌우익으로 갈리고 크게는 외세에 의하여 남북으로 국토가 분단되니 가난했던 과거사의 한은 가진 자에 대한 복수, 서민들의 문맹의 한은 자본주의와 함께 커다란 분수령을 만들어냈다. 특히 그동안 철학적, 민족적 정신문화가 설 자리를 잊어버리고 물질만능시대로 돌입하여 수전노가 되어 수단과 방법도 가리지 않고 모사모의 등 최악의 수단을 동원하고 인명을 경시하고 물질만능시대로 진입했다. 이것은 후세에게 악습을 만들어 전해줬다. 정적을 살해하고 정권을 빼앗고 남의 것은 내 것처럼 행동하고 모든 돈을 흥청망청 소비를 통해 부를 과시하는 풍조를 남겼으며 올바르게 자라야 할 아이들도 돈으로 사도를 무너뜨리고 치맛바람이라는 한국여성의 오명을 남기기도 했다. 물론 좋은 일에 사회봉사한 어진 사람도 있었으나 가장 중요한 2세 국민의 교육이 양심을 잊어버리고 교육이 타육으로 망신하고 교육 불신으로 기러기 아빠라는 돈 벌레가 등장하고 자식 뒷바라지한답시고 외국에 나가 관광을 즐기고 가정 파탄은 헐리웃 배우마저 한국을 비웃게 했다. 데모라는 최후 수단은 학생, 노동자뿐만 아니라 조금만 불편해도 남의 불편을 가중시키며 거기로 뛰어나가는 군중, 심지어 농민과 금융기관까지 데모를 하는 등 세습으로 전이되었다. 이래서 되겠습니까. 바빠도 깊이 연구하고 외국에서처럼 가슴에 구호를 달고 다니는 방법을 모색해 봐야지 도시가 마비되고 행정이 마비되고 의회를 진행하지 못하게 하는 정객들의 부조리는, 견디다 못해 일어났던 4·19, 5·18 등 민중봉기가 아니고서야 누구를 위하여 누가 왜 어째서 하는 짓인지 머리 아프게 되어 지금쯤은 데모에 일반 서민들은 관심도 없다. 언제까지 이렇게 억지를 쓸 것인가. 제가 맡겨놓은 듯 동냥을 달라고 하듯, 무리로 몰려가 생떼를 부리는 집단 농성을 하다니 될 때로 되어가는 막판인 듯하다. 이렇게 살기 힘들어서야 되겠는가. 앞뒤를 못 가린다. 해가 바뀌면서 시야가 달라졌다. 정치 부재의 현실에 국민정서가 냉정해 간다. 여기에 지금 환경의 급작스런 변화는 토네이도, 지진, 눈보라 등 자연의 위협이 무서운 현상이다.

이것은 인간을 의한 지구 온난화 현상이 원인이 되고 있다. 미국의 이라크 침공으로 원유 원가의 상승에, 미 달러화의 약세로 미국을 상대로 한 무역적자 현상으로 한국 경제는 상당한 위기를 맞이할 듯하다.

08일 겨울 숲길

혼자서 숲길을 간다. 눈 녹은 숲길을 마치 미래의 길을 가듯이 텅 빈 공간에 어디론가 가는 길게 뻗은 오솔길 하나. 생을 마감하러 가는 길 같다. 여름에 울창했던 숲길이 이렇게 쓸쓸한 길일까. 숲이 앞을 가려 보이지 않았던 도봉산이 한결 밝게 보인다. 봄을 기다리는 나무들이 엉성한 숲을 그린다. 길은 끝이 안보이나 물으면 대답을 하겠지. 마음대로 갈 수 없는 길. 저승길을 가리켜 주겠지. 어쩐지 시원하고 이 쓸쓸한 숲길과 같은 길. 지옥으로 가는 길을 말해 주겠지.

09일 눈

눈이 내린다. 어린이 같은 심성이 되어 무심코 세어 본다. 하얀 눈은 사람을 약하게 만든다. 만져 보고 싶다. 어느새 눈은 세상을 하얗게 덮어버린다. 이 순박하고 하얀 눈 속에 묻힌 세상은 어두워져 버렸다. 빛 속에 어둠. 일찍이 생각해 보지 못한 표리와 흑백, 선과 악이 함께 사는 모순의 의미가 살아난다.

10일 한파

북극의 극광이 안개처럼, 연초록색 커튼처럼 보인다. 한반도 서울에서도 볼 수 있다니. 인간의 미래는 예측할 수 없다. 남극의 빙산이 녹아내리고 북극의 한파가 인도까지 미쳐 영하 1도를 기록하면서 인도는 한기에 죽어가는 사람이 늘어나고 있다. 뼛속까지 저리는 추위. 인간의 양심까지 얼어붙는다. 한 학자가 조작된 논문으로 세계의 과학계를 얼어 붙게 했고 지병 중인 환자를 얼어 붙인다. 억지로 이룰 수는 없다. 자연은 오직 창조와 진실만이 가지고 있다. 인간에 의해서 자연은 파괴되고 있다. 인간이 발붙이고 살아야 할 지구의 환경을 소멸시키고 있다.

11일 생각하고 싶지 않은 날

존재의 가치란 필요할 때 있어야 한다. 있어도 무용하면 가치를 잃어버린 쓰레기 같은 것. 존재함으로써 존재의 의의가 있는, 없음으로써 생각나게 하는 그리움. 싼 가락지이지만 영혼이 담긴 사랑. 생각하고 싶지 않지만 무엇보다도 먼저 떠오르는 것. 숨길 수 없는 정. 젊은 날의 무덤.

12일 권이 형님

형, 지금 어디에 계시나요. 멀리 초승달이 밝아올 때 형은 어머니, 아버지를 몹시 걱정하셨죠. 무슨 뜻이 있었는지 몰라도 한숨을 깊이 쉬면서 같이 걷다 혼자서 초승달을 보고 서 있었지요. 달은 유난히 밝게 빛나며 형의 소망을 들어 주는 듯했어요. 내 손을 꽉 잡고 저 달은 어디서나 보이겠지. 그날 밤, 형은 내 곁을 떠나고 말았죠. 지금 어디에 계시나요, 형님.

13일 버려진 인형

하염없이 첫눈을 밟으며 걷는데 숲으로 돌아가는 까마귀 떼가 북새를 떤다. 물끄러미 하늘을 수놓은 까마귀 떼를 보다가 홀연히 땅위의 눈 속에 작은 눈과 마주친다. 깜빡 눈에 가렸다. 다시 뜨는 눈빛이 애처로워 손을 내민다. 산뜻한 눈빛은 유난히 맑고 추위에 언 곰이 구원을 청한다. 옷깃을 열고 품에 앉은 곰 인형은 가슴 저리게 말한다. “고마워요. 그렇게 나를 사랑했던 영주가 버렸어요.” 긴긴 이야기가. 나도 모르게 곰을 안고 곧장 집으로 돌아온다.

16일 보리

하얀 눈밭, 아침 햇살에 눈이 녹는다. 바람 한 점 없는데 산비둘기 쏜살같이 내려앉아 입방아를 찧는다. 파란색 잎이 눈 속에 살아남아 초록빛이 보인다. 눈 속에서 보리가 자라 올라온다. 초록빛 보리가 하늘을 보고 자란다.

19일 말

말, 말은 누구나 할 수 있다. 말, 말은 누구나 공유할 수 있는 것. 말, 말은 인간의 소중한 보물이다. 말, 말은 생각이 있는 말이 중요하다. 말, 말 속에 사랑이 배여 있으면 행복한 사회가 된다. 말, 말을 아껴야 정이 솟는다. 말, 말은 인간과 인간의 소통시킨다. 말, 말은 자신의 품격을 내보이는 것.

21일 뒷동산 산마루

뒷동산 산마루는 높지 않아도, 오르면 높은 산이 모두 보인다. 강 건너 목멱산에 서울 전망대. 북한산, 도봉산이 몽땅 보인다. 저 멀리 희미하게 가물거린다. 보인다. 잘 보인다. 남쪽 산들이. 서석산, 무등산이 아른거린다. 고향 땅 향기 속에 해가 저문다.

22일 죽음

해는 어제와 달리 몹시 강력한 햇살을 내보내고 있다. 구름은 바람에 실려 어디론가 끊임없이 흘러간다. 산길이 누워있는 바위도 풍화작용으로 갈기갈기 찢긴다. 사람은 제 명을 다할 때 비로소 자기를 아나보다. 삶의 빚을 챙기며 스스로 죽음을 서슴없이 부른다. 입버릇처럼 죄를 챙기며 죽음이 무서워 공포에 떨며 삶을 두려워한다. 백지장 같은 하얀 세계를 의식하며 한 발을 밟지 못하고 떨고 있다.

23일 누님

죽음이 두렵습니까, 묻고 싶습니다. 누구보다도 활기차고 꿈도 많았던 소녀가 86세가 되셨다니. 그동안 지은 죄가 두려워 가슴 떨리고 목을 졸라매는 꿈길에 구원을 바라도 아무도 대꾸하지 않으며, 돌아가신 어머니가 자리를 함께 하시며, 죄가 두려워 잠 못 이루시다니, 가까워지셨나 봅니다. 젊어서 지아비 가신 뒤 고생고생 자식을 기르시더니 자식들 짝 맞춰주고 제 할일 다했다고 하시더니.

여든 노인 혼자 살림나시어 무슨 죄 지었다고 밤마다 악몽이십니까.

25일 바람과 겨울나무

맑고 차가운 겨울 하늘에 앙상한 나뭇가지만 외롭다. 딱다구리과의 작은 새가 날아와 문을 두들기지만 아직은 대답이 없다. 서서 자는 겨울나무는 잠이 깊었나보다. 사각사각 내 발자국 소리를 들으며 산책을 한다. 폭풍이 지나간 뒤처럼 적막에 싸인 숲길. 똑똑똑 사각사각 조용한 숲의 서곡이 흐른다. 어느새 가지를 부딪치며 나들이 가세, 한다. 보이지 하는 바람이 나뭇가지에 입 맞추자 겨울바람에 교향곡을 타고 기지개를 펴듯 천상의 무곡이 펼쳐진다. 정 동 정 동 휘~ 휘~. 바람은 하얀 눈을 뿌리며 교향곡을 울린다. 바람과 겨울나무는 어우러져 멋진 겨울 소나타를 연주한다. 서로 힘을 합하여 삭막한 숲이 120명의 교향악단, 바람과 겨울나무가 어우러진 교향곡은 영원하리.

26일 나

외롭지 않았다. 위로 형이 셋, 누나가 한 분. 부농가에 태어나 귀한 것 없이 귀여움을 받으며 막내아들로 자랐다. 형들은 1930년대 초, 영화와 음악과 문학에 꿈을 갖고 그 방향을 따라 일본 유학을 했으니 가족 구성이 특이하여 남들도 큰 기대를 했다. 세월은 일제 강점기말, 세계 2차 대전이 일본으로 하여금 야기되어 형들은 학병 징병에 시달리며 해방을 맞았다. 각기 진로를 찾아 1946년 초 일자리를 찾아 다른 예술인들과 함께 이북으로 갔다. 연합국은 38선을 긋고 벌써부터 중국을 겨냥하기 시작하여 지금 해방 60년이 다 되었지만 통일의 기미조차 없으니 그동안 남북이 가로막혀 형들의 소식마저 모르고 겨우 둘째 형이 구소련으로 망명하여 카자흐스탄에 살고 있어서 소식을 들었을 뿐이다. 온 세상이 알다시피 남북 관계는 사상 대결로, 적국이 되어 있으니 남과 북에 가족이 분산된 사람들의 기다림은 당사자가 아니고서는 아무도 알 수 없을 것이다.

이런 와중에 나로 하여금 혹 피해를 입을지 몰라 아주 조심스럽게 처세하였기에 잘 살아남았으나 나 자신은 얻은 것보다 잃은 것이 더 많았다. 특히 삶의 외로움이란 대단했다. 나는 젊음을 외로움 속에 살아남기 위하여 남의 두 배, 세 배의 노력과 정열을 쏟았다. 그러나 남과 깊은 교제를 할 수 없었고 고독한 세월을 보냈다. 제일 큰 문제는 자식들이 피해를 입을까 몹시 걱정하였다. 1967년 고향을 떠나 서울로 이사를 했다. 서울을 발판으로 일어서기란 쉬운 일이 아니었다. 그래서 레크리에이션협회는 이미 창설 때부터 관여하였기 때문에 일단 내가 할 수 있는 일부터 시작을 했다. 그러나 협회장이 전라도 광주고보 출신으로, 고려대 김오중 교수였는데 구체적으로 약간의 이상을 가지고 있었지만, 실제 여가 선용에 대해서는 충분하지 않았다. 나는 내가 생각하는 레크리에이션을 창안하여 자주 만나 대화하였다. 전문위원, 이사, 중앙위원, 고문까지 역임했지만 협회의 비리가 자주 나타나 객원으로 물러섰다. 생활의 위협을 느꼈다. 난 몰래 수색에 있는 시멘트 벽돌 공장에 가서 노동도 해 보았다. 집에 붙어 있던 가게를 남에게 주어 그 돈으로 피아노 학원을 시작했으나 결국 자본이 없는 사람과 손을 잡아 떼먹히고 말았다. 다행히 KBS어린이 합창단에 자리잡고 오후에만 근무했다. 이것 역시 담당자의 비리가 심해 그 들러리에 불과했다. 중간에 MBC 창설 준비로 MBC 어린이합창단 지도를 맡았다. 그러나 결과적으로 회사 방침에 따라 합창단이 해체되었다. 부득이 광주 사람이 주동이 된 초등학교 특수 교사로 임용되었다. 리라초등학교에 스카웃되어 사립학교에서 화려한 데뷔를 했고, 무적의 효과를 얻었다. 이 때문에 학교 차이가 생긴다고 학교 제가 폐지됐다. 다시 숭의에 자리를 잡았다. 유치원을 규모화하자고 설계했더니 마수가 뻗쳐 왔다. 또 가족을 위협했다.

너무나 심약한 말만 늘어놓은 듯하다. 그러나 나는 당시에 남북 간의 갈등 속에 희생자였던 것은 분명하다. 중앙정보부나 경찰 등 정보기관에서는 동백림 사건과 같이 정권 유지를 위하여 남북관계를 이용하여 수많은 인재들이 죽어갔다. 과거사정리위원회가 생겨 적극적으로 나 같은 사람의 피해를 조사하고 있지만 언제 어느 때 그들의 정치적 희생물이 될지 한시라도 조마조마한 심약한 공포증은 무한하였다. 다행히 사회의 관심에서 벗어나려고 나는 어린이운동에 앞장섰다. 당시 이 운동은 부득이 사회 명분을 위하여 동의하여 주었기 때문에 그 행위가 어리석어 보였던지, 보잘 것도 없는 구실이었던지 무관심 속에서 방치된 사회문제였기에 나는 이 길을 택한 것이 다행스러웠다. 이 일로 어린이 놀이를 연구하게 되어 레크리에이션협회 고문까지 일했고 방송작가로 어린이 프로 개척자로 나름대로 성장하게 되었다. 이제 그만 살고 싶다. 1990년에 추 형을 만나 형제의 증오를 벗기고 형제 사랑을 최대한으로 발휘하였지만 반세기만에 만난 형은 끝내 마음을 열지 않았다. 벌써 15년이 되었지만 항상 경계하고 감추고 그냥 준채 형을 매도하는 심리는 무엇일까. 내일이면 구정을 맞아 나는 영원히 형제가 없는 아픔을 가슴 깊이 새기며 구 연말을 보낸다.

29일 설날 아침

해 뜨기 전에 가족들이 모여든다. 때때옷에 아얌 쓰고 어깨에 털 달린 배고자 입고 딸들, 외손들이 고맙게도 자랐구나. 아들, 손자, 며느리, 사촌들 맞이하며 덕담도 나누고 정월놀이 제기차기, 윷놀이, 자치기. 잠시도 쉬지 않고 즐겁게 뛰고 노니 살찐 염소 타고 놀던 어릴 적 생각이 난다.

30일 가족

묵은해가 가고 새해를 맞으니 어린 식구들이 해마다 성숙한다. 제 집에서 뜻대로 어리광부리더니 사촌들 한데 모여 이야기 나누며 세뱃돈 세어가며 새 꿈을 그려 간다. 모이면 힘이 되고 서로 서로 반긴다. 가족처럼 좋은 인연, 이 이상 더 있으랴. 가족은 나의 힘. 서로 도와야 빛나리.

31일 감회

또 한 달이 지나간다. 오늘이 가면 새날이 오겠지만 일어나서 방안 청소하고 문 열고 새 공기, 방안에 채우고 나면 석양이 하루를 끌고 넘어간다. 가는 시간과 해를 어찌 막으랴. 시간이 아깝고 할일은 산더미 같은데 시간은 말없이 흘러간다. 이제 보니 늙어서 그러나보다. 공기가 차면 몸이 굳고 피 순환이 여의치 못하여 여기 저기 굳은 마디 풀고 나면 하루가 멀다 하고 자꾸만 해가 진다. 무심코 하루를 보내고 나니 가는 날마저 아쉽구나. 또 내일을 기다리며 일기를 덮는다.

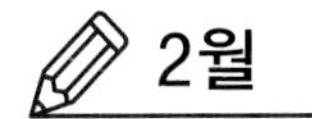

2월

2006년

01일 미소

방긋이 웃는 맑고 귀여운 눈동자. 아침 이슬이 굴러 내리듯 영롱한 구슬 소리가 들릴 듯 말 듯 가슴에 울려오네. 입가에 어린 볼우물이 더욱 아름다워 해맑은 당신은 미소 속에 큰 죄를 사하여 안아줄 듯, 감히 눈을 감고 외로운 상상에 잠기나니. 어둠은 가시고 홀연히 미소에 빠져 드는구나.

02일 아픔

아프다. 참으려고 애를 쓴다. 병도 체면이 있겠지. 때로는 내 염원을 들어 준다. 또 아프다. 몹쓸 병이 들었나 보다. 내가 바로 의사다. 그동안 경험을 망라하고 생각한다. 결론이 없는 아픔은 기를 빼내고 만다. 아픔도 못 느낄 정도다. 남들은 잘 참는다고 한다. 병원은 귀한 체면을 차리고 엑스레이 진단만 한다. 아파봐야 안다고 국민은 말한다.

03일 다가오는 통일이 노래가 보인다

짧은 해가 추위를 못 이겨 기다리지 않고 넘어 간다. 도봉산 넘어 손짓을 한다. 허공에 까마귀 날고 먹물보다 진한 그림자 그리네. 그리고 북한산 기슭에서 서서히 산봉우리, 이웃고 노래를 하네. 오르고 내리고 크고 작은 봉우리 따라가 보면 여리고 센 현(絃)의 미세한 가락들을 뒤로 몰아붙이는 우뢰와 같은 팀파니 소리가 가슴을 울리더니 다람쥐처럼 가다서다 뛰어 넘는 마치 금관 악기들의 행렬이 그려진다.

04일 다람쥐를 몰고 가는 중후한 바순. 때로는 어긋난 길을 달리며 불어대는 트럼펫. 찬바람에 실려 오는 트럼펫의 맑은 나팔 소리가 경쾌하다. 북한산 정상에서 목멱산 바라보며 쉬어가려고 숨을 고르자 목가적인 혼들의 향연은 북녘 하늘의 오로라처럼 백두대간을 달려 통일의 깃발을 휘날린다. 전 오케스트라가 정력을 다해 만세를 외치며 그치지 않는 환희의 외침 소리가 통일 행진곡을 부른다. 들에서, 산에서, 마을에서, 도시에서 회오리바람처럼 감격의 목청소리. 농민도, 어민도, 산업전사도 온 국민이 힘껏 외친다. 그 힘이 인수봉처럼 솟아오른다.

06일 다시 일어나는 오뚝이

오뚝이는 배가 불쑥 나오고 하루 종일 앉아 있다. 누군가 만지면 저절로 누웠다 다시 일어선다. 비록 무생물이지만 다시 일어서다니 꿈만 같다. 만물의 영장이란 인간이 그 앞에 자존심을 감추지 못한다. 밀면 일어나고 주먹으로 쳐도 일어난다. 칠전팔기, 넘어지기보다는 일어서려는 뜻이 한 수 위다. 재기를 해야지. 아프다니, 부끄러운 일이다.

08일 이산가족

날이 어두워지면 새들도 식구들의 손잡고 둥지로 돌아온다. 아기 새는 둥지 속에, 언니 새는 안쪽 둥지 가에, 어미 새는 바깥쪽 둥지 위에 앉아서 하루 종일 애기하며 조용히 잠이 든다. 얼마나 다정하고 행복한가. 이렇듯 뜻이 통하고 말을 하고 그리움과 사랑이 넘치는 인간이 "잘 길러주세요" 한마디 쪽지를 적고 남의 집 앞에 놓고 간 이산가족 자식들은 얼마나 외로웠을까. 몇 십 년이 된 뒤에도 엄마가 자식들을 찾는다. 미안하다고 피눈물 난다. 시청하는 사람도. 가족은 함께 살아야지. 인생이 길지도 않은데.

09일 눈

눈이 내린다. 하염없이 쌓여만 간다. 먹구름 속을 뚫고 하얀 눈이 내린다. 밤하늘의 별이 비처럼 반짝이는 눈송이들. 내 삶의 역정 속에 눈처럼 수많은 순간들. 바람처럼 멈추지 않고 사라져간다. 차가운 눈, 싸늘한 눈 아픔을 싣고 멀리 멀리. 삶이란 그런 것이겠지.

12일 추억

어릴 때였다. 보름달이 기다려지는 한때가 있었다. 쥐불놀이도 즐거웠지만 걸작 형들의 찰밥 구걸하는 풍물이 즐거웠다. 영화감독을 희망하는 큰형은 많은 악기들을 주법만 알면 며칠 가지고 놀면서 바로 연주했다. 보름이 가까워지면 친구들이 모여 집에서 바이올린, 기타, 만돌린, 하모니카로 밴드 연습을 했다. 어머니께서는 저녁 그리고 간식까지 준비하느라 며칠간 바쁘신 시간을 보내신다. 가을날 밤 15야 석양이 되면 학생 '십오야 밴드'가 바구니를 들고 여장을 하고 동네를 한 바퀴 돈다. 집집마다 돌면서 악귀를 몰아내고 1년 내내 행복을 빌어주는 연주를 해 준다. 주인이 와서 춤도 추고 노래도 한다. 이렇게 즐거운 밴드는 집에 돌아오면 김에 싼 찰밥 그리고 산채 나물을 가득 사발로 받아오면서 마을 청년까지 함께 돌아온다. 마당에는 모닥불이 켜져 있고 모두 한 번씩 뛰어넘고 돌아온다. 뛸 때마다 환호성이 올라가고 밴드는 맨손 연주를 한다. 이렇게 즐거운 보름달은 친화적이고 협력과 화해를 기원하는 가을 저녁, 아낙네까지 모여 신나고 즐거운 보름을 보냈다. 달이 서쪽으로 기울면 하나 둘 집으로 돌아 갈 때 어머님께서는 귀한 밀감을 하나씩 손에 쥐어주시며 "또 놀러 오라"고 하셨다. 우리 어머니의 덕망이었다.

13일 어린이

말이나 행동이 천진난만하고 티 없이 맑고 깨끗한 천진무구함이 어린이상을 상징한다. 거짓이 없고 순수하고 욕심이나 못된 생각이 없어 사람 중의 사람으로 보호 받아야 한다. 요즘 아이들은 컴퓨터를 자유자재로 하고 21세기 미래를 넘나드는 영민한 두뇌를 가졌다. 좋은 환경만 주면 얼마든지 진출할 수 있으리라.

16일 망령

아내가 외출 준비를 하고 나간다. 병원 예약시간에 늦었다고 한다. 같이 가기로 했는데 웬일인가 하다가 같이 가봐줘야지, 나도 서둘러 뒤를 따랐다. 병원에 도착하자 병원 예약 시간이 되었으나 환자 대기실에 아내는 없이 환자들로 차 있었다. 무척 실망했다. 늦장 부렸더니 화가 났나 보다. 너무 궁금하여 간호사실로 갔더니 "아, 네, 내일입니다" 달갑게 대답했다. 이럴 줄 알았다면 적어둔 달력이라도 볼걸, 새삼스레 귀한 시간 낭비를 한탄했다. 벌써 망령이 들었나. 집에 와서 기다렸다. 전화가 왔다. "어디 다녀오셨나요, 몇 번 전화 드렸는데." 아내 목소리다. "오늘은 착각했어요. 내일이래요." 다행이 자신을 꾸짖었다. 어이가 없었다. "기왕 나왔으니 시장 다녀갈게요." 이렇게 주책없이 정신이 흐려지는 걸까. 정히 걱정스럽다.

18일 동상

어, 추워 소리가 절로 난다. 그동안 봄기운이 돈다 하여 난방을 소홀이 하였더니 방바닥은 얼음장 같고 방안 공기는 영하 10도. 모자며 외투며 덮을 것을 다

끄집어내어 몸에 감는다. 이열치열이라는데 이한치한이다. 어, 추워, 이불 덥고 들어가자 이불이 아니라 이빨이 백주에 강도를 만난 것처럼 떨린다. 이불 속에서 떨며 지새운 몽상.

20일 집집마다 사는 모습이 다르다

수락산 산정에서 내려다보면 성냥갑 같은 아파트가 줄줄이, 한 집 한 집 개성 있는 집들이 높고 얕고 크고 작고 모두 다르다. 아파트는 하나의 문을 통해 출입하지만 개성이 있는 집들은 각각 대문으로 출입을 한다. 목숨이 있어 살아있는 것은 공통된다. 하지만 사는 모습들은 너무나 다르다. 언젠가 빈익빈 부익부란 말이 있었듯이 갈수록 부자와 가난한 자의 차이는 극에 달한다. 극대극소의 양극현상은 중간 계층은 없어지고 서로 극한 현상이다. 이렇게 벌어져서야 불만이 일고 삶에 고충을 느껴 범죄가 일어나고 세상은 자꾸만 어지러워진다. 양극화 현상은 국민 정서를 해치고 있다.

23일 어머니와 딸

한 어머니는 열 명의 딸을 낳아서 기르지만 열 명의 딸은 한 어머니를 모시지 못한다. 오랜 세월 겪어온 인간의 본성을 말한다. 애를 낳은 뼈 마디마디가 늘어지는 고통을 겪으면서 아기 우는 소리 들으면 기쁨에 미소 짓고 사랑의 손길로 쓰다듬는 어머니. 그 어머니의 마음을 자식들이 어찌 알랴. 거룩하신 어머니 희생을 한번이라도 느껴보라. 그 큰 은혜, 어머니를 어찌 잊으랴.

24일 고향

구름이 흘러가는 것만 봐도 문뜩 고향 생각이 난다. 돌 밑에 노랗게 피어오른 쑥. 얼음이 녹아내릴 때 부푼 버들가지. 툼벙툼벙 발가벗고 개울에서 미역 감던 소싯적. 벌겋게 물든 가을 산, 주마등처럼 스쳐 간다. 뭐니 뭐니 해도 뗄 수 없는 깊이 물든 정다운 인정. 덕순이도 막둥이도 잊을 수 없는 마음과 마음들.

스쳐만 가도 그리움에 젖는 고향 소식. 고향은 나의 뿌리요, 고향은 바로 내가 있기에 고향 그리워.

26일 수양

내가 나이가 들어 보이고 싶은 때가 중학교 때다. 아무리 변장을 잘하고 가도 "야. 너 따라와" 그 수많은 사람들 사이에서 찾아내는 훈육 선생님, 정말 귀신 같은 선생님. 나는 선생님이 싫었다. 난 싫어. 이것은 내가 싫은 것이다. 젊음은 스스로를 용사처럼 생각했다. 그러나 세상은 하나도 용서하지 않았다. 독불장군이란 있을 수 없는 것. 학문도 지혜도 나를 위해 있는 것이 아니라 공동 사회를 위하여 존재하기 때문이다. 내가 싫어진 것은 철이 들고부터다. 인간이란 자기 수양이 먼저 있어야 한다.

27일 옛 생각

산머리에 잔설이 남은 농촌은 어딘지 봄을 기다리고 있다. 졸졸졸 개울물소리 흐르는 산모퉁이에 외로이 서 있는 초가집. 굴뚝에서 나는 하얀 연기는 산과 들을 덮어가고 지금 이 적막과 같이 실연기가 멀리 퍼진다. 아, 그리워라. 티 없이 순박한 산촌 길에서 "쑥대머리" 하고 적막을 깨뜨리는 노래 소리. 무엇이 그렇게 한이 많았던가. 한 고비 넘을 때 슬프고 처절한 한을 듣는다. 여기저기 창문이 밝아지면 설거지하고 행주치마에 손 닦는 아낙네들. 아내도 찬 방 아랫목에 손을 넣고 멀리 들리는 노래 소리가 신랑인가, 귀 기울인다. 해는 서산을 넘어가고 밤은 찾아오는데 무엇을 꿈꾸며 잠에 들거나.

3월

2006년

05일 봄

봄볕이 따스한가 했더니 맥없는 겨울바람에 꼬리를 감긴 빛이 밝기만 하다. 어디서 나왔는지 양지 쪽 문턱에 봄볕을 한 몸에 안고 버젓이 떡잎이 폈다. 반가워 스쳐보다 다시 보려 해도 찾기 힘든 작은 싹. 떡잎보다도 무료한 봄을 맞는다. 눈꺼풀이 무거워 감기고 아무런 흥미가 없이 지루한 낮. 찾기도 힘든 떡잎에 멋쩍은 생각이 생긴다. “시작이 반이야.” 시작! 출발! 움직임처럼 큰 것은 없다. 우주선을 싣고 가는 로켓처럼, 그 웅장하고 거대한 몸체가 푸른 공간을 헤치고 달려가는 시발처럼. 까마득한 저 별을 향해 발기하는 힘이 그 작은 씨앗 속에 있었다.

06일 자다 말고 악몽 속에서

침 한 방울 없는 칠흑 같은 동굴 속에서 숨을 헐떡이며 무언가를 지껄이고 있다. 나도 모른다. 자꾸만 나를 빼앗으려는 악령과 사투를 한다. 아무리 외쳐도 입이 마르고 곰의 뒷다리 같은 무쇠 다리가 내 가슴을 누른다. 이 생명 다하여 소리를 쳐도 들리지 않는 모양이다. 숨이 차고 답답하다. 지금 나는 가슴 가득 악마들을 싣고 평화의 세계로 떠나려 하고 있소. 다리가 말을 안 들어 잠시 쉬고 있을 뿐이요. 갈 길은 그렇게 멀지 않소.

07일 백목련

무엇이 그렇게 바쁘시기에 갓신을 벗어 던지고 버선발로 나오셨나요. 오이씨 같은 예쁜 버선발로 다소곳이 토담 위에 싹을 튼 목련. 비가 오나 눈이 오나 제자리에 선 어머니. 두 손을 모아 비는 어머니의 거룩하심이. 정답고 순박하고 예스럽고 아담한 풍치가 짜릿하게 이 가슴에 전해진다.

09일 봄의 향기

눈 밑에 부풀어 있던 봄이 무거운 돌을 또 밀고 올라온다. 움츠리고 있던 강아지들이 힘이 솟아난 듯 빈터를 달린다. 땅에서 자고 땅에서 노는 강아지들이 분명 사람보다 먼저 봄을 느낀 것같다. 돌무더기를 이고 가냘픈 쑥이 슬그머니 나를 부른다. 봄! 봄은 거짓이 없다. 마지막 기승을 부리는 바람결은 차지만 나뭇가지는 어느덧 싹이 부풀었다. 봄은 눈에만 보이는 것이 아니라 귀에 들리는 소리, 코를 스쳐가는 냄새. 봄의 향연이 벌어질 것같다. 몽상인가 했더니 봄은 벌써 코밑까지 봄 향기가 차올랐다. 아주 옅은 연초록의 세계가 벌어지고 있다.

11일 민들레

돌 틈에 핀 흰머리의 너를 보았기에 걸음을 멈추고 내 삶에 한 장을 읽고자 했는데. 꽃샘 오라기 바람이 불어와 너를 휘감고 날아오르는구나. 네 몸도 못 가누고 허공에 날린 너. 겨우내 차고 추운 얼음 속에서 너는 꽃이 되려고 얼마나 애써 왔는데. 네가 누군지도 모르고 보내고 말았구나. 돌 틈에 늙어 날아간 네가 노란 저고리를 입고 파란 치마를 두르고 그때 그 날아가는 슬픔을 안고 내 앞에 와 나타났구나. 내 이름이 무엇이더냐.

12일 정적

해는 어제와 다름없이 아침에 떴다 저녁에 진다. 어제까지는 까치가 울어 행여 소식이나 있을까 잠도 설쳤는데 오늘도 해는 어김없이 동쪽에서 떴다. 마지막을 고하고 떠난 것도 아닌데 까치도 울고 나비도 날아오는데 전할 말 한마디 없나보다. 허나 만약 이 정적마저 없다면 어찌 그리움이 있겠는가. 이 정적이 깨지기 전에 벨소리라도 울려나 보려무나.

15일 민들레꽃

인적이 없는 곳에서 봄을 맞는다. 겨울에 눈이 쌓여 차고 멀리 보이더니 봄 맞아 올라가 보니 발아래 있구나. 인적이 없는 산허리에 홀로 앉아 있으니 조롱, 조롱, 산새가 반겨주네. 연한 새싹들이 높은 하늘을 향하여 자라니 이 봄과 함께 내일이 희망 차구나. 나도 젊음이 살아 있다면 자연과 함께 있을 것을.

16일 지난 세월

저 양지, 딸기 꽃이 피었나보다. 임과 함께 한 이랑, 두 이랑 거닐 때 붉은 열매가 익었어라. 시도 때도 없이 붉은 열매 보일까. 그때 그 향기는 사라지고 꽃도 안 보이네. 임도 가고 없네. 지난 세월 덧없이 사라지고 그때 그 일들, 상념 속에 세월은 가네.

20일 수락산에 서서

불암산 산등선에 새벽을 끌어당기며 당당한 아침 해가 떠오르면 수락은 아직 꿈속에 있는데 학림사 지붕 위의 세상을 잠 깨우는 한줄기의 금빛 햇살이 몸에 기운을 퍼붓는다. 딸랑이는 인경 소리에 산새들은 우짖고 산은 아침을 연다.

24일 걸음마

두 살 적 기억은 없으나 아이들이 돌이 지난 뒤 비척비척 첫발을 뗄 때 보았습니다. 기합을 토하는 성취감을 기억합니다. 엄마 손 놓고 한 발을 떼었을 때 그 환희와 함성 소리. 마치 그때 그 소리와 같이 기쁨에 소리를 염치없이 내뱉었다. 앉은뱅이처럼 앉아 지낸 지 두 달. 걸어 다닌 것이 그렇게 감사하고 신기해 보였던 어느 날 혼자서 자리에 서서 한 발 떼었다는 환희. 누가 알아줄까. 수십 년 걷고 살았던 내가 이런 말이 부끄럽다.

4월

2006년

01일 하늘이 시험해 보는 사람

봄비가 하염없이 내린다. 한 우산 속에 둘이 걷는다. 한 사람은 봄비를 맞으며 걷고 있다. 세 사람이 등장한 세계는 한 하늘 아래 살면서도 각자 생각이 다른 모양이다. 두 사람은 우산 밖의 세상을 보려 하고 또 한 사람은 끌어당기며 갔다가 서로 헤어져 간다. 한 사람은 비에 머리가 젖어 고개를 숙인 채 걷는다. 사람들이 피해간다. 비를 맞아도 혼자서 걷는 그 사람은 말이 없어도 모든 것을 다 알 것만 같다. 하늘은 비를 주어 사람의 마음을 시험해본다. 사람은 하늘과 더불어 살자고 한다.

02일 오늘

오늘은, 내일이면 오늘이 온다. 오늘은, 지금 흘러가는 시간 속에 나와 내가 있을 뿐. 내일은 오늘의 연속으로 미지의 세계를 달린다. 어제는 지난 흐름 속에 나를 관찰하는 시간. 어제는 오늘을 탄생하고 내일을 잉태한다. 오늘은 내일을 위해 가장 건강한 아이를 잉태하고 내일을 낳는다.

03일 형님

나에게는 형이 세 분 있었습니다. 해방 되던 해, 두 분 형님은 서울로 가셨습니다. 셋째 형은 가 보고 오겠다며 북으로 갔습니다. 집에는 노부모 두 분이 막내 아들 데리고 근근이 살아갔습니다. 전에 살 때는 한 달에 논 한 마지기 팔아서 학비 대시느라 바쁘시다니 형들이 떠난 뒤에는 살기에 바빠 허덕이면서 꿈을 먹고 살았습니다. 소식도 없이 가슴 졸이다 한국전쟁이 일어났습니다. 행여나 하고 기다렸지만 누구 하나 소식도 전해 주지 않았습니다. 수복이 되자 형들이 전쟁 중에 집에 와 뭐라고 했느냐, 어디로 갔느냐, 고문하고 가뒀습니다. 그러나 살아남았습니다. 나도 국민이고 세금을 내고 살았는데 모든 것이 열외로 눈밖에 났습니다. 마음대로 여행도 못했습니다. 죽자고 하자 누군가 살아서 어떻게 살아남았는지 잘 듣고 소식이나 전해 달라며 먼저 간다 했습니다. 살아남아 알고 보니 김일성 독재를 제일 먼저 폭로하고 새로운 국가를 건설하려고 모진 고생을 했다더군요. 누가 이런 사실을 애기할 수 있을까요. 자연은 수많은 사유를 한 입에 삼키고 서로 협동하고 자유롭게 사는 나라로 건설하느라 지금까지 풀리지 않은 또 다른 근심들이 많아졌습니다. 이제는 부모님도 다 돌아가시고 나라 사정도 많이 달라졌습니다. 못 보고 죽은 사람만 불쌍하겠지요. 하지만 그들은 예술가이기에 정치적으로 기만을 당한 것이지요. 지금도 늦지 않았습니다. 온 국민이 하나로 뭉쳐 일할 수 있는 오늘을 만들어 보시지요.

05일 나무

지난겨울, 산불이 나 시커멓게 된 산이 봄을 맞이하면서 산새들의 울음소리도 그쳤다. 내가 자주 갔던 소나무 숲 오솔길이 검은 숲에 가르마를 갈라놓은 듯 멀리 산등선까지 이어진 검은 산판이다. 그래도 봄은 이 새까만 산판에 생명을 불어 넣었다. 몸체는 까맣게 타버린 나무뿌리에서 연초록의 선명한 새싹이 올라와 어느덧 연한 새싹이 바람에 날리고 있다. 이 고귀한 생명의 힘. 푸른 산의 앞길이 활짝 피어 보인다. 나무가 자라겠지. 우리보다 큰 나무가. 파괴는 창조의 꿈을 깨워주었다.

07일 인간(人間)의 악보(樂譜)

줄거리를 극적으로 끌어가려는 의도에서 당시의 남한 이야기부터 시작되었다. 구성은 좋았다. 도입단계에 의문을 던져주는 것이 당근이기 때문에. 그러나 사실상 남북으로 생각할 때 남(南)은 전쟁 이후 부역자 색출에 혈안이 되어 수많은 인명이 죽어갔으며 그 후로 멸공반공을 외치며 거의 보복형태로 수많은 사람이 갇히고 또 지리산에 남아 있던 빨치산 때문에 수없이 희생되었다. 괜히 직접 부역하지 않은 사람도 끌려가면 헤어날 수 없었으니 이 장면도 1장에 끝낼 수 없는 몇 권의 긴 이야기이다. 이렇게 생각해보면 전 10권 이상 3, 40권 장편 소설이 될 요소가 요약된 것같다. 한국전쟁 이후 공산권이 무너지고 자본주의가 사회기반으로 부상하면서 남북의 정치적 사정이 크게 바뀌고 북은 더욱 일인독재는 강조되고 정권 유지를 위한 일인 독재가 심화될 때 모스크바 금싸라기 유학은 더 이상 계속할 수도 없고 그렇다고 러시아가 신분을 보장할 수 없는 정치적 돌풍에 휘말려 유학생 간에 인간이 누려야 할 자유를 얻고자 뒤도 생각지 않은 망명의 길로 들어서지만 이보다도 더 긴 소설로 엮어질 수 있었으면 좋았겠다.

09일 4월의 숲

봄은 삶과 죽음이 공존하는 대자연. 죽은 풀과 나무는 썩어서 거름이 되고 나무는 자라서 그늘을 주며 풀은 자라서 짐승에 먹이를 준다. 숲에 나무가 자라면 새가 날아와 노래를 하고 숲에 풀이 자라면 짐승들이 모여 숲을 지킨다. 서로서로 도와가며 공존하는 푸른 숲은 인간에게는 산소를, 목재와 그늘을 주어 자연은 함께 살아가는 동식물에게 공존의 아름다움을 나누어준다.

10일 구수한 향수

창문을 여니 어디서 짭쪼름한 냄새. 누구네 집에서 장을 담그나 보다. 이웃 장독대에 유액이 모자라 덜 바른 듯한 항아리에 버선본을 뒤집어 붙여놓고 고추, 숯, 흰 종이, 줄래줄래 매단 금 줄 쳐놓은 장독에서 장 냄새가 짙게 날아온다. 정말 구수하다. 구수한 냄새 속에 어머니 생각. 장 담고 메주 담그며 새 된장에 상추쌈. 양념도 없고 순수한 된장인데도 향수를 느끼게 하는 된장. 오랜 세월

몸에 밴 고향의 고소한 냄새. 어머니도, 온 가족들의 향수가 묻어난다.

11일 자연은 말이 없다

날씨가 변덕이 심하다. 황사가 날아와 하늘을 덮는가 하면 난데없이 우박이 떨어져 우는 농부들. 인간이기 때문에 어쩔 수 없어서 불편스런 수긍을 한다. 그런가 하면 고공에서 천둥을 친다. 인간의 삶에 믿음이 깨지고 때 아닌 계절풍의 냉기를 싣고 온다. 그런가 하면 밀림 지대에 회오리바람이 인다. 아무리 지상 공간에 기상 변화가 있다 해도 아침에 해가 안 뜨는 일은 없다. 해는 항상 제자리에 있다. 인간은 한순간도 가만히 있지 않는다. 비가 안 오면 안 온다고 걱정, 비가 많이 오면 홍수 난다고 걱정, 더우면 덥다고 추우면 춥다고 걱정, 하지만 해는 말없이 봄 여름 가을 겨울 사계절을 변함없이 보내주고 있다.

12일 4월 기상의 이변

어느 먼 바닷가의 목소리, 싱싱 허공을 흘러가네. 전봇대에 매달린 외등 갓이 흔들리고 옷깃을 여미고 밖에 나와 보니 달빛마저 구름 속에 잠기고 허공에 나는 눈발이 우울해 아직은 4월. 봄이 와 한창인데 눈발이 날린다고 누가 겨울이라 하겠는가. 눈발은 나뭇가지에 닿으면 녹아내리고 제 구실을 못 하니 비만도 못하네. 날로 변해가는 이상기후, 예와 같이 정이 넘치는 계절은 어디 갔나. 누가 나를 보고 방으로 들어가라고, 먼 설원 저쪽에서 날아오는 눈발 소리. 철도 소리보다 더 큰 소리. 순리에 어긋난 이변이라니. 또 어떤 일이 올까.

13일 색안경

색안경은 눈부신 태양의 자외선에서 눈을 보호하기 위한 보안경이다. 때로는 감시의 눈을 속이기 위하여 짙은 색 안경. 세상이 안경 색깔로 보인다. 허망한 세상. 시원하고 활기찬 젊음의 세상. 분홍빛에 물든 아름다운 세상. 세상이 떠 보이는 노란빛 세상. 요지경 속으로 가는 색안경 세상.

14일 상추쌈 먹고 여름이 간다

가랑비 보슬보슬 애타게 오는 비. 가랑비 초록비 가랑비 맞고 가랑가랑 자란다. 고추 잎, 상추 잎, 가랑비 먹고 자라서 길동그란 고추 열매. 처음에는 초록빛, 갈수록 빨갛네. 가랑비 먹고 자란다. 초록 잎, 상추 잎. 상추 잎에 밥 한술. 고추장, 된장 함께 싼 밥, 한 입에 몰아넣고 먹고, 먹고 또 먹으면 여름이 간다. 절로 간다. 쌈밥 먹고 여름이 간다.

15일 고향

어버이 누워 계시고 어릴 때 놀던 친구들 옛 모습이 아니리요. 뒤뜰에 봉숭아꽃, 앞 마당가에 채송화가 제철에 반겨 주지만 정들고 그리움이 묻힌 어른들 안 계시고 누구에게 옛 이야기, 들을 길 없네. 고향이, 고향이 그리워도 옛 모습 찾을 길 없고 높푸른 느티나무만이 반겨주누나.

16일 봄이면 생각나는 형

형이 북으로 떠난 지 벌써 육십 년이 넘었군요. 양림동 초가집 남향에 해치만 덩굴을 올려 꿈을 대롱대롱 매단 형들이 모습이 그립구려. 북쪽 나라가 피로 물들고 형들의 애석한 모습이 눈만 감으면 영상처럼 떠오르더니만 이제는 그것마저 희미해져서 형, 이제는 갈 길을 당황하지 마오. 영혼이나마 고향으로 돌아오오. 그 뜨거웠던 가슴을 식히고 부모님 위로라도 하시구려. 형, 형수님과 조카들 살아 있으면 소식이나 전해 주오.

17일 꽃과 향기

봄이 남기고 간 땅 위에는 아름다운 꽃들이 가득 폈다. 봄에는 꽃을 감상하는 여인도 넓은 공간에 메워 주니까요. 예쁜 꽃 중에는 웃음꽃을 피우는 어린이의 밝은 얼굴은 유난히 아름답다. 어린이의 웃는 모습은 평화롭지만 이보다 아름다운 꽃은 기쁜 가슴 속에 사랑을 간직한 임의 미소보다 아름답진 않습니다.

꽃이 아름답다 해도 사랑할 줄 알아야 하지. 꽃의 향기를 맡으며 향기를 통해 보다 더 아름다운 마음을 읽을 줄 알아야겠지요.

18일 황사

어느 먼 황토 땅의 목소리, 싱싱 허공을 흘러가네. 전봇대에 매달린 외등 갓이 흔들리네. 옷깃을 잡고 창문을 열고 보니 해는 달빛처럼 황사 속에 잠기고 누가 나를 보고, 문을 닫고 들어앉으라고. 먼 황토 저쪽에서 날아온 외침 소리. 눈을 감으니 누렇게 변한 산야. 황토덩이에 눈만 찡그린 안타까운 사람들의 행진.

22일 4월에 숲

나뭇가지만 앙상하던 숲이 하루하루 달라진다. 봄비가 내린 뒤 숲에 색깔이 파랗게 파랗게 달라진다. 임과 함께라면 얼마나 좋을까. 혼자보기 아까워 마음속에 그린다. 벌써 오리나무 잎은 3, 4cm, 떡갈나무 잎은 5, 6cm로 자랐다. 나무마다 이파리에 제멋대로 공간을 내준 봄의 여신이 얄밉다. 바둑판처럼 줄줄이 폈다면 분명 자연은 아닐 것이다. 산새들이 우는 소리가 애처롭다. 누군가를 부르는데 대답이 없다. 사월의 숲은부풀어 가는 모습을 보여주는 자연의 아름다움이다.

28일 봄비

봄비가 내린다. 산에 들에 나무들 촉촉한 봄을 맞는다. 소리도 없이 내려도 여기 저기 산짐승들이 귀를 털며 나무 밑에 모인다. 동그란 모자를 쓴 신사가 봄비에 젖는 줄도 모르고 바쁜 걸음으로 지나간다. 저만치 한 아가씨가 우산을 펴든다. 그리고 신사를 맞는다. 한 신사처럼 조용히 소리 없이 내리는 봄비. 신사와 아가씨의 만남. 봄비를 기다리는 초목들, 말은 없는데 어디선가 개울물 소리, 산을 울린다.

31일 단오

오월이라 단오날은 온 마을이 한 가족처럼 창포물에 머리감고 그네타기, 줄타기. 단오 선(扇)을 들고 나와 웃어른께 선물하고 젊은이는 매무새 곱게 사랑을 약속하네. 아름다워라 5월 초닷새. 봄 기운 받아 부채로 일으킨 바람처럼 날리어라. 초여름 기운차게 힘을 받아라. 오월이라 단오날. 오늘은 보리 걷고 여름 파종. 논밭에 김매기 분주한 달. 오늘 하루 쉬고 쉬어 힘내어라.

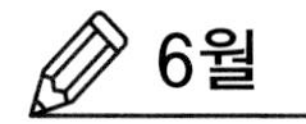

6월

2006년

10일 그리움

햇볕을 가려주는 유월. 임 그리는 숲속에 이야기가 가득하구나. 우르르르 뻐꾹 뻐국 호르르 뻐꾹 뻐꾹. 임은 어디 가고 홀로 나뭇가지 사이를 곡예하듯 이리 가고 저리 날며 뻐꾹뻐국, 임 그리는 소리, 처량하구나. 내 말 알아들으면 빨리 임 찾아가라, 외치고 싶구나.

11일 주름살 하나하나

무더운 여름날, 멀리 고향에서 날아온 전화 한마디. "집에 계신가요. 얼마만인가요. 찾아뵙겠습니다." 가슴이 두근거리며 어린 시절들이 구름 가듯이 떠오른다. 조카이면서 친구 사이. 얼굴 본 지도 십여 년, 수박 한 덩이 들고 찾아왔다. 고향이 다 따라왔다. 내 생활 리듬과 다른 예스런 이야기에 취했다. 반가워라. 얼굴만 봐도 주름살 하나하나에 지난 이야기들이 물씬 난다.

14일 산새

고요한 숲속에 둥지를 틀었다. 산에 사는 산새라서 알을 낳으면 산새 알.

산새 알, 산새 알. 산새 알 지키려고 짹째굴 짹째굴, 짹째굴 짹째굴. 산에는, 산에는 산새들, 산새들.

21일 죽음 앞에

어느 한순간 CT라는 굴속을 지나가다 숨을 멈추니 뼈만 앙상한 얼굴과 갈비뼈에 줄래줄래 팔다리. 한 장의 필름에 해골만 남았다. 생명을 잃은 뼈만 남았다. 나는 봤다. 영원한 나라는 존재가 민망스러운 백골로 변했다. 허무와 무가치한 쓰레기. 슬퍼할 것도, 살려고 할 것도 없는 나의 미래를 보는 순간 어린애처럼 무상함을 느꼈다. 그런 것이구나.

28일 구름은 가려도 해는 떠 있다

구름은 기상의 얼굴. 잔뜩 찌푸린 날은 비가 내린다. 먹구름 속에 천둥번개가 가슴에 맺힌 분노를 시원하게 터버린다. 구름이 산머리에 걸려 형용할 수 없는 모양으로, 변하는 구름은 바람을 탄다. 형용각색의 모습으로 변신을 한다. 구름은 고집이 세다. 자기 맘대로 지웠다 다시 그린다. 산돼지도 그리고 예쁜 꽃도 그린다. 한편의 드라마를 연출한다. 구름은 멋있는 조각가. 능수능란한 솜씨로 조각을 한다. 입으로 불어 조각을 한다. 파란 하늘이 우뚝 자화상을 조각한다. 구름이 가고 난 하늘. 맑고 따가운 햇볕이 내려쪼인다. 아무리 해를 가리려 해도 해님은 변치 않고 항상 제자리에 있다.

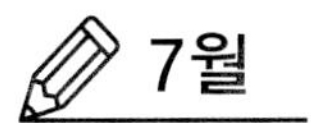

7월

2006년

21일 인생은 아름다워라

사람은 공통분모가 만나서 서로 우리라고 말하고 산다. 그 사이에 애정의 싹도

트고 정을 다스려 나간다. 사랑이란 인생을 공부하는 것. 때로는 좋고 때로는 슬프고 나 아닌 너를 통해 인간을 배운다. 더 많은 공통성과 나와는 다른 세계를 얻는다. 이것은 삶의 기쁨이요, 혼자만으로는 이룰 수 없는 것. 손을 잡으면 마음이 통하고 손을 놓고 눈만 봐도 환희를 느끼는. 아름다워라, 희망과 슬픔을 공유하고 행복을 찾아가는 그런 인생, 아름다워라.

8월

2006년

20일 마지막 여름

밤이면 제법 서늘해졌다. 붉은 고추가 시장에 나왔다. 아직은 가을 문턱에서 있지만 낮은 덥고 밤은 서늘하다. 서울은 봄과 가을이 희석되고 없지만 가을처럼 풍요하고 살기 좋은 날은 없다. 마지막 가는 여름이 끝내 아쉬운지 태풍을 몰고 와 마지막 기승을 부린다. 그 무더위가 인명을 앗아가지 않았는가. 자연의 조화는 인간이 허물 수 없는가 보다. 여름은 자연을 반길 수 있는 좋은 계절이다. 산에는 지금 겨울잠을 준비하는 다람쥐가 바쁘다. 양볼에 가득가득 채워 넣는 욕심쟁이 동물들은 가을을 피부로 느끼는가 보다. 살기 좋은 여름이 간다니 섭섭하다. 이대로 이름을 보낸다니 섭섭하구나.

23일 처서

여름이란 절기가 그만 물러 가는 날. 8월 23일경. 입추와 백로 사이에 있는 날. 금년은 윤년이여서 유난히 혹서가 한 달여. 폭우 때문에 많은 생명을 잃고 집과 전답이 물에 잠겼다. 내일부터는 시원한 가을바람이 가을을 싣고 오겠지. 열대야도 멈추고 책읽기에 좋은 날이 찾아오리라. 가을은 머리를 정좌하고 지식을 닦으며 건강을 닦고 가꾸어 튼튼한 몸도 가꿔야지.

27일 팔월을 보내며

팔월을 보내는 자연은 쉴 새 없이 폭우를 쏟아 붓는다. 차들도 멈칫거리며 간다. 팔월이 간다. 인간이란 자연 앞에 용서를 구한다. 인간은 할 수 없는 천재에는 죄와 벌을 회고한다. 힘 앞에 약한 인간들이 인간을 향해서는 큰 소리를 친다. 하늘이 얼마나 웃어줄까.

9월

2006년

01일 지난 여름을 생각하며

일 년 중에 여름이 가장 살기 좋은 계절이다. 과일, 채소가 풍부하고 팔다리를 모두 노출시킨다. 좋은가 봐. 인간은 본래 발가벗고 여름을 즐겼으니까. 노출이 심해졌다. 그럴 수밖에. 무더위를 이길 수 없었으니까. 헐떡이는 숨, 산소가 부족한 만큼 더위는 인간의 삶을 압박한다. 체면이란 인간의 불편한 삶이 지금은 더 노출시키자고 여름은 말했다. 인간이란 아무리 어려워도 속까지 내보이지 말자고. 연륜이 있는 할머니 이야기다.

07일 가을

가을 하늘이 맑고 푸르구나. 날이 시원하고 풍요로우니 부모님 산소에 성묘하고 싶다. 낳아 주신 은혜 감사드리고 싶다. 절기의 충동이 갈수록 길어지는구나. 가을 아침의 여명은 커다란 악보다. 동녘 산 넘어 동해에 세수하고 방긋이 얼굴을 내밀면 동방은 환하게 밝아진다. 우리 사는 산 뒤에 밝은 해 오르면 높고 낮은 산이 춤을 춘다. 오르락내리락 아라리오. 흥겹게 춤추는 가락처럼 기쁜 여명. 어찌 앉아서 보고 있으랴. 억새풀 사이에 가을 노래. 일하는 여치. 오만 백과가 무르익은 가을의 향기. 파노라마처럼 펼쳐지는 가을의 정경. 허리 굽어지고 삶의 황혼을 맞은 내가 어떻게 선뜻 일어나 가겠는가. 고향땅. 뒷산에라도 올라가 이 넓고 큰 가을을 가슴 가득, 가을을 마셔 봐야지.

09일 세월

하루하루가 바람 잘 날 없이 구름처럼 저 멀리 지나간다. 지난 세월, 시간을 붙잡고 얼마나 아쉬워했던가. 그때 그 시절이 좋았지. 제멋대로 가려는 손발을 에워 잡고 정념으로 시간과 맞섰지. 일각을 삼사로 나눠 썼지. 무서운 행각이었어. 밤을 새워가며 일했지. 세월은 무심치 않았어. 기다리지도 않았어. 세월은 인생과 무관하고 그도 역시 태어난 대로 흘러가버렸어. 이제야 세월 찾고 아쉬워한들 누가 보상하리오. 가는 세월, 한탄하지 말고 지금도 늦지 않았으니 아껴 써봐야지.

13일 용트림 하던 동굴

가을의 문턱에 서 있다. 봄새 용트림 하면서 날개를 펴며 하늘로 향하던 덩굴. 한여름에 푸른 잎 펼치며 서로 공존하듯이 피어오르더니 덩굴은 큰 도움이 못 되어 시들었구나. 뿌리가 달랐나보다. 근본이 튼튼해야지. 소나무는 우리 산의 주인. 울긋불긋 보이는 좋았지만 고향보다는 타향이었겠지. 산다는 것이, 만물이 이런가봐. 어릴 때 탯줄도 모르고 큰 나무를 감고 올라오더니 한철 지나더니 시들고 말았구나.

14일 독거노인

혼자 사십니까. 누군가 도와드려야 할 터인데. 아니야. 없는 게 더 좋아. 인간이 싫어졌다. 하면 할 수 있으니까. 그저 고독을 깨물고 사는 거지. 고독을 좋아하시나요. 나이는 고독이 없어. 고독이 생활이니까. 다만 밥 먹으면서 설거지가 싫어서 밥 한 그릇, 반찬 하나. 왜 그럼 밥을 안 먹어야 하죠. 설거지가 귀찮으니까. 거짓말도 잘 하지. 묻는 것도 귀찮으니까. 배고프면 많이 먹지. 그렇게 물을 줄 알았어. 모두가 귀찮다. 혼자가 좋다.

17일 허정(虛靜)

멈출 줄 모르면 심장은 고요히 흘러가는데 백지장인양 생각이 멈춰 마음이 통하는 것이 없다. 기쁨도, 슬픔도 알고 싶지 않은 삶의 허무함일런지. 안다는 것은 이처럼 무위하고 감각마저 퇴화한 것인가. 그리움도, 고달픔도 말할 길 없어 무디어진 칼날처럼 무위할 뿐. 지금 불어오는 태풍처럼 다 쓸어가도 아깝지 않으리. 허위, 허위 걸어도 갈 곳이 보이지 않고 오직 자연 그대로 자리를 뜨고 싶을 뿐. 이젠 형들도 못 보게 되었으니, 아무것도 생각하지 말고 조용한 마음으로 살리라.

19일 영혼

목수가 대패질을 준비를 한다. 보기에 단순한 판자를 깎을 생각이다. 이리 보고 저리 보고 나무가 자라온 터전을 찾는다. 보다 더 아름다운 변신은 위하여. 평생을 한 자리에서 해를 보고 자랐을 나무. 해의 말을 듣고 좀 더 좀 더 가까이 멀리. 해와 나무와의 속삭임 속에 키가 자란다. 나무와 바람이 평생을 노닐며 자란다. 그들은 영혼 앞에 만남을 고하고 수억만 리 떨어진 우주공간을 단숨에 날아 하늘에서 만나 알콩달콩 번개처럼 힘을 주고받고 보다 더 강한 성숙. 몸은 타오르고 나무는 갈라져도 혼이 아닌 것은 녹아버리고, 오직 혼만이 남아 영원에서 영원으로 날아다닌다.

10월

2006년

01일 세월

해가 뜨면 해가 지듯이 시간은 하염없이 가고 마는구나. 여름 같았던 9월이 가을에 느낌마저 싣고 훌쩍 지나간다. 영영 돌아오지 않는 날이. 이것이 모두 나이 탓이라니. 삶의 허무함이 덧없이 흘러가는구나. 세월이란 말없이 왔다 말없이 가는구나. 무상함이 속절 없구나.

05일 달

어머니께서 달을 보고 가족들을 가슴에 안고 손 닳게 비시던 달. 달은 말은 없어도 어쩌면 그렇게도 자세하게 얘기해 주는지. 목욕재계하고 기도 올리던 일, 지금도 달을 보고 어머니와 이야기를 나눕니다. 달이 뜬 날 꼭 찾아오십니다. 올해는 추석달이 유난히 환하게 빛납니다. 저 달 속에 어머니 얼굴이 자비스런 모습으로 떠오릅니다.

06일 어머니 아버님 전 상서

살아갈수록 어머니 말씀이 생각납니다. 일을 서두르지 말라. 아버님, 생각납니다. 공부는 평생 해야 한다. 학교를 마다하였을 때 하신 말씀이 생각납니다. 진리는 가까운데 있었는데 너무 먼 곳에서 찾았으니 진리 속에 있으면서 진실을 몰랐습니다. 아버지, 어머니 참뜻을 알 듯합니다. 지금 아직도 형 소식, 모릅니다. 신이신 부모님이 만나 보세요. 막내는 어버이 뜻을 잘 지키고 삽니다. 내일 만나 뵙겠습니다. 일찌감치 오세요.

23일 안개

뿌옇게 어스름 속에 운무를 뿜어내는 그런 속에. 가위 하나가 작은 송사리 찝어 으슥한 바위 밑으로 끌어들이며 살아간다. 불투명하고 함정 같은 암흑. 우리가 사는 곳이다. 이지가 있다면 문명을 일으키고 한 발 숭고하게 신비라고 말했지만 원상 그대로 삶의 외로움. 햇볕은 있다 해도 아득한 서러움이요.

25일 귀로(歸路)

그렇게 초록빛이 강하던 여름이 소리 없이 갔다. 그동안 더위를 식혀주던 나무들이 저마다 전생에 업보를 불태워버리 듯 가을을 붉게 불사른다. 내 마음의 업은 다 갚지도 못한 채 쓸쓸히 지옥으로 가는가. 인생의 귀로에 서서, 가을의 마지막 벼랑에 서서, 훨훨 태워버리고 인생의 마지막 길로 가는구나. 이 험한 길을 아쉽게도 가는구나.

31일 폐기

그렇게 씩씩하더니 첫 마디가 젊음을 산다. 흰 머리에 걸음은 느리고 모처럼 만나 봐도 애처롭게 자화상을 그린다. 어느 듯 젊음은 가고 등신만 남아 보이는 "그때 그 용기 대단했지" 말한들 뭣하리. 그나마 산다는 것만이 내 의식 속에 살아 있는데 이처럼 외로울까. 아무런 가치도 없는 생의 마감을 그려본다. 죽음을 앞둔 넋두리려니. 구슬픈 생의 마감을 자축해본다.

11월

2006년

01일 쪽박

산골 샘터에 닳고 단 쪽박 하나. 힘든 산행 길에 등대처럼 삶에 힘을 준다. 다리는 무겁고 오직 한 모금 물을 찾던 갈증. 저 암벽 아래 옹달샘이 있다고. 말만 들어도 사막의 오아시스처럼 오직 감사 일념으로 만사를 잊고 무거운 발을 끌고 샘가에 쪽박이 황금 마냥 빛나 보이지만 누군가 한뜻이 있었는지 바싹

깨트려 놓은 채 목마른 나를 기다리고 있었다.

03일 덧없는 세월

낙엽이 한 잎, 두 잎 세월과 함께 지는구나. 그 파랗던 숲이 세월을 이기지 못하고 가을 속에 져가고 집에서 쫓겨난 산고양이가 애처롭게 울고 있다. 오늘이 11월 3일. 선조님들이여, 그때 그 의미가 갈수록 희석되니 부끄러울 뿐. 마음은 부풀어도 세월은 덧없이 흘러만 가는군요.

05일 몸은 따로 일지라도

겨울바람이 실어오는 추위는 지난해도 그 먼저 춥던 겨울. 손을 잡고 입김으로 호호 덥혀주시던 천사와 같은 어른들을 떠오르게 한다. 작은 인연이지만 평생을 두고 잊지 못하는 고마움인데 한 사람이 태어나서 어른이 될 때까지 낳아주시고 길러 주신 그 고마움을 무엇으로 갚으랴. 한 발 더 사람 닮아 가면 그 은혜 더 크게 느끼는데. 소식마저 끊고 사는 자식. 올 겨울, 누가 손을 덥혀 주려는가.

07일 몸은 늙어 가고 마음은 젊어간다

겨울바람이 불어오면 사람마다 겨울 준비를 생각한다. 방한복, 김장, 땔감. 서둘러 겨울나기를 생각한다. 모두 어머니의 일이다. 손이 붓고 손가락이 동상 든 채로 노구를 끌고 새벽부터 시장을 돈다. 이고 지고 들고 가족들을 위하여 준비를 한다. 바쁘다는 핑계로 전화 한번 없다. 어머니는 강하다. 어떤 고통도 이겨낸다. 발을 삐어서 잘 걷지도 못하면서 행여 쓰러질까 걱정이다.

15일 숲의 원주율

바람이 지나간 앙상한 가지들 사이에 그 맑고 심오한 청색의 하늘이 나를 붙잡는다. 노랗고 붉은 갈색의 낙엽들이 흩어져 있으면서 바삭바삭 소리에 가을의 정취에 취한다. 반가사유상처럼 속세의 아픔과 외로움이 25만 년 전, 원천의 흐름을 되새기며 아직도 해결되지 않은 무한 소수의 원주율처럼, 풀리지 않는 삶의 고초가 외로운 것이리라.

18일 그만 멈추고 싶은 시간

맑은 가을 하늘인데도 달리는 소리, 똑딱거리는 시계, 무수한 시간의 현상들이 안간힘으로 잡아보려는 연약한 손을 본 체 만 체 가버린다. 저 멀리. 시간을 타고 살던 날, 겨울에 단풍잎처럼 아름답게 시간은 맛으로, 양념으로 흐르는 물을 타고 가듯이 긴 그림자를 남기면 모자랐던 시간들이여. 그 아까웠던 시간들은 제각기 사라지고 왜 이렇게 가지 않은 시간들만 남아서 짓누르는가. 어서 가라. 빨리 그만 멈추고 싶은 시간. 몸과 마음도 이제 그만 멈추고 싶구나. 아쉬움 생각하면 길어져. 아무도 모르게 멈춰버렸으면.

19일 낙엽소리

낙엽이 소리 없이 떨어진다. 바삭바삭 낙엽을 밟으면 어머니의 추억이 떠오른다. 파랗던 나뭇가지에서 싱그럽게 떨어지는 낙엽은 소리를 내는 정서적 아픔으로 변신하여 밟고 가면 가을이 아니면 들을 수 없는 추억의 소리로 변신한다. 어머니, 기억하시나요. 이 소리. 십 리 가도 한 말씀 없으신 어머니. 낙엽 한 잎을 주워 들고 미소를 띠우시며, “낙엽은 한여름 그늘을 만들어 주고 그 밑에 걸어가던 사람들의 이야기가 바삭바삭 하는구나” 하시던 말씀이 들려옵니다. 바삭바삭 낙엽 소리. 지금도 그 소리 들려옵니다.

21일 첫눈

검은 구름이 보이더니 하얀 눈을 뿌린다. 검은 구름이었기에 눈빛이 유난히 밝아보인다. 자연은 이렇게 스스로 조화를 이룬다. 인간은 물에 기름처럼 마치 청개구리처럼 역진한다. 억지로 군중을 동원하고 불에 타는 우리 재산을 보고 광기를 휘두른다. 검은 구름에 첫눈처럼 자연스럽게 친화할 수 없을까. 휴식에 들어간 나뭇가지에 눈꽃을 이뤄 하늘을 감동시키듯, 첫눈. 가슴을 열어주는 첫눈.

2007년

1월

04일 길

산에 올라 내려다보니 끝없이 흘러가는 길. 길은 여럿이라도 가는 길마다 목적지는 다른 모양이다. 걸어가는 사람, 차로 가는 사람, 모두 한 길을 가지만 시시때때로 변하는 길에 느낌이 같을 리 없으니 시장에 가는 사람은 돈을 생각하고, 고향을 가는 사람은 청렴으로 걷겠지. 주막에 앉아 농주 한잔 마시고 가는 사람. 쳐다만 보고 사유에 젖어 자리엔 앉지 않는 사람. 훌훌 떠난 사람은 발걸음도 가볍고 발은 무거워도 먼 산을 바라보며 웃음 짓는 사람. 차들이 줄줄 막혀도 늘 편히 자는 사람. 가는 사람도 많고 차도 많지만 생각도 많은가보다. 가다 힘들면 들에서 자고 갈망정 끝까지 가는 일은 마무리를 할 걸세. 의식이 있고 뜻이 있는 사람은 어디로 가든 할일 다할 걸세. 이 생각 저 생각하다보니 다 왔네.

06일 첫눈

간밤에 첫눈이 내렸다. 온통 세상이 하얗게 변했다. 내 가슴을 만져보았다. 하얀 눈처럼 깨끗한가. 하얀 눈은 비둘기도 좋아하나보다. 마을에 날아다니는 비둘기 발자국이 보인다. 잊히지 첫눈. 흰 두루마기를 입으신 어머님 모시고 외가에 다녀오던 날. 흰 눈발이 바람에 날려 오더니 어느덧 장독에도 초가지붕에도 하얀 나라가 되던 날. 눈을 뭉쳐들고 손 시려오는데도 기어코 집에까지 들고 갔던 일. 어머니, 그래서 이런 흰 빛을 좋아하나 봐요. 잊을 수 없는 어머니 모습.

첫눈 오는 날, 그 아름다운 어머니 모습이 잊히지 않아요.

15일 아침

사람들은 시작을 생각한다. 아이들은 월요일 시간표를 보면서 선생님 얼굴을 떠올리고, 할아버지는 여섯시가 되면 아침 산책으로. 이렇게 시작한 월요일 아침. 밥상을 들고 나가다가 물컵이 떨어져 아내 보기가 미안하고 기분이 틀어진 듯 몹시 가슴이 아프다. 밤새도록 생각들이 무감각해졌다. 날씨는 짓궂게도 구름 속에 해가 숨고, 아침이란 게 평소와 달리 언짢다. 식구들은 각자 자기 갈 길로 떠났다. 아내와 마주 앉아 무슨 일이 생길라나. 어이쿠, 그만 마음을 비우세요. 어서 병원에…. 듣고 보니 정기진단 날. 열 시까지 달려갔다. 차례가 20번. 이제 겨우 2명 진단. 18명을 기다리자니 너무 지루하다. 주치의가 눈치를 보면서 4년째 되나요? 4년 종결짓고 다음에 보실까요. 그동안 별고 없었으니 그만 쉬시지요. 마지막이란 죽을 때를 말해야지. 마무리 진단 CT에, X-레이 포함, 28만원. 정이 뚝 떨어진다.

25일 산다는 것

누가 악을 쓰는 소리에 놀라 잠을 깼다. 은한 삼경. 냉냉한 방안 공기가 내 안구에 힘을 주게 하고 귀는 소리의 정보를 전해주려고 팔방으로 기를 쓴다. 분명 소리가 들렸는데 가느다란 시계소리가 벽을 뚫고 들어오는 망치 소리처럼 들린다. 그제야 눈을 뜨고 소리나는 쪽을 보다 실팍한 초점이 살아 움직이고 있다. 다시 눈을 감는다. 소리의 주인공을 찾느라 육감이 다 동원되는 것을 느낀다. 다시 자리에 눕자 베개 냄새가 코를 스쳐간다. 바로 내 머리카락에서 나는 냄새. 신경은 냄새로 돌아왔는데 소리를 듣는 소리 없는 영상이 떠오른다. 누가 내 머리를 끌어 올려 로봇처럼 L자로 앉는다. 딸이 손녀를 가르친다고 소리를 지른 소리였다. 나는 이 소리에 대응하지 않는다. 내 생에 가장 듣기 싫은 소리가 어린이에게 분노에 찬 함성을 치는 소리다. 소리, 소리, 소리 속에서 사는. 산다는 것이.

29일 어머니

사는 듯 살다가도 이렇게 입안에서 부르고 있습니다, 어머니, 이렇게 간절하게 인자하신 그 모습과 함께 가슴 가득 어머니가 차오릅니다. 살아계실 때 이렇게 간절하게 느꼈다면 지금까지 살아계실 것을. 그때는 정말 영원토록 옆에 계실 거라고 생각을 했습니다. 어머니 계실 때 나 있고 나 있을 때 어머니 계실 것이라고. 사랑의 품안에서 사랑이 무엇인지 몰랐던 어리석음이 더 가슴 아픕니다. 어머니, 제가 일흔하고도 일곱 살이 더 넘어 생각납니다. 한 말씀 한 말씀 절절히 사무칩니다. 참아라, 참고 나면 세상이 밝아 보일 것이라고. 그렇게 지금까지 살아남았습니다. 이 세상에서 가장 참된 말씀이었습니다. 참고 얼어버렸을 때 어머님 가슴의 따뜻함으로 녹여 살아왔습니다. 이제야 세상이 보이는 듯합니다. 많은 사람들이 모두가 훌륭하고 아름답습니다. 우리는 지금 할머니 마음으로 하나가 되어갑니다. 진실은 지금 보이기 시작하니까요. 이제야 사랑을 주고 싶습니다. 환생하듯이 어머님 말씀 받아 진실이 되어 눈처럼 온 세상을 하얗게 덮어줍니다.

31일 첫눈

창문을 열어보니 사뿐 하얀 눈이 내렸다. 정월을 마지막 보내는 날. 세상만사 아무 일 없었다는 듯 감추려 버렸는지, 이 넓은 서울을 하얗게 덮어놨다. 자연은 거짓이 없다. 있는 그대로 눈속임 없이 보여주는 첫눈. 흑심이 없는 세상을 보여주는 듯 청결하고 청정한 마음이 덮어준 큰 이불과 같구나. 백성을 생각하는 깨끗한 정조. 결백한 지조를 갈고 닦아 흰 눈이 눈이 녹아내린 봄날. 아름다운 한 송이 빛으로 태어나기를 바라마지 않겠다.

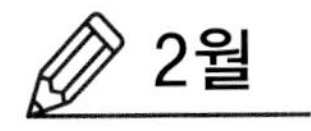

2월

2007년

03일 입춘

대자연이 봄을 맞이하는 날. 찬 공기를 불어오던 시베리아 바람. 문풍지를 울려도 아이들이 이불을 차고 잔다. 온 세상이 절묘하게 맨발로 뛰어오는 봄볕에 서기를 느낀다. 산모퉁이 양지 쪽에 진달래꽃이 부풀어 오르고 젊은이 가슴에도 희망이 샘솟는다. 옛말에도 입춘대길이라 했으니 자연은 분명 희망의 길을 열어 주리라. 봄은 산봉우리에 잔설과 함께 녹아내리니 만물이 소생하는 시냇물 소리가 반갑구나. 봄은 어김없이 오늘부터 시작되는데 썩은 나무들은 어찌 할꼬. 봄은 왔는데 썩어버렸으니 이 얼마나 가련하단 말인가. 입만 커지고 이빨 날카로워서 참으로 안타깝구나. 지금이라도 새해 봄을 맞이할 세속을 벗어나자. 하늘은 버리지 않을 것이다.

07일 시간 속으로

째깍째깍 거리는 탁상시계. 고요를 뚫고 때를 서둘러 가는 새벽. 첫차들이 붕붕 거리는 소리. 소리들을 머리에 질끈 매고 한순간을 도전하는 수험생. 시간은 가고 마음은 아프다. 강가에 서서 고요한 물그림자를 바라본다. 어디서 시작했는지 모르게 수없는 물결이 와 닿는다. 강은 유유히 흐르는데 각기 다른 물그림자의 움직임. 두근두근 거리는 소리 없는 심장. 분명 내가 시작되는 어머니로부터 두근두근 실려 왔는데 아직도 움직이는 안타까움. 빛깔도 모양도 퇴색하고 말았는데, 할일은 많고 시간은 자꾸 흘러만 가는구나. 하루라도 먼저 새겼더라면 지옥문 앞에서 이렇듯 생각에 젖지는 않았을 것을. 잠시도 쉬지 않고 두근거리는 삶의 한순간을 사유하는 지금. 분명 도전이 아니고 무엇이드냐.

09일 장미 꽃

꽃집 앞을 지나다 발걸음을 멈춘다. 지금 막 물을 뿌려 주었는지 꽃잎에 방울방울 이슬처럼 맺혀 있다. 지금 막 거울 앞에 선 누나처럼 해맑은 모습이다 .그 이름 장미. 진실한 마음을 대변해주는 것. 과연 꽃 중의 꽃이다. 아직 겨울이지만 수많은 꽃들 중에서 사람 마음처럼 그 속을 들다 볼 수 없는 꽃. 수많은 연인들을 기쁘게 해주는 꽃. 가장 으뜸이고 자랑스러운 꽃. 힘차고 꼿꼿하고 희망을 바라보는 꽃. 인생의 아름다움을 간직한 꽃이다. 받고 싶다. 햇볕을 못 보고 살아온 불쌍한 사람들에게 장미의 마음을 전하고 싶다. 한 송이를 사 들었다. 내가 나에게 선물한 듯 기뻤다. 메말랐던 눈물이 감돌았다. 나는 가고 있었다. 아내의 해맑은 얼굴을 그리며. 한 송이의 장미꽃을 바친다.

11일 허공의 씨

해가 뜨고 해가 진다. 하루가 지나가는 곳. 햇볕이 닿는 곳. 해와 달이 함께 하는 곳. 밤이면 별이 반짝이는 곳. 보다 넓고 넓은 한없이 무한한 공간. 가슴을 뚫고 꿈이 서린다. 샛별처럼 드높게 환상처럼 아름답게 물밀듯 퍼져라. 내가 심은 한 톨의 씨. 허는 멀리 사라지고 진실만 빛나거라. 세상을 밝혀라. 허공의 씨.

19일 잔설

산상에 잔설이 언제나 녹아내리려나. 입춘이 지났는데 산머리가 하얗구나. 산모퉁이 진달래. 꽃망울 망울망울 기다리는데 산머리의 하얀 모자, 어서 벗어주려무나. 얼음장 밑으로 피라미떼, 은빛깔로 노니는데 새봄은 아직 중천에 머물고 꽃샘추위를 맞는구나. 버들가지 앞세우고 봄이여, 어서 오라. 임과 함께 오려무나. 잔설이 녹아내리면 꽃등불 켜고 맞아 보자구나.

25일 희망이 가득한 봄

꿈길에도 꽃향기 스쳐가니 눈 비비고 일어나 향기를 쫓는다. 벌써 아침은 창문을 밝히는데 길게 드리운 난초 그림자. 살며시 살펴본다. 창문 공간에 뾰쪽 피어오른 연초록 꽃잎이 방안을 가득 메운다. 그윽한 새봄의 모습을 향기와 그림자로 열어본다. 희망이 가득한 봄날 아침.

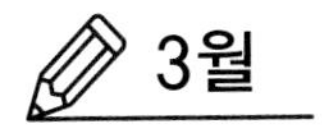

3월

2007년

05일 추고(追考)

설날, 모처럼 더듬어 보았다. 살아 있었다. 형님이 궁금하여 문명의 이기를 돌렸다. 닷새째 빈 집이다. 날개가 있다면 우주의 횡축을 날아 시간에 유속을 조였더라면, 인연이 더 깊어졌을 텐데. 홀로 차례상 앞에 무릎을 꿇고 나니 허망하여 형제의 정을 금치 못한다. 우리는 노쇠하고 천연의 혈연을 영영 끊어버린 것인지. 시간은 자꾸 자꾸 똑딱거리는데.

13일 난초

잠을 깨어 눈비비니 어디선가 상긋한 향기. 아침햇살처럼 상쾌하다. 창문을 열자 사르르 눈이 감긴다. 꽃은 보이지 않고 꽃향기만 난무한다. 눈으로 보고파 향을 찾아가보니 풀잎들은 낚싯대처럼 쭉 뻗은 잎의 기상이 심상치 않다. 대쪽같이 높고 먼 곳을 향한 잎. 기역자로 꺾인 잎도 다시 펼 기세로 잎 하나하나가 승전 장군의 기상. 짙은 초록색 이파리 속에 연초록 꽃잎에 싸인 꽃 하나. 비록 약하게 보이지만 노란 수술에 맑고 빨간 암술의 조화. 천하의 가인이 한자리에 모여 그 맑은 향이 마음속까지 적신다. 과연 난은 꽃 속의 꽃. 향도, 꽃도,

이파리도 생생하게 사람의 마음을 사로잡는다.

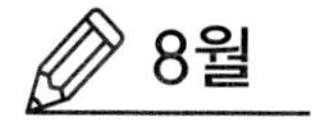

8월

2007년

01일 또 병상에 누워

나는 4월 3일 우신향병원에 입원해 4월 8일에 3, 4번과 5, 6번 척추 디스크 이상으로 수술을 받고 7월 말일까지 병원 침대에서 디스크 보조기를 착용하고 무려 3개월간 병상 생활에서 일어나 척추 주변의 근육 활성화를 위한 운동에 들어갔다. 일 년의 4분의 1을 병상에 누워 있으니 하던 일이며 나를 필요로 하는 인간 관계며, 모든 일이 일시에 문을 닫고 내 주변의 자식들마저도 큰 변화를 가져왔다. 인간 하나가 얽혀 있는 사회란 몹시 복잡하고 접촉에서도 득이 없으면 멀리 하고 나눔의 세계에서도 제외되어 살아있는 시신과 같아짐을 뼈저리게 느낀다. 그동안 몇몇 친구가 소식을 전해 듣고 먼 길 찾아와 위로해준 데 대해 감사드린다. 이렇게 끔찍하게 변하여 감당하기 힘들다. 4월부터 7월까지 일기를 쓰지 못했다.

02일 앉은뱅이

아직 앉아 있는 생활이 어렵다. 운동은 몸에 무리가 가지 않도록 주의를 기울이고 있으나 아직 힘들다.

03일 길

걸어온 길을 그려본다. 넓고 좁고 굴곡이 남다르구나. 색깔로 칠해놓고 보니 노랗고 연초록에 자색이 물들고 주황색 길이 열리더니 초록빛 내 마음의 색을 재촉한다. 길은 보이지만 삶의 터전을 떠났으니 가늘고 힘든 고갯길이 많구나.

이 외로움을 누가 알랴. 사랑의 허기도 아니요, 혼자일 따름. 그러면서 불의에 강하고 참을 수 없어 세상살이 외로울 수밖에. 아직도 갈 길은 먼데 해 뜨고 해 지는 날, 밥만 먹고 늙어가니 이도 저도 못하고 지는 해만 아쉽구려.

05일 티 없이 맑은 날

해는 온 데 간 데 없었다. 그 두터운 먹구름 속에서 어디로 새어나왔는지 잔잔하고 여린 빛으로 새 아침을 열었다. 소나기에 고개를 숙였던 나뭇잎이 푸석푸석 신천지 빛을 맞이하여 고요 속에 일어나고 먼지 하나 없는 땅에 쓰러졌던 풀잎들이 바스락거리며 녹색의 대합창 소리가 울려 퍼졌다. 어디서인지 아주 먼 곳에서 호른소리가 아득히 울려 퍼지면 바순의 어려운 저음의 믿음직한 안개가 깔리며 여기저기서 잔잔한 현악기 소리가 화음을 이루며 공간에 부상한다. 그 중에 어떤 힘들이 일어서면서 팀파니가 풀숲을 들었다 놓는다. 풀잎이 하나씩 탄력을 받아 떠오르고 안개로 깨어진 생명수들이 서로 엉켜 잎들을 타고 내려와 크고 작은 물방울, 은구슬 금구슬 또롱또롱 굴려 내리며 서로 움직이는 동력이 되어 높은 곳에서 낮은 곳으로 굴려 내려 힘이 규합하며 커졌다 작아지며 가지각색의 소리가 모여든다. 높은 플루트 소리가 모난 돌에 부딪히는 소리. 여기서 일어나 첼로와 바이올린의 대화 소리가 협곡에서 흘러 개울물이 되고 골짜기에서 샛강으로 내려올 때면 숲속은 짙은 녹색의 향연이 열리고 새들이 노래하고 산과 들의 공간을 울리며 시냇가로 강으로 흐를 때, 티 없이 맑은 빛은 구름 사이에서 살며시 신천지 모습을 드러내며 신천지의 노래가 울려 퍼진다.

07일 입추

그동안 수없이 함께 살아 왔건만 하늘의 별들이 저렇게 많은지 미처 몰랐다. 모처럼 자리에서 일어나 이 한밤을 별과 함께 지새우니 산에도, 원두막 지붕에도 굴뚝에도 곳곳에 별들이 떴다. 이렇게 많은 별들이 어디서 살다 왔을까. 편하게 잘 나왔는지. 나보다 어려웠는지. 우리 서로 얘기나 해 보자고. 오늘이 입추라니 세월이 왜 이렇게 빠른가. 고요한 밤, 별들을 헤아려 봐도 길이 없구려. 밤이 깊을수록 별은 총총한데.

08일 거미줄

작은 숲길을 간다. 햇볕에 반짝이는 거미줄. 꿈에도 버릴 수 없는 죄의 탯줄. 돌아선 길목에 길게 내린 거미가 가냘픈 실오라기를 타고 내려온다. 유난히 두꺼운 기둥처럼 앞을 가려 거미줄보다 작은 나에게 말한다. 고구려 성 앞에 수문장이라도 사나이답게 지나가거라. 허나 저 반짝이는 명주실보다 가는 거미줄은 억센 바람도 이겨내며 자신보다 더 큰 벌도 걸려들면 먹고 사는데, 감히 걷어낼 수 있으랴. 너, 인간아. 내가 이 한순간 피해주면 싱싱한 모기를 챙길 텐데, 발이 떨어지지 않는구나. 거미줄이 다치지 않게 조심조심 몸을 숙여 길을 간다. 거미도 줄을 쳐야 먹고 살지.

09일 우의

비록 멀리 있다 해도 때가 되면 말 없는 정이 날아든다. 살아 있으면 언제나 들린다. 이 친구는 일본 구주 출신. 어린이를 즐겁게 해주는 아동극 극단주다. 웃기고 울리고 감동을 준다. 구슬 같이 맑고 깨끗한 티 없는 어린이들의 마음을 움직이는 마술사다. 그는 어린이의 친구다. 나라는 달라도 어린이를 위한 마음은 다름이 없다. 우리는 공감을 이룬 동지다. 때가 되면 소식이 날아든다. 올해가 희수라고 덧없는 세월을 꾸짖고 있다. 좀 더 시간이 있으면 증손자까지 들려 줄 것이라고.

10일 한겨레

까마득한 옛날부터 동방의 아침을 여는 나라. 단군의 겨레들이 한마음으로 한반도에 뿌리를 두고 같은 지역에 살고, 같은 말을 하고, 같은 풍속을 유지하며,

같은 문화와 역사를 공유하며 살아온 한겨레. 우리가 뭉치면 어떤 외적도 물리치고, 우리가 외치면 하늘이 도와준 기적의 겨레, 힘 있는 한겨레. 아침에 빛나는 한겨레더라. 그동안 많은 민족이 들어와 함께 살려고 엿봤지만 우리는 단일민족으로써 우리의 긍지를 지키며 살아온 겨레. 이제는 함께 손잡고 마음과 문을 열고 더욱 뜻을 굳건히 하고 어울려 살며 겨레의 정을 나누자.

11일 삶의 터전에서

그 요란스럽던 천둥 폭우가 지나가고 모처럼 하늘 한 구석에 햇볕이 든다. 분명 인간이란 음지에 있으면 위축되어 의욕을 상실하나보다. 햇볕이 이토록 우리의 마음을 밝게 해서 사람마다 밝아지고 가슴이 뛴다. 햇볕 속에 가랑비 내리면 여우가 시집간다고 할머니들이 날씨를 비유했다. 날씨가 음울하여 사람의 마음을 농락한다. 돈 때문에 친부모 살해사건이 벌어졌다. 우울증에 그런 일이 생겼으리라. 땅을 치고 통곡할일이다. 갈수록 기상이변이 심화되고 인간은 날씨에 반응을 보인다. 벌써 3주일째 탈레반에 납치된 사람들도 뜻밖에도 모두 풀려날 것이라고 전하는 외신. 우리 기분과는 무엇이든지 반대인가. 동서양 막론하고 도덕이 땅에 떨어지니 사람이 오래 살면 구미호가 된다는 말인가. 과거를 묻지 말라 해도 춘추시대를 잊을 건가.

15일 소리

배 창자에서 끌어 오르는 분노와 기쁨이 넘치는 소리. 가까이에서 또 멀리서 방방곡곡에서 터져 나온다. 그칠 줄 모르는 소리와 눈물. 가슴과 가슴을 끌어안고 감격. 감동의 백지가 된 사람들이 함께 떼를 지어 나오는 소리. 그 고귀하고 진실한 소리. 해방 62년이 된 오늘도 우리들 가슴에서 떠날 줄 모르고 들려온다. 그때 그 소리. 가슴을 조여 매고 온 주름이 펴졌다. 지금도 형형색색의 표증이 보인다. 지금도 들려온다. 만세, 만세, 만세. 만세 소리를 얼마나 기다렸던가.

씻고 씻기고 참고 참아온 소리. 조국을 다시 안고 참된 소리. 총칼 앞에서도 외쳤던 만세 소리.

17일 나눔

아내가 이고 온 보따리. 비 오는 날 귀한 산중 고사리. 소싯적 생각이 떠오른다. 먹고 싶어도 불씨처럼 아끼고 참아서 나누어준 고사리. 귓구멍을 가득 채운 쪼르륵 뱃속의 소리. 아끼고 아껴 조상님 제사에 쓰던 귀한 것. 홀연히 훌쩍 나와서 손 마주 잡고 그립던 정 나누며 잠깐 전해주고 떠났다. 감사의 말도 미처 하지 못한 채 떠나버린 친구. 작지만 친구 생각날 때마다 정표야, 자네가 귀하면 나도 귀한 그리움이지. 촉촉히 눈시울을 적시는 나눔의 진정. 한 탯줄, 한 형제도 못할 정의 나눔이다. 허공으로 눈을 돌리면 멀리 별과 인연한다. 큰 별, 작은 별. 꿈속에 어린다. 떠나지 않는 기쁨의 미소, 하늘 가득 진정을 나눠 이승의 깊은 정을 나눈다.

19일 수목장

즐겨 다니는 산길에 빠른 걸음으로 지나가는 것이 생겼다. 날마다 가는 길이지만 무슨 연유인지 몰랐다. 알고 보니 수목장을 한 곳이다. 성호를 긋고 가는 사람, 외면하고 가는 사람, 지나치는 사람마다 꺼리는 모습이 역력하다. 엊그제까지 한 마을 분인데 벌써 두려워하다니 이상하다. 살아올 것 같은 심령을 느끼는가보다. 인간이란 이런 것인가. 비정하고 안타깝다. 자신들도 죽을 텐데 죽음이 두려워 피하는 것일까. 고인의 넋이 보여 꺼리는가. 나무에 표식을 해두었기에 모두 꺼리는 것같다.

22일 초가을의 단상

동산에 올라 내려다보니 어느덧 먹구름이 하늘을 가리고 별은 내려와 지붕에 앉았다. 짝 잃은 별들이 안타까워라. 별들이 발아래 반짝이는데 그중에 빛 잃은 어설픈 별은 짝을 잃었느냐. 왜 그리 약해 보이는가. 홀로 언덕에 오른 내 마음

갇구나. 몸서리치는 폭염에 얼이 빠진 등신. 산뜻한 초가을 바람에 더위에서 깨어나니 아무리 덥다 해도 가을은 가을이다. 도시의 가을밤에 천상에 오를 듯하구나. 내 비록 경우는 아닐지라도 별이 빛나는 이 밤에 직녀는 누구일꼬. 흘러간 젊을 때의 마음이 다시 이는구나. 아! 산뜻한 초가을의 향기.

23일 어머니 생각

어머니, 여름이 지나가는 들에는 가을이 찾아들고 있습니다. 어릴 때 어머니 치맛자락 잡고 밭에 가실 때 따라다니던 생각이 납니다. 어머니 팔베개를 하고 별을 헤어보면 나도 모르게 잠들었는데 아침은 방안에서 깨었습니다. "오늘은 처서다." 별을 헤이면서도 반짝이는 초록별 이름인 줄 알았습니다. 어머니 가슴에 파고들며 엄마 추워, 평상에 누운 채 꼭 껴안아주신 어머니. 이제야 여름은 가고 가을이 시작된다고 유난히 큰 별 하나가 반짝입니다. 꿈속에서 반짝여 주세요. 나는 아기별이 되어 엄마별을 따르겠습니다.

29일 수락산 목탁소리

수락산 깊은 곳에 월등 소나무. 학들이 날아와 쉬는 소나무. 산사의 목탁소리 중생의 해화(諧和). 산사의 아침이 밝아오누나. 수락산 학림사의 아침을 연다. 또록또록 목탁소리, 아침을 연다.

30일 불암산 목탁소리

불암산 산허리에 아침햇살. 불암산 깊은 골에 아침을 연다. 은은한 목탁소리 울려 퍼지면 풀벌레 꾀꼬리 눈을 비빈다. 니일니일 꾀꼴꾀꼴 활기찬 시작. 목탁소리, 벌레소리 긴긴 여름은 간다.

31일 초가을 기도

그렇게 무덥던 여름, 까치가 물어갔나. 소리도 없이 가버렸다. 가을비에 촉촉한 돌담 위에 호랑나비 날아들고 상수리 먹던 다람쥐와 눈치. 여름 내내 폭풍에 시달린 옥수수, 비스듬히 축 늘어졌는데, 쓰러진 옥수수, 수확하는 농부. 한 알 한 알 꺾어 보지만 여물다만 옥수수일 뿐, 어찌 마음이 편하리오. 가을이 누렇게 익어 가는데, 알맹이 없는 옥수수 보면 올 겨울 살 일이 큰 걱정이다. 하늘이 무심치 않다면 자연을 믿고 사는 농부들에게 구원의 손길을 내려주소서.

9월

2007년

01일 회포

창문을 열고 보니 간밤에 내린 비에 나뭇잎이 밝아 보인다. 새해를 맞이하던 때가 엊그제 같은데, 봄 여름 다 가고 가을인가보다. 봄에 간절했던 메모가 그대로 있다. 이 부끄러움 누구와 말하겠는가. 때는 기다려 주지 않는가보다. 가는 세월 묻지 말고 국화향 짙어지거든 가랑잎하고 회포나 풀어보련다.

02일 계절 탓이런가

그토록 덥던 여름이 가네. 낙엽이 지면 서늘해지겠지. 가는 세월을 잡아둘 수도 없고 더우면 덥다, 걱정이고 추우면 춥다, 걱정이네. 차라리 철새처럼 날아다니지. 추의(秋意)가 넘치네. 가을은 가을답게. 탓만 말고 멋있게 살아보세.

03일 가을 생각

가을바람이 선뜻하니 맑은 하늘 그리운데 흐린 날만 겹치니 우울하구나. 우리 한국의 그 좋은 푸른 하늘. 그리운 해와 달. 꿈처럼 반짝이는 초록별, 너와 별. 구름아, 하늘을 열어다오. 가을은 역시 하늘이 맑아야지.

04일 피는 달라도 더불어 살아가자

일찍이 검은 대륙, 흰 대륙이 있어 뭍에서 뭍으로 오고 가고 물 건너 오가는 사이, 새 생명이 태어나고, 저마다 말이 다르고 삶의 관습이 다르지만 서로 좋은 문화를 교환하니 보다 좋은 새삶의 길. 어울려 살아가면 홍익인간 아니더냐. 허물은 덮고 더불어 살아가네. 갈수록 바쁜 세상, 견주지 말고, 평화로워라. 이 세상 다하도록 행복하여라.

05일 구름이 하늘을 덮어

몇 달째 구름이 덮어 바람소리만 유일한 벗일래다. 구름목장도 녹여 삼키니 우울할 뿐. 열려라, 깨. 햇볕아 나오너라. 한줄기 빛이라도 바다가 성내고 바람이 성내도 꽃 한 송이보다도 못한 아픔이여. 구름에 쌓여 우울한 기분 언제나 펴지려나.

06일 햇살

악몽을 꾸며 그 처절한 나를 내가 보았지. 암흑 속에서 그대 그리워 목이 메어 부르는 당신. 아득한 그곳에서 아침을 열어주니. 그 밝고 빛나는 눈동자, 가슴 뭉클하게 감격스러운 그대. 나를 찾아주니 온 세상을 얻은 것 같소. 그대는 아침을 여는 햇살. 세상을 밝혀주는 해님. 아름답고 참된 빛이 어둠을 밝히는 창조의 힘. 온 세상을 밝히리.

07일 하늘이시여

밤사이 내린 비. 버드나무의 머리 감겨 축 늘어진 모습이, 구름의 변신이, 머리를 풀고 가을을 불러들인 듯하다. 먼 산등성이 정숙한 초립을 쓰고 기도드리는 듯, 조용히 무덥던 지난여름이 여독을 푸는 묵념 같다. 숨이 막힐 듯, 온 땅이 구름에 휩싸여 잃어버린 제 모습을 찾아가는 것 같구나. 지겨운 여름이었다. 이렇게 깨끗하고 부드럽고 화려한 가을. 하늘은 내려 주셨나보다. 하늘이시여. 인간을 용서하소서. 당신이 보여주신 정화의 아름다움.

08일 천상의 나팔꽃

곁에서 보면 직선과 직각으로 된 빌딩숲. 유연성이 없는 시멘트 바다. 정서적으로 첨예한 불안 속에 작은 꽃밭에 핀 아름다운 꽃. 17cm 나팔꽃이 눈길을 끈다. 연한 적황색 꽃이 줄래줄래 핀 화분 하나가 화단 앞에 나왔다. 오가는 사람들이 발을 멈추고 아름다운 향기에 취한 주부들. 꽃에 매달려 웃고 호기심에 엎드려 보고, 뒤도 보고 감상하는 이변. 사람마다 꽃 이름을 묻지만 아무도 아는 이 없어, 나팔꽃 닮았는데, 하면서 하늘에서 아래로 나팔을 부나. 제멋대로 상상하는 꽃 이름. 아름다운 꽃에 반해 꽃 이름 화제. 천상의 나팔꽃이라고 부르기 시작한다. 꽃이름이 입에서 입으로 탄생한 것이다. 천상의 나팔꽃.

09일 어머니, 생각납니다

지금 생각이 납니다. 여름이 한창이고 햇볕이 뜨거운 날도 밭에 가셨습니다. 머리에는 수건을 덮어 쓰고 바구니에 호미 잡고 굿이나 구경하듯이 나가셨습니다. 엄마를 찾다가 안 계시면 혼자 울다 텃밭에 가면 머리에 수건 덮어쓰고 밭을 매고 계셨습니다. 엄마, 반갑게 부르면 어서 와, 하고 안아주셨습니다. 여기서 뭐하는 거야, 왜 땅을 파는 거야, 온갖 것을 다 물어 봐도 한 번도 귀찮다 하지 않고 고분고분 얘기해 주셨지요. 엄마 치맛자락 잡고 집에 왔습니다. 지금도 생각납니다.

13일 아내

하루가 모자라서 새벽 네 시부터 덜컹덜컹 쉴 틈이 없다. 마늘을 까다 어느새 생선 손질. 그런가 하면 냉장고 청소. 할일도 많은데 더 못해서 입으로 한다. 쉬어가며 합시다. 안타까워 한 마디. 명절에 찾을 아이들. 깨끗하고 맛있어야죠. 엄마 살림은 본보기. 시집간 딸들 보라고. 음식솜씨, 깨끗한 집, 보여주려는 엄마의 마음.

14일 책 읽는 소리

해가 질 무렵 서쪽 하늘에 붉은 해가 뜨면 약속이나 한 듯이 책 읽는 소리.

옛 서당에서 올려 나오듯 아파트가 쨍쨍 올리도록 맑은소리로 열심히 책을 읽는다. 어릴 때 생각이 절로 난다. 분명 글의 뜻도 알지 못하면서 소리 내어 글을 읽으면 외우게 된다. 가을은 책읽기에 좋은 계절이다. 지금 들리는 책 읽는 소리가 예사롭지 않다. 나도 모르게 책을 들고 씨름을 한다. 이제야 겨우 가을의 정취를 느낀다. 한 소년의 책 읽는 소리가 아니었다면. 일의 기틀을 일찍 알지 못함을 뉘우치게 되었다. 창가에 책상이 있어 황혼을 바라보니 아이보다 먼저 책을 들고 읽어 보리라. 올 가을에는 소년이 뉘우침을 주는구나.

15일 소나무

비가 촉촉이 내리는 다음날. 아침 산책길, 산비탈에서 선뜻 흙에 묻힌 바늘 잎 소나무. 숨을 거듭 쉬며 손짓을 한다. 어찌 이런 곳에 마음 달래며 아직 살아있는 어린 소나무. 진주보다 더 소중히 옮겨 온 소나무. 벌써 봄 여름 지나서 뿌리 깊이 내리고 싱그러운 잎들. 어떤 초목보다도 소나무 사랑. 사철 푸르른 나무. 볼수록 힘이 솟는 나무. 바위틈에도 우뚝 자라는 소나무의 기개, 아름다워. 보다 아름답게 소중히 기르리. 항상 변치 않는 소나무. 천하에 제일가는 소나무.

17일 꽃을 가꾸는 여인

가을은 꽃보다 아름다운 단풍이 곱다. 밝은 단풍잎. 이런 꽃이 없다. 종일토록 찾아다니다. 이름도 모르는 향기 그윽한 꽃 한그루 들고 왔다. 가랑비 내리는데 흠뻑 젖은 소매를 걷고 방글방글 아름다워라. 화분을 씻고 닦고 꽃을 이리 보고 저리 보고 향기 맡으며 눈이 가늘어진다. 꽃을 가꾸는 여인. 꽃보다 아름다운 여인. 소녀보다 더 예쁘다.

18일 요물 단지

아내는 TV를 가리켜 요물단지라고 말한다. 할머니, 왜 그래요? 글쎄, 나하고는 박자가?! 재미있는데, 그럼 옛날 노래 해 보실래요. 응. 그건 박자가 맞지. 아는 게 많거든. 세상이 많이 바뀌었다. 앉아서 세상 구경하는 TV. 입맛이 떨어지면 요리가 나오고 세상은 지금 무얼 할까 하면 온 세계 일을 한눈에 보여준다. 그러나 밥도 굶고 본단 말이냐. 할머니 말씀이 재미나서 둘이, 둘이 앉아서 웃음꽃 핀다.

19일 가시고기

그는 물속에서 세상 구경 한번 못하였어도 알을 낳고 자식을 기르는 끈끈한 정 아리따워. 땅 위에 사는 어느 누구보다도 아름답구나. 떠다니는 수풀을 모아 보금자리 꾸미고 알 낳고 몇날 며칠 잠 한숨도 안 자고. 자식 지키고 제 모습 닮은 새끼들이 태어나니, 제 몸을 먹이로 내어주고 쓸쓸히 눈을 감는 가시고기. 가슴이 찡하구나.

20일 아내

부지런도 하시지. 싱싱한 먹거리 찾아 시골 장터 찾아 가네. 우리 땅 우리 논밭에 수백 년 우리 맛이 밴 싱싱한 채소를 이고 오네. 심심산골에 고사리, 취나물. 향긋한 백도라지. 땅속에서 자란 토란. 보따리, 보따리, 작은 보따리도 많네. 아이고, 허리야, 말하면서도 방글방글. 이런 나물 먹어야 한국 사람이지, 신토불이지. 이 맛을 자식들에게 줘야지. 순결하고 거짓 없는 마음. 어머니가 아니면 가질 수 없는 아름답고 싱그러운 마음. 엄마, 올해는 무슨 맛? 고추장 속에 감 장아찌 올해 내다 먹자, 어떠냐. 모두가 웃음보따리. 싱글벙글.

21일 안개

하늘이 얼마나 짓누르는지 안개는 하늘이 무서워 머리 숙인 채 허공을 가득 채운 채 끼어 있다. 새들도 날개를 접고 꼼짝도 안 한다. 늦은 아침을 먹고 나니 창문에 햇볕이 들어 열고 보니 새가 날고 있다. 조금 숨통이 터진 것 같고 물이 아래로 흐른 것이 아니라 위로 올라 구름이 된다. 아침이 새로 시작되는 가보다. 가을을 맞는 초록빛 나물들이 붉게 물들어간다. 안개 맺힌 이슬이 영롱해 보인다. 인간도 저렇게 아름다워질 수 없을까. 세상은 침침하게 안개 속에서 만사는 어우러진다고. 날씨와 같은 음모가 이루어진다. 불쌍한 백성만 안타까워 햇볕도 가리는 안개가 트이듯이 밝고 명랑한 참된 모습이 보고 싶구나. 풀숲이 영롱한 옥구슬처럼 빛나는 세상이 돌아왔으면.

24일 추석의 희석

멀고 먼 조상들의 지혜. 달 밝은 가을, 은혜에 보답. 추수의 감사. 가족 화목의 기쁨. 하루 일손 놓고 보답하는 마음. 몇 백년 지켜온 민족의 향기. 한민족의 추석. 갈수록 시들어 가는 하늘과 선조의 뜻. 받드는 듯 희석되네. 며느리의 정성. 자랑스러운 솜씨. 반만년 지켜 온 전통문화. 감사와 은혜, 지켜보세.

23일 가을은 쓸쓸한 계절

밤이면 귀뚜라미 소리. 쓸쓸함이 더해가는 구나. 그리운 가족들 인접에 두고 건너면 가는 길을. 내 땅 네 땅 갈리어 소식조차 알 수 없으니. 이승 저승, 어느 곳에 있는지 알 길 없어 수심이 차는구나. 나는 생전에 못 보고 가니 어떻게 살아 왔는지 소식이나 듣고 오시요. 먼저 가신 아버지 말씀, 가을이 깊어 갈수록 그 한 말씀, 가슴을 에듯 찾아드네. 쓰르라미 소리마다 눈물 스치니, 가을은 쓸쓸한 계절이구나.

24일 기도

추석날 온 가족이 모여듭니다. 어린아이처럼 가슴이 뜁니다. 오랫동안 헤어져 살았던 가족들을 만나는 기쁨. 수확의 기쁨, 감사드리고 조상님께도 감사드리고 우리 서로 나누는 정으로 밝은 달밤을 즐겁게 보냅니다. 살아온 고달픈 얘기, 서로 나누고 밝은 내일을 맞으라, 기도 합니다. 손에 손잡고 놀이하고 춤추면 달님도 방긋, 별님도 방긋, 멀리 계신 우리 형제 함께 하였으면 보다 더 긴 얘기 나누었을 것을. 오늘 같은 날, 그리움에 눈물 짓니다. 우리 모두 두 손 모아 기도합시다.

25일 그리움

간밤에 꿈에서 보았습니다. 양림동 큰 댁 대문 안에서 서성거리는 모습, 반가웠습니다. 바이올린을 어깨 위에 얹고 고개를 갸웃, 활을 내리며 방긋. 친구들은 기타치고 북치고 동네 사람 모이면 잘 살아 보자고 힘과 용기를 나눠 주셨지요. 어른보다 우리를 외치던 형님. 그때 그 모습 그대로 악수 나누며 또 한 번 어울린 추석입니다. 형수님의 사랑, 달빛과 같고 사랑하는 훈이, 건강한 모습, 오늘 밤도 한자리에 모여 봅시다. 그리운 우리 식구들, 모여 봅시다. 다시 만날 때까지 건강한 모습 보여 주십시오. 간절히 비옵니다.

27일 얼굴만 보이고 간 가족

구름이 머물다 흘러가듯이 명절에 찾아온 아들딸 가족들, 이내 갈 데로 가버리니 안 본 것만 못하구나. 제각기 살길 찾아가. 모를 바 없지만 정이란 볼수록 짙어지는 것. 얼굴만 보이고 가니 잔상이 살아남아 자나 깨나, 자식 생각 그칠 날이 없구나.

28일 가을비 가을 길

오다 말다 비는 비지만 끈질긴 비다. 오다 말다 가랑비. 해 뜰 때도 내린다. 못 말리는 여우비. 추석에 다녀간 손자들, 잘 들어갔나. 하기는 나도 비 맞고 다녔다. 은근히 근심이 된다. 감기라도? 아니야. 비 사이를 달렸겠지. 우산을 받고 산책길에 잘박잘박. 가랑잎 밟는 소리. 가을비 아니면 이런 맛 느낄 수 있으랴. 비 내리는 가을 길.

29일 달빛에 어머니의 영상

구름이 벗기면서 여인의 살결보다 더 밝고 환한 달이 얼굴을 내민다. 도시는 달빛에 차고, 깨진 유리 조각이 달빛을 토해낸다. 뜨락에서 달을 보고 서 계신 어머니의 모습이 달빛에 스며든다. 허공에 합장하고 간절한 소망을 빌며 늘상 달을 향해 절을 하신다. 달은 중천에 떠오르고 구름 곁에 실린 비밀한 소망, 달에 고하시니. 달빛은 사랑으로 가득 싣고 집집마다 환하게 비치니. 마음이 기쁘고 평안함이여.

31일 아버님 그리던 날

아버님 계실 때는 미처 몰랐습니다. "하늘이 늘 푸르고 맑기만 하는 것이 아니다. 세상이 언제나 같은 날은 없었다." 이제와 생각하니 목이 멥니다. 갈 수 없는 땅에 넘어가버린 자식들 생각에 잠 못 이루는 날이면 시큰거리는 가슴을 안고 혼자서 강변을 돌며 흐르는 물에 씻고 오셨습니다. 아버지 살아계실 때는 미처 몰랐습니다. 아버지께서는 소복을 하셨습니다. 살아도 사는 것이 아니라고 스스로 자숙하시고 혼자서 시를 읊습니다. 사랑은 받고 효는 못한 자식입니다. 아버지 생각에 젖어 눈물짓습니다.

10월

2007년

04일 가슴이

해가 떠도 까닭 없이 내 마음 그림자 지니. 수심은 한없는 것. 고개 숙인 해바라기 꽃. 형 그리던 어버이, 반세기 고개에 꼬꾸라지니. 그리움은 갈수록 짙어지니 눈이 빠지고 귀가 우네. 천둥소리 우렁차고 구름 밀려가고 섬광이 빛나리. 막혔던 보가 터졌네. 이산의 외침이 하늘을 울렸네. 소나기 지나가고 먹구름 흩어지니 빛은 섬광의 광채. 방방곡곡에 빛나리. 우리 가슴이 툭 트이는 지금,

기적이라도…. 자연은 어제와 오늘이 다를 바 없지만 가슴이 열리네. 굴러가던 마음의 문이 열리네. 희망의 빛이 보이네. 가슴이 툭 터지네. 섬섬한 마음의 빛이 어울리니, 역사 속에 새로움의 시작.

09일 반 년 만의 외출

바깥출입을 안 한지 반 년. 별로 긴 세월은 아닌 데도 어수룩하다. 속된 마음에 오늘을 기다려 왔다. 그러나 아직 걸음마는 쉽지 않았다. 전철 계단을 서너 단 올라서면 쉬고, 또 오르면 쉬고, 병색을 홍보하는 듯, 동물 무리로 다른 동료는 버리고 간다는데 버림받은 사람처럼 느껴진다. 전철은 영화처럼 도심을 벗어났다. 서울 외곽에 내렸다. 출입구 창구가 외국 같다. 지상으로 나오자 화려한 도시의 꿈이 펼쳐진다. 한 치의 공간도 이용하지 않는 곳이 없다. 시골사람 상경한 듯 빌딩 숲을 쳐다보기 힘들다. 큰길가의 빌딩은 햇볕을 감추고 외장도 돌에서 금속으로 바뀌어 화려하다. 어디가 어딘지. 아는 것은 픗말 밖에 안 보인다. 젊은이의 패션이 초미니, 헌옷 같은 느낌, 남장도 원색 넥타이에 전시장 같다. 마음들이 저렇게 달라졌구나. 헛헛했다. 나는 눈을 휘둥그레 하며 개미만큼 작아졌다.

15일 당신이 있기 때문에

계절이 지나가는 먼 산에는 가을이 멈춰서 있습니다. 내가 당신을 고맙게 생각하는 것은 남들은 나의 젊음을 사랑하지마는 당신은 이 애달프고 가련한 나를 굳이 사랑하기 때문이오. 내가 당신을 고맙게 생각하는 것은 남들이 나의 노래를 사랑하지마는 당신은 나의 슬픔과 설움을 굳이 사랑하기 때문이오. 내가 당신을 사랑하는 것은 남들이 나의 청춘만을 사랑하지마는 당신은 나의 죽음도 사랑하기 때문이오. 나는 아무 걱정도 없이 행복하게 살고 있을 따름이오. 당신이 있어서 나는 행복하기 때문이오.

18일 실망

아내는 요사이 꽃의 아름다움에 도취되어 아파트 화단을 수시로 내려다본다. 꽃의 오묘한 생김새. 꽃의 고마움. 꽃마다의 향기. 꽃의 색감. 이 모든 미모에 감사드리며 남의 곳까지 물주고 가꾼다. 그 심취함과 순결함, 숭고함이 숭경(崇敬)스럽다. 천상의 나팔꽃. 꽃의 형상을 보고 아내가 지은 꽃 이름. 이 귀한 화분이 밤사이 없어졌다. 얼마나 탐이 났으면. 아름다움은 도둑맞기 좋은 것. 잘 길러 달라고 기도한다. 더욱 존경스런 아내.

19일 어머니, 지금 뭘 하고 계십니까

어머니, 지금은 어디에 계십니까. 우리 땅, 우리나라 땅. 푸른 산림이 우거지고 노루, 사슴이 멋대로 노니는 곳. 이 땅에 계실 때는 몇 번이나 가 보고 싶은 곳. 어머니, 당신은 한시도 잊지 못했던 곳. 마음속에 그리면서 너무 어려워 엄두도 안 나는 곳. 그 너머에 엄마 탯줄을 끊고 간 자식들의 소리가 윙윙거리는 곳. 어머니, 당신은 그 먼 땅을 알고 있지요. 한가로이 노루, 사슴이 물을 먹고 굽이치는 바다파도 소리가 들리는 곳. 철조망은 녹슬고 초소에서 땅을 지키는 군인뿐 아무도 없는 그곳을 가보셨나요. 자연은 그곳에도 가을을 보내주어 산에는 붉은 열매가 절로 떨어지는 곳. 지금은 풍성한 가을걷이가 끝난 땅. 줄을 친 금도 없는데 넘어가지 못하는 곳. 이제는 맘대로 갈 수 있는 땅이니 어서 다녀오세요. 어머니, 지금 어디에 계십니까. 이 시각 산사의 목어 소리가 가냘프게 들려옵니다. 닭이 울기 전에 편히 다녀오세요. 어머니, 지금 뭘 하고 계십니까.

24일 그리움

불과 이박삼일인데 거울 속에 당신이 연연하오. 당신이 성지순례를 떠나던 날, 냉장고에 있는 당신 좋아하는 과일이, 구절판 찬합에는 반찬이 간식용으로, 여기 한과, 너무 많이 먹지 마세요, 살쪄요, 잊지 않고 한마디. 배웅하려 했더니 벌써 떠나고 6층에서 손을 흔들어 응답한다. 막상 떠나고 보니 집안이 빈집 같다. 그리움이란 떠나고 나서야 체험하게 된다. 끼니 때가 되어 밥을 하려니 안 하던 일이라 게으름 피고 간식으로 끼니를 때웠다. 그때마다 당신의 고마움. 책을 읽으면서도 당신의 환영이 아른거려 고개를 흔들며 생각했다. 분명 당신은 나의 동반자요, 우리가 생을 마칠 때까지 사랑해야지. 여보 사랑해요.

27일 안경

두 눈 앞에 동그란 유리창. 어둡던 세상을 밝게 보여준다. 심청이 아버지는 얼마나 답답했을까. 살아가는 시간 속에 보인다는 것은 더 이상 자유로울 수 없다. 눈은 바로 마음의 표정, 사는 품격이다. 넓은 세상을 보는 눈은 보다 새로운 문화를 창조했다. 볼 수 있다는 것은 기쁨과 즐거움. 눈을 보호하는 안경. 눈을 밝혀 주는 소중한 창문이다.

31일 가을비

가랑가랑 가랑비. 가랑잎에 가랑비. 가랑가랑 가랑잎. 가을이란 가라고 가랑가랑 비가 온다. 가을 가면 겨울 온다. 가랑가랑 가랑비. 가을 가면 추워진다. 가만가만 오너라. 가랑잎이 떨어지면 추운 겨울 찾아온다. 가랑비야, 오지 마라.

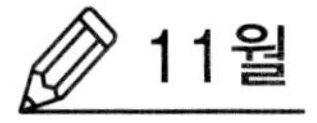

11월

2007년

05일 사모곡

육교 위에 전철 소리가 울릴 때면 인자하신 어머니 생각이 납니다. 지금은 새벽이 아니면 전철 소리도 안 들리는데 새벽녘 멀리 달리는 소리가 들리면 가물가물한 추억 속에 어머니가 그리워집니다. 나들이 하실 때는 두 손을 공손하게 꼭 잡으시고 발끝만 보고 걸으시던 어머니. 지금 어머니와는 사뭇 다른 모습으로 다소곳하게 곁눈질 한 번 안 하시고 걸어가시던 어머니. 아버지와 함께 나 장가가는 날 기념으로 찍은 사진에 아직도 살아계신 모습으로 지켜봐 주시고 있습니다. 지금은 빛바랜, 반세기가 넘은 사진이지만 어머니께서 가장 기뻐하시는 날이었습니다. 이 철없는 막내둥이가 미운 짓을 많이 했었지요. 이때를 생각하니 막내둥이가 어머니 연연하고 때로는 어머니 생각에 눈시울이 뜨거워집니다. 형들을 허공에 그리며 도리어 이름을 부르며 찾던 어머니 생각에 가슴 뭉클합니다. 어머니, 그 애타는 심정을 어떻게 태워버리고 가셨는지요. 이 자식은 가슴이 벅차 더 이상 상상조차 못하겠습니다. 지금은 잊지 못하시겠지요. 세상이 좋아지면 소식이라도 들어보고 어머니 눈물 앞에 전해 드리겠습니다. 어머니, 사랑합니다.

06일 아버지 영상

남달리 까만 두루마기를 즐겨 입으시고 무엇이 그렇게 바쁘시기에 빠른 걸음으로 다니시던 아버지. 남의 일이나 소망을 위하여 발이 닳도록 뛰어다니는 아버지. 가난한 사람을 위하여 자신을 희생하시며 억울한 일을 당한 사람을 위해서는 당신의 일처럼 원점을 찾아 해결하셨지요. 집에는 그칠 날 없는 손님들. 비가 와서 큰물이 나면 학교를 못가는 학생들을 위해 다리를 만들어 주는 일을 맡아 하셨고 마을 풍기가 안 좋다고 시장을 옮기던 일. 땅이 없어 시설을 못하면 하천 땅을 메워서 시장을 꾸미고 서민 생활을 도와주신 아버지. 상급 학교를 못 가는 아이들을 위하여 타도에 있는 사립학교로 유학시키고 남이 할 수 없는 일을 끈질기게 노력하시며 따뜻하게 학교에 보내신 아버지. 그때도 검은 두루마기를 입고 어머니와 함께 서 계시는 아버지. 언제 뵈어도 영원히 함께 하시는 그리운 우리 아버지. 마음이 아플 때마다 외로움을 달래 주시는 어머니, 아버지 영정.

23일 어린 소나무

떡갈나무 숲에 첫눈이 내렸다. 엉성한 갈나무 가지에 보송보송 하얀 눈이 꽃송이처럼 가지마다 하얀 목련화가 피었다. 조촐하고 순결한 순백의 꽃 잔치가 열렸다. 텅 빈 공중에 적막이 흐르고 무량하기 짝이 없다. 하얀 눈 나라에 다시 시작한 어린 소나무 하나. 작지만 날카로운 이빨들이 힘차게 온 공간의 뒤엉킨 나뭇가지에 흰 꽃송이들. 작아도 허공의 지킴이로 우뚝 서 있다.

12월

2007년

03일 강추위

춥다. 추워야지. 춥다 하니 더 춥지. 춥지 않으면 겨울이 아니지, 했더니 눈이 내리네. 강추위에 눈까지. 손 시려, 발 시려, 끼니 걱정, 난방 걱정. 연말이 되도 사랑의 종소리 울려도 추워서 꼼짝도 않는다. 눈이 온다. 와야지. 눈이 와야 나오지. 나오면 썰매 타고 활동을 하면 추위는 도망가지. 가난한 이웃들이나 걱정하시구려.

04일 그리움

눈이 내린다. 함박눈이 꽃송이처럼 내린다. 한반도 산하에 거침없이 내린다. 북쪽에도 찬 바람 불어 큰형님과 형수는 작고하시고 환갑이 넘은 장조카, 그리고 태어나서 생면부지에 줄줄이 오형제와 고명 딸 하나. 만난다 해도 얼굴도 모른다. 사정없는 시베리아 찬바람 등받이에 사는 조카들. 정이 무엇이기에 이렇게 보고 싶을까. 할아버지 먼저 길 떠나실 때 할머니께 "당신은 오래 살다 북쪽의 어린것들 어떻게 살아 왔는가 만나보고 소식이나 전해주오." 기막힌 사연이다.

이 유언이 항상 마음에 걸린다. 십 년이면 세상이 변한다는데 60년이 지났구나. 살아있겠지. 손자들 한번 안아주지도 못하고 꿈속에 그리다가 가신 할아버지. 기다리다, 기다리다 못 보고 가신 할머니. 저 세상에서 할아버지 만나서 무어라 얘기하셨는지. 할머니의 슬픔. 이것은 우리들 가족의 슬픔과 설움이오, 인간의 애를 끊는 아픔이다.

눈이 내린다. 우리 땅 삼천리강산에 눈이 내린다. 하염없이 눈이 녹아 눈물이 되어 강산에 흘러내린다. 땅을 치고 그리움을 호소하는 또 다른 이산가족들이 눈물을 흘린다, 소나기처럼. 이 고달프고 슬프고 외로운 식구들. 울다울다 목이 쉬어 왜 우는 지도 잊어버렸다. 순간의 실수가 온 민족의 슬픔으로 울고불고 그치지 않는다. 차라리 불 속이라도 뛰어들고 싶소. 눈이 내린다. 사모의 정은 잠시도 끊이지 않는다. 어설피 이 산을 하얗게 덮어다오.

2008년

1월

04일 아무리 생각해도

아무리 생각해도 나를 괴롭히는 인자는 나 자신이었다. 아무리 생각해도 한 점 잘못이 없는데도 그림자만 보여도 괴로웠다. 아무리 생각해도 무형의 도가니 속에서 호젓하고 몸 따라 아무리 생각해도 핏줄 때문에 심각해진 나 자신이 잘못이다. 아무리 생각해도 나의 규범에 의해서 생기는 양심적 불안, 죄책감. 바로 사회적 불안이다.

05일 설야(雪夜)

어느 먼 해돋는 동해바다. 무슨 기쁜 소식이기에. 이른 새벽녘 창가에 다가와 소리 없이 창문을 두드리는고. 여윈 잠, 눈 비비면 동창을 바라보니 밝아오는 무자년 새해 아침에 빛이 밝아온다. 새날이 밝아와 묵은해의 아픔을 녹여버리는 새해야, 밝아라. 올해는 밝고 명랑한 활기찬 무자년을 맞는다. 눈덩이처럼 커져라. 행복하여라.

07일 안개

활기찬 새해 아침, 창문을 열자 눈앞이 후련하다. 꿈속의 세상이런가. 엷은 구름이 눈앞을 가리고 몽상에 끌려 천상에 오른 듯 몽롱한 꿈길에 끌려간다. 어디선가 어렴풋한 한 쌍의 불빛이 불그레하게 다가와서는 붉은 빛을 토하고 달아난다. 아스라이 선뜻한 순간, 으스스 식은땀이 등을 적신다. 구름 속 대로변에 서 있는 듯 미세한 물방울이 비 오듯 내린다. 불과 20초 사이에 일어난 충격이었다.

안개. 예기치 못한 순간의 재앙. 인간이 대자연 앞에서는 작고 작은 존재임을 인지한다.

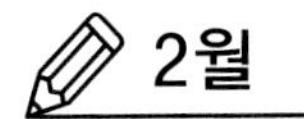

2월

2008년

21일 갈 테면 가라

너 멀리 가려 하니? 갈 테면 가라. 눈 녹은 산 개울을 따라 갈 테면 가라. 가다 보면 한들거리는 꽃길도 있고 겨울잠에서 깨어난 곰도 있어 만나리라. 추운 날 어미의 등에 업혀 손발이 얼까봐, 싸고 또 싸고 할머니는 손자 반기며 사랑으로 감싸주셨다. 얼마나 좋았기에 꿀보다 더 달라고 말하더라. 갈려면 가라. 갈 테면 가라. 너 가는 길이 아름다워라. 혼자 가는 길이 가시밭도 수렁도 있겠지. 갈 테면 가라. 가는 길을 분명히 알고 가는지. 네 가는 뒷모습이 얼마나 아름다우랴. 갈 테면 가라. 너 가고 싶은 그곳으로 가라. 너 사랑하는 마음이 보내주련다. 해 우산도 밟고 가라. 뜨거운 날도 있으리라. 애미는 항상 어린애처럼 네 걱정하다 눈뜨고 가련다. 못 가거든 다시 돌아오라.

22일 보름달

어릴 때 보던 그대로 둥근 달이 떠올랐구나. 달은 말을 잊었나보다. 보는 이마다 말은 달라도 달아, 네가 짓는 미소에 끝없는 사랑의 노래를 보내는구나. 사람은 달처럼 변하지 않기에 영원한 것이니라. 사랑은 너와 나 사이에 끊임없이 흐르거늘. 달과 같이 둥글게 정이 넘치는 우주의 섭리. 그중에서도 부모의 사랑은 변치 않고 달빛처럼 온화하고 마음과 마음을 투과하는 것이기에. 자식은 제 뜻대로 되지 않으면 부모도 버리나니. 어찌 그 뜻이 하늘에 부끄럽지 않는고.

23일 들려오는 고독한 피아노 소리

아직 겨울이 남아있는 오후. 가까우면서 멀리 은은하게 들리는 소리의 잔잔한 물결. 조금 썰렁하면서 귓전을 차고 가는 음조. 한 소리가 귓가의 머물고 있다가 또 다른 소리가 내려앉으니 새로운 소리가 태어나며 잔잔하게 부풀어 음세를 싸 올리니 한 음 두 음, 사라져 가면서 명주실같이 소리바람을 일으킨다. 사라져가는 고독한 피아노 소리.

24일 첫차

불암산 기가 퍼지는 새벽녘, 수락산 굴에서 고요를 깨고 기를 굴리는 채비를 한다. 아직 육교를 건너 지하에 들기 전에 기를 모으는 원동력이 크게 호흡을 한다. 수락의 영기를 받아 스스로 아침을 끌어내어 해오름의 영롱한 소리를 울리며 도시의 한복판을 뚫고 한강을 건너서 오이도로, 서울시민의 안녕과 활기를 뿌리며 지하로 달린다. 모든 생명에게 영묘한 기운을 전한다.

25일 폭설

얼음장도 녹인다는 우수를 넘긴 지 일주일. 싸라기눈이 온 세상을 하얗게 덮었다. 낡은 세상을 하얗게, 하얗게 덮는다 한들, 세상이 하얗게, 하얗게 달라지겠는가. 때늦은 눈이라더니. 눈길이 인명까지 앗아가니 하늘이 노하셔서 인간을 벌주는 것같다. 인간의 재주가 아무리 좋은들 자연의 소리를 왜곡해서야 벌을 받아야지. 폭설이 내리도록 죄를 짓지 말아야지. 눈의 정감을 그대로 받아들이는 정치를 잊지 말아야지.

27일 언제나 알까요(詩 2題)

몇 살이나 되어야 사람을 안다고 할까요. 설흔, 마흔에는 실현기요, 열아홉, 스무 살에는 가슴이 떨리는 순수한 사랑이오, 쉰이 넘어야 알만 하겠지요. 그럼 언제 알게 될까요. 육십, 칠십 가면 갈수록 진진하고 뜨거운 사랑을 느끼게 될 거라고 세상이 말하리라.

눈 오는 밤

너는 먼 바닷가의 목소리. 싱싱 허공을 흘러가네. 전봇대에 매달린 외등갓이 다시 흔들리고 옷깃을 잡고 밖에 나와 보니 달마저 구름 속에 잠기고 허공에 날리는 눈발이 우네. 누가 나를 보고 방으로 들어가라고. 먼 설원 저쪽에서 날아오는 눈발소리.

3월

2008년

02일 정원

아파트 양지 쪽에 조경 사업으로 만든 작은 꽃밭이 있다. 겨울에 말 한마디 없더니 우수 경칩을 맞아 기지개를 켠다. 땅 껍질에 금이 가고 연약한 새싹이 모자를 벗고 방긋이 미소를 지으며 인사를 한다. "따뜻한 흙속에 숨어 있었죠." 친구보다도 더 반갑다. 봄이 왔어요. 듣고 보니 부끄럽다. 자연은 생명의 보금자리다. 지구는 시도 때도 없이 새로운 소식을 전해 준다. 가슴 벅차게 감동하고 기쁘다.

07일 봄비 내리면

봄비 내리는 수락산 골짜기에 밝은 연초록, 환한 빛이 세상을 밝게 비친다. 겨울동안 쓸쓸했던 숲길. 아내와 손잡고 거닐던 길. 뻐꾸기도 외롭던 겨울을 벗고 노래하겠지. 봄비 내리면 새 단장한 수락산 정기가 두 팔 벌려 반겨주겠지. 봄비 내리면 어둠은 가고 밝음이 찾아와 노란 개나리, 붉은 진달래꽃이 활짝 피겠지. 봄비 내리면 그리던 소식들이 까치 등에 얹혀 날아오겠지, 날아오겠지.

누이 소식이 맨 먼저 날아오겠지. 꽃동산에서 까치를 기다려 봐야지.

08일 말

형, 아우, 자리에 누워 도란도란 얘기 나누면. 개울물이 서로 만나듯 서로 다른 길의 이야기, 세상 이야기 나누면. 마음과 마음이 얼마나 뿌듯할까. 말은 할수록 즐겁고 입에서 새어나가는 말은 되돌릴 수 없는 아픔도 있어 가까울수록 말은 조심조심해야지. 말은 마음이오, 말은 곧 나요.

09일 빛

어린 싹부터 귀히 여기시고 사랑하여 진실로 도와주면 튼튼한 삶의 기반이 되어 우러러 볼 만큼 크게 자란다. 큰 우산처럼 많은 가지를 뻗고 높이, 높이 자라 멀리 넓은 세상을 내려다보고 녹색의 궁전을, 나무 밑을 영토처럼 거느린다. 바탕이 안 좋으면 아무리 타고난 재주가 있다 한들 주어진 환경만큼만 하기 마련이다. 누가 시켜서보다 어릴 때부터 바탕을 보인다. 지구상에는 돌연변이라는 자연의 변칙이 있다. 짐승도 본색을 버리고 흰색으로 다시 태어난다. 식물도 상상하기 어려운 색과 모양으로 변모한다. 사람도 다름없다. 개천에서 용 난다고 뜻밖에 크고 작은 신생아가 태어난다. 지금도 확실한 근거를 찾지 못하고 있다. 눈에 보이는 모양은 변할지라도 지혜와 지능은 변함이 없다.

10일 인간

인간이란 생각하는 동물이기에 스스로 생각하기에 따라서 무한궤도를 날아 문명을 일으킨다. 놀라지 않을 수 없다. 교만과 욕망이라는 본성이 있어 정신적 변이를 일으켜 다른 욕망의 세계로 간다. 환경이란 무서운 명암을 주는 역학적 관계이다. 옛날엔 천재라 해도 큰 성공을 바랄 수 없었다. 진정한 천재는 스스로 갈 길을 수식으로 보여준다. 인간의 꿈은 무한에 이른다. 20세기는 가능성을 보였다. 21세기는 꿈을 펼쳐보이는 세계이다. 꿈의 세계를 먼저 파헤칠 것이다.

불가능은 없어졌다. 그러나 인간은 돌연변이에 따라 본성을 잃어간다. 인간이란 정을 이기지 못하여 어려움을 넘기지 못하고 그 현상에 매혹되고 만다. 아무리 험한 파도라도 타고 넘을 수 있는 바탕을 어릴 때 습득해야 한다.

11일 산의 노래

산은 높고 푸르구나. 구름도 쉬어 가는 곳. 인적이 없는 깊은 산은 동식물의 낙원. 봄이 되면 조로롱 짹짹, 골짜기마다 소리의 향연. 수락산 장군암에서 흘러나오는 신비한 샘. 물은 산보다 높다. 바위산에도 물을 모여 폭포를 이루고 물이 흐르는 개울이 산 노루, 사슴도 쉬어가고 신선이 숨 쉬는 곳. 아! 산은 아름다워라. 나 혼자 보기 아까우니 그대 함께 산에 오르자구나.

12일 어울려 보자

너, 내가 있어야 네가 있고 나, 네가 있어야 내가 있다. 밤과 낮이 함께 있어 서로 조화되듯이 자연스럽고 아름다운 효과음처럼 우리 서로 마음을 어울려보자. 여러모로 어울려 가는 사이에 교향곡처럼 보다 넓은 세계를 알 수 있겠지. 우리 서로 어울려야 하나가 되겠지. 다른 길을 가더라도 그리움 속에 남아 있도록 어울려보자.

13일 노원의 새아침

내 주변에는 서울의 명산들이 병풍처럼 둘러서 있다. 북서쪽으로는 우람한 백전 전승의 노장군 같은 도봉산. 동쪽으로 우직한 청년 장군과 같은 불암산. 새해 아침에 창문을 열 때마다 자운이 가득한 산영이 아침햇살에 얼굴을 내밀어 새롭고 든든하다. 안개가 갠 날에는 남모르는 고심을 안고 있는 듯이 다소곳이 온순한 모습. 뭔가 풀리지 않은 두려움이 안개 속에 감추어 있다. 새벽 전차가 기적 소리를 내고 안개를 뚫고 나가면 철교 아래 정체불명의 헤드라이트가 맹호들의 암행 같다. 그러다가도 아침 해가 떠오르면 지금 막 전투를 끝내고 개선하는 촉촉한 장군들의 모습은 무엇보다 든든하다. 함성이 들린다. 개선장군을 맞이하는 함성이 북한산, 수락산에 메아리쳐 승리의 교향곡으로 울려퍼진다. 서울의 아침이 열린다.

14일 봄이 왔나 봐요

봄이 왔나 봅니다. 화분에 느릅나무 새싹이 지금 막 봉우리에서 피어나고 있어요. 봄은 준비된 삶. 황사가 날아와 앞을 가려도 끈질기게 살아남은 생명들이다. 분명 봄이 왔나 봅니다. 숲길이 사뿐 연두색 물감을 뿌려 놨어요. 산 개울에 버들가지도 은방울을 달아놨어요. 봄은 마음속에 준비된 삶. 눈이 내리고 가지에 고드름이 열려도 얼음을 깨고 나와 햇님 동무되어 자라는 삶. 봄이 왔나 봅니다. 맑고 깨끗한 개울 물소리. 내 마음의 티를 씻어 내려갑니다. 봄은 마음속에 준비된 삶. 연약한 노란 쑥이 돌을 들썩이며 올라옵니다. 햇볕에 따뜻해진 돌의 온기로 싹을 트고 자라납니다. 봄이 왔나 봅니다. 겨우내 웅크렸던 나뭇가지가 싹을 트며 일어났습니다. 앉아 있기 어려워 밖으로 아이들이 나와 놉니다.

15일 찾고 있어요

불러 봐도 소리쳐 봐도 대답이 없어요. 지금 어디에 계시나요. 겨울바람이 몰아치던 날, 내 목에 목도리를 둘러주고 어디로 가셨나요. 이제 봄이에요. 당신의 마음. 목도리를 지금도 목에 두르고 있어요. 소식을 주세요. 온갖 새들도 짝을 찾는데 어디서 헤매고 있나요. 나 여기! 찾고 있어요. 눈 귀 마음을 열고 안테나를 높이 올리고 있어요. 소리만 내도 금방 찾아갈 거예요.

16일 약속을 나 혼자 했나요

지켜주세요. 아무리 바빠도. 손에든 무선전화의 다이얼을 누르고 한마디만 해주세요. 약속만은 지켜주세요. 마음의 불을 밝히고 훨훨 날아오세요. 약속처럼 그리움을 짓밟고 밉고 때려주고 싶어요. 한밤에 별을 헤어도 대답이 없어요. 오늘도 7시 약속 시간이 차갑게 지나갔습니다. 분은 하루에 스물이면 시는 하루에 두 번 지나갑니다. 그때가 되면 초조하고 애타고 짜증이 나요. 차라리 약속을 안했다면 편하게 단잠을 잘 것을. 약속을 나 혼자 했나요.

17일 봄바람

차지도 덥지도 않은 바람이 불어옵니다. 선뜻한 듯 훈훈한 마음을 녹여 주는 바람. 산모롱이 돌아 나오는 겉옷을 벗어든 젊은이들. 꽃뚜껑을 벗고 뾰족이 나온 화사한 꽃마음이 보입니다. 봄을 그리던 꽃망울이 환한 미소를 짓습니다. 솔바람에 이슬비가 내리면 봄눈 슬듯 봄이 어느덧 찾아 듭니다. 바람에 실려온 봄, 아름답습니다. 둔한 나의 의식 속에 봄이 찾아 듭니다. 가슴을 열고 맞이합니다. 바람아, 추억 속에 꽃가마 태워 내 님도 함께 어울려 나를 찾아다오.

19일 행복한 나라

봄이 되어 지난겨울을 생각하니 추운 날씨에 손발이 몹시 찼다. 추위와 몸은 절로 풀렸다. 우리 한반도는 사계절이 있어서 다양한 계절의 맛을 느낀다. 소리 없이 왔다 가는 계절의 아름다움. 추위가 가고 봄을 느끼는 때 나도 모르게 봄맞이 옷을 갈아입고 봄과 함께 하려는 인간의 욕망. 바로 어제가 춘분이었다. 밤과 낮의 길이가 같다는 춘분. 함께 사는 지구의 움직임을 알게 하는 날이다. 사계가 있는 한국은 참으로 행복한 나라다.

21일 엄마의 손맛

아내의 음식 솜씨는 어느 때고 입맛을 돋운다. 계절의 미각이 절로 나는 나물의 맛. 봄이면 새로 난 나물. 달래, 냉이, 취, 씀바귀, 돌미나리. 여기에 손맛을 더하여 간을 맞추면 새콤달콤, 가볍게 맵고 쓰고 시고, 오묘하고 맛깔스럽게 때마다 계절의 진미를 맛 보여주는 아내. 시집간 아이들도 엄마의 맛을 찾아온다.

쑥국, 냉이국, 들에 나가 돌을 들추고 캔 노랗고 연한 쑥의 향연. 쑥버무리는 한층 계절의 맛을 돋운다.

21일 고독

더 살고 싶다. 그리움이 풀릴 때까지. 철들기 전부터 따뜻한 가족들의 사랑을 받아왔기에 시간이 갈수록 치밀어 온다. 나도 사랑하였기에 눈비 어리고 우레와 같은 세상살이도 이기고 꿈꾸며 살아왔는데, 치밀어 오르는 그리움을, 이 쓰라린 아픔을 참으며 어찌 외롭지 않겠나. 자식들이 있다 해도 따뜻한 말 한마디 없으니 고독한 삶으로 태어났나보다. 좀 더 살아남아서 어떻게 살아왔는지 들어보고 싶구나.

22일 봄비

노란 개나리가 뾰족, 저쪽 나뭇가지에 선을 보인다. 녹두만한 꽃망울에 봄비가 내린다. 아직 꽃부리 속에 꽃술이 바늘귀만큼 노란빛을 보이는데 지나가던 구름이 너무 여리고 귀여워 그냥 지나칠 수 없었나 보다. 어린 꽃망울이 힘이 없어 피지 못하나, 하고 아주 가늘고 여린 세우의 마음을 실어 여린 꽃망울에 약이 되라고 내리나보다. 하늘이 내려주신 약비. 봄비가 내린다. 지나가는 병아리가 부리에 한 방울 맞고 고개를 갸우뚱! 개나리 꽃망울은 유심히 보고 있다. 또 한 방울 내리면 갸우뚱 고개를 비틀고 태곳적 생각을 하나보다. 한참 개나리꽃 지켜보는데 봄비는 하염없이 내린다.

26일 늘 푸른 소나무

내가 어릴 때 본 당신 늙어 본향으로 돌아본 당신은. 늘 푸른 소나무. 변함이 없구려. 나는 머리카락이 하얗게 되었소. 인간 취급도 못 받는데 당신을 찾는 사람이 많이 있구려. 나는 어릴 때 모진 밤에 혼이 나서 내 힘으로 이겨보려고 미리미리 몸을 가꿨어야지. 노형, 팔 다리 할 것 없이 몸이 쇠약해졌소. 젊음을 잃어버렸으니 돌아갈 준비를 해야지. 허허, 몸뚱이 걱정하는 것 보니 체념하기는 너무 빠른 것 같소. 뜻이 있으면 삶은 영원한 것. 시작이 반이요. 운동 겸 걸어 다니시오. 편한 세상 살았기에 게을러졌소. 지금부터라도 걷기 시작. 삼일 하고 말면 웃을 거요. 걸어 보시오. 나보다 더 푸를 것이요. 젊음이 찾아올 거요. 참고 걸으면 건강해질 거요. 당신의 한 말씀은 황금보다 더 좋은 말이오.

28일 손

잠, 잠, 잠, 젖먹이 아이들이 죄암질을 한다. 말은 못해도 잠, 잠, 잠. 손을 폈다 쥐었다, 기분을 전한다. 친구를 다시 만날 때 손을 잡고 반가운 기쁨을 전한다. 손은 말보다 빨리 마음을 전한다. 어머니는 정화수를 놓고 손을 비빈다. 조왕님께 식솔들의 행복을 빈다. 인간의 소망은 손이 이뤄낸다. 무에서 유를 만들어내는 창조하는 손.

29일 고요한 밤

세상이 고요에 잠기면 가로등불 밝히니, 별빛보다 더 외로움을 준다. 아침이면 바빠질 거리지만 쥐도 새도 고요한 밤. 오직 외로운 사람만 아는 밤. 슬픔에 잠겨 훌쩍훌쩍 눈물을 닦는다. 밤은 은한삼경. 달빛이 구름을 헤치고 나오니 멀리 개 짓는 소리. 개들도 외로움이 있나보다. 숨 쉬는 외로운 밤.

31일 봄눈

아침햇살에 반짝이며 허공을 유람하듯 눈이 내린다. 이리저리 몸을 자연에 맡기며 술래잡기하듯이. 떠오르는가 했더니 활활 난다. 일찍이 꽃을 피운 동백꽃에 사뿐 내려앉는다. 봄눈은 금세 옷을 갈아입고 동백꽃, 꽃 숲속으로 잠긴다. 때로는 대머리 머리 위에 앉아 떼구구르, 굴러 내린다. 미소로 화답하고 다시 한 번 하늘을 쳐다본다. 하늘은 아직도 찬가보다. 달빛이 흰 눈이 되어 내린다. 봄눈은 봄의 기상이다. 남아있는 찬 공기가 하늘을 쓸어내린다. 자연의 신비를 다시 보여주는 아름다운 조화가 봄을, 봄눈으로 열어간다.

31일 게으름

나를 누구에게 맡기고 살고 있는 것일까. 게으름은 사는 것이 아니다. 스스로 피동적으로 살아간다. 자의식이 약해져서 자율성이 없어서. 나 숙제가 많아서 5시 반에 깨워주세요 하고 잠든 사이에 잊어버린다. 5시 반에 몇 번 깨워도 알았다고 하고 다시 잔다. 곤히 자는 잠을 깨우는 사람이 민망스럽다. 잠이 깨고서 깨워 달라는데 왜 깨우지 않았느냐고 투덜대고 아침도 안 먹고 가방을 들고 나간다.

4월

2008년

01일 만우절

업은 아이 찾고 다닌다는 얘기는 흔히 넋 나간 사람을 말하는 농담이다. 등에 업은 아이는 일체감이 있어 잊어버렸다는 착각, 거짓은 아니다. 듣고 보면 이처럼 우습고 재밌는 얘기다. 세간에는 이런 말을 지어내는 사람들이 있다. 서구에서는 April fool's day라고 하여 거짓말을 해도 괜찮은 날이라 하여 삶에 즐거움을 더하기 위하여 풍속이 생겨났다. 남을 속여서 재미있나. 즐거움보다는 피해가 더 큰 일이다. 속은 사람은 바보스런 자신을 보여 우울증에 빠진다. 굳이 이런 장난이 한국적 유희가 될 수 없다. 우리의 정서는 인정 많고 서정성이 강한 풍습이다.

02일 지성의 전당이

대학은 학문의 전당이오, 지성의 상아탑이라 하는데 요사이 대학생들은 추억

만들기를 과제처럼 느낀다. 지난 추억은 우연한 가운데 어떤 잔상이 오랫동안 남는 것이다. 일부러 조작하여 만든다는 것은 추억보다는 그 주체의식의 불합리다. 인간적 관계를 강요하고 추억보다는 피해를 주는 일이 강하다. 대학은 지성이라는 공통점이 있다. 학우라는 이성의 연결이 중요하다. 진리를 위하여 토론하고 끊임없는 학문탐구로 이상을 추구하는데 있다. 날마다 마시고 놀고 밤새우며 무엇을 생각하고 낭비하고 학생다운 지성을 찾겠는가. 한국 대학생은 집단으로 놀기 좋아하여 이성과의 즐거움을 즐기고 있다. 시간이 너무 아깝고 지적인 저하도 문제다.

05일 2분만 참아요

지금 막 떠나려는 4호선. 차창이 닫히는 순간, 탈 수 있었다. 무엇이 그렇게 급했는지, 꼬리가 달렸으면 잘릴 뻔했다. 그 순간 몸이 떨리는 전율을 느꼈다. 어깨가 오싹하고 한동안 숨이 멈췄다. 감긴 눈이 영 뜨이지 않았다. 그 순간의 객관적 상황이 영상처럼 지나간다. 차는 떠났지만, 2분만 참을 걸 왜 그렇게 서둘렀는지. 만원전차도 아닌데 전차 문에 치마를 잡힌 여인. 본능적으로 치맛자락을 잡아당긴다. 문 옆에 앉은 중년여인이 어! 어! 어! 대신 소리를 지른다. "당기지 말아요. 치마가 찢어져요." 또 한 번 바싹 땀이 나는지 이마에 서린 땀을 닦는다. 눈을 감은 채 눈물이 주룩 흘러내린다, 그 순간 몸을 전차 문에 기댄다. 이웃사람들이 또 한 번 외친다. "2분만 참아요. 위험해요. 기대지 말아요. 곧 문이 열릴 거예요." 불과 몇 초 사이에 벌어진 소동이다. 주변의 시선이 집중되었다. 한 여인이 손을 내민다. "나를 잡아요. 걱정 마세요. 문이 열릴 거예요." 그의 가슴에는 수치심과 자신에 대한 분노가 터지고 이런 저런 감정이 스쳐간다. 한꺼번에 터진 분노는 눈물이 되어 주룩 흐른다. 손을 대어 닦을 생각도 잊어버린다. 긴장이 풀린 듯 손을 잡아준 승객에게 몸을 맡겨 버린다. 기적 소리를 내며 타이어에 바람 빠진 듯 전차가 멈췄다. 천만다행이다. 사르르 문이 열렸다. 위험에 닥친 여인에 보내는 주변 사람들의 표정이 밝아졌다. 그리고 자리를 비워주며 앉으라고 권한다. 아, 따뜻한 인정. 불과 2, 3분간에 일어난 일이지만 한 생명에 대한 애착은 비할 바 없이 컸다. 많은 승객들에게 무거운 교훈을 남겼다. 아마 이를 지켜본 사람들은 아무도 잊지 못할 것이다. 요사이 사람 사는 세상이 너무나 개인주의가 고무되어 이웃을 잊어버리고 사는 듯 느껴 왔지만 오늘 나는 생명의 소중함과 지혜 그리고 많은 느낌을 주었다. 살맛이 나는 장면이었다. 더불어 사는 세상에 너무 자신만 알고 나만 모르는 비인간적 처사에 경종을 울린 사건이다. 빨리 회복하여 우리 함께 사는 사랑의 문턱을 넘은 연인의 행복을 빌며 식목일 날, 민심을 심는다.

08일 갈잎의 생애

봄은 쉬고 있던 대자연에 생명을 불어 넣어준다. 넓은 잎 떡갈나무, 모진 바람에도 놔주지 않고 가지가 부러져도 잎들을 꼭 붙들고 있구나. 다른 나무들은 겨울에는 잎을 떨어뜨리고 가벼운 몸으로 봄을 맞이하는데 넓은 잎을 가진 떡갈나무의 자식 사랑이려나. 여름엔 잎을 펴서 그늘을 만들어 사람과 짐승의 쉼터를 만들고 가을에는 열매를 맺어 어린 산짐승의 먹이를 준다. 이 소중한 잎과 열매가 늦은 봄, 꽃들이 질 때 행여 겨울날 잎이 떨어질까 단단히 안고 있던 떡갈나무 어린 싹들이 형들의 잎 자리를 밀어낸다. 추운 겨울 내내 내 몸처럼 아끼던 갈잎들이 새싹에 밀려 하나 둘 떨어진다. 형의 잎 자리를 밀어내는 새싹들. 어쩔 수 없는 천륜에 의해 뒤를 잇는 새싹에게 후사를 맡긴다. 갈잎은 바람을 타고 여기저기 허공을 날며 지상으로 떨어진다. 자연이 주는 천륜이 아니면 멋대로 떨어질 터인데. 놀라운 위계질서다. 지조를 지켜온 잎은 세상구경을 하면서 여유만만하게 생을 마친다.

22일 가로등길 걸으며

석양이 썰물처럼 빠져나가고 칠흑 같은 어둠이 찾아든다. 함께 거닐던 가로등 길. 일일이 걸어보지만 그림자 하나 보이지 않는다. 내가 네 팔짱을 끼고 서서 발맞추어 걷던 길. 겉으로는 한 길을 걷는 듯 했지만 서로 다른 별들을 보면서 그때 무엇을 꿈꿨던가. 어둠이 초록빛으로 밝아 오고 바람은 아직 제 자리에 있는데 그날 밤, 안개가 초록빛을 몰고 서서히 토란잎에 내려앉으니 은구슬 금구슬 되어 선물로 받았었지. 지금 어딘가에 잘 있겠지. 그때 그 추억을 살려 홀로 거닐어 보네. 사랑은 무엇보다 아름다운 것이야. 이렇듯 추억을 더듬어 보는 나. 가로등 길을 걸으며 그대를 생각하고 있소.

23일 동창이 밝아올 때

낮과 밤은 공간의 명암을 두고 말한다. 시작과 끝은 분명 있을 터인데 시작과 끝이 없는 광대한 우주. 봄의 시작은 겨울과 여름 사이의 차고 따뜻함의 감각을 말한다. 나무가 겨울잠에서 싹트기 시작하면 봄이다. 봄인가 했더니 신록이 우거지면 여름이다. 씨앗이 싹을 트고 잎과 꽃봉오리가 필 때 지상에 생기가 우러나는 봄은 겨울부터 봄을 준비하며 새로운 생명의 태동, 싱싱하고 새로움을 보여주는 자연의 시작이다. 낮은 밤의 요정이 머물다 가는 여명의 시작이다. 그 찬란한 금빛 샛별이 햇볕에 희미해질 때 낮은 시작된다. 죽음이 있는 한 삶의 강력한 힘. 삶이 있어 죽음이 오리니. 슬퍼하지 말라. 동창이 밝아오면 사는 행동이 시작되고 여명이 밝은 빛으로 천지를 밝게 비칠 때 그 황홀함의 펜을 들고 뒤쫓으나 간데없고 자연은 반복되는 시작 속에 삶을 허덕인다.

5월

2008년

01일 오월의 정

오월의 향기가 퍼지네. 푸름이 더욱 짙어간다. 꽃 속에 담긴 오월의 정이 부푼다. 가부좌를 틀고 눈을 감으니 아카시아 꽃향기, 라일락 꽃, 그윽한 오월의 향기가 코를 찌른다. 푸름이 가득한 창공에 백로가 날고 철새가 날아든다. 산마루 바위에는 수리부엉이가 오월을 지킨다. 가지마다 줄줄이 하얀 꿀주머니 꽃. 숲의 정령에게 드리는 꿀단지이런가. 오월의 꽃에의 제전은 아카시아 향기로부터 시작된다. 저마다 꽃의 향훈을 향한 얼굴빛이 아름다워라. 오월의 정이 피어오른다. 대자연의 정기가, 그리고 만물의 정령이 살아있는 오월은 자연과 더불어 아름다워라.

19일 햇살

걷는다. 해가 떠오르네. 아카시아 꽃이 만발한 수락산 푸른 숲길. 동방이 밝아오자 바늘 살 같은 햇살이 잎사귀를 뚫고 숲속 바닥에 태어난 잡초들을 광물성하게 도와준다. 볕이 닿는 그늘 식물들은 기지개를 피며 무성해진다. 하늘을 가린 수풀 속에서 아침햇살에 온 몸을 꼬며 빛을 쬔다. 덩굴손을 쭉 뻗어 춤을 춘다. 오, 자연의 신비요. 햇볕이 화살처럼 날아든다. 보다 푸르게 풀잎이 자란다. 어제와 오늘이 햇살로 달라진다.

31일 늦잠

잠은 생체의 휴식. 몸이 편하면 여러 가지 꿈도 꾼다. 젊을 때는 꿈속에 사랑을. 어릴 때는 꿈속에 모험. 늙어지면 잠도 안 온다. 꿈을 먹고 산다는데. 그래도 젊음이 좋았구나. 늦잠도 자고 꿈속에 고민도 하고. 푹 쉬어라. 하지만 늦잠은 생체리듬을 깨는 무상한 시간이어라.

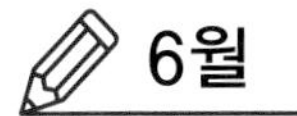

6월

2008년

09일 요사이

일기 쓰기에 게을러졌다. 허리가 아파서 물리치료를 받는 일에 전념하다보니까. 정기적인 일기 쓰기보다 약 먹기만 전념하는 듯하다. 시를 써보려고 하였으나 몸이 괴로워 시상이 떠오르지 않는다. 여섯 시경 아침 운동으로 수락산 산책에서 돌아오면 관상용 화분에 물주기. 집안 청소하고 나면 11시다. 책을 보다 쉬다 하면 바로 해가 진다. 각종 약을 복용하지만 벌써 일주일이 넘었다.

2009년

1월

01일 을축년(乙丑年) 새해 새 아침

손바닥 하나가 눈을 가리니 온 세상이 어둡고 캄캄하네. 아예 눈을 감고 있는 것이 이처럼 편할까. 하지만 사람은 혼자 살 수 없는 것. 바늘구멍 하나라도 있었으면…. 하늘을 우러러 소망을 드렸더니 보인다. 보인다. 바늘구멍 하나가 빛을 보이네. 온 세상을 밝게, 밝게 새 아침이 밝았네. 어려운 사람에게 밝은 빛을 두루두루 새 아침에 빛을 나누어 주소서. 이웃에게, 부모형제에게, 그리고 온 백성에게 힘을 주소서. 아! 새해 아침의 빛. 떠오르는 태양이여.

02일 언제나 풀릴 것인가

배가 떠나기도 전에 암초에 걸렸다. 커다란 파도가 밀려오고 비바람이 몰아쳐도 끄떡도 안 한다. 밤을 새고 촛불을 밝혀도 배는 묵묵할 뿐이다. 새해 아침에 붉은 해가, 희망의 태양이 솟아올랐는데도 침묵은 깨지지 않고 왜 자꾸 흔들어 되냐. 살래살래 꼬리만 친다. 좌초가 깨지든, 배가 깨지든 싸워보자고 외쳐도 손톱이 닳도록 몸부림쳐도 소리 없는 암흑이여!

03일 나는 어찌 하리

세상을 바쁘게 살다 보니 남음이 없이 삶이 흘러가 버렸구나. 을축년을 맞이하니 팔십이 되어 한없이 무료하기 짝이 없구나. 선친께서 어머니께 “당신은 오래 살아서 자식들 소식이라도 듣고 오시오.” 이렇게 유언하고 가시더니 아흔이 넘어 세상을 떠나시면서 나에게 그 뜻을 인계하시고, 슬픔을 잊지 못하시고 돌아가신 어머니. 가르쳐 놓으니 제 발로 떠나간 자식들이 얼마나 기대에 어긋났으랴. 아직도 소식 하나 알 길이 없으니 해마다 오가는 기러기 떼가 부럽구나. 둘째는 친부모 유택에 가서도 눈물 한 방울 안 보이니 사람들이 섭섭하다 말하더라. 갈 때가 닥치는데 소식도 못 들으니 나는 어찌 하리.

05일 현고마비(現古馬肥)

옛것과 새것이 현실 속에 함께 존재하면서 비상한 갈등을 자아낸다. 옛것 속에 꽃을 피웠던 수레바퀴도 세월과 함께 흘러가고 뼈만 앙상하게 남았으니 현실을 폐허라고 이름 짓는다. 얼은 고사하고 흔적마저도 문화적 가치가 사라져가니 예리한 칼끝에 앉은 현실이 가슴 졸이는구나. 땅에서 하늘에서 솟아난 사람도 아니면서 윤리 도둑이 고전 속에 파묻혀 빛도, 향도 다 잊었는데 행여 무엇을 기대하는가. 그렇겠지. 현실을 쌓아올린 주춧돌은 어디로 갔단 말인가. 좋은 세상 살자고 온갖 정성 드렸건만 이제 혼자만 살아가는고.

07일 사방공사를 해야지

산이나 강둑이 무너지는 것을 막으려면 미리미리 예방 조치를 해야지 사태가 벌어지고 나면 후회할 일. 대수롭지 아니한 것이라 하더라도 자꾸 거듭되면 무사하지 못할 것인데. 산이나 강둑이 무너졌다고 생각해 보자. 걷잡을 수 없는 일이 벌어질 것인데. 분명 우리는 민주공화국 사람인데 주권이 국민에게 있는데 국민을 위해야지. 싫으면 좌, 좋으면 우, 이렇게 가려놓고 어느 한쪽으로 기울면 아직도 봉건사회인가. 안타까워 차마 볼 수 없구려.

총칼 앞에서도 굴하지 않고 민주 제도를 쟁취하느라 수많은 사람이 희생되었는데 선열 앞에 부끄럽지도 않다는 말인가. 한나라, 한민족인데 싸우지 말고 국민에게 물어보고 국민을 위하여 한번쯤 생각해 보라. 불안하다. 민주의 뿌리는 살아있다. 지적인 숭고함을 갖자.

09일 마음의 행로

지금 무엇을 생각하고 있는 걸까. 몹시 허전하고 아무런 계절 감각이 없다. 지금 80세가 다 되어 지난 일의 덧없던 시절을 꾸짖고 있다. 내가 나가 아니고 권형 이름으로 살아온 한때가 어리석었다. '전남도문화상'도 권의 이름으로 받았다. 나는 힘없이 머리를 좌우루 흔들고 있다. 당시 죽음보다도 심한 아픔 속에서 현실을 벗어나려고 나를 내가 할 수 잇는 정열을 다 쏟으며 1945~1960년대를 살아왔다. 오직 어린이를 위하여 그들의 친구가 되었다. 6·25전쟁이 끝나자 수많은 고아가 즐비하였고 외국입양이 최선의 방법이었다. 그들을 방치한 자들. 육영사업으로 배불리 사는 업자들이 미웠다. 그러기에 남아 있는 어린 아이들에게 기쁨을 주려고 손에 손을 잡고 방송어린이 노래회를 조직하여 어린이와 함께 가기로 작정했다. 기독교선교단체가 화려한 한복을 입혀서 화려한 미국여행을 하는데…. 부모가 없는 아이들은 꿈도 희망도 안 보였다. 나는 아이들과 함께 광주 증심사까지 가서 때로는 무등산에 올라 우리 사는 고장을 내려다보았다. 겨우 살아 돌아온 가장들이 살아보려 산에서 나무를 하고 떼어놓을 수 없는 어린아이들이 치마를 잡고 뒤따르고 차마 눈뜨고 볼 수 없는 현상도 많이 보였다. 석양에 돌아오는 길에는 노래를 부르며 아침 해보다 더 큰 해님, 붉은 노을을 그리며 내일을 약속하고 서산에 지는 해님은 용기를 주었다. 아이들은 공허한 마음을 달랠 길이 없어 나는 아름다운 동요를 노래로 채워주려고 노력하였다. 미 공보원 음악실을 빌려 즐거운 게임과 함께 음악에 몰두하게 하였다. 어린이는 천재들이었다. 정서적이고 활기찬 노래를 선곡하고 〈무도회로의 권유〉 〈아마리 리즈〉 〈우리 민요 팔도 유람〉 〈숭어〉 등 수준이 있는 노래를 주었다. 어린이는 주는 대로 받아들였다. 대단한 열정이었다. YMCA회관을 빌려 연주회를 열었다. 시민들이, 그 중에서도 학부형들이 깜짝 놀랐다. 아이들은 희망을 갖게 되었다. 중학교까지 진출했다. 우리는 광주방송어린이노래회의 OB가 보여 새로 태어난다는 뜻으로 '새로나소녀합창단'을 만들었다. 정식 음악써클로 성장한 합창단은 자부심을 얻게 되었다. 단원들은 열심히 찾아들었다. 장소를 공보부 공보관으로 옮기고 2층에 피아노를 들여놓고 본격적인 합창 운동을 시작했다. 그리고 YWCA회관에서 다시 제2회 '새로나합창단' 발표회를 가졌다. 소문은 소문을 몰고 대단한 성과를 거뒀다. 각 학교 음악 선생님과 기관장이 참석해주었다. 부형들이 대만족을 하였다. 흰 부라우스에 빨간 치마에 검은 우단으로 망토를 걸치고 예쁜 구두를 신은 소녀들이 목을 모아 노래할 때 청중들은 함께 몸을 좌우로 요동하며 전후 광주의 희망을 밝혔다. 이때부터 한병철이 이끄는 '루나코로스', 장신덕의 '향 혼성합창단'이 생겨났으며 우리 새로나 출신들이 응원에 나섰다. 언니들 사이에 끼어 어려운 노래들을 척척 소화해냈다.

우리는 '헤드보이스'란 새로운 창법을 도입했다. 먼저 호흡법의 혁명을 했다. 성대를 열고 긴 호흡법을 시작하였다. 아랫배에서 긴 호흡을 입으로 토해내고 다시 숨 쉬는 어려운 호흡법을 빨리, 느리게 연습시켰다. 그리고 소리를 내는 정점 발성 등 흉성을 벗어나 구강을 넓히고 주어진 음정을 정확하게 음의 정점에서 목을 열고 아랫배에서 밀어 올려 소리 내는 훈련을 계속하였다. 처음에는 열악했지만 갈수록 목을 쓰지 않고 열어놓고 소리를 내도록 유도했다. 내가 각종 서적을 통하여 연구하고 빈소년합창단의 소리를 모델로 남모르는 시도를 하였다. 단원들은 소리가 맑아졌다. 그런 어느 날 선명회어린이합창단이 광주 공연을 왔을 때 함께 노래하는 친구로 찬조 출연을 했다. 미국 방문을 앞둔 선명회합창단은 고운 한복 차림으로 아름다운 단복을 입고 나왔다. 사전에 본 것은 아니지만 우리는 팔도민요를 노래할 생각으로 흰 저고리에 검은 치마를 입고 출연하였다. 선명회는 고아들을 모아 시작한 합창단인데 아름다웠다. 어린이들에게 우리는 옷보다 아름다운 소리를 보여주자고 갔는데 아이들도 선명회 소리를 듣고 우리가 연습하고 있는 방법이면 더 잘할 수 있을 것이라고 생각했는지 최선을 다해주었다.

청중들이 깜짝 놀랬다. 우리 합창단이 이렇게 좋은 소리를 가졌는가 하고 감탄하였다. 물론 우리 어린이합창단원도 스스로 놀라고 열심히 노래하여 주었다. 이러한 시련을 겪으며 한 발 한 발 합창 음악을 향해 전진했다. 우리 단원들이 중학생이 되는 동안에 수백 회의 방송과 여러 행사에 도전했고 전후(戰後) 지방단체가 처음으로 서울에 올라와 연주했으며 10월 3일 개천절 식장에서 정부요인과 이승만 대통령이 앉아있는 앞에서 노래를 했다. 신문에, 뉴스에 알려져 큰 성과를 얻기도 했다. 새 생명을 일으킨 것이다.

12일 흑석동 신경외과. 10시 10분, 흑석동. 도심에서 바라보니 그 옛날 마포 상선 황포돛대가 왕래하던 한강변의 소잡한 배경을 이룬 곳이다. 쉽게는 작은 포구를 이루고 남에서 생산된 야채며 한강에서 잡힌 물고기 등이 강안으로 실려 오르는 곳이었다. 동북쪽으론 과천의 과거 길, 말죽거리의 횡포를 피하여 의관을 갖춘 양반집 도령들이 조용히 강을 건너는 곳이었다. 지금은 중앙대 전철 7호선의 정거장이 되었다.

13일 카자흐스탄 추 형이 한국 국적을 부활하였다. 그런데 곡성군 오산면에서 호적부가 없어졌다는 말을 듣고 부활한 때의 서류를 모두 찾아냈다. 그리고 환필에게 전화하였다. 근거서류를 보낼까요? 하면서 내일 면사무소에 가서 사실을 알아보고 회신을 주기로 했다. 고국에 묻히고 싶다고 했는데 가슴 아픈 일이다. 어찌하여야 할 것인지! 복구해주어야지.

14일 웃지 못 할 일이 벌어졌다

고향 면사무소에서 형님 호적을 정정재판을 통해 살아 있는 사람으로 정정하여 등본, 초본까지 발행해주었는데 필요에 따라서 다시 요구하였더니 호적이 없다고 했다. 구체적으로 알아봤더니 형의 이름 추(樞). 사물의 제일 중요한 고유한 글자인 추(樞)를 한글로 바꿔 정정하였는데 잘못 읽어서 '구'로 정정하였다는 것이다. 한자를 모르는 사람이 실수를 하여 흔적이 없어져 버린 것이다.

30일 내가 평생 즐겼던 말

말, 여러 마리의 군상 입체조각상을 구했다. 크기가 150㎝×50㎝의 목각상이다. 너무나 힘차고 전진적이며 희망적인 상이다. 이 귀한 작품을 구하고 철훈이 해방 직후 한국문단의 중요한 전후 세대인 재일 소설가 손창섭을 탐사하는 일본현지 출장을 돕기 위해 박종채를 묶어 보내기로 하고 전에 함께 가고시마의 심수관 도공을 함께 방문했던 박 목사를 찾아 자문을 듣고 늦게 돌아왔다. 몹시 피로했다.

2월

2009년

01일 아버지 1

내가 아빠가 되고서야 아버지를 알듯했다. 호가 구름 운(雲), 뜰 정(庭). 구름의 뜰. 낭만적인 운정(雲庭)이시다. 불의에 강하시고 의리에 강한 멋진 아버지. 사시사철 두루마기 자락을 날리며 바쁜 걸음으로 다니시던 아버지. 언제 어디서나 알아볼 수 있는 아버지. 잠시도 멈춰 서지 않으신 아버지. 무엇이 그렇게 바쁘셨는지요. 먼 길을 걸어다니신 아버지. 정말 정열이 넘쳐흐르던 정답고 따뜻한 아버지.

아버지 2

남의 일을 내 일보다도 더 소중하게 생각하시며 불행한 우리민족을 일본인들의 통치하에서 조선 사람을 누가 돌보겠냐 하시면서 우리는 한민족인데 우리는 우리가 지켜야하지, 어렸을 때 나에게 분명히 말씀해 주셨다. 지금도 기억이 생생하다. 집안일을 틈틈이 하시면도 어려운 사람들의 억울한 일에 발 벗고 나서신다. "약속을 지켜야지." 당시는 전화가 없어서 이른 아침부터 서둘러 나가셨다. 이곳저곳 신발이 다 닳도록 쫓아다니셨다. 백리 길도 멀다 하지 않고, "만나야 이해를 시키지 않아서 어떻게 일을 보겠냐." 하시며 동으로 서로 먼 길도 한걸음에. 오직 어려운 일만 자신의 일로 생각하고 뛰어다니셨다.

아버지 3

"근아," 부르시던 목소리가 잊히지 않습니다. 그 고고하고 따뜻한 아버지의 음성! 그리고 아버지 환상이 떠오릅니다. 그 어려웠던 일제 강점기에 논 팔아 동경유학 보내시고 동경 폭격, 미국의 융단폭격. 신문을 보시며 '근아' 부르시며 침묵 속에 손으로 신문을 가리키며 그 뼈아픈 가슴의 소리를 들었습니다. 형들의 걱정에 잠 못 이루시고 손을 잡아 주시며 "왜 그 먼 곳까지 유학 보내고 아비, 어미 없는 자식처럼 고생시켜요." 근심걱정하시는 어머니 말씀에 더욱 더 자식 걱정하시던 아버지. 이 막내 자식은 다 들었습니다. 자나 깨나 자식 생각에 가슴이 답답하여 동네 한 바퀴 돌아오시면 혹 무슨 소식 왔더냐, 하시던 말씀이 귀에 쟁쟁합니다. 이 막내의 가슴에도 뿌리 깊게 남아 있습니다.

아버지 4

햇볕이 따스한 늦은 봄날, 한 통의 전화가 날아들었다. 김방한, 고종형이었다.

"오늘 밤, 아무도 모르게 만나세." 무엇이 그렇게도 비밀스러운지. "동생인가? 나네. 긴히 만나보고 싶으니 오늘 오후 우리 집에서 만나세." 평소에도 형과 나는 친히 지내던 터라 "네, 네, 가까이 있으면서도 자주 못 뵈어 죄송합니다." 그날 오후 6시 경 초인종을 눌렀다.

마치 염탐자처럼 초인종을 누르고 기다리자 형이 대문을 열고 주변을 살피더니 부엌마루로 안내했다. "여기가 깊숙하여 조용하니까 여기서 한 잔 하세. 어때, 이 술 좋은가?" 형은 양주를 꺼내왔다. 그런데 뭔가 분위기가 이상했다.

도깨비에 홀린 듯 유난히 벽이 두터워 보였다. 냉가슴을 앓으며 자리에 앉았다. 불쑥 편지 한 통을 내보이며 "읽어보게, 보낸 사람 서명도 없는 편지라네." 왠지 가슴이 먼저 떨렸다. 소중하게 편지를 받아들고 온몸은 위축되어 심장이 떨렸다. 눈은 어둠에 가려 편지 겉봉이 보이지 않았다. 무엇이길래 고종형이 벽으로 단단히 싸인 이 공간에서 고고하고 엄숙하게 이러는 걸까. 머리가 터질 것만 같았다. 알 수 없는 의문이 첩첩 쌓였다. 겨우 입을 열었다. "이게 뭐지요?" "동생, 우연히 추 형 소식을 들었네." 심각한 표정이었다. "동생, 펴봐!" 닭살이 일어나고 초긴장 상태가 되었다. 형은 목포에서 살 때 아버지와 매형을 고발한 일이 있어 마음이 편치 않았지만 급히 열어보았다. "나는 고향이 전남 곡성군 오산면 부들. 정 운람(雲藍)의 손자 정추입니다. 나는 지금 소연방 카자흐스탄 시민으로 1950년대 소련으로 망명한 한국사람입니다. 이 편지를 서울대학교 언어학과 김방한 교수에게 전해주십시오."

청천벽락 같은 편지였다. 누가 어딘가에서 엿보고 있는 것만 같았다. 을씨년스럽기 짝이 없었다. 더욱이 6·25동란 후 철의 장막 속에서 온 소식을 받아들었으니 놀라지 않을 수 없었다. 당시는 남북관계가 적대적이라 무서웠고 죽은 줄만 알았던 형의 소식이 무섭기만 했다. 사실인즉, 서울올림픽대회 후렴으로 전세계에 흩어져 있는 재외동포와 서울올림픽 경축 재외동포민족체전의 일환으로 재외동포의 현황을 살피러 간 사절(使節)에게 사정을 설득하고 편지를 보냈다고 했다. 해방 후 외세에 의하여 남북으로 갈리면서 북은 공산주의로, 남은 자본주의화되었고 남한은 반공을 국시로 하였기에 방한 형도 편지 내용은 틀림없으나 '보낸 이' 없는 편지에 몹시 놀랐다고 한다. 겁이 많은 방한 형은 이 편지의 내용을 알고도 교수 신분에 반공을 국시로 하는 한국인이 공산권 거주자의 편지를 허가 없이 받아도 좋은지 조심스러워 집안 친척 가운데 경찰 간부로 있는 사람에게 상의를 하고 편지를 분석해봤다고 했다. 그만큼 형도 심리적 압박이 심했던 것이다.

88올림픽을 개최한 한국은 이 역사적 사실을 온 세계의 재외동포들에게도 국위를 함께 나누고 싶었다. 그러기에 국교도 없는 소연방까지 사람을 보냈다. 일본의 식민통치로 인해 반일 투쟁은 계속되었고 중국, 소련 국경은 항일투쟁의 선봉이었다. 1937년 스탈린에 의하여 극동 연해주에 있던 동포들을 일본 간첩으로 매도하여 카자흐스탄, 우즈베키스탄 사막지대로 이주시켰다. 그런데 형이 어찌하여 그런 곳에 가 있는가 의문스러웠다.

4월

2009년

29일 늦은 봄날이다. 그 화려했던 벚꽃도 한 잎, 두 잎, 바람에 휘날리며 조용히 여름을 맞이하는 4월 말, 날씨도 포근하고 좋은 날. 1킬로미터 밖을 나가 본 적 없는 내가 무슨 죄를 지었는지 약수동 송도병원 508호실에 누워있다. 하필이면 치루라는 항문에 고장이 생긴 것이다. 이렇게 말하고 보니 나이 80세요, 폐암 수술,

신장 수술, 척추디스크 수술 두 번, 치루 수술 2번째다. 지금 시각 12시.

옛날 같으면 벌써 몇 년 전에 피안의 세계에 가고 없을 내가 부모님 소망도 풀어드리지 못하고 지금까지 살아남은 것은 현대의술이 나를 괴롭히는 것이다. 지금 내 상태는 자고 나면 허리가 몹시 아프고 머리가 안정되지 못하고 머리속을 빙 돌아가며 두통이 있다. 이건 아내와 나만 아는 비밀이지만 MRI로 찍어본 결과 혈관 협착이라고 한다. 무슨 놈의 몸이 조각조각 맞춰놓은 퍼즐처럼 아프지 않은 곳이 없다. 무엇 때문에 사는지, 왜 사는지조차 모르는 상황에 이르렀다. 다행히 이렇게라도 연명하고 있으니 감사하지만 제발 사람답게 살 수 있어야지. 이렇게 병약해서 살면, 삶의 참된 기쁨도 목적도 없는 억지로 질긴 생명에 의지하고 살고 있을 뿐이다. 30일이 된 지금 이웃의 환자의 코고는 소리에 귀가 열려 잠 못 이루고 어두운 불빛 아래 명상에 젖어 있다. 아버지를 생각하면 남의 일이라면 발을 벗고 나서서 "조선사람이 잘되고 미래를 위해 정직하게 살아야지" 이렇게 말하시며 이 소망을 이루시려고 어떠한 난관이라도 무릅쓰고 학교면 학교, 관공서면 관공서대로 당당하게 들어가 정의의 사도가 되신 정열가이셨다.

바로 그날 향교에서 돌아오셔서 자리에 앉은 뒤 손가락으로 무엇인가를 자꾸 쓰신다고 어머니께서 나를 부르셨습니다. 아버지 앞에 무릎을 꿇었더니 이미 말씀은 감추시고 글만 쓰시어 붓과 벼루에 먹을 갈아드려도 아랑곳없이 방바닥에 손가락으로 글만 쓰시더니 첫 새벽에 조용히 자리에 누우시며 피안(彼岸)으로 가셨습니다. 이승의 번뇌를 해탈하시고 열반의 세계로 도달하셨는지요. 그 후 어머니께서는 "아버지께서 '나는 먼저 갈테니 당신은 오래 살아 자식들 소식이나 알아서 전해주시요" 하셨다고 전하셨습니다. 아버지, 지금도 모르고 있습니다. 우리 가족사가 이렇게 허물어지더니 소자도 기가 막혀 드릴 말씀이 없사옵니다. 한을 풀지 못하여 어찌하오리까.

5월

2009년

11일 고재용, 이종형님의 전화를 받았다. 10년도 더 된 것같다. 그동안 전화도, 소식도 몰라 답답했었는데 형님을 통하여 외가 기영 형님 전화도 알았다. 모두 살아계시다니 반갑기 한이 없다. 외가 주변에서 옹기종기 살았던 어린 시절이 생각난다. 금년 가을에는 반드시 찾아뵙고 싶다. 나를 이 지구상의 고아로 만들지 마소서….

10월

2009년

01일 아버지 장가가던 날

나 어릴 때 어머니께서 아버지 이야기를 들려주신다. "하하하… 그래서!"

(말 타고 함지지고 들어서고 있다는 소식이 먼저 들어온다.)

글쎄 장가온 아버지께서 어디를 가셨는지 보이지 않는거야…

하하하…

옆에 있던 누나가 "어머니도 그 소식 듣고 걱정 많이 하셨겠네!"

글쎄, 왜 그랬던가 몰라.

하하하….

그래서 어떻게 하셨어요?

어떻게 할 수가 없었지. 그때 내 나이 열두 살인데 부끄러워서 어디 나갈 수가 있어야지.

와…. 그럼 아버지는 몇 살이었는데.

그때 아홉 살이었지. 그러니까 철도 안 들었는데….

선도 보셨어요? 어머니!

선은 무슨 선! 어른들께서 이름 난 선비댁 둘째 아들이란 말만 들었지, 코가 입에 붙었는지, 이마에 붙었는지조차 몰랐지.

하하하…. 그럼 장가가기 전에는 눈이 아무데나 붙어있는거야? (어린 나는 곧이곧대로 들은 대로 사실처럼 얘기한다.)

하하하…. 온 방안이 웃음 보따리를 풀어놓은 듯 동네 사람들까지 기웃거리며 순식간에 말이 퍼져 나가 부엌에서도, 대청마루에서도, 마당에서도 하하하….

하하하…. 잔치집이 웃음으로 가득찼다. 잔치상을 받은 차양 밑의 손님까지 하하, 호호, 후후, 해해, 하히 웃음소리가 온 집안을 뒤흔들었다.

그래, 신랑 발목이 그렇게 실하나?

글쎄 어디 꼴이 보여야지.

안 나타나면 신방을 가봐….

가보라니? 내가 신부인가? 하객이지.

하하…. 한 수 떠 뜨는 하객들 사이에선 신랑 다루어 술 한 잔 더 먹자고 웃음판이다.

어머니, 그래서 신랑이 말 타고 돌아가셨나요?장가 든 사람이 어디를 가….

하하…. 이모께서 여동생의 말을 듣고 한 말씀 하신다.

어린 신랑이 그렇게 기다려졌니?

기다리기는요?…. 참 언니도

(입을 삐죽거리며 몹시 부끄러운지 한 손으로 얼굴을 가린다.)

손 떼어, 신부 얼굴 좀 보게.

(문을 활짝 열고 밖에서 신랑을 찾는데)
여기 없나?
(신방 쪽에서 일제히)
여기 없어요. 다른 곳으로 가봐요….
(신부도 가슴이 두근거리는지 자신도 모르게 손을 가슴에 얹는다.)

엄마, 그럼 신랑도 없는 신방에서 궁금하셨겠네요.
궁금하기는 뭐가 궁금해. 예도 지키지 못한 철부지 신랑을 맞아 무척 걱정을 했지.
어마, 어머니는 일찍 속이 들었네, 하하하….
그거야, 나뿐만 아니라 이모가 옆에서 아무도 없는데 자꾸 이런저런 말씀을 많이 해주신 덕분에 위로를 받았지.
그런데 엄마! 내 말 좀 들어봐.
아니, 조그만 녀석이 어머니 시집가신 얘기가 뭣이 그리 듣고 싶니?
그럼 누나는? 하하하….
요녀석이!?
그만들 해라. 나중에 듣자하니까, 할아버지께서 차돌이를 불러 야단을 치시고 '너는 뭐하는 놈이냐? 도련님이 없어졌는데 부엌에서 상 받고 술이나 쳐 먹고 있어? 네가 도련님 성품을 잘 알 터이니 어서 갈만한 곳을 생각해서 찾아오너라.
어마, 괜히 차돌이만 혼이 났네.
차돌이가 누구야?
아니, 이 녀석이 또 나서네!
그럼, 어떻게 해. 궁금한데!
요 녀석이!

그만들 하라는데, 어린 동생을 그렇게 윽박지르지 마라! 모르는 건 물어야 아는 것 아니냐. 남들 앞에서는 이런 짓 하지 마라. 네 속 보이는 거야….
너 때문에 누나가 야단 맞지 않니, 요 귀여운 거.
나이는 어리지만 호기심 많은 동생을 "왜 그래?" "이건 뭐야?" "어떻게 해?" 하고 문밖으로 흘러나온 소리를 듣고도 누나 방을 활짝 열고 "왜 그래? 누나" 하는 귀여운 동생이다.
그야 그렇지. 미워서 하는 말은 아닌 데 무척 호기심이 많은 누나도 남의 말을 예사로 듣지 않고 꼬치꼬치 캐묻는 성격이라 동생이 누나 닮은 것이지.
뭘 그렇게 얼굴을 찌푸렸다 폈다 해, 무슨 속상한 일이라도….
아니야, 엄마! 그래서 어떻게 됐어? 응, 동생 궁금증 먼저 풀고 넘어가자.
그래 그래 엄마, 차돌이는 언제부터 노비로 있었어요?
내가 시집올 때 데려온 경인이라는 여종이 있었는데 차돌이가 우리 집으로 들어와 종살이를 할 때 경인이와 차돌이를 짝을 맺어주었단다.
차돌이는 무슨 일을 했는데?
농사도 짓고 할아버지 할머니 심부름도 하고, 농사 안 지을 때는 산에서 풀 베어다가 거름도 만들었지.
그럼 맨날 일만 했요?
집도 없고 갈 곳도 없는 가난한 살림에 오갈 데 없는 사람들이 좀 사는 집에 와서 몸을 의탁하고 일을 해주고 사는 것이지.
그럼, 차돌이가 아버지를 찾으러 간 거야? 엄마, 어디서 찾았어요?
차돌이가 온동네를 다 돌아다니고 집으로 와서 뒤안 샘물을 먹으러 갔는데 뒷터에 매어 놓은 염소가 있었단다. 신랑이 염소를 타느라고 염소 뿔을 잡고 염소를 타고 놀고 있더란다.

하하…. 재밌다.

그럼, 차돌이가 신랑을 모시고 왔어요?

그럼, 샘에서 손 씻고 의관에 묻은 흙은 털고 들어오셨지.

그리고 뭐라고 하셨어요? 뭐라고 하긴? 차돌이 때문에 염소를 못 탔다면서 아쉬워하시드라.

하…. 신부에게 미안하다는 말도 안 하고요?

나나 아버지나 어른들 말씀만 듣고 혼인식에서 처음으로 얼굴만 살짝 봤는데 어떻게 신부가 먼저 말을 했겠니?

하…. 그럼 선도 안 보시고요?

옛날 사람들이 어떻게 맞선을 보니!

그럼 얼굴도 안 보고 시집을 가셨어요?

그렇고 말구, 어른들 말씀을 믿어야지. 지금 같으며 내가 초등학교 3학년이고 아버지는 1학년이지!

네! 하하….

뭐가 그리 우스워. 우리 막내도 옛날 같으면 장가 들어야겠는데….

해해해….

아니, 이 녀석 좋은가 봐요. 보내주면 장가 갈래?

응? 안가. 염소 한 번도 안 타봤는데!? 하….

오라, 옳다. 염소 타고 말도 탈 줄 알아야 장가를 가지.

나는 멀리 안가. 엄마한테 갈 거야.

그러구 말구, 지금도 이 녀석이 잘 때 되면 꼭 엄마 방에 와서 잠을 자네.

하하하…. 호호호…. 해해해….

11월

2009년

11일 추 형이 오셨다고 전화가 왔다. 이홍기 PD가 주선을 하여 한국콘텐츠진흥원의 세계 학자들과 '멀티미디어 시대'의 기둥이 되는 소프트웨어 만드는 토론인 듯. 형을 만나봐야 자세한 것을 알겠다.

14일 형이 아직도 소식이 없다. 내일 오후 1시 반에 4·19탑 근처로 온다는 소식이다.

15일 80세 생일 축하가 있었다. 우연히 형님도 오시고 기쁜 날이었다. 얼마나 오래 살랴. 봉사나 해야지.

16일 형의 꿈은 더 싱싱해간다. 왕이 될 꿈을 잊지 않고 있다. 그러기에 남의 사정 같은 것은 생각지도 않는다. 진력으로 뜻대로 하소서. 얼마나 연장자의 예를 갖춰주었으면 좋을 텐데. 뜻대로 되기를 바란다.

17일 다리 관절에 힘에 없어 흑석동 중앙대병원 의족부를 갔다. 진단 결과를 별 말이 없었다. 형은 하루 종일 집에 있었다. 지금은 더 멀리 종교에 빠져 프레아네스성(星)에서 지구를 찾아오는 우주인을 믿고 있다. 철학도 없이 신문에 나는 시사만 읽고 비판하는 목소리뿐이다.

18일 할일도 없으면서 고국을 찾아와 소일하고 있는 꼴이 되었다. 호주머니에 돈이 있나 보다. 미안했던지 생전 처음으로 장을 보자고 했다. 간식도 사가자고 하여 8만 여원을 썼다. 누님에게 준다고 낙타인형을 꺼내보였다.

19일 종일 이야기에 이야기를 낳고 꿈을 그리며 카자흐의 형이 아니라 한국의 형으로 다시 태어나기를 기원했다. 대륙의 기개로 포용력 있는 인성, 욕심을 버리고 덕을 베풀고 어머니의 교훈을 거울삼자는 등 꽤 오래 인생론을 이야기했다. 생전에 처음으로 간식거리를 사자고 했고, 컴퓨터 노트북을 사서 빌리 마이어의

UFO론을 쓰기로 했다.

20일 형은 끝내 남의 처지를 이해하지 못했다. 아무 준비도 되지 않은 채 오기만 차 있었다. 형에게 방을 빼앗기고 거실에서 기거하다 전기담요에 데어 고생을 하는데도 미안한 느낌도 없었다.

23일 형과 함께 아침을 맞이하였다. 무언가 희망을 꿈꾸었는지 형은 부풀어 있었다. 소년 같은 꿈, 순진함, 순결한 고집. 부러울 정도다. 허나 세상은….

24일 추 형은 알마티로 하오 1시에 떠났다. 10년 만에 약값이나 하라고 10만원을 내놓고 갔다. 왈, 기적이 일어날 것같다. 아내가 질색을 했지만 놓고 나갔다. 무려 9시간 뒤에는 제 2의 고향에 닿겠다.

25일 아침이 너무 조용했다. 형이 떠나고 난 아침. 다시 눈빛을 밝히고 나니 인생은 가고 오는 것. 얼마나 실망했을까. 꿈은 이루어진다고 했으나 집념보다는 꿈에 알맞은 자신을 맞춰가야지. 바라기만 하다보면 얻을 수 없을 것이다.

12월

2009년

01일 을축년(己丑年) 마지막 달이 시작되었다. 연말에 형이 다녀가셨다. 불로장생하시는 형은 별로 달라진 점이 보이지 않아 섭섭했다. 1988년 후 20여 년 수차례 오셨지만 유아독존으로 뜻대로만 주장하고 세상을 움직이려고만 했다.

02일 몸이 무겁고 머리가 아파 꼼짝도 못하고 빈 방만 지킨다. 아버지 어머니의 소망도 풀지 못한 채 이대로 저 세상으로 가는 것 아닌가 아무도 전화 한번 없고 살기에 바쁘다고만 한다. 애비가 크게 도운 일도 없는데 뭣이 아쉬워 안부 전하랴.

19일 아내가 갑자기 내 이불을 만들 생각으로 동대문에 갔다. 지난 번 형님이 다녀가실 때 내 방을 내드리고 내가 거실 생활을 하는 것이 안타까워 결행을 하였나보다. 참으로 고맙소. 내일 모레 보내준다니 올 겨울 따뜻하게 보낼 수 있을 것 같으오. 여보, 고맙소.

30일 나는 참으로 당신을 사랑하오. 요사이 자꾸만 외롭고 죽음이 쫓아오는 듯 마음이 서글퍼 당신 없었으면 진작 길을 떠났을 사람이 사랑하는 당신이 나를 지켜주기에 이렇게 이 세상을 살아가고 있소. 사랑하오. 나는 아버지 어머니의 부탁을 지키지 못할 것만 같다오. 통일이 되어야 소식을 전할 것 아니요!

31일 카자흐스탄 형님이 전화를 했다. "우리는 오래 살 거야. 동생, 오래 살자구!" 유난히 삶에 대한 의욕을 내세우며 미래에 대한 희망을 함께 나누자고 제안했다. 2009년 을축년(己丑年)을 보내면서 들려준 말씀을 가슴에 안고 이 해를 보낸다.

2010년

「노래극으로 엮어가는 우리 고전」 – 병상 중에 계획한 생각 (2010. 8)

1. 장다리 민요의 유래–서울

때: 봄

사건: 숙종대왕 등극

(*구상만 하고 미완)

2011년

1월

01일 시비(詩碑)

지난해는 내 「구름」 시비(詩碑)를 세운 뜻 깊은 해였다. 그런가하면 우연한 신병이 생겨 8월 2일부터 10월 말까지 무려 3개월을 입원했다. 생전에 모은 돈을 내 자신을 위해 썼다.

02일 산책

허리가 아픈 것은 자리에 오래 누워 있어 근육의 둔화 때문인 것같다. 오후 2시 경 아내가 수락산으로 산책을 하겠다 하여 돌아올 시간을 맞춰 내가 출발하였다 100m 지점에서 만났다. 함께 산책을 했다.

03일 못다 쓴 민화

나는 새해가 바뀌기 전에 어린이들을 위하여 온 세계의 재미있는 옛날이야기를 번역하여 마음의 선물로 선사하려 했는데 99% 만들어놓고 우리 민화 앞에서 꼼짝하지 못하고 멈춰 섰다. 다시 공부를 시작했다. 고전 그대로의 민화가 안 보인다. 우리 민화는 욕망에 대한 저항, 가난에 대한 한탄, 노동 착취에 대한 보상, 시집도 장가도 맘대로 못하는 한. 민화는 이러한 삶의 한풀이다. 인간이 못 해주니까 여우, 늑대, 오소리, 토끼 등을 빌려 얘기시키고 그 속에 가치를 숨겨 남녀노소 없이 쉽게 알 수 있게 이야기를 꾸며간다.

04일 눈

소리 없이 하얀 눈이 내려옵니다. 보슬, 보슬 보슬, 보슬. 산에도 들에도 지붕 위에도 보슬, 보슬, 보슬, 보슬 내려옵니다. 하얗게, 하얗게 자꾸 쌓입니다. 지붕에도 장독대에도 바람도 나무도 모두 하얀 눈이 쌓였습니다. 흰 눈이 쌓였습니다. 하얀 세상, 하얀 세상, 깨끗한 나라….

Part 4
습작소설
「눈보라」

눈보라

언제부터인가 두루마리처럼 말린 두어 가량 되는 달력인 듯 할머니의 시장 보따리에 삐죽 나와 거추장스럽다. 할머니는 추우나 더우나 신주단지처럼 모시고 다닌다.

눈보라가 날카로운 칼바람을 타고 제 세상인 듯 창문을 두들기듯 달력을 치며 들러붙는다. 장갑도 끼워 본 적이 없는 시커먼 손으로 콧물을 닦는다. 눈보라는 잠시 놓았던 수건 목도리 한쪽을 끌고 난다.

"에고, 수십 년 내 목에 감았던 목도리인데 날아갈 것 같아" 중얼중얼하면서 낡은 군복 맨 위 단추에로 끌어당긴다. 툭, 툭, 툭 맨얼굴을 치고 가는 눈보라가 몹시 세차게 불어온다. 허리가 구부정한 할머니는 눈 속에 묻힐 것만 같다.

인정도 사정도 없는 눈보라는 독재자의 입김과 같다. 살이 에이는지, 입술이 파래지는지, 눈보라는 개의치 않는다. "할머니. 많이 춥지 않으세요.?" 이것이 보통 사람들의 말이다. 히터를 틀고 밍크코트를 입고 차를 모는 한 여인은 "그러다 죽으려고 그래요."

눈보라보다 더 냉엄한 현실이다. 눈길에, 눈보라에, 발 한 발 뗄 수 없이 서 있는 할머니를 꾸짖고 간다. 할머니는 지금 들은 척 만 척 눈 속에 묻힌 발 한 번 옮기는데 온 힘을 다 하고 있을 뿐이다.

눈보라는 애석하게도 할아버지가 할머니를 따뜻한 남쪽으로 먼저 보내고 아무르 강을 건너 구 소련 하바롭스크 독립 자금을 전하러 가다가 그만 일본인과 싸우다가 희생되었다. 그때 그 소식을 들었을 때 능긍(凌兢 · 얼음)보다도 더 한 추위와 전율을 느끼는 시베리아 냉풍이 몰고 온 눈보라다. 할머니는 수많은 역경을 겪은 뒤라 추위 따위야 할아버지만 생각하면 조금도 문제가 되지 않는다.

"할아버지, 미안해요. 이까짓 눈보라 따위가 춥다고 눈밭에 오그라져 있으니 죄스럽고, 귀찮아 하니 어지럽소. 영감, 이런 눈보라 속에 왜놈들과 싸우느라 수고했소. 이 할망구도 당신 생각만하면 눈에 묻힌 다리가 쑥…."

할머니의 자존심은 아무도 건드리지 못한다. 독립투사의 딸이며 할머니가 어릴 때 독립군 속에 자랐기 때문이다. "내가 이렇게 눈보라에 쓰러질 수 없지" 하고 냇물을 건너듯 눈밭을 걸어 나온다.

휭, 매서운 바람소리. 할머니는 두루마기를 움켜쥐고 눈보라 속을 걸어간다. 지금도 할아버지 생각이 나서 한발 한발 불빛이 보이는 마을까지 걸어간다. 할머니는 겨울이 되어야 할아버지의 공적을 위해 떠돈다.

할머니는 할아버지를 생각을 하면 분통이 터진다. 조선 독립을 위하여 일생을 바친 독립투사다. 일본군은 독립군을 떼를 지어 다니는 비적, 남의 것을 약탈하는 도적 무리라 했다. 말을 탄 비적, 마적이라고 불렀다. 독립군 부대를 마적이라 불렀다. 할머니는 어렸지만 우당탕 종소리에도 놀라지 않았다. 아버지는 이 산 저 산 뛰어 다니며 독립군을 쫓아다녔다. 우리 독립군은 일본군을 산골짜기에 끌어들여 승전보를 울렸다. 모닥불 피워놓고 개선가를 불렀다.

할머니는 항상 서러웠다. 조국은 있어도 나라님은 없고 내 나라 내 땅은 있어도 일본에 빼앗기고 쌀도, 금붙이도 앗아갔다. 비록 나이는 어렸지만 철천지 한은 조국 광복이었다. 중국과 시베리아에 조국 광복을 위한 독립군이 얼마였던가. 황해도 해주

출생의 안중근 의사는 을사보호조약이 체결되자 일본의 처사에 분격하여 강원도 의병의 참가하여 러시아 블라디보스토크로 망명해 전전했다. 1909년 조선통감 이토 히로부미를 만주 하얼빈에서 사살하였다. 이 소식이 전해지자 온 세계의 독립운동가들은 사기충천하여 1919년, 일본의 강제적 점령정책으로부터 자주독립할 목적으로 기미년 3월 1일 서울 파고다공원에서 독립선언서를 발표하며 삼천리 방방곡곡에서 온 겨레가 일본군에 항거하며 시위를 벌였다.

안타깝게도 당년 16세의 유관순 열사는 아우내 장터에서 만세 의거를 일으켰고 천안, 연기, 공주, 청주, 진천 등에서 총궐기하여 독립만세를 외치고 주동자로 검거되어 옥사했다. 한민족의 독립에 대한 열망을 온 세계에 널리 알렸다.

할머니가 태어나기도 전에 일어났던 온 겨레의 숙원이었다. 만세 사건은 한 번에 그친 것이 아니라 선구자들의 뜻을 이어 청년 학생의 독립운동은 1929년 광주학생사건으로 이어지는 등 불의에 저항하여 항일학생운동으로 전통화하였다. 할머니는 1930년생 말띠 여성으로 억세고 정의로웠다. 1914년 7월에 발발한 제1차 세계대전 후 세계는 민중의 자각과 약소민족의 민족의지가 강하게 작용하고 민주주의와 사회주의 조직 운동이 일어나게 되었다. 이 시대에서 자란 할머니는 자신도 모르게 강자를 누르고 약자를 도우려는 의협심이 생겼다. 어려서 전투는 참가하지 못했지만 독립군 집안을 도왔다. 밤이면 총포 소리에 잠 못 이루고 꿈속에서도 만세를 불렀다.

할머니의 꽃다운 16세 청춘은 아버지 뒷바라지로 사건이 한 번 터질 때마다 천막을 걷고 살림을 지고이고 어두운 밤을 이용하여 일본군의 뒤를 따라 옮겨갔다. 적의 포위망을 뚫고 때로는 치열한 전투를 하면서 독립군이 적을 타격할 때는 독립군도 희생자가 나왔다. 때로는 업고, 들것에 실려 안전지대로 옮기기도 했다. 먹지도 못한 채 물

한 모금으로 5, 6명이 목을 축였다. 전투는 어느 때고 승리할 수는 없다.

1945년 8월 20일 경 갑자기 일본군이 전투를 하다가 백기를 꽂고 도망을 쳤다. 이상한 일이었다. 뒤를 쫓던 독립군이 중공군을 만나 소식이 전해졌다. "일본군이 패전했다! 조선은 미국과 소련군이 점령한다!"

이 소식이 전해지자 모두들 만세를 부르며 기뻐했다. 조선독립 만세, 만세, 만세, 만세소리가 그치지 않았다. 중국의 오지였는데 특별한 통신망이 없어 소식을 늦게 전해 들었다. 조국이 해방된 줄도 모르고 열심히 싸웠던 독립군은 한편으로는 허탈했다. 상해 임시정부로 모이기로 하고 각자 수단껏 찾아가기로 했다. 지도상으로 봐도 짐작할 수 없이 먼 곳에 있었다. 할머니는 북한 땅으로 해서 조국에 들어올 계획에 참가했다. 중공군 군복 차림으로 단둥을 향해 출발하였다.

중국군의 주선으로 트럭을 타고 사흘, 또 기차를 타고 오는 사이 세상이 많이 달라진 것을 느꼈다. 할머니는 조국이 그리웠다. 해방된 조국 생각만 해도 춤이 절로 춰졌다. 어느덧 압록강 남쪽, 신의주가 보이는 중국 단둥에 다다랐다. 며칠 전만 해도 일본 헌병들이 지키던 조-중 국경에 중국 해방군이 압록강을 넘어 가는 사람들을 검색했다. 중국군 복장을 한 할머니에게는 경례를 하고 행방을 물었다. 할머니는 중국군이 준 조선독립군 증명서를 내보였다.

중국군 검색원은 중국군 장교를 대하듯 겸손하게 대했다. 그리웠던 압록의 푸른 물결이 귀환을 축하하듯 출렁거렸다. 기적소리가 울렸다. 대망의 조국으로 출발하였다. 일본군과 싸웠던 정든 땅이 서서히 물러갔다.

차창으로 흘러가는 정경에는 항일 전쟁 때의 영상이 흘러갔다. 폭탄이 터지고 백병전을 하던 눈물겨운 때가 떠오르자 기적이 울렸다. 드디어 조국 땅 신의주에 집집마다 태극기가 펄럭였다. 이제야 조국 해방을 실감할 수 있었다. 모두들 보무가 당당했다.

할머니는 조국 땅에 내려서자 하늘을 우러러 크게 숨을 마셨다. 그러고는 무릎을 꿇고 큰절을 올렸다. 그리고 또 한 번 눈가에는 눈물이 고이며 비로소 어머니, 아버지를 외치고 조선독립만세, 조선독립만세! 사람들도 발을 멈추고 함께 만세를 삼창한다. "정말, 우리 조선이 독립했습니다. 나는 중국에서 조선독립군 지청천 장군을 모시고 일본놈을!" 할머니의 소식을 듣고 뛰어 나온 사람들이 모였다. 감격에 차 껴안고 인사하며 조국에서 항일투쟁 만세를 외쳤다. 군중들의 환영은 하늘을 찌르는 만세 소리. 가는 곳마다 일본 흔적을 규탄하는 자욱. 기쁨에 차 떼지어 다니는 함성소리. 가는 곳마다 살아난 민족의 기상, 한국의 얼.

희열이 정점에 이르자 소련군이 진주했다. 점령지구라고 약탈과 횡포는 민심을 냉담케 했다. 자주 독립을 내세워 소련식 공산화를 조직한다. 소련은 독립운동가를 무시하고 부대 내의 조선 사람을 내세워 정부를 수립한다.

처음은 반짝하는 듯 보이더니 돌이킬 수 없는 현실이 되고 말았다. 따르지 않는 지성인은 숙청되고 남북통일 앞세워 군비 확장. 예고 없는 돌연한 침략으로 탱크를 앞세워 38선을 침입한다. 무방비 상태의 한국군은 속수무책, 국민은 도탄에 빠졌다.

한편 남한은 미국이 점거하고 대중국의 방어막을 구축하고 국내는 정파 싸움으로 김구, 여운형, 송진우, 장덕수와 같은 애국지사가 정적의 흉탄에 쓰러지고 사회는 혼란에 빠졌다. 남한은 대한민국을 수립하고 자유민국의 기반을 세웠다.

1950년 6월 25일 새벽 38선 전역에 걸쳐 불법 남침, 불의의 기습으로 한국은 미증유의 대혼란을 야기하고 국제연합군의 참전으로 압록강 유역까지 진격하였으나 중공군의 개입으로 국제적 성격이 되었다. 1953년에 38선 전역에 휴전선을 획정하고 판문점에서 정전 회담을 했다.

남북이 서로 성숙되지 않은 상태에서 전쟁을 치르게 되었던 것이다. 도시는 무참한 폭격으로 폐허가 되고 모든 시설은 엉망이 되었다. 할머니는 아직 동지들도 만나보지 못한 상태에서 남과 북은 분단국가로 자주 독립의 의지도 없이 동족상잔의 전쟁이었다.

할머니는 6·25동란이 우연한 돌발사건이 아니라고 생각했다. 38선 주변 사람들의 말에 의하면 이날 새벽 38선 전역에서 총성이 났다고 했다. 북한은 조국 해방 전쟁이란 명분으로 38선을 돌파해 전쟁을 야기했다. 아쉽게도 남한에서는 상상도 못할 돌발사태를 당하여 대구, 부산까지 밀렸다.

비좁은 땅이 급기야 북한, 중국, 남한, 국제연합군의 전장으로 치달았다. 쌍방은 1951년 7월 8일 개성에서 시작해 1953년 7월 21일 휴전협정에 조인했다. 일단 휴전이라는 명목으로 전쟁은 중단되었지만 국민은 극도의 곤궁에 빠졌다. 전쟁 후유증은 곳곳에서 일어났다. 먼저 부역자 색출, 잔여 빨치산 소탕이 그것이었다.

할머니는 남한이 궁금했다. 서울 거리와 고궁 그리고 박물관. 아버지에게 들은 남한의 전경이 눈앞에 어렸다. 부상병을 간호하면서 한국군 환자가 말한 남쪽 사정을 알았다. 할머니는 월남할 생각을 굳힌다. 그날 밤 꿈속에 국경 경비대의 총격을 받았다.

폐허가 된 캄캄한 도시 서울. 차도 다니지 않는 거리. 남한은 전기도 없고 차도 없다고 들은 그대로 꿈을 꿨다. 귀족들은 낙원이고 노동자에게는 지옥이라고 학습한 대로 어쩌면 떨리기도 하고 기쁨이 넘치기도 했다.

친가 하나도 없고 부모를 잃은 고독한 고아 같기도 했다. 아침부터 싸락눈이 내렸다. 하얀 눈 속에 정화되듯. 점심을 먹고 환자 이송을 위해 함께 구급차를 타고 나갔다. 환자는 평양 외각지대 있는 야전 병원으로 옮겼다.

환자를 인계하고 나오는데 알 듯한 사람이 스쳐 지나갔다. 고개를 갸우뚱하고 뒤를 돌아보는데 "문정님 씨 아니오?" 한다 "누군데 나를." "나, 윤효중이야." 할머니는 달려가 손을 잡고 "대장님, 살아 계시군요." "야, 이거 얼마만인가." 눈물을 흘렸다.

두 사람은 중국에서 항일투쟁을 하던 동지였다. "반갑습니다." 얼마나 반갑던지 어깨를 움켜 잡고 안겼다. 두 사람은 할 말이 태산이었다. 친형제처럼 반가웠다. 두 사람은 병원 휴게실로 갔다. 멀건 밀가루 죽을 먹으며 지난 몇 해 동안의 살아온 일들을 이야기했다. 그러자 윤효중은 다시 손을 움켜잡고 "어떻게 사느냐"고 묻는다. 정님은 간호사로 봉사하고 있다며 "대장님은 어떻게 사시나요?" 라고 물었다. 대화가 오가는 사이에 구급차에서 손짓을 했다.

"어떻게 하던 가야 하는데." "그럼 이리로 연락해 꼭, 꼭." 그러고 보니 병상에서 갓 일어난 병상 환자인 듯했다. "반가워요 내가 다시 찾아볼게요." 급히 알리고 자리를 떴다. 병원으로 돌아오는 사이 지난날의 일들이 영상처럼 떠올랐다.

세상이 밝아 보였다. 모든 소망이 이루어지는 듯했다. 다시 만나면 무슨 이야기부터 할까, 희망이 넘쳤다. 미친 사람처럼 울었다 웃었다. 긴 겨울밤이 짧았다. 새벽부터 적어둔 주소를 들고 밖으로 뛰어 나왔다. 너무나 행복했다. 비록 폐허가 된 시가지이지만 걸음은 가벼웠고 친척도 인척도 아닌데 왜 이다지도. 나락에서 구원 받은 것 같았다. 시중은 아직 고요 속에 사람 하나 없었다. 쓸쓸하였다. 걸으면서 생각에 잠겼다. 그렇지, 남으로 가야지. 주먹을 불끈 쥐었다.

할머니는 폭격 맞은 창고 일부에 임시로 친 천막 병원으로 갔다. 문 앞에서 기웃거리자 군복 차림에 장정이 "누구요? 일 있소?" 하고 물었다. "윤효중 씨를 찾아 왔는데요." 그러자 천막 아래로 내려가보라고 했다. 천막 문을 들추자 안에서 누가 올라왔다. 윤효중이었다. 두 사람은 손을 내밀어 반겼다. 그리고 대동강으로 가는 길로 갔다. 전쟁 때 수많은 폭탄이 떨어지며 높은 물기둥이 치솟았던 곳이다. 폐허가 된 거리는 전쟁박람회장 같았다. 쓰러진 잿더미, 부서진 가둥, 휘어진 철강. 전쟁의 참상을 생생하게 보여주었다.

"다시는 전쟁은 없어야 하겠지요. 스스로 망하는 것이 아니라면." "이뿐입니까. 이 재더미 속에서는 수많은 사람이 죽어 갔을 텐데. 죽은 사람들이 모두가 우리 하늘 아래 살았던 우리 거레, 우리 형제들이죠." 두 사람은 폭탄이 투하된 커다란 구덩이를 보고 명복을 빌었다.

유엔군이 인천에 상륙한 뒤 북진 보루에 어마어마한 폭격을 했다. 미 공군의 고공 폭격, 함포 사격은 시도 때도 없이 연속되었다. 융단폭격이라고 바둑판처럼 구역을 정해 퍼붓던 철저한 폭격이었다. 피난민은 북으로, 남으로 연이어 나가고 지금은 나갈 사람도 없다. 미군과 한국군이 휩쓸고 나면 도시는 잠이 든다. 윤효중은 말했다. "이제 우리 독에 든 쥐와 같은데? 우리 함께 남한으로 탈출 합시다. 이밖에는 살 길이 없어." 이 말을 듣자 문정님은 몹시 긴장하였다.

어딘가 자신과 똑같은 생각에 감동했다. "길이 있나요? 어떻게 하면 갈 수 있나요? 난 지금 막연하네요."

"듣자니 중공군이 참전하여 밀리는 국군과 미군 그리고 피난민들이 흥남에서 배를 타고 간다고 들었어. 우리도 함께 갑시다. 걱정할 건 없어요. 우리 동기 중에 안내자가 있어요." "네? 정말이에요. 나 좀 부탁드려요."

더 이상 할 말이 없었다. 중국 땅에서 항일 무장 투쟁할 때 명령을 완수하던 그때처럼 자신감이 일었다. "그때처럼 우리도 성공할 수 있어요. 그러기에 포로가 되어도 정신만 차리면 살아남을 수 있었지요. 이러한 체계에 잘 훈련된 사람들이기에 살아남았지요." 전시 중에도 유유히 흐르는 대동강은 비할 바 없이 아름다웠다.

"그럼, 시각을 다투는 일이니 동지들이 곧 도착하는 대로 출발합시다."

목숨을 걸고 일하던 터라 대답도 즉석에서 이루어졌다. 문정님은 식구도 없고, 들고 갈 짐도 없다. 그 자리에서 따르기로 했다. 그때서야 윤효중은 말을 했다. "중공이 참전했으니 서두릅시다." 더 이상 묻지 않아도 긴급 상황이라는 것을 알았다.

두 사람은 10시에 만나기로 한 동지들을 찾아 다녔다. 약속 시간이 지났는데도 아무도 나타나지 않았다 멀리서 먼지를 일으키며 트럭 한 대가 달려올 뿐이다. 차는 위험하게 두 사람 앞으로 돌진해 왔다.

윤효중은 허리에 손을 묻고 정면으로 도전했다. 차가 끼익, 하고 급정거 하며 "빨리 타요, 빨리 타요" 하는 소리가 들렸다. 두 사람이 작은 트럭 짐칸에 올라타자 "문정님, 나 모르겠소?" 돌연한 질문에 운전석 창문을 통해 보니 독립군 동지였다.

"박 동지, 어찌된 일이오."

"야, 손도 못 잡아 보고 이거 반갑소. 이 차를 탈취하여 오느라 늦었소. 미안하오.

"아니 어떻게 이런 꾀를 냈어요. 아주 든든한데 그래."

"며칠 전 위수사령이 북으로 퇴각할 때 고장 난 차를 내가 손봤어."

"야, 우리 중국에서도 쓰던 변신술 아냐? 알았어, 알갔어."

"그런데 전세가 어때?

"응 중국에서 참전할 거야."

"그게 정말이야? 고럼 국군이 압록강에 닿으면 공격할 거야."

모두를 기뻐하며 주의를 환기시켰다.

차는 3, 40분 정도 달렸을 때 가로수 아래 멈춰섰다. "조금 쉬어 갑시다" 하고 동지들이 운전석에서 나왔다. 정님 일행도 차에서 내렸다.

"앞으로는 자주 쉬겠어."

"미군이 폭격이 없어 다행이에요. 지금 여기는 점령지구 아니오?"

"제트기가 얼마나 빠른지, 보였다 하면 공격해요. 조심들 하시라오."

말은 조용히 독립군 야간 전투 같았다. 박 동지가 말했다. "지금은 국군 점령지구이니까 짬이 있지만 한번 발견되면 끝까지 공격할 거니 주의들 하시라우."

마치 독립군 전투의 연장 같았다. 목적지도 몰랐다. 다만 해를 보고 동북쪽으로 가고 있을 뿐이다.

오늘 밤 안으로 목적지에 닿을 거요. 민첩하게 움직여야 하오. 전투 현황을 듣고 공중 감시 의무를 맡고 차에 다시 올랐다. 차는 소련 트럭이었다. 이 치열한 전투의 후방에서 차를 탈 수 있는 영광이라니. 눈물겹게 고마웠다. 차가 출발하자 윤효중이 "잠깐 이게 무슨 소리지?" 하고 차 지붕을 쳤다. 차는 멈추고 제트기는 멀리 가버렸다.

"내려라. 숲속으로 피하라." 명이 떨어졌다. 일행은 뿔뿔이 흩어져 숲으로 숨었다. 제트기의 활동이 늘었다. 뜨르르, 어디서 날아오는지 기관포 사격을 퍼붓고 가버렸다. 벌써 감시 대상이 된 것이다.

숲속 어딘가에서 소리가 들려왔다. "지금 어딘가에서 우리의 움직임을 감시하고 있을 거야. 조금만 더 참자. 지금 차가 움직이면 안 돼."

전세를 이렇게까지 분석해서 알려주는 박 동지에 감동했다. 벌써 응달에 몸을 숨긴 지 한 시간이 넘었다. 찬바람에 체온이 내려갔다. 손을 비벼 온기를 느끼고 목 운동을 하면서 항일 투쟁 때 닦은 동상 예방 훈련을 열심히 해 보였다. 일행은 이 정도 추위는 이겨낼 수 있었다. 색, 색, 색, 제트기 소리가 들렸다. 가다가 움직임을 멈추고 소리 나는 방향을 쳐다보았다. 색색이는 사라진 뒤였다. 상상도 못한 속도였다. 그리고 한 대의 차량을 이렇게까지 감시하다니 놀랐다. 전투의 정확성을 이길 수 없다는 것.

할머니랑 벌써부터 이 전쟁은 이길 수 있는 전쟁이라도 느껴온 그대로 정확하고 정밀하고 기동력이 뛰어났다. 생각할수록 빨리 이 지역을 빠져나가고 싶었다. 색, 색, 색, 다시 한 번 찾아왔다가 멀리 사라졌다. 출발 명령이 떨어졌다. 재빨리 차에 올랐다.

때는 16시쯤 되었다.

"꽉 잡아요. 출발합시다." 일행을 숨겨준 숲을 뒤로 보내며 초긴장상태로 앞만 보고 달렸다. 일행은 하늘의 감시를 늦추지 않았다.

차는 숲길을 택하여 전투하지 않고 통과한 지역을 달린다. 다행히 혹한은 물러가고 평상시처럼 겨울날씨였다. 산간에는 피난민이 하나씩 보이기 시작했다. 사람들의 움직임이 심상치 않았다. 예감이 이상한지 차가 멈췄다. 모두 박 동지 행동에 유의하며 사람들이 움직임을 살핀다.

"여보시오. 왜들 이리로 가는 거요."

중공군이 압록강을 건넜다고 한마디 던지고는 바쁜 걸음으로 간다.

"뭐요? 중공이 참전? 알갔소. 모두 보라. 이제 여기서 좀 쉬면서 정보를 좀 더 수집하라."

박 동지가 예감한 대로였다. 그러나 막상 듣고 보니 막연해졌다.

"동지들은 길 가는 사람들에게 어디로 가는가 알아보라우."

"뭐라? 압록강변에서 다시 전쟁이 일어나 남으로 피난간대."

"야, 전쟁이 다시?"

"그럼 우리는 어떡하지 조금 막연한데."

"걱정 말라오. 잘 되어 가고 있어. 문정님 동지는 뭘 알아봤나?"

"추측건대 전투 중인 압록강변에 철수 명령이 내렸다나 봐요. 아마 어마어마한 폭격이 진행될 거야. 박 동지, 그렇죠?

"그럴 거야. 그밖에 피난민의 목적지는 어디래?"

"남으로 간다는데 실제로는 방향이 동해바다야."

"그럼 원산으로 가나? 원산은 왜요? 배 타고 갈 건가?"

"응, 우리도 원산으로 가자요. 지금 군함이 대기 중이라는데. 야, 모두 잘 알고 있기요.

중국의 우리 동지가 알려온 첩보야."

박 동지 자신이 아는 정보도 민간인이 알고 있는 듯했다. 동지들은 박 동지의 정보가 허위가 없고 진실함을 알았다. 윤효중도 믿음을 준다. 출발할 때부터 행방이 이상했어. 네 사람의 눈빛은 서로를 오가며 미소가 흘렀다.

"박 동지, 어서 작전을 통솔하라우. 우린 잘 따를 테니까."

"됐어. 사실은 흥남으로 가는 길이야. 그런데 휘발유가 떨어졌어. 차는 더 이상 기대할 수 없으니 행군으로 가자고. 지금 한미연합군이 흥남에서 철수 중이야.

"야, 굉장하군. 그 말은 군비와 병력이 흥남 부두에서 철수!"

"그럼, 잘은 모르지만 한꺼번에 몇 개 사단을 수용한데. 그러니까 인천에서 상륙해서 흥남에서 철수 작전 중이지."

"야, 공군만 강한 게 아니고 해군도 역시 강한 군대구만/"

"그런데 지난번 대전 전투에서 왜 후퇴했을까."

"그러게 말이야. 그 좋은 화기와 통신이 하늘땅을 오가는데."

"어떻게 알았어? 그 지긋지긋한 색색이 정말 번개 같았어. 그뿐이야, 한번 발견 되면 이윽고 공격해온 것은 통신이야."

"에구, 그럼 국제연합군은 어떻게 이겨내겠다고. 하늘에서 내려다보고 섬세하고 정밀하게 정보를 제공하는 거야."

"그럼, 작전이라면 아무도 꼼짝할 수 없을 거 아니야."

"누가 아니래? 무전기 하나 없는 군대가 어떻게 이기겠어."

"그러니까 우리는 남조선으로 가잔 말이야."

"됐어. 박 동지의 전략을 따를 테니까 어서 가자.

"잠깐만 기다려봐. 좀 더 자세히 전황을 알고 가자. 정님 동지, 저기 오는 국군에게 왜 돌아오는지 물어 봐."

정님은 벌써 피난민처럼 옷차림이 바뀌어 다가간다.

"국군 아저씨, 우리 피난민인데 어디로 가야 할까요."

"빨리 흥남으로 오시오. 부두에 가면 피난민도 태워줄 거예요."

"감사합니다. 고맙습니다."

"고마운 것은 내가 아니고 유엔군이오."

정님은 고마워서 꾸벅꾸벅 절을 하고 돌아왔다.

"흥남부두로 가면 피난민도 유엔군이 태워 준데요. 야, 우린 살았다. 박 동지 고마워요 정말 고마워."

"그래. 우리도 피난민이 되어 여기서부터 걸어가자. 차는 숲속에 버리고 일행은 피난 짐을 들고 흥남으로 향했다. 발걸음도 가벼웠다. 점점 군인도, 민간인도 많아졌다. 해는 뉘엿뉘엿 서산으로 기울고 발걸음은 바빠졌다. 어느 노부부가 피난 보따리를 매고 힘들게 가고 있다.

"할아버지. 짐은 이리 주세요. 들어 드릴게요. 빨리 따라오세요."

피난길에도 일행들은 어른을 공경하는 마음을 잊지 않았다.

"할아버지. 이리로 가세요. 국군이 오면서 흥남으로 오면 뭐라더라 유엔군이 태워 준다고 빨리 오라고 합니다."

박 동지는 말했다. "우리 운명이 어떻게 변할지 모르오. 앞으로 모든 일은 각자의 몫으로 문제를 해결하시오. 지금 사태는 중공이 참전하면 국제전이 되어 심각하오. 그렇다고 연합군이 국경을 넘어 진군하면 문제가 커지오. 그러니 언제 어디서 대열을 정비하여 대결할지 아무도 모르오. 지금 전세는 압록강까지 한 · 미군이 진격했소. 이 시각 이후로는 우리는 서로 모르는 사람들이오. 각자 조국을 위하여 열렬히 싸워주길 바랄 뿐이오.

박 동지의 비상한 소감 발표를 듣고 비장한 각오를 한다. 윤효중은 몹시 섭섭한 표정이었다. 서로 손짓으로 해산의 막을 내리고 각 방향으로 흩어졌다. 박 동지와 운전수, 정님과 윤효중은 두 편으로 나누어 출발하였다.

태양이 남회귀선, 즉 적도 이남인 동지선에 이르는 때인데 북반구는 해가 연중 가장 짧고 밤이 가장 긴 때였다.

"정님 동지, 오늘 밤새도록 걸어서 흥남 부두까지 갈 수밖에 없소."

"윤효중 씨가 아니었으면 이런 호강스런 행군을 할 수 있겠소."

두 사람은 의기양양하게 전운 사이에 보이는 차가운 초록별들을 바라보며 가볍게 묵념을 하고 걷기 시작했다. 지금 막 북극해 얼음물에 목욕을 하고 나온 별들처럼 오늘밤은 유난히 차갑고 맛있게 보이는 북두성이 마음에 들었다. 갈수록 사람들의 발걸음이 빨라졌다. 총을 든 군인, 보따리를 매고 이고 가는 노약자들. 문정님은 항일투쟁 중 한 번도 만나보지 못한 어머니 생각에 소리 없는 마음의 눈물을 흘리며 걸었다. 윤효중은 한 병사를 만나 궁금한 이야기를 나누며 걸음이 빨라졌다.

"중공이 참전한 것이 사실이오?"

"네, 그렇습니다. 인해전술로 국경을 넘어 침공했어요. 중공군의 진격을 제지하려고 한 · 미군은 작전상 후퇴 중이에요."

큰 도로에 들어서자 탱크, 트럭에 미군 병사들도 많아졌다. 처음 보는 M1 소총은 너무 무거워 한국 병사들이 힘들어 보였다. 군이, 피난민이 늘어났다. 지프차를 탄 지휘관이 지나며 "서두르세요. 이제 1킬로미터만 가면 바로 흥남부두요." 이 말만 들어도 전쟁에서 살아 돌아오는 듯했다.

윤효중은 중소국경을 뛰어다니던 독립군답게 누구보다도 빨리 할아버지 피난 짐을 들고 갔다. 할아버지도 달릴 듯 걷고 사람들은 구름떼같이 모였다. 앞서 가는 사람들이 달리기 시작했다. 바다가 보였다. 뒤에서 누가 쫓아오듯 남녀노소 할 것 없이 살려

달라고 달려갔다. 앞에는 성조기를 휘날리는 함정이 보였다. 만세! 셀 수 없는 사람들이 부두를 가득 메우고 있었다. 흥남부두에는 한미 헌병들이 나와 교통정리를 했다. 함정 앞부분은 성문처럼 열려 군 장비, 탱크, 트럭 등이 들어가고 배에서 내린 사다리는 군인들이, 피난민들은 계단으로 올라갔다. 후퇴 길이 몹시 바쁜데도 질서 있는 후퇴작전에 놀랐다. 일본군 같으면 칼을 빼들고 죽일 듯이 동물 취급을 했을 것이다. 문정님은 이런 생각을 하면서 난 몰래 웃음을 금치 못했다.

할아버지가 피난 짐을 찾아 들고 고맙다는 인사를 한다.

"잘 가세요, 고맙습니다."

윤효중과 할아버지는 배에 올랐다. 배 안에 들어서자 스피커에서 승선 주의가 있었다.

"지금 작전 중입니다. 조용히 하세요. 이 방송을 잘 들으시오. 갑판에 나오지 마시오. 적의 포격을 받을 수 있습니다."

배는 미끄러지듯이 조용하게 부두를 떠나 남으로 내려갔다. 눈보라가 내렸다. 문정님은 두 손을 모으고 기도를 드렸다. 감사합니다. 이렇게 생명을 구했으니 나의 죄를 용서하셔서 남한에 가면 우리 아버지, 어머니를 꼭 만나게 해주세요. 가족은 삶의 근본입니다. 저에게도 안정된 삶을 주세요.

윤효중도 두 손을 잡고 조용한 명상을 하고 있었다. 박 동지의 건강과 무사하기를 빕니다. 끝까지 지켜 주세요. 우리는 조국에 통일을 고대하고 있습니다. 도와주소서. 우리는 조국을 위하여 싸워왔습니다. 이 기회에 통일을…. 이 세상 누구보다도 안전하고 행복한 피난을 했다.

배는 흥남을 출발하여 그리운 남한의 부산에 왔다, 부산항은 사람이 북적북적 너무나 복잡해졌다. 윤효중과 문정님은 지리도 모르고 아는 사람 하나도 없었다. 말도 안 통하는 중국에서도 입만 가지고 살아왔는데 우리 땅 한국에서 어딘들 못 찾아 가겠나. 먼저 식당으로. 그렇지, 수염이 석자라도 먹어야 양반이다. 가자. 식당이 어디야. 지금 전시 중에 식당이 따로 있겠나. 영도다리 근처에 가면 꿀꿀이죽이 싸고 맛이 있어. 뭐 꿀꿀이 죽? 응, 먹음직해.

영도다리를 찾아가자 피난민 때문에 정식 식당이란 많지 않고 사람이 모이는 노상에 노점 대중음식 거리였다. 돈이 없으면 물건으로 꿀꿀이죽을 먹을 수 있었다. 두 사람은 북한 돈 몇 푼이 있었으나 쓸 수도 없고 팔목시계 하나, 그밖에 도움이 될 만한 것은 하나도 없었다. 노점 앞에서 멈칫거리자 "왜 거기서 서성거려요? 피난민이오? 꿀꿀이 죽 한 그릇 먹어 봐요. 돈이 없으면 못 먹나. 우선 배를 채우고 가야지. 안 그래? 어서 와요 나도 피난민이야. 우선 여기서 밥 먹고 일터를 찾아요."

"이렇게 고마울 수가. 감사합니다. 우린 지금 막 흥남에서 왔어요."

"그럼, 미군 수송선 타고 왔어? 벌써 소문 다 돌았어. 어서 와요."

두 사람은 큰 솥 옆에 쪼그리고 앉았다. 꿀꿀이 아저씨가 물었다.

"어때요, 정말 중공군이 내려왔나요?"

"배 안에서 들었는데 유엔군 맥아더 장군이 중공군 후방을 폭격하자고 했는데 그렇게 하면 제3차 대전이 된다고 해서 작전상 후퇴래요.

"그 말이 맞구만. 3차 대전이 되면 큰일이지. 솔직해서 좋았어. 자, 추운데 한 그릇씩 먹어 봐요. 맛있어. 먹어 봐요."

"네, 고맙습니다."

"이렇게 추운데 잠자리는 구했소?"

"우선 먹기가 바빠서 먹고 나서 찾아보려구요.

"거 참 안됐구려. 우선 여기서 밥을 먹고 잠은 피난민 수용소에서 자시오."

"아무나 재워줍니까."

"배에서 내릴 때 국군이 피난민 증명서 안줬소?"

문정님은 종이조각을 내보인다.

"이런 거 말이에요?"

"그래요, 이거면 되요. 아이구 색시는 간호사구만 지금 이태리 병원에서 모집한다고 해요."

"이태리어도 모르는데 어떻게 해요."

"한 일주일이면 손짓 발짓으로 말하면 다 통해요. 못 들어가서 그렇지 대우도 좋다는데 그래. 그리고 이 증명서 가지면 부두 노동자로 들어갈 수 있어요. 어서 가 보세요."

"감사합니다. 당장 쫓아가서 일자리부터 해결해 보겠어요."

두 사람은 이 자리에서 다시 만나기로 하고 윤효중은 부두로, 문정님은 이태리 병원으로 달려갔다.

"잘 해 봐요."

"누구냐?" 부두 관문에 들어서자 헌병이 출입을 막는다. 피난민증명을 보여주고 부두 노동을 지원한다고 말한다. 윤효중은 부두 노동조합에 가서 조합장에게 정면으로 말했다.

"일이 없어서 굶어 죽게 생겼으니 살려 주시오."

조합장은 외항작업반의 일을 주었다. 한편 문정님은 이태리 병원을 찾아가 간호사 복장을 한 사진을 보여주고 경력을 인정받고 당장 채용되어 일을 하고 돌아왔다. 두 사람은 취업이 별 따기라는데 쉽게 구했다. 꿀꿀이죽 아저씨 덕분이다. 두 사람은 큰절을 하며 감사했다. 윤정님은 이태리 병원 간호사 숙소가 있어 이용하기로 했다. 꿀꿀이 아저씨도 피난민 수용소로 들어갔다. 땅을 구해서 집을 지어보자고 제안했다. 부모님보다도 따뜻한 보살핌에 감사했다. 밤사이 눈보라가 몰아쳤다. 바람소리며 눈보라치는 소리는 걱정이 되지 않았다. 부산의 새 아침은 새벽부터 활기찼다. 그만큼 살기 힘든 곳이었다. 전세는 중공군의 참전으로 한미 군은 철수해야 했고, 어려운 작전이었다. 제2차 세계대전 때도 작전상 후퇴하는 전법이 없었는데, 처음 시작된 후퇴라 미국은 인본주의적 표상으로 전쟁 중에도 군인 한 사람의 희생도 용서치 않았다. 인간이 야기한 전쟁이지만 총탄 하나에 죽어가는 모순. 방아쇠 한 번 당기면 한 사람이 죽어 나갔고, 수많은 총탄은 한 시간에 수만 발을 쏘아대는 살육 기계였다.

이러한 모순이 안고 있는 전쟁을 해결할 힘이 없다. 전쟁은 진정되기 힘들다. 욕망이라는 욕심이 야기한 전쟁은 인류가 생겨서부터 지금까지 계속됐다. 이 세상에 전쟁은 없어야 한다. 그러기 위해서는 좋은 지도자가 나와야 한다. 문정님은 부상당해 실려 오는 병사들의 모습을 보며 생각한다.

그 어려운 항일 투쟁으로 얻어낸 염원이, 자주 독립이, 남북의 구분이 없었는데 통일을 앞둔 시점에서, 힘을 다해도 모자랄 지금, 전쟁이라니 참을 수 없는 분노를 느낀다.

미국과 중국은 또 하나의 욕망으로 갈등에 휘말렸다. 19세기에 풍성했던 이데올로기에 휘말려 이념 전쟁의 전초였다. 새우 싸움에 고래 등 터진다는 속담처럼 국민의 염원은 통일인데 전쟁 때문에 통일은 뒷전으로 밀려나고 나라는 전운에 휩싸였다. 꼭 이룩해야 할 통일이 무산되고 전쟁의 이산가족만 만들어냈다. 참으로 부끄러운 민족의 오점을 역사에 남기게 되었다. 통일이 하루라도 빨리 이루어져 자주 독립에 꽃을 피워야지. 전쟁으로 헤어진 가족 1세대가 백 살이 넘어섰다. 전쟁을 야기한 1세대는 죽어 가고 애절한 한만 남겼다. 하늘이 주신 부자, 형제 사이의 변치 않는 도리를 망각했다. 어떤 사연이건 지금은 우리 민족의 가슴에 애증만 남겼다. 아직도 전쟁은 끝나지 않았다. 휴전 상태 머물고 있다. 언제 어디서 누가 다시 전쟁을 계속할지 아무도 모를 일이다. 진정 우리가 지구상에서 우수한 민족이라고 자랑하려면 또 다시 전쟁을 야기해서는 안 된다는 것을 잘 알고 있다.

윤효중, 문정님이 이산가족 꿀꿀이 아저씨와 만날 때마다 나라를 걱정하고 자신들의 애환을 털어놓는 이야기들이다. 가장 애절한 꿀꿀이 할아버지는 1926년생이다. 일제 강점기에 상업학교를 나와 일제 징용을 피하려고 사범대 강습과를 거쳐 초등학교 교사로 일하면서 문학청년으로 영어와 일어에 능통하였다. 위로 두 분이 형이 있었는데 제일 큰 형은 일본 대학출신 영화감독이었다. 둘째 형은 서울과 일본에서 공부한 작곡가로 외국 유학이 꿈이었다. 1945년 큰형은 일본영화사의 수주를 받고 압록강 수풍댐 다큐멘터리를 제작하느라 북한에서 해방을 맞이하였다. 둘째 형은 일본군 징병을 피하지 못해 일제의 징집에 끌려 일본에 있었다. 꿀꿀이 할아버지는 당시 징집대상이 되어 강제징집영장을 받았으나 일본 제국주의 음모에 반항하여 군에 소집되어 가서 탈영하였다.

일제가 국민 기초교육의 중요성을 논하면서 병역을 면제한다고 발표하고 돌아서서 배반을 하고 무조건 한국청년을 제2차 대전의 방패로 내세웠다. 중국과 남지나 군도를 침공하고 병력이 모자라자 최전방에 한국 사람을 강제징용 소집하고 군인 훈련도 하지 않고 전선에 투입했다. 뿐만 아니라 여자도 정신대로 모집하여 여인 사냥을 했다. 잔인무도한 일제는 자신들의 침략전쟁에 한국 청년을 앞세웠다. 역적 이완용이 한일합병을 함으로써 1895년에 대신의 총괄 총리로 일본과 밀실 을사조약을 맺어 일본의 정치적 침공의 길을 열었다. 역적 한 사람 때문에 2천만 명의 백성이 하루아침에 일본의 노예가 되어 농산물, 철광석, 사람을 강제로 빼앗겼다

아! 슬프고 가슴 아파라. 한 사람의 잘못으로 한민족이 36년간 일본의 식민지가 되어 성씨와 이름까지, 조선말까지 다 빼앗기어 침략전쟁의 구성원으로 만행을 저지르는

앞잡이가 되어 동남아 일대의 원흉을 만들었다. 이것이 나라 없는 설움이요, 주권을 빼앗겼으니 풍요로운 내 나라 내 땅에서 농작물은 일인의 식량으로 다 빼앗기고 내 형제 자매는 굶고 급기야 산천 천하의 초근목피로 연명하고 그나마 청년들은 다 전선에 강제 동원되고 노인들만 남아 농사짓기도 힘들었다. 중국을 침공한 일본군을 대상으로 모진 항일투쟁을 했다. 참으로 천인공노할 큰 죄를 지은 일본은 지금까지도 잘못을 빌지 않는다. 이로 인해서 한국인은 엄청난 희생을 하였다. 이 분노를 어찌 갚을까.

더불어서 우리 민족도 그게 반성해야 한다. 넓은 세상을 못 보고 살았기 때문이다. 꿀꿀이 할아버지의 분노는 이것으로 끝난 것이 아니다. 어찌하여 동족상잔의 전쟁이 할아버지를 또 한 번 문제시키고 있었다.

"우리가 일제의 기만 속에서 벗어난 지 3년도 못 되었는데 민족을 앞세운 미국과 소련의 대리전쟁을 치러야 하는 것인지?!"

할아버지는 이런 아픔을 서로 나누고 젊은이 하나라도 올바른 생각을 가지고 21세기를 건설하자고 자주 주장한다. 윤효중과 문정님은 할아버지의 뜻을 자신들의 생각과 같이 했다. 그리고 밤마다 모여서 이야기하고 참된 애국의 의지를 굳혀갔다.

한국전쟁은 중공의 참전으로 상황이 달라졌다. 이미 미소 양 진영이 냉전 중이었으며 중국은 소련과 가까워 중소의 반대에도 유엔의 결의를 얻어 16개국으로 된 유엔군을 참전시킨 상황에 중공이 참전한 것은 3차 대전의 요인이 될 위험을 안고 있었다. 국제사회는 이 문제를 심각한 요인으로 지적하였다. 전세는 중공군의 인해전술로 한강 교두보를 무너뜨리고 남하해 유엔군은 전열을 가다듬고 다시 진격을 시작했다. 거의 38선을 넘어서 북상하였는데 상호 진전이 되어 휴전 제의에 합의했다. 중공은 수많은 병사를 잃었고 만약 압록강 북부를 공격하면 유엔군과 중공의 전면전으로 발전하여 소련의 참전을 부르고 전쟁은 무한대로 커지기 때문에 양측은 서로 정전에 합의

하였다. 남한군과 북한군과 중국, 유엔군이 판문점에서 모여 정전을 선언했다. 한반도는 다시 전쟁을 멈추고 폭격과 포성이 멈추었다. 남북의 현재 위치, 동쪽은 화진포, 서쪽은 판문점까지 동서를 잇는 정전 상태 그대로 경계를 그었다. 그리고 38선 중심에 있는 판문점에서 자주 만나기로 하였다.

북측은 중공군과 인민군이, 남측은 유엔군과 한국군이 모였다. 전쟁에 따른 제반 사항을 토의하고 군사 문제를 토론한다. 전쟁 재발을 막고 남북의 포로 교환이 시작되었다.

한편 윤효중은 부산 부두에서 전후복구사업에 일환으로 수많은 구호물품과 미 군사물품 등을 하역하는데 종사했다. 때로는 공식, 때로는 비공식으로 흘러나오는 분유, 밀가루 구호물품 등 유출이 많아 자연히 구호품 시장이 형성되어 다소 돈을 벌었다. 백번 생각해도 내 뜻은 문학에 있지만 전시에 살아남는 길은 돈이었다. 누가 나를 도울 사람이 있겠는가. 돈을 더 벌어야지. 온 힘을 쏟기로 했다. 이때부터 항만에서 10시간, 밖에서 10시간 밤낮으로 노력했다. 일가친척도 없는 피난민. PX물자 취급자가 되어 판잣집도 구했다.

정님은 백마고지 백병전이 벌어질 때라 24시간도 모자랐다. 이태리 군 병원은 중공군과의 격전으로 날마다 북한군뿐만 아니라 중국군 부상자까지, 유엔군 부상자에 민간인까지 눈코뜰새 없었다. 격전지에서 부상하여 대구, 부산으로 격리되어 입원했다. 문정님은 병원의 간호보조원에서 간호사로 승진했다. 더욱 책임이 막중하며 환자를 돌보고 또 수술실 간호로 남보다 맹활약을 하였다. 모두가 한국의 전쟁 승리를 위해 부상한 장병에게 정성껏 간호해줬다. 그들은 팔도, 다리도 없는 사람들이었다.

꿀꿀이 할아버지와 윤효중과 문정님은 친인척처럼 다정했다. 틈만 나면 만나고 상담하고 위로하여 큰 도움이 되었다. 어느 날 정전 소식이 들리자 어깨에 짐을 내려놓은 듯 허탈했다. 해방을 맞이하던 때와 같은 느낌에 사람들은 만세를 부르며 기뻐했다. 세 사람은 일을 마치고 늦은 시간에 모여 들었다. 집들이 겸 휴전 소식을 안고 윤효중 집에 모였다.

"어이쿠, 뭐 이렇게 들고 오세요. 밥맛은 뭐니뭐니해도 이 무쇠 솥이 그만이야. 누룽지도 눌고 밥맛도 좋고 말이야."

"아니 구수한 숭늉까지 하면 일거양득이죠."

즐거운 웃음이 터졌다.

"야, 이런 웃음은 왜놈들 두들겨 잡은 뒤 처음입니다."

"역시 나도 그렇소. 피난 후 처음이야. 헌데 무슨 뉴스 못 들었소."

"뉴스요? 전선이 너무 치열해서 병상이 복도까지 꽉 찼어요."

"영감님. 무슨 뉴스인데요?"

"내가 알면 두 사람께 묻겠어."

"휴전 협상이 1951년 개성에서 열렸는데 요즘 판문점으로 옮겨서 오리무중이라는데."

"아니, 그런데 왜 백마고지 전투는 중공군과 백병전이래요? 무슨 휴전이 되겠나요?"

"그러게 말이요. 유엔군의 화력이 보통 센 것이 아니에요. 하늘에선 보이지도 않는 곳에서 폭탄이 비 오듯 쏟아지고 색색이가 날면 일반적인 전쟁인데, 휴전이라니요. 응?"

"협정이 됐다는데."

"뭐라구요. 그래서 유리한 고지를 차지하려고 치열한 백병전인가?"

"아니, 문정님 씨, 싸움이란 말리는 사람이 있으면 누구나 더 치열하게 싸우는 것 아니요."

“그건 그렇지만 다 이겨 놓고 휴전이라니요. 그럼 조금 쉬었다가 다시 전쟁 하는 건가요? 이 지긋지긋한 전쟁을 빨리 끝내야지 휴전이 뭐야.”

불과 세 사람이었지만 휴전은 모두 반대하였다. 그만큼 전쟁에 시달린 사람들의 심정일지도 모른다. 집도, 생산 공장도 그리고 산도 논밭도 전쟁터이고 씨앗 한 알 뿌릴 곳 없으니 뭘 먹고 살아야 할 것인지. 세 사람은 무한한 염려 속에 밤이 새는지도 몰랐다. 아침이 되자 여기저기서 휴전 반대집회가 열렸다. 세상이 또 다시 뒤숭숭해졌다. 군중 시위는 격렬해졌다. 무려 2년에 걸친 난항을 거듭하여 1953년 7월 28일 휴전이 됐다. 휴전 소식은 전 세계를 놀라게 하였다. 3차 대전의 전기가 엿보였는데 요행히도 휴전으로 소멸되었다. 봄이 되면서 스탈린 소련 수상이 죽고 판문점에선 포로교환, 휴전협정이 조인되었다. 유엔군 전사 행방불명 152,000명. 한국군 987,000명, 경찰 17,000명, 중국군 142만 명, 민간인 260만 명, 북한군 680,000명.

전쟁 후유증은 극심한 사회 혼란을 가져왔다. 이승만 대통령은 휴전협정 파기 성명을 발표했고 북한의 김일성은 권력기반 강화를 위하여 남한 출신의 정당인을 반역자로 사형시켰다. 선량한 민간인도 정책을 비판하면 집단 수용소로 보내 혹독한 노동 강요를 하였고 굶기고 소금물(식염)을 주지 않아 몹시 고통 받아 절로 죽어 갔다. 보복은 전쟁보다 더 무섭다. 밀정을 보내 살인하고 민가를 급습하고 수시로 납치하고 정부를 비판하고 북한을 복지국가라고 선전했다. 총 들고 공공연하게 싸우는 전쟁만 휴전 상태였지 휴전선을 멋대로 들락거리며 교란과 심리전을 펴서 괴롭힌다.

꿀꿀이 할아버지는 분노가 치밀었다.

“종전을 해야지. 휴전이 뭐야. ”

“그렇지요, 전쟁은 그만 끝내야지. 전사자가 얼마야. 말이 휴전이지 아직도 전쟁 중인 곳이 있지 않아요?”

"뭐라고? 어디서 그래요."

"지리산 빨치산은 아직 전쟁 중이야. 이건 안 될 말이야. 우리는 다 같은 한겨레인데 지긋지긋한 전쟁을 휴전했는데 아직도 전투 중이라니."

"그럴 수밖에 휴전은 했으나 퇴로를 꽉 막고 있으니 싸울 수밖에. 굶고 싸우나? 먹어야 싸우니까. 산마을을 습격하지. 그것뿐이겠어. 북한 인민군이 침공했을 때 동조하였다고 무조건 부역자라고 다루니 길이 없지. 북한은 박헌영 등 남한 출신 인사들을 반역자라고 제명 추방한 뒤 사형시키고 남한은 전란 중 북한에 조력한 자는 부역자라고 하여 구금하고 고문하고 교사하여 전쟁 후유증으로 선량한 백성들만 혼이 났어. 지리산을 거점으로 빨치산은 전투경대와 많은 희생자를 냈지. 전쟁의 후유증은 인간의 감정이 정상화될 때까지 계속되었어. 낮에는 지리산 전투경찰대가, 밤에는 지리산 빨치산 공비들이, 낮과 밤의 주역들이 바뀌고 공포의 도가니가 되었어. 한 나라 한 민족이 만나면 싸우고 죽이고 이 얼마나 슬픈 일인가."

세 사람은 고향을 찾아가려 해도 사회가 불안하여 그대로 부산에 머물며 좀 더 진정될 때까지 기다리기로 했다. 벌써 휴전한 지 4년이 되었지만 이승만 대통령의 장기 집권으로 세상은 혼란하였다. 서울은 비상계엄령이 내리고 북한은 남한에 평화 공세를 취하다 친소정책을 유지하려 했지만 흐루시쇼프의 스탈린 비판으로 소련공산당 붕괴의 조짐이 보이자 소련의 정세 변화가 예상되었다. 한국은 이승만의 양자가 서울대학 부정입학 사건으로 사회불안이 계속되었다. 이 틈을 타고 북한의 남파 게릴라가 강화도에서 해병대와 교전하는 사건이 일어났다.

(2008. 1. 12~2. 23 · 미완)

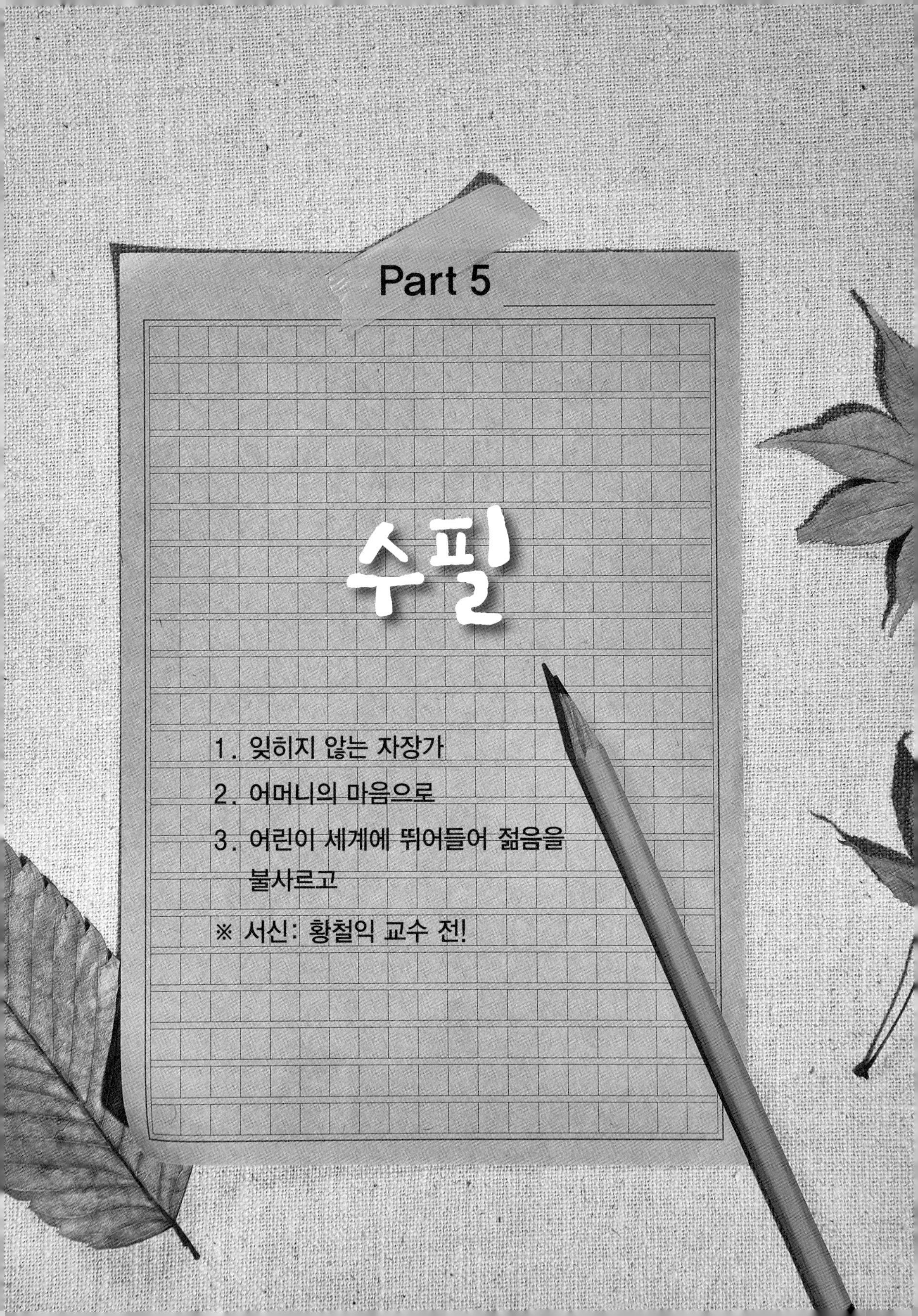
Part 5
수필
1. 잊히지 않는 자장가
2. 어머니의 마음으로
3. 어린이 세계에 뛰어들어 젊음을
불사르고
※ 서신: 황철익 교수 전!

1. 잊히지 않는 자장가

나는 오 남매 중에 막내둥이로 태어났습니다. 그래서인지 어릴 때 짐짓 어리광을 피워 어머니의 등에 잘 업혀 다녔습니다. 지금도 어릴 때 듣던 자장가를 들으면 아스라이 어머님의 정취(情趣)에 깊은 감회가 끌어 오르곤 합니다. 어머니에 업혀 등에 귀를 대고 있으면 어머니가 불러주신 노래의 울림이 등을 타고 올라와 흥분했던 마음을 진정시켜 주었습니다. 어머니가 불러주신 노래는 마음을 읽어주는 자장가였습니다. 나는 그 노래를 들을 때마다 포근한 어머니 사랑에 묻혀 꿈나라로 날아 날아가곤 하였습니다. 분명 그때 그 자장가는 흥분한 마음을 잠재워 주고 하나도 거부감이 없는 따뜻한 노래였습니다. 나는 지금도 자장가는 어머니가 아기의 마음을 잠재우고 소망을 담아 불러 주는 노래라고 설명합니다. 지금도 잊히지 않는 노래가 있다면 엄마 손을 잡고 나들이 할 때 어머니와 함께 공감하는 노래놀이가 많습니다. 내가 어머니 손을 끌고 앞서가면 어머니가 눈을 감고 뒤따라오면서 노래를 합니다.

"어디만큼 갔니?" 하면 나는 노래를 이어 받아 "당당 멀었다."라든지 이윽고 노래는 반복되어 "어디만큼 갔니?" "비석거리 왔다." "어디만큼 갔니?" "큰 바위 돌아간다." 하면서 목적지까지 노래 장단에 발 맞춰 걸어갔지요. 몸도 마음도 가볍게 어머니와 공감하고 어머니를 신뢰하고 공경하는 마음이 자연스럽게 우러나왔습니다.

전래동요는 누가 작곡하여 남겨주신 노래가 아닙니다. 우리 생활 속에 일어난 느낌들이 노랫말로 옮겨지고 말의 음운과 정서는 노래로 옮겨져 오랜 세월 누구나 쉽게 노래할 수 있는 노래로 다듬어져서 민간에 전해 내려온 것입니다. 전래동요는 지금도 우리생활 속에 배어 있지요. 숨 쉬는 장단과 노랫말의 음악적 감성이 살아있는 동요는 어릴 때부터 음악적 기반을 닦아주며, 간결하면서 반복된 노랫말은 우리말의 고유한 어감과 정서를 자연스럽게 체험시켜주는 즐거운 노래였습니다.

돌이켜 생각해보면 동요는 엄마가 불러주는 노래였습니다. 동요는 포근하고 따뜻한 사랑이 가득한 노래였습니다. 기쁘고 즐거운 노래, 씩씩하고 명랑한 노래 누구나 쉽게 부를 수 있는 아름다운 노래, 가슴이 답답할 때 마음을 탁 트이게 하는 노래였습니다. 거칠던 마음이 부드러워졌습니다. 우리는 입을 모아 노래를 불렀습니다. 노래는 우리들의 마음과 마음을 서로 나누고 공감하는 세계를 꿈꾸게 해주었습니다. 그리고 동요는 자연의 아름다움을 노래합니다. 동요는 착하고 그릇됨을 일깨어 줍니다. 동요는 공경하고 감사하는 마음을 알게 합니다. 동요는 아무도 간섭하지 않은 우리들의 성장을 돕는 자유로운 노래였습니다, 언제 어디서나 남 앞에 서서 동요를 노래하는 용기를 길러주었습니다. 이러한 경험들은 다른 어떤 경험보다도 음악을 선호하고 즐겁게 사는 뿌리 깊은 삶의 초석이 되었습니다.

순박한 언어와 부르기 쉬운 가락으로 동심을 노래하는 동요 앞에서는 선악의 구분 없이 어떠한 사람도 순결한 마음으로 돌아갈 수 있었습니다. 그러기에 온 세계의 사람이 같은 정서로 노래하며 즐길 수 있는 것은 동요뿐이라고 합니다.

어릴 때의 동요는 자기표현을 위해서 모든 감각을 듣기에 집중하고 있어서 가능한 가족이 함께 노래하고, 노래를 많이 들으면 음악적 감성이 길러지고 '절대음감'을 얻게 됩니다. 그리고 음악은 인성을 순화하고 열등감에서 벗어나 자신의 감정을 어디서나 활발하게 표출할 수 있는 용기를 불어넣어 주었습니다. 동요는 서로 공감하고 마음을 이해함으로써 다 함께 즐김은 물론 살아가는 삶의 기초를 터득하게 하였습니다.

어릴 때는 듣고 배우고 춤도 추고 즐겼지만 학교에 가서 글을 배우고 선생님에게 배우는 동요는 가사가 뜻하는 세계를 이해하며 친구들과 함께 노래할 때는 남과 함께 살아가는 기쁨을 나누어 가질 수 있는 의식이 싹 트고, 음악에 의해서 감정을 교환하고 공감하는 친구들을 얻게 되었습니다. 어린이는 이러한 인간다운 마음을 하나도 소홀하지 않고 아주 소중하게 잘 기억하고 간직하고 있습니다.

음악적 감성을 기르는 데는 무엇보다도 '듣기'가 가장 소중한 바탕이 됩니다. 사념(邪念)이 없는 어릴 때 '듣기' 훈련이 자연스럽게 이루어져야 음악의 모든 분야에 튼튼한 기초가 됩니다. 특히 유아기는 일생에 가장 민감한 청각을 가지는 시기이므로 귀로 듣고 부르는 음악적 감성은 '고운 소리', '좋은 화음감' 그리고 '절대 음감' 등 동요를 부르고 즐기는 사이에 자연스럽게 익히게 됩니다.

일찍이 나는 이런 사명감을 가지고 평생을 유아들과 함께 하며 유치원과 텔레비전에서 노래하고 춤추었습니다. 동요 작곡자 이전에 나는 어린이의 마음을 읽어주는 삶이고 싶었습니다. 아이들이 원하는 알맞는 가사를 찾기가 힘들어 나는 할 수 없이 노랫말도 써보고 어린이가 필요로 하는 노래, 놀면서 즐기는 노래, 갖고 싶은 이야기, 먹고 싶은 이야기, 하고 싶은 이야기, 자연이야기, 귀여운 동식물이야기, 씩씩하고 슬기로운 이야기, 감사하고 고마운 이야기들을 노래 속에 담기도 했습니다. 바로 아이들과 통할 수 있는 언어가 노래였습니다.

(2004. 3)

2. 어머니의 마음으로

아기는 어머니에게서 귀한 생명을 얻고, 그리고 모든 것을 어머니에게 의지하여 무럭무럭 자라납니다. 포근한 어머니의 품속에서 자라는 어린이는 어머니의 얼굴을 익히고 사랑을 배우며 자기의 삶의 영역을 넓혀갑니다. 성장하는 아기의 성격이나 정서, 지능 그리고 행동거지는 어머니의 영향을 받게 되므로 어머니의 정성과 지혜가 절실합니다.

옛날 서양 사람들은 인간의 조화로운 전인적 육성을 위하여 폭넓은 음악교육을 장려하였으며 음악을 통하여 풍부한 인간성, 창조성 그리고 정서함양이 아주 효과적이라는 것을 발견했습니다. 우리의 전래 동요에서 느끼는 아름다운 인성의 진화도 바로 이 땅에서 낳고 자란 사람들에게 풍부한 음악적 공감의 결실인 것입니다.

그러므로 일상에서 어머니를 통하여 전달된 자연스런 어감과 음악적 감성이 곧 정서이며 노래이며 인간형성의 시작이었음을 알 수 있습니다. 동요는 다른데 있는 것이 아니라, 바로 엄마의 따뜻한 가슴에서 울려 나오는 사랑의 노래이며 엄마와 아기가 서로 공감하는 평화로운 세계입니다. 동요야말로 언제 어디서나 다 함께 부를 수 있는 노래이며, 이 노래를 통하여 자기를 표현하고 사랑과 진실을 마음속에서 녹여내는 뿌리 깊은 삶의 바탕을 이루게 됩니다, 그래서 가장 민감하게 청각이 발달하는 시기에 듣고 부르는 음악적 감성교육이 아주 중요합니다.

내 생애의 대부분은 유치원에서, 텔레비전 앞에서 어린이들과 함께 노래하고 춤추며 어린이의 마음을 읽으며 살아왔습니다. 그래서 어린이가 하고 싶은 말을 찾아서 노랫말을 짓고 어린이가 부르고 싶어 하는 노래, 뛰놀며 즐길 수 있는 노래를 만들어 봤습니다. 바로 어린이들과 마음을 열고 잇는 언어는 동요였습니다.

(2004. 10)

3. 어린이 세계에 뛰어들어 젊음을 불사르고

우리 세대는 많은 전쟁을 겪었다. 중일전쟁, 태평양전쟁, 이러한 격변 속에 해방을 맞이한 기쁨도 채 가시기 전에 여순과 4·3사건에 이어 지리산 빨치산, 6·25전쟁 등 숱한 전란에 이웃들의 희생도 많았지만 그중에서 어른이 야기한 전쟁으로 무고한 어린이가 수없이 희생되었다. 참으로 안타까운 일이었다. 이 무렵, 한 뜻 있는 선배의 강한 설득으로 어린이운동에 동참하게 되어 나는 이때부터 어린이와 인연을 맺게 되었다. 휴전선을 남기고 한국전쟁이 멈췄을 때 지금은 없어졌으나 유치원교사 양성 사범대학교 교사로 취임하여 책 한 권 없는 폐허 속에서 어느 신부님의 도움으로 유아교육전서를 구하여 공부하면서 일했던 일이 까마득히 생각난다. 무엇이 그렇게 좋았던지 하면 할수록 어렵기만한 어린이 세계에 뛰어들어 어린이와 손을 잡고 젊음을 불살랐다. 지금은 어린이에 대한 인식이 크게 달라졌지만 당시는 어린이 방송이란 아이들의 재롱을 듣는 정도였으나 방송문화의 향상으로 시대는 이들을 인식하고 그 열기는 대단했다. 그 당시를 살펴보면 방송드라마가 어린이를 대상으로 최초 시작되었으며 〈누가, 누가 잘 하나〉가 노래자랑의 시원이 되기도 했다. 이후 텔레비전 방송국이 설립되어 〈애기들 차지〉 등 유아 프로가 생기면서 꿈을 갖고 참여하게 되었다. 그러나 어린이의 체구가 작아보여서 그랬는지 보수가 너무 적어 살아가는데 무척 어려웠다. 할 수 없이 유아 도서출판에 참여하기 시작하였다. 창작동화, 그림책, 유아노래집, 명작 번역 등을 하다 보니 방송의 뜻은 용두사미가 되고 말았다. 그러나 나는 지금도 어린이를 사랑하는 마음은 그지없다. 그럴 때면 창문을 열고 멀리 만장봉,

우이암이 보이는 도봉산을 바라본다. 가을하늘 아래 그 묵직하고 폭넓은 산영이 마음에 든다. “산새도 날아와 우짖지 않고/ 구름도 떠가곤 오지 않는다” 하고 시작하는 박두진 시인의 ‘도봉’ 시구를 음미하며 아직도 못다한 사랑과 꿈을 이어간다.

(『방송문예포럼』 제4호 회보, 2002. 12. 20)

(서신) 황철익 교수 전!

허방자 님도 안녕하시지요. 두루 건안하시기를 빕니다.

생각지도 않았던 나의 졸품들을 모아 한 묶음의 노래집과 CD를 세상에 내놓게 되어 당혹스럽기 짝 없어 실례를 무릅쓰고 전화를 드렸더니 본인의 졸품 동요집 추천의 글을 쾌히 승낙하여 주시어 먼저 감사의 뜻을 전합니다.

시대가 많이 바뀌었지요. 우리가 아이들을 사랑할 때와 지금의 아이들은 많이 달라졌다는 것을 느끼면서 때로는 시대의 변천을 생각해보기도 합니다. 처음 유아노래를 만들 무렵은 유아를 위한 노래는 거의 없었고, 있었다고 해도 우리가 만든 노래보다는 외국노래가 많았으며 그것도 유아의 발달단계에 맞는 노래란 찾아 볼 수 없었던 기억이 납니다. 유치원을 경영하면서 꼭 필요에 따라 한두 개 노랫말과 함께 노래를 작곡하기 시작한 것이 벌써 반세기가 넘었습니다.

4, 5세 유아기란 거의 소리를 듣고 사물을 판단할 만큼 듣는 감수성이 가장 예민하기에 음악과의 접촉은 대단히 중요한 시기였습니다. 음악을 처음으로 접하고 음악적 감성을 기르는 것은 무엇보다 중요했습니다. 유아가 말을 기억하는 데는 3세 무렵, 말을 외우기 시작한 유아는 4세에서 5세에 걸쳐서 한 해 동안에 1500단어 정도의 말을 외울 만큼 발달합니다. 인간의 일생 중에 가장 예민한 청각을 갖는 시기입니다.

이 시기에 귀로 듣는 음악이란 '좋은 음정 감' '좋은 화음 감' 그리고 '절대음감'을 익히는 아주 중요한 시기입니다. 특히 이 시기는 노는 것이 생활의 전부이므로 즐겁게 놀면서 음악을 접하고 자연스럽게 노래하면서 친구를 사귀고 음악으로 감정을 교환하고 공감하는 세계를 만들어 가고 있었습니다. 나는 이러한 경험들을 잊을 수가 없습니다. 지나온 이야기가 길어졌습니다. 여기서 참고가 된다면 대략 다음과 같이 추천의 글을 엮어 보겠으니 참고하시기 바랍니다.

나를 어떻게 해야 할지 어려워서 일단 선생으로 했으니 적절히 부르기 쉬운 호칭으로 부탁합니다. 먼저 제작회사에 부탁해서 미완성품이지만 흐름을 이해하시라고 보내 드리도록 조처했습니다. 참고해 주시고 아래 추천의 글은 적절하게 참고하시고 고견을 부탁드립니다.

(2004. 4)

Part 6

투병기

투병기

나는 2003년 3월 27일 서울대학병원 방영주 교수의 진단으로 초기 폐암으로 정밀한 검진이 되어 오후 3시 전신마취를 하고 8시 반까지 무려 5시간의 시술 끝에 암을 제거하고 중환자실로 나왔다. 이튿날 3월 28일 오후 몽롱한 상태에서 푸른 초원에 서 있었다. 누가 말했다. "여기가 에덴의 동산이야." 나는 에덴동산의 상공을 날았다. 언젠가 알마티 추 형님이 뇌출혈로 쓰러지셨다는 소식을 듣고 주님의 기도와 성모송으로 기도를 열심히 드릴 때 신선한 빛과 영롱한 푸른빛의 언덕이 나타나 "여기가 너희 살던 곳"이라고 하시더니 그때와 같이 하늘에서 내리시는 신선한 빛을 따라 푸른 초원 위를 날았다. 그때 나는 "전에도 왔었는데 그때와 많이 달라졌다"고 하자 갑자기 숲이 옮겨지고 초원이 종이조각처럼 흔들리며 내가 본 푸른 초원으로 변했다. 나는 무척 만족스러워하며 만져보려고 하자 현실로 돌아오고 말았다. 어찌하여 현실과 몽상의 세계가 일치하여 깨어났을까.

이 세상에 가장 희망이 없는 죽음 밭에 빠진 나는 앞으로 6개월밖에 보장할 수 없었다. 그만큼 무섭고 결정적인 병이 암이었다. "검진을 해봐야 알겠지만 두 길밖에 없습니다. 하나는 항암수술을 해서 암의 전이를 막고 계속 항암 치료를 받는 것과 수술하는 방법입니다. 이밖에는 길이 없습니다."

이미 오래 전부터 들었기에 이렇다, 하는 결론은 상식적으로 알고 있었다. 이렇게 무서운 병이 어떻게 나에게 생겼을까. 무엇을 잘못했을까. 이것은 분명 하늘이 나에게 내리신 천벌이 아니고 무엇이겠는가. 그렇다면 대자연의 소유자이신 하느님께 무엇을 잘못했단 말인가. 나도 그 대자연 속에 공존하는 생물인데 하필 내가 암의 먹이사슬이 된 것일까. 나는 누누이 내가 지은 죗값을 생각하기 시작하였다. 어떤 생명의 연장보다는 나의 원죄를 곰곰이 따지기 시작하였다. 이제 막 2003년이 시작되는 정월 달, 달은 한번 얼굴을 비치고 숨어버린단 말일까. 암흑은 이 세상의 모든 것을 삼켜버리고 하늘에는 푸른 별 하나 보이지 않았다. 나도 인간이기에 무심한 하늘이 원망스러웠다. 절망이라는 심적 압박이 앞서 밀려오는데 참을 수 없는 아픔을 느꼈다. 하늘에 초록별이 떠있을지도 모르는데 절망의 시계(視界)에는 아무것도 보이지 않았다.

나는 이유도 없는 전율 속에 빠지며 가슴이 흥분하기 시작하였다. 얼굴에 열이 솟고 숨이 가빠오면서 손발에 맥이 빠지기 시작했다. 허탈한 나는 자리를 떠날지도 몰랐다.

끊이지 않은 두려움

나는 무쇠처럼 바위처럼 굴러가고 있다는 것을 느꼈다. 아무도 없는 한 자연 공간을 빌려 쪼그려 앉은 나는 마치 서커스를 하는 소녀처럼 몸을 굽힐 대로 굽히고 다리를 세워 머리를 파묻고 팔로 온몸을 감싼 내 모습은 눈덩이처럼 응집한 작은 곰 같았다. 무엇이 나를 이렇게까지 의기소침하게 만들어 인간이란 기를 빼앗는 것일까. 자신이 너무 작고 부끄러운 눈물이 주르르 쏟아졌다. 내가 왜 보이지도 않은, 본 적도 없이 말만 전해들은 미세한 병균이라는 이름의 것에 이처럼 나는 일생을 그 앞에 굴복하는가. 아직 무슨 아픔도 안 느끼는데 순명이란 관념 속에 시들어가다니 몹시 자신이 한스러웠다.

그렇지. 나도 2세들을 위하여 밤낮을 가리지 않고 싸워온 선량인데 이렇게 되다니 하는 생각의 뿌리를 내리고 내 몸을 살펴보았다. 갑자기 거인이 된 느낌이 들었다.

그렇다 아무리 죽음이 눈앞에 와 있다 하더라도 두려움이 있으랴. 자리에서 일어나 모든 생각을 그 자리에 털어버리고 집으로 돌아왔다. 아내가 "어디서 이제야 오셔요. 식사는 하셨나요" 거듭 나를 맞아주는 모습이 전과 하나도 다름없었다.

도리어 내가 나를 이상하게 생각하는 것 같았다. 그렇지. 내가 그렇지. 세상은 아무 변화도 없는데…. 이 못난 인생의 기로에서 헤어나야지…. 바라보이는 아내의 얼굴이 불덩이처럼 뜨겁게 가슴에 와 닿았다. "힘내세요. 총칼이 오고 가는 그 무서운 전쟁 속에서도 살아남았다면서…. 나를 사랑하지 않나요."

이런 말이 귓전을 스쳤다. 껴안고 울고 싶었다. 그렇다고 소중하고 사랑하는 아내에게 나의 슬픔을 옮겨주고 싶지 않았다. "어서 드세요. 기다렸어요. 바람도 찬데 어디를 다녀 오세요. 어서 드세요" 하고 내미는 밥상에서 나는 아내의 새로운 온기를 느낄 수 있었다.

한편으로 나는 나를 피하려 하였다. 그리고 눈에 보이지도 않은 병균에 대한 증오와 내가 이것을 받아들인 자신이 부끄러웠다. 가슴이 떨리고 숨이 가빠 올랐다. 아내는 수저를 손에 쥐어주며 "조금이라도 드시고 기운 차리세요" 하면서 반찬을 골라 들고 밥을 수저에 뜰 순간을 기다린다. 한숨을 쉬어 가슴을 가라앉히고 몇 수저 밥을 먹고는 자리에 누웠다.

인류의 조상인 아담과 이브가 에덴동산에서 신의 계율을 어기고 금단의 선악과를 따 먹은 원죄가 나를 괴롭히는 것인가. 긴 세월이기도 하지. 신명을 거역한 죄. 하늘의 뜻을 어긴 죄. 인간이 자연을 훼손한 죄. 신의 뜻을 무시한 죄. 무슨 죄가 이렇게도 많은지. 눈만 감으면 푸른 초원이 눈앞에 아른거렸다. 꽃이 피고 잎이 나고 열매가 열리고 온갖 새가 찾아와 열매를 따먹고 인간이 따먹고 간신히 까치밥 하나를 남겨놓고 바라보니 하얀 눈이 내린 겨울날 까치들이 날아와 쪼아 먹는다. 나는 물었다. "까치는 죄를 안 받나요?" 이렇게 대답한다. "날짐승들에게는 신명이 내리지 않았다."고 한다.

지구상의 모든 생물들이 하늘의 뜻을 지키는 데 왜 인간만이 신명을 어긴 것일까. 그렇다. 다른 동물이나 식물에 비해서 지나치게 지혜롭고 영특한 동물이기에 하늘의 섭리를 기억시키고 죄와 벌을 인식시켜 넘치는 지혜에 쐐기를 박은 것이 아닐까.

그러기에 고대 문명을 보면 신전을 지어 신을 위하여 제사를 지내고 신의 마음을 달래어 인간이 자연에 도전한 것이 아닐까. 이렇게 해서 보다 나은 삶을, 보다 좋은 문화를 누리며 문명을 개척했던 것은 아닐까. 그래도 신은 인간의 원죄를 용서하지 않았다. 지금은 흔적만 남은 이집트 문명, 잉카문명, 메소포타미아 문명 등 신의 뜻을 위배한 문명은 신명에 의해 멸망하고 말았던 건 아닐까. 나는 우리 조상들이 지은 죄를 인정했다. 왜 먹지 말라는 금단의 열매를 따 먹은 죄로 우리 인류는 영원히 그 죄를 씻지 못하고 있는 것일까. 하지만 이것은 타의적이라면 나는 무슨 원죄의 댓가를 받고 있는 것일까. 눈을 감으면 연옥과 지옥의 광경이 보인다. 화산처럼 타오르는 천국과 지옥 사이에 죄를 정화하는 뭇 사람들이 손짓을 하며 지옥에서는 집게로 혀를 잡아 빼는 고통과 끓는 기름 가마에 빠뜨리는 악마 앞에 무릎을 꿇는다.

무엇이 죄인지, 무엇이 선량인지

6개월 정도면 생을 다한다는 진단이다. 진단 의사들의 경험에 의해서 염려해주는 것은 지은 죄를 이세에서 좌닦음하라는 것인가. 아직도 꽃샘추위가 휘몰아치는 수락산 오솔길을 추운지도 모르고 패잔병이 된 모습으로 걷는다. 인간이 문명을 일으켜 지구상에 그 어떤 맹수도 이겨내는데 눈에 보이지 않은 암에 이렇게도 심약해지다니 이것은 결코 실제적 모순이 아닐 수 없다. 내가 지은 죄라는 것이 무엇일까. 불교에서 말하듯 살생?! 어릴 때 기르던 병아리가 죽어서 뒤뜰에 묻어놓고 슬피 울던 생각이 났다. 허나 스스로 죽인 일은 없다. 그렇다고 내가 걷는 발밑에 깔려 죽은 작은 곤충이나 지렁이의 복수? 이것은 형이하학적 문제이겠지만 결코 자연을 의식적으로 훼손한 일이 없는 가냘픈 인생이기에 도리어 어머니께 용서를 빌어야 할 것이다.

내가 어릴 때부터 돌아가실 그날까지 보름달이 떠오르면 맑은 물에 목욕재계하시고 정한수를 떠올리고 부엌을 다스리는 조앙님께 아들의 행운을 빌고 달님에게는 성공을 빌고 직접 내 어머니가 일러주시는 말씀은 옛 이야기 속에 숨겨 자연을 사랑하고 남을 도와 덕을 베풀라고 얘기하여 주셨다. 그러기에 나는 어머니를 배반할 수 없었다. 이제와 생각하면 이렇게 훌륭한 인성교육은 지금 이세에서는 찾아보기 힘들다. 그런 우리 어머님의 공도 없이 치명적인 병을 주셨단 말인가. 나는 지금 무엇이 죄인지, 무엇이 덕인지, 선량인지 구분이 가지 않았다. 어머니, 이세에 지은 죄가 무엇일까요. 지금 어머니의 자식들이 이 지구상 여기저기 흩어져 살고 있는데 우리 서로 지은 죄 때문에 이렇게 떨어져 사는 것일까요. 어머니 아버지가 가장 아끼시고 가장 염려하셨던 큰 형님은 이북에 계신다지요. 그 어려운 일제시대에 논 한 마지기 팔아 동경 유학비를 보내면 겨우 두 달 생활이었다니, 농경시대에 논 팔아 학비 조달하시더니 돈 벌 궁리는 안 하고 영화감독 일을 수학하며 겨우 영화 두서넛 만들다보니 해방되어 이제는 나라에 공헌할 영화감독이 될 듯싶더니 남북으로 갈린 조국의 상(像)을 기록해둔다고 이북으로 달려가더니 그들의 정체가 무엇인지도 모르고 추, 권 두 동생을 불러들여 예기치 못한 6·25동란이 벌어져 이산가족이 되어버렸으니, 부모에게 효도 한번 제대로 해보지도 못하고 가족들이 산발산발 다 흩어지고 말았으니 이제야 지은 죄를 찾은 듯합니다. 그동안 치를 만큼 치렀는데 그래도 모라자 이 몸 하나 살아남아 있는데 이 살과 뼈마저 달라하십니까. 이것은 속죄의 길이 아니라 생명을 내놓으라는 불호령이 아니고 무엇입니까. 그렇지요. 이산가족의 아픔을 딛고 찾아나서야 하는데 이렇게 멈춰 서 있으니 이것이 죄가 아니고 무엇이겠습니까. 이렇게 속죄하여 봅니다.

분명 이것은 하늘이 주신 죄가 아니라 인간이 만든 문명의 이기라는 자동차 매연이 아닐까요. 내가 사는 아파트 6층 뒷길이 자동차 일방도로인데 매연과 때가 묻혀 나옵니다. 이것을 마신 사람이 어떻게 건강을 유지하겠습니까. 여기서 원죄라면 문명이라는 공해와 자연에 대한 훼손에 바로 하늘이 노하신 것은 아닐까요. 슬픈 일입니다. 그중에서도 환자로 선택된 내 자신이 얼마나 부끄러운지 이웃을 쳐다볼 수도 없답니다.

병은 아픔보다도 더 심한 마음의 고통

눈에 보이지 않은 병은 사람의 기를 뽑아버리고 만다. 나을 수 없는 병. 이런 진단은 선험자들에 의하여 또는 병자를 간호하던 사람들의 경험에 의해서 전해 내려온다. "어느 고을 아무개는 내종, 몸 안에 종기가 생기더니 이내 몇 달 안가서 죽고 말았다. 배 안에 손에 잡히는 혹이 생기더니 시들시들 죽어버렸다"고 허준은 전한다. 허준은 처음으로 선생의 배를 갈라 사람의 내장을 처음 눈으로 봤다고 하지만 우리 한의는 예방의학의 견지에서 발병을 하면 약을 이겨내는 사람만이 살아남을 수 있는 독한 처방의 경험을 토대로 하였다고 한다. 그러니 병든 아픔에 약의 아픔. 꼭 살아남아야 할 의지가 없으면 견디기 어려운 처방이다. 무지한 전통의학에 대한 믿음이 덜 가고 그렇다고 양의는 X-ray, CT, PET, MRI 등 과학적인 의료진단기로 촬영하면 병의 위치, 진전 등을 알 수 있다고 한다. "속담에 모르는 것이 약이다"라는 말이 있다. 차라리 모르는 쪽이 더 편했을지도 모른다.

내가 병을 얻었다고 하자 친척들이 적극적으로 "몸에 칼을 대지 말라"고 백 프로 권유하였다. 이 또한 무한히 고민이 되는 부분이었다. 폐암은 아픔을 자각하지 못하므로 병을 가진 채 살아도 사는데는 별 지장이 없겠지만 나는 초기라고 하면서 6개월

선고를 받았다. 어찌 자신이 6개월 후에 인생을 마감한다는 말을 듣고도 남은 여생이 평온할 수 있겠는가. 이 기간에 우선 남을 원망하게 되고 자신을 팽개쳐 먹고나 죽자는 퇴폐주의적 향락주의로 빠지면 자신뿐만 아니라 가정, 경제는 물론이고 가족의 화목도 한꺼번에 흐트러지고 말 것이다. 이것은 병의 아픔보다도 정신적으로 밀려오는 아픔이니 죽고 싶은 생각이 넘쳐 났다.

1차 입원을 했던 병원의 창가에 서서 몇 번이나 망설였다. 이것은 확실한 진단 이전에 주치의가 나를 위하여 우회적으로 말하면서도 가족보호자를 대상으로 말하려는 의료상담에 몹시 화가 났다. 그럴 때마다 "나 하나 없어지면 모두가 편할 텐데" 이런 생각에 젖었다. 그렇다고 죽기도 쉽지 않았다. 한 쪽으로는 왜 이런 고통을 받는가. 여기서 헤어나려면 내 병에 대한 정보를 정확히 알고 싶었다.

젊은이의 생각은 역시 진보적

이러한 고민에 싸여 산으로 들어갈까, 고향으로 내려갈까, 갖가지 많은 생각을 했지만 이것은 결국 나 혼자만의 일이 아니었다. 병원에서 휴일 휴진을 이용해 하루동안 시간을 얻어 집으로 돌아왔다. 다시 한번 친지들에게 확인을 해보았다. 결론은 "빤히 아는 병, 수술해봤자, 수술비만 탕진한다. 그 돈으로 꽃 피는 봄철, 팔도 구경이나 하고 지방 특미 음식도 맛보고 살지, 고통스럽게 왜 수술을 하느냐, 우리 나이 74세에 살면 얼마나 더 산다고" 이런 결론이 전부였다. 그렇다고 앞을 가로막으며 절대 안 된다고 하는 사람도 없었다. 결국 판단은 내가 해야한다는 결론이었다. 조언해 주신 여러분께 감사를 드리고 나는 합리적인 새길을 찾아보려고 하였다. 망설이던 중 아들이 문안을 드린다고 왔다. 그리고 '병과 믿음'이란 주제로 자꾸 접근해왔다. 옛 사람들이란 병도, 원인도, 미래도 예측할 수 없는 시대에도 의지적으로 새로운 인생을 살았다는 등 의지적 투병기를 설명하면서 달나라를 정복한 현대과학을 믿으라고 종용했다. 이제 DNA지도의 완성도 눈 앞에 두고 있는 이 시점에 과학 아닌 단방약을 믿겠느냐. 지금 내 병을 발견한 것도 나는 아무런 자각 증세가 없었는데 현대과학은 눈에 보이지 않는 병마를 찾아냈는데 어떻게 생각하느냐, 남들이 말하는 것을 신뢰하였다가 누구를 원망하겠느냐, 고 할 때 사방팔방의 길이 막혀 할 말이 없었다. 힘드시겠지만 모든 것을 접고 한국의학을 선도하고 있는 서울대학병원으로 가서 더 자세한 진단을 해보자는 결론을 내렸다. 그동안 내 말을 듣고 자란 아들이 현실을 설명할 때는 선생님 같았다. 이론이나 실제가 어김없이 부합되었다. 나는 무릎을 꿇었다. "아버지, 혹 잘못될 일이 있더라도 속 시원하게 원인과 결과를 들어보시는 게 좋지 않습니까? 과학적인 의료진을 믿으세요. 서울대병원으로 가면 반드시 해결책이 나옵니다." 나도 아들의 말을 믿고 따르기로 했다. 마음이 가벼워졌다. 당장 백병원으로 돌아가 퇴원하고 말았다. 벌써 봄은 눈앞에 다가왔다. 매화꽃이 피고 개나리, 진달래가 어김없이 꽃망울을 터뜨릴 준비로 한창이었다.

창경궁이 내려다 보이는 병실에서

대학입학시험 만큼이나 어려운 병실을 얻어 11층 2인실에 자리를 잡았다. 내려다보이는 창경궁은 깨끗하게 정리되어 옛 고궁의 풍만한 모습이 한 눈에 들어왔다. 주인을 잃은 황궁의 허탈한 빈 터에 그 옛날, 창경원 때 생각이 떠올랐다. 문전에서부터 인파에 시달리며 궁에 들어서면 왼쪽으로 동물원 가는 길, 오른쪽으로 식물원 가는 길이었다. 우리에 갇힌 맹금류, 그리고 각종 조류를 대형 망 속에 가둔 조류원과 각종 맹수류가 제 구실을 못하면서 겉모습만 보였다. 그 냄새, 동물의 배설물과 어우러진 도시락 냄새, 잊을 수가 없었다. 한 나라의 왕궁을 강점하여 동물원으로 만든 왜놈들의 심리가 동물보다도 못하고 왕실의 체면을 관람객이 짓밟게 만든 당시의 양상이 한눈에 들어왔다. 비록 아파서 들어왔지만 울분이 터졌다. 그들도 따지고 보면 백제와 신라의 피가 섞인 문명인인데, 섬에서 살기 힘들게 되자 군을 일으켜 몇 차례나 대륙을 탈환하려는 침략전쟁을 벌였단 말인가. 왕국을 맹수들이 짓밟고 동물원에 사람들을 끌어들여 짓밟게 만들었으니 그 흉계를 잊을 수 없었다. 참으로 비참한 형상이었다.

아직 자각 증세가 없기 때문에 세간에서 말하는 환자 아닌 환자, 나이롱환자였다. 그러나 흉부외과에서는 백병원에서 실행했던 검진을 자체에서 다시 시작했다. X-ray, 초음파, 호흡기능검사, PET, 기도 내시경 검진 등이 연일 계속되었다. 병원은 2인실에서 6인실로 전전했는데 환자들의 화제란 자기 자신의 병력인데 게중에 입담 좋은 환자는 병력을 듣고 의사처럼 진단을 내린다. 말하지 않은 화제는 간호사가 매달아놓은 주사약을 보고 영양제요, 항암제요, 심장 박동조절주사요 하면서 마치 병원 드라마의 내레이터처럼 얘기를 잘한다.

성격의 차이겠지만 "밤새 안녕하세요." 라고 시작하는 아침 인사로부터 하루 종일 여러 사람들의 투병생활을 이야기한다. 이런 말 저런 말 듣고 나면 자신과 비유가 되고 때로는 안심이 되고 때로는 남의 아픔을 같이 하기도 한다. "이 병원의 사망률이 제일 높더라. 그것은 결국 이 병원 저 병원 다니다 마지막으로 이 병원으로 오는 환자가 많기 때문인데 3기, 4기 암이 확산되어 어쩔 수 없는 상태로 오기 때문에 이곳이 제일 좋은 병원이고 제일 많이 죽는 병원이다." 이렇게 해석을 한다. 이치에 맞는 말이다. 그 중에 나는 어디에 해당되는 것일까. 나의 불안한 마음이 끊이지 않는다.

환자들의 얘기를 듣다보면 자각증세도 일어난다. 숨을 쉬면 폐가 아프기도 한다. 이제 말끔하게 정리된 창경궁을 내려다본다. 숲과 궁의 지붕 곡선이 어우러진 모습은 한 군데도 나무랄 데 없는 우리 조상들의 자연친화적인 상상이 역력히 보인다. 궁의 용마루가 반달을 엎어놓은 듯 숲에 가려 사뿐히 보이는 모성적인 곡선이 지그시

하늘을 가려주면서 한쪽만 누르면 한쪽의 지붕이 열릴 듯한 공개적이면서도 자연과 공생하는 느낌의 풍경은 은근히 나를 위로해준다. 그 옛날, 조선 오백 년의 역사를 음미하며 오늘도 장희빈 TV드라마를 보면서 하루가 지나간다.

이겨내야 하는데

인간에게 아픔이란 체형과도 같이 경험이 없는 새로운 아픔, 살을 에는 아픔이 숨도 못 가누게 한다. 곤장을 맞는 억울한 죄인처럼 정신과 몸이 함께 아프다. 비록 속절없는 말이지만 이대로 죽어가다니 6개월이란 한정된 삶을 살아가야 하다니. 은혜를 입은 사람들에게 빚도 못 갚고 어려움에 처했을 때 지혜를 주셨던 신에게 감사도 못 드린 채 가야 하다니…. 이런 생각이 치밀어올 때 빨리 생을 마감하고 싶은 생각과 살아서 갚아야지 하는 갈등 속에 잠을 못 이룬다.

6·25동란 때 피난 가던 산속에 두 갈래 길이 있었다. 하나는 지리산으로 가는 길이고 다른 하나는 고향으로 가는 지름길이었다. 이미 미군이 남에서 북으로 진격했다는 소문을 들었다. 지리산으로 가면 분명 빨치산이 되어야 하는 길이다. 이런 생각 저런 생각에 머리가 터질 것만 같아 잠시 머리를 식히며 산간 초가집 뒤뜰 벽에 기대어 눈을 감았을 때 어머니의 얼굴이 크게 나타나 손짓을 했다. 그 소리와 함께 친구 최봉래가 나를 흔들어 깨웠다. “너, 어쩔래, 모두 떠나고 너하고 나뿐이야, 어떻게 해. 빨리 정해!” 하고 다그쳤다. “우리 어머니에게 가자” 라는 말이 내 입에서 가볍게 흘러나왔다. 친구가 “그럼 좋아. 빨리 산에서 내려가자. 오늘 새벽 미군이 지나갔는데 산 밑에 길을 가로 질러가면 될 거야” 의외로 기쁜 마음으로 대답했다. “그래 빨리 가자!” 한마디 말로 따라나섰다. 나는 비탈을 구르듯 한참을 내려섰다. 순창에서 남원으로 가는 길이었다. 나는 친구를 의심해 시험해보기로 했다. 나를 어디로 데려가려고 하는가,

갑자기 불안했다. "어느 쪽으로 갈래?" "순창으로 가자." 뜻이 하나로 모아졌다.

그 순간 어머니와 하느님께 참으로 감사의 기도를 드렸다. 그리고 지금까지 그 감사의 보답을 못했다. 뿐만 아니라 그 직전에 국민방위군에 소집되어 거창으로 가는데 3백여 명의 대오에 끼어 광주를 나섰고 담양을 지나 어느 천변에 왔을 때 마을사람이 주는 주먹밥 하나를 들고 나오자 인솔자의 소리가 들렸다. "오늘 행군은 여기까지다. 요령껏 잠을 자고 내일 아침 6시에 다시 모여라. 도망치면 총살이다. 알았나!" 간단한 훈령이었다.

막사도 없는 벌판에서 멋대로 자라고 했다. 선뜻 근처 있던 짚더미에 눈이 갔다. 몇 사람과 함께 가봤더니 가을 수확을 하고 남은 짚을 논에 쌓아둔 곳이었다. 날씨는 초설이 내린 초가을. 추위도 만만치 않았다. 짚 다발을 하나 빼고 그 곳에 몸을 심었다. 그리고 빼낸 짚으로 얼굴을 가리고 잠이 들었다. 꿈속이 어지러웠다. 몇 번이고 죽을 고비를 넘기며 누군가 몸을 짓누르는 순간, 소리쳐 일어났다. 6시는 훨씬 넘었는데 "해산, 해산이다, 집에 가서 대기하라"는 외침이 들려 왔다. 머리를 짚 속에 파묻은 채 하느님께 감사를 드렸다. 그때의 감격스런 생의 애착과 감사함을 잊을 수 없다. 난 숙연해졌다. "아! 감사합니다." 고마움에 감사를 드렸다.

산다는 것이 무엇이 그렇게 좋아서 몇 번이고 감사의 염을 끊지 못했다. 그러나 그때부터 나의 삶은 복잡다난했다. 전쟁이 빚어낸 총칼의 통제 앞에서, 법도 인정도 사정도 아무것도 없었다. 총칼을 든 세력이, 큰 집단이 정한대로 살아갔다. 이때부터 인간 경시의 풍조가 일어났다. 사람들을 칭하되, "저 새끼, 개새끼, 이 놈아, 저 놈아" 라고 짐승과 똑같이 불렀다. 그렇게 호칭하고서 발로 차고 뺨을 치고 군화로 짓밟는다. 그러기에 피난 가지 못한 사람들은 은거하기 시작했다. 특별한 사상이 있어서가 아니다. 독일인이 유대인을 대하듯….

동족상잔의 아픔은 오랜 시간 존재하였다. 지금은 교통사고로 하루에도 수십 명씩 유명을 달리하지만 그때는 재수 없으면 끌려가고 시키는 대로 일해주고 매 맞고 뒷거래로 풀려나고, 죄가 있어서가 아니라 살아 있다는 것이 죄였다. 이렇게 험한 세상에서도 난 살아남았는데….

하늘이 정해준 암이라는 병은 시한부 인생이기에 이처럼 허탈하고 기가 빠질 수밖에 없다. 우선 먹는 것부터 의욕이 감소된다. 그리고 모든 것이 희망도 안 보이고 아름다움도 안 보인다. 날로 푸르러 가는 창경궁에 어느 새 벚꽃이 피었다가 져갔다. 내 눈에는 그렇게 피었다가 지는구나, 했을 뿐 아무런 감동도 받지 못했다. 비로 이것을 절망이라고 하는 것 아닌가. 듣는 것도, 보는 것도, 먹는 것도, 모든 것이 폐쇄되어 갔다.

마침내 제로, 영(0)의 세계로 치달았다. 눈에서 색깔이 빠지고 눈을 감으면 잔상이 보이지 않았다. 정신적으로 무서운 충격이었다. 색깔이 빠진 세계, 초점이 흐려지고 눈을 뜨기보다는 감고 싶은 따름이다. 색깔이 빠진 세계, 이것은, 이것은 영혼이 빠져버린 공허한 암흑의 연속이었다.

한때는 의문도 의식도 의아도 모두 색깔 없는 암흑으로 변하고 순간순간 잠과 꿈으로 이어졌다. 6인실이라 해도 두 평 남짓한 다섯 면이 꽉 막히고 한 면만 터진 공간에 침대 하나, 그 위에 누워 있는 것뿐이다. 아무도 간섭하지 않는 공간에서 간호사들이 체온을 재고 당뇨 수치를 체크할 따름이다. 그 무서운 전쟁 속에서도 살아남았는데 내가 왜 이러지! 문득 이런 생각이 들었다. 분명 내가 살아 있다는 의식이 들었다. 삶에 대한 애착보다도 본능적인 반응이었다. 먹고 싶은 의욕은 없는데 아침 식사시간마다 밥상이 들어오자 음식냄새가 방안 공기를 흐린다. 숨을 내쉴 수도 없이 허기에 찼다.

"이러다가 죽겠다." 무의식 속에 물 한 모금을 마셨다. 이웃 간병인들이 식사를 권했다. 밥을 먹을 기운도 없었다. 죽을 떠서 입에 넣어 주었다. 독한 밥 냄새가 온몸에 퍼지자 내장 여기저기서 기지개를 펴는 소리가 귀를 울린다. 꾸르르르. 코를 막고 싶은 반찬 냄새. 무슨 말인가. 판단이 서지 않는 언어 소음. 머리를 흔들었지만 실제로는 머리가 그대로 있었다. “그래, 먹어야지.” 아내가 떠 넣어주는 밥을 식도로 넘겼다. 주르르, 식도로 내려가는 것을 자각한다. 이보다 더한 세계에서도 살아남았는데…. 역시 생물은 에너지가 공급되어야 했다. 밥은 곧 에너지였다. 반 공기 정도 먹었지만 감각기관이 살아난 듯 눈에는 희미한 색감이, 소리의 원근이 조금씩 감지되었다.

참선을 하고 말 것을

나는 참선이 뭣인지는 모른다. 다만 마음을 가다듬고 정신을 통일하여 번뇌를 끊고 진리를 깊이 생각하는 불교적 선도에 들어선다는 것밖에는 모른다. 진즉, 몸과 마음의 번민을 저버리고 삭발하고 선도에 입문할 것을. 두고두고 이런 생각에 아쉬움을 느꼈다. 그러나 한편 이것도 이기적인 생각이 아니겠는가. 누가 이 뒷받침을 한단 말인가. 흔히 말하는 ‘방안퉁수’가 되어 밥만 얻어먹고 인간으로서의 구실도, 가장으로서의 도움도 못 주다니. 모든 것이 때와 계기가 있는 법인데 갑자기 혼자 있고 싶다니. 아내의 무정함을 어떻게 달래며 자식들의 덕망을 어떻게 끊을까. 또 다른 번민을 생산하고 말았다. 평소에 나는 가부좌를 하고 앉아 조용히 묵념하는 것을 좋아하였다. 급한 마음을 가라앉히고 또 한 번 생각해보고 한 번 더 자신을 되돌아보는 그런 기회를 즐겨 가졌다. 그러기에 이런 자기 도피적인 선문을 두드린 것이 아닐까. 지금 이 순간, 어머니 생각이 난다. 어머니께서는 어떤 일에 화가 났거나 번민에 시달리면 “참아라, 참으면 보다 더 귀한 것을 얻을 것이다” 하시면서 이런 예화(例話)를 해주셨다. 옛날 한 젊은이가 아들을 하나 낳아 기쁘기도 하지만 식구를 먹여살릴 수가 없어 멀리 돈을 벌려고 떠났다. 생각해보니 한두 푼 벌어서 집으로 돌아가기는 그렇고 백 량만 벌면 돌아가려니 하고 100량을 벌려고 하자 세월은 흘러 십여 년이 되었다. 그러던 어느 날 100량이 모아지자 일을 끝내고 돈을 싸 짊어지고 아내가 있는 고향으로 떠났다.

강 건너 고향 집이 보이자 기쁨에 차서 벙글벙글 웃음을 짓고 갈 길을 서둘렀다. 어느 초라한 막집 앞을 지날 때 사람들이 웅덕웅덕 모여서 수군대는 것을 보고 그 이유를 묻자 한 도인이 신수를 봐주는데 족집게처럼 잘 맞춰 소문을 듣은 사람들이 밤낮으로 저렇게 찾아온다고 말했다. 이제 중년이 넘어선 젊은이는 벌어온 돈도 있겠다, 앞으로 내 신세가 어떻게 될까 하는 의구심으로 도인의 문을 두드렸다.

“저는 지금 처자식을 먹여 살리려고 객지에서 돈을 벌어 돌아가는 길인데 제 신세가 어떻게 되겠습니까.” “허허, 그렇게 서두르지 마시오. 당신 신수는 백량을 줘도 싼 값이요, 어떻게 그렇게라도 보겠소?” “그러면 내 신세를 바꿀만한 일이 있겠습니까?” “그렇소, 내일 아침이면 알게 될 것이오.” 그래서 100량을 내놓고 자신의 앞날을 물었다. 도인은 “손을 내보시오” 하더니 손바닥에 참을 인(忍) 자를 하나 써주면서 “이 글자대로 매사를 잘 참으시오. 그러면 행운이 올 것이요, 손에 먹물이 마르면 떠나시오.” 했다. 한참 볕에다 손에 쓴 먹글씨를 말리다보니 석양이 뉘엿뉘엿 서산에 져 가며 마지막 나룻배가 떠난다는 소리가 강바람을 타고 들려왔다.

이 사람은 기쁜 마음으로 나룻배를 타고 강을 건너니 해는 지고 어두워졌다. 고향 마을은 호롱불로 반짝였다. 서둘러 집에 돌아온 이 사람은 깜짝 놀래줄 생각으로 창구멍으로 살며시 방안을 들여다보고는 앞이 캄캄해졌다. 아내가 어떤 외간 남자를 뉘어 놓고 이불을 덮어주며 함께 자리에 누우면서 불을 끄는 것이었다. 얼마나 가슴이 뛰고 시기심이 우러나오던지 당장 방안에 뛰어들어 죽이고 싶은 생각이 차올랐다. 이 요망한 것, 하고 두 주먹을 불끈 쥘 때 ‘참을 인’ 자 생각이 났다. 그래서 참고 봐야지, 하고 밖으로 나와 주막에서 한 밤을 새고 아침에 집을 찾아가 보니 아내가 부엌에서 상을 차려나오면서 반겨 맞이하며 방안에 아들을 부르며 “인성아. 네가 기다렸던 아버지가 오셨다. 어서 나와 인사를 드려라”라고 소리쳤다. 그때서야 참을 인자를 크게 내보이면서 춤을 추며 반기었다. 그 뒤로 세 식구가 행복하게 잘 살았다는 얘기였다.

참고 견뎌라. 서두르지만 않으면, 하고 싶은 일을 모두 할 수 있다. 이렇게 인생의 살아가는 근본을 가르쳐 주셨기에 그 어려운 전쟁 중에서도 살아남은 것 아닌가.

생각하면 가슴 끔찍한 일도 많았다. 나에게 자각증세가 있어서 아픔을 느꼈다면 차라리 아픔을 참고 참선을 할 것으로 자식들에게 화를 입히고 어려운 삶에 병원비를 부담시키고 이런 못난 아비가 세상에 어디 있으랴. 차라리 남 몰래 혼자 앓다가 죽고 말 것을…. 이런 생각, 저런 생각이 시한부 인생이란 작은 소재와 어울려 몇 년이 지난 듯한 느낌 속에 드디어 수술 날이 왔다.

등에서 옆구리를 가르던 날

흉부외과 김용태 교수가 찾아와 "잘 결정하셨어요. 수술하는 것이 최선의 길입니다. 내일 모레 수술합시다" 하고 돌아갔다. 수술! 모두가 놀랠 줄 알았더니 이웃 병상에 누워 있는 사람들은 끙끙 앓면서도 당연한 듯 돌아보며 눈빛으로 인사를 한다. "항암주사도 안 맞고 수술하시네." 마치 암 수술의 당연한 순서처럼 말을 건넨다. "항암주사라니?" 그 주사를 맞는 환자들의 고통을 함께 느꼈던 간접 경험으로 그 아픔은 수술보다도 더 하였다. 수술이란 아픔을 이겨내는 것이라고 생각했다. 왜? 좀 더 살기 위하여 나는 벌써 모든 것을 부정적으로 또는 빈정대는 입버릇이 생겼다.

하지만 이미 모든 사항이 결정적 단계에 이르러 전문의의 진단대로 따를 수밖에 없었다. 그러나 나는 내적으로 상상의 그림을 그릴 수밖에 없었다. 혹 상상외로 악화되어 수술도 안 하고 덮어버리지 않을까? 호흡기능이 약하다고 했는데 숨도 못 쉬고 그래도 가는 것은 아닐까, 등 극도로 심신이 약해졌다. 그리고 심장이 뛰어올랐다. 간호사가 체온을 재고 머리를 만져보며 응! 이상하다 왜 이렇게 열이 높지, 하고 고개를 갸우뚱한다.

사람의 몸이란 눈에 보이지 않는 생각이라는 염(念)과 몸은 하나로 이어져 정신적 영감이 몸에 나타남을 알 수 있었다. 필요 이상의 걱정을 하면 입맛이 떨어지고 자신을 이해하는 사람이 찾아오면 기분이 상쾌해지고 아무리 아파도 의식하지 않으면 아프지 않았다. 이것은 신의 조화가 아니고 무엇이겠는가. 아파도 참아야지. 이런 생각으로 이동용 침대에 실려나갔다. 모두들 쾌유하시라는 마음을 실어주었다. 나를 실은 침대는 마취실 앞에서 멈췄다. 이제는 녹색의 가운을 입은 의사, 간호사들이 분주하게 내 몸을 체크하였다. 나는 신에게 나를 맡겨 버렸다. 속으로 주기도문을 외웠다. 그때가 오후 3시. 그 후에 들은 얘기로는 오후 8시가 넘어 중환자실로 나왔다고 했다.

청정한 녹색의 평원에 우뚝 선 나는

중환자실에서 사흘 밤을 잤다. 나는 어느 새 영롱한 초록 언덕의 입체물이 보이고 코발트 색 하늘이 멀리 툭 터진 선경(仙境)에 와 있었다. 미소를 지으며 감동하는 내 모습이 보였다. 멀리서 소리가 흘러나왔다. "여기가 에덴동산입니다." 내 눈은 더 커졌다. 그리고 보이는 것마다 보다 구체적으로 보이기 시작했다. 어느 땐가 성모송을 하는 도중에 꼭 이와 같은 동산이 커다란 렌즈에 확대되어 밝고 맑은 천지를 본 적이 있었다.

그런데 그때와 조금 달라진 모습이 보여 "저기! 저기는 나무가 서 있었는데, 하니까 금방 어린이 장난감처럼 이리 놓이고 저리 놓여 전과 같이 꽃밭도 되고 언덕도 생겨났다. 그리고 나는 어느새 비행기를 탄 것처럼 몸이 떠올랐다. 그리고 에덴동산을 돌며 하늘을 질주하였다. 그러는 사이 나는 모든 것을 확인하고 싶었다. 손으로 만져보고 싶었다. 두 팔을 쭉 뻗고 손을 내저었다. "뭐야, 뭐야" 하면서 청정한 초원이 현실로 돌아왔다. 그리고 눈이 떠졌다.

초원의 색이 하얗게 변했다. “엄마, 아버지가 왜 이래?” 둘째 딸이 나를 간호하다가 깊이 잠들어 있던 내가 손을 저으며 할 수 없는 말을 두런거리며 눈을 뚝 뜨고 고개를 돌리니 얼마나 놀랐겠는가. 딸의 말에 의하면 소름이 돋았다고 했다. 나는 그제야 의식이 회복되었다. 아내와 딸이 눈에 들어왔다. 나는 일어나려고 했다. 그러나 마음뿐이고 움직여지지 않았다. “안 돼요. 당분간 가만히 누워 계셔야 해요” 하는 말이 아스라이 들려왔다.

비로소 나는 전신마취 사흘 만에 깨어난 것이다. 한숨을 내쉬었다. 이미 내 손을 가족들이 잡고 있었다. 마치 사경을 헤매고 일어난 것 같았다. 다시 살아난 것이다. 6개월이란 시한부 인생이 최소한 6년에서 10년은 더 살 수 있다고 했다. 암치고는 초기의 발견으로 이후 항암치료를 받지 않아도 된다고 했다. 임파선이 건강하기 때문에 항체가 이겨낼 수 있다, 감기만 조심하면 건강할 것입니다. 이제야 믿어지는 것같다. 새로운 삶을 설계해야지. 나는 수술 후유증을 극복하는데 최선을 다하고 있다.

Part 7

풀어쓴 동요작곡가 정근

풀어쓴 동요작곡가 정근

1930년 11월 21일 광주시 양림동 210번지에서 4남1여 가운데 막내로 태어났다. 부친은 한학자이자 시인인 정순극(鄭淳極), 모친은 정참이(鄭參二)이다. 본관은 하동. 위로 월북 영화감독 준채(準采 · 1917~1978)와 카자흐스탄 망명작곡가 추(樞 · 1923~2013), 목포상고 출신의 권(權 · 1925~1950), 그리고 누이 경희 (瓊姬 · 1921~2011)가 있다.

1937년 광주 양림교회 부설 양림유치원을 졸업하고 서석초등학교에 입학했다. 1941년 서석초등학교 5학년 때 고향인 전남 곡성군 오산면 봉동리 69번지로 이사를 가서 오산초등학교를 졸업한 뒤 1943년 다시 광주로 올라가 광주서중(5년제)를 다녔다. 1952~1954년경북대 사범대(현 대구사범대)를 2년 수료하고 광주에 돌아와 1954년 신생보육학교 교사를 시작으로 어린이 교육에 뛰어들었다.

광주에서의 활동

1) 새로나합창단 지휘자 시절

1955년 KBS어린이합창단은 한용희의 지휘로 목포 · 광주 · 전주 · 이리 · 군산 · 변산 등을 순회한 데 이어 1956년 부산 대구 대전 인천을 순회 연주했다. 1955년 방송으로만 듣던 KBS어린이합창단의 지방 순회연주는 지방의 어린이 합창운동에 자극을 주는 계기가 되어 지방 곳곳에 방송어린이 합창단의 창설을 보게 되었다.

1956년 1월, 정근과 이은렬에 의하여 발족된 광주방송 '어린이노래회'도 그 중의 하나였다. 두 사람의 지도로 발군의 노래 솜씨를 과시하던 '어린이노래회'는 1957년 세 차례의 서울 공연을 통해 음악인들의 관심을 끌었다. 1959년 '어린이노래회'는 정근의 주도적인 역할에 의해 '새로나합창단'으로 이름을 바꿔 확대 개편된다.

원래 광주방송 '어린이노래회'는 초등학생들로 구성되었으나 남다른 예능 소질을 인정받고 기량을 갈고 닦은 아이들은 중학교에 진학한 뒤에도 음악에 대한 열정을 떨쳐버리지 못했다. 정근은 이들의 열망을 받아들여 '새로나합창단'을 발족시켰던 것이다. 정근이 본격적인 동요 작사와 작곡 활동을 시작한 게 이 즈음이다.

정근이 창작한 동요의 특징은 아이들의 생활 속에서 발견한 동심과 가족, 계절, 꽃, 나무 등 인본주의와 자연주의를 소재로 한 창작 경향에 있을 것이다. 그가 1956년에 작곡한 「우체부 아저씨」는 집집마다 전쟁 때 헤어진 가족의 생사를 확인하지 못한 채 가슴을 졸이던 전후(戰後)시기의 시대적 상황이 배어 있다.

"아저씨, 아저씨 우~체부 아저씨 큰 가방 메고서 어딜 가세요. 큰 가방 속에는 편지, 편지 들었지. 동그란 모자에 아주 멋져요. 편지요, 편지요, 옳지옳지 왔구나. 시집간 누나가 내일 온데요"

훗날 정근은 "전쟁으로 인해 뿔뿔이 흩어진 가족들의 소식을 들을 수 있는 유일한 희망이 우체부 아저씨였다"면서 "골목 어귀에서 만난 우체부 아저씨가 벗어준 커다란 모자를 머리에 쓰고 아저씨를 따라 동네를 한 바퀴 도는 동안 아이의 눈에 아저씨는 등대처럼 빛났을 것"이라고 창작메모에 썼다.

'새로나합창단'은 연습장소도 제대로 마련하지 못하는 등 많은 어려움에도 불구, 해마다 빼놓지 않고 선배 음악인들의 공적을 기리는 '음악의 밤'을 열어 환희에 충만한 노래를 선사했다. 정근의 지도와 문영탁, 임헌정 등의 헌신적인 협조로 이루어진 〈음악의 밤〉은 피아노곡을 합창곡으로 편곡한 주옥 같은 우리 가곡을 들려줌으로써 관객들의 사랑을 받았다. 특기할 것은 1963년 8월, 소록도나환자들의 정착사업장인 '오마도'를 찾은 새로나합창단의 노래선물이다. 새로나합창단은 나환자들의 음지의 삶을 사랑의 선율로 어루만지며 모처럼 소록도의 밤을 환하게 밝혀주었다.

새로나합창단 단원 가운데 음악계의 신데렐라로 성장한 국영순이 김자경 오페라단의 프리마돈나로 활동한 것을 비롯하여 대학에서 후진양성에 힘쓰고 있는 박계, 방현희 그리고 양은희 등이 있다.

2) 아동극 연출자로서의 활동

정근이 1955년부터 상경 직전인 1964년까지 작사한 동요는 「우체부 아저씨」를 비롯, 「비야 비야 오지마라」「눈이 내리면」「고드름」「바다」「눈이 오는데」「눈꽃나라」「바람아 불어라」「소낙비」「무슨 꽃일까」「파리」「멍멍 강아지」「꼬마 염소」 등이 있다.

이 가운데 "비야 비야/ 오지 마라/ 우리 언니 시집갈 때/ 가마꼭지 물든다/ 비야 비야/ 오지 마라"라는 노랫말의 「비야 비야 오지 마라」는 가마를 타고 시집 가던 언니의 모습을 지켜보는 여동생의 심정을 단순하면서도 서정어린 시선으로 그린 작품이다. 가마에 앉은 언니를 따라가지 못하고 가마 주변을 빙빙 돌며 언니의 행복을 비는 작은 아씨들의 동심이 그려져 있다.

정근은 20세 때 열린 전국체전에서 마장마술 부문 전남도 대표로 참가했다. 양림동 외가의 한옥 뒤에는 5백년 수령의 팽나무가 지금도 서 있다. 그 팽나무 밑에 승마용 말을 키우는 마구간이 있어 광주서중 시절의 그는 시간이 나는 대로 말을 타면서 마장마술을 독학으로 익혀 전남도 대표로 출전했다. 자신이 타던 말을 데려갈 수 없어 메달 권에는 들지 못했으나 지도자 없이 단신 출전했다는 것은 그의 승마술이 수준급이었음을 말해준다. 또 하나. 1960년 광주공설운동장에서 열린 전국마스게임 경연대회의 연출을 맡아 대상을 차지하며 '전라남도 문화상'을 수상했다.

3) 무용가로서의 활동

광주에서 근대무용의 형식으로 우리에게 다가온 것은 1930년대 조택원(趙澤元), 최승희(崔承喜)의 순회공연이었다.

1937년 조택원, 배귀자(裵貴子), 박외선(朴外仙), 박영인(朴永仁) 등이 일본에서 활약할 무렵 조택원의 스승 이시이 바쿠(石井漠)도 순회공연을 위하여 광주를 찾았으며, 1939년 조택원은 광주극장에서 「밀레의 만종」 등 몇 가지 창작물을 선보이고, 1942년 '최승희무용단'이 고전무용의 현란한 무대를 펼쳐서 관중들을 매료시켰다. 이처럼 일제 강점기의 광주무용계는 독자적인 기반을 구축하지 못한 채 해방을 맞는다.

본격적인 광주인의 무대는 1945년 11월 최진(崔鎭)의 무용발표회이다. '독립촉성애국부인회' 후원으로 동방극장 무대에 오른 이 발표회에서는 「다뉴강」 「봉선화」 「추풍무」 등의 작품이 선보였는데 해방공간에서 환희에 넘쳐나던 시기에 무용이라는 예술형식을 빌어서 광주인의 기예를 처음으로 과시한 무대였다.

최진은 일본에서 무용가 가네마키(印牧秀雄)에게 사사하며 무용 펜클럽활동과 전문잡지 『국민무용』에 관여하며 활발한 활동을 벌여 왔다. 곧 최진의 지도를 받은 제자 조용자가 발표회를 가진데 이어, 광주여중 교사였던 이경자도 고전무용을 비롯한 나름의 독자적인 예술의 세계를 선 보였다. 이 무렵 조선대학에서 무용을 지도하는 옥파일(玉巴一)이 광주에서는 처음으로 고전발레를 소개했다. 옥파일은 중국 하얼빈에서 백계 러시아인에게 본격적인 발레 수업을 받은 것으로 알려졌다.

1951년 광주여고 교사로서 '무용연구소'를 운영하던 정병호가 창작무용발표회를 가졌다. 발표회에서는 정근, 박학수, 오장현, 송준영, 김정자 등이 함께 출연한 「비창」, 「빈사의 백조」, 정근과 오장현의 「황룡 흑룡」, 그리고 정근의 「밤의 요정」이 각각 소개되었다. 「밤의 요정」이라는 무용은 배경음악이 없이 밤에만 나타나는 동물의 의성이나 목탁소리 등 효과음만으로 극적 분위기를 연출하는 새로운 시도로 그 가능성을 가늠해 보는 무대였다.

서울에서의 활동

4) KBS어린이합창단 지도자 시절

1965년 상경 이후 남산중앙방송국에서 어린이 프로그램의 대본을 집필하며 방송작가로 활동하는 한편 신광초등학교, 리라초등학교 부설 유치원, 숭의여전 부설 유치원에서 교사와 원감으로 활동한다. 이 시절, 이원수 극본, 김규환 작곡, 서옥빈 연출의 〈콩쥐 팥쥐〉가 KBS어린이합창단의 출연으로 방송을 통해 1964년에 처음 발표된다.

그 다음을 잇는 작품이 한국소년소녀합창단에 의해 발표된 주풍연 극본, 김주영 작곡, 정근 연출의 〈노래하는 목장〉이다. 이밖에도 정근 작사, 이은열 작곡의 〈찹쌀떡〉과 정근 작사, 이수인 작곡의 〈혹 뗀 이야기〉가 초창기 KBS의 전파를 탔다.

정근의 노랫말엔 아이들의 눈에 비친 시대상이 드러나 있다. 일별하자면 광주시절과 서울 시절, 라디오 시대와 텔레비전 시대 등으로 구분해 볼 수 있다. 1974년 서울역과 청량리 사이를 잇는 1호선이 개통되면서 시작된 지하철 시대를 맞아 작사한 「싱싱 지하철」, 컬러 TV의 보급으로 아이들이 꿈에 그리던 컬러 영상을 안방에서 즐기기 시작한 1980년에 작곡한 「텔레비전」, 아이들이 방과 후에도 귀가하지 못하고 학원으로 내몰리는 상황을 그린 「학원가는 길」, 이웃과 인사도 하지 않는 아파트촌의 비정함에 멍든 동심을 그린 「아파트」 등의 노랫말이 그것이다.

「구름」「둥글게 둥글게」 등 주옥같은 대표곡들은 경쾌하면서도 쉽게 따라 부를 수 있는 멜로디로 지금까지 꾸준한 사랑을 받고 있다. "저 멀리 하늘에 구름이 간다/ 외양간 송아지 음매 음매 울적에/ 어머니 얼굴을 그리며 간다/ 고향을 부르면서 구름은 간다"는 노랫말의 「구름」은 작곡가 이수인 선생과 함께 남산 중앙방송국에서 내려오다

다방에 들러 차를 마시며 즉석에서 작사했고 이수인 선생 역시 즉석에서 곡을 붙였다.

KBS 간판 어린이 프로그램인 〈영이의 일기〉 〈모이자 노래하자〉 〈누가 누가 잘하나〉와 〈TV 유치원 하나 둘 셋〉 〈딩동댕 7시다〉 등의 방송작가로 활동한 정근은 아이들의 영원한 친구이자 동반자였다. KBS 어린이합창단 지휘자, 반달회 고문, 한국음악저작권협회 이사, 한국레크리에이션협회 이사 등을 역임했으며 그림책에서도 발군의 미학을 발휘했다.

그림책 『자장자장』 『마고할미』 『호랑이와 곶감』은 지금도 베스트셀러로 사랑받고 있다. 동요집 『봄여름 가을 겨울』 『안녕, 안녕』 『유아 노래 100곡집』과 뮤지컬 대본 『폭풍우 속의 아이들』 『혹 뗀 이야기』 그리고 단행본으로 『엄마와 함께 하는 유아극 놀이』 『엄마엄마 얘기 해주세요』 『이런 말하면 안 되는데』 등이 있다. 번역 동화로는 『아기 곰의 가을 나들이』 『나의 크레용』 『바다 건너 저쪽』 『사과가 쿵!』 『못난이 내 친구』 『하지만 하지만 할머니』 『뛰어라 메뚜기』 『좋은 느낌 싫은 느낌』 『쉬야 쉬이』 등이 있다. 2015년 1월 17일, 85세를 일기로 타계했다.

정근 전집 2권

인　　쇄 | 2022년 7월 11일
발　　행 | 2022년 7월 18일

지 은 이 | 정근
펴 낸 이 | 손정순
펴 낸 곳 | 도서출판 작가
(03756) 서울 서대문구 북아현로6길 50
전　　화 | 02)365-8111~2　팩스 | 02)365-8110
이 메 일 | morebook@naver.com
홈페이지 | www.cultura.co.kr
등록번호 | 제13-630호(2000. 2. 9.)

편 집 인 | 정철훈
간행위원 | 현기영(소설가), 양정자(시인), 이상국(시인),
신이영(유라시아문화연대 이사장),
장철문(시인 · 아동문학가),
엮 은 이 | 정철훈(시인 · 편지문학관 관장)

ISBN 979-11-90566-43-8 (04800)
값 55,000원